Adam Michnik

KOŚCIÓŁ · LEWICA · DIALOG

Przedmowa Stefan KISIELEWSKI
Posłowie ks. Józef TISCHNER

BIBLIOTEKA GAZETY WYBORCZEJ

Redaktor serii
DARIUSZ FEDOR

Redaktor
JAN CYWIŃSKI

Korekta
TERESA KRUSZONA

Projekt okładki
KRYSTIAN ROSIŃSKI

Opracowanie graficzne
CEZARY BOCIANOWSKI

Producenci wydawniczy
ROBERT KIJAK, MAŁGORZATA SKOWROŃSKA

Koordynacja projektu
JOANNA BATORSKA

Warszawa 2009

ISBN serii 978-83-7552-700-1
ISBN tomu 978-83-7552-693-6

Druk i oprawa: TZG Zapolex

Kolekcję można zamówić na WWW.KULTURALNYSKLEP.PL
lub pod numerem telefonu 0 801 130 000

Spis treści

Przedmowa

Oto ciekawa książka, a i autor ciekawy, choć poniekąd debiutant. Parę słów o nim. Adam Michnik, urodzony 1946 w Warszawie, to jedna z głównych postaci słynnego polskiego Marca 1968, a także poprzedzających ten Marzec kontestatorskich fermentów wśród warszawskiej młodzieży studenckiej. Swój udział w owej młodzieńczej „kontestacji" Michnik przypłacił wydaleniem z uniwersytetu, procesem i półtorarocznym więzieniem. Po wyjściu z takowego pracował pewien czas fizycznie w jednej z wielkich warszawskich fabryk, po czym otrzymał zezwolenie na zaoczne kontynuowanie studiów z historii na Uniwersytecie Poznańskim. Studia ukończył w roku 1975, uzyskując tytuł magistra za pracę *Problemy wybrane z historii polskiej myśli politycznej na emigracji 1864-1870.* Specjalizuje się w nowożytnej historii Polski. Jest też autorem wielu artykułów poświęconych tej tematyce, zarówno problemowych, jak i czysto historycznych, zamieszczanych pod pseudonimami w krajowych czasopismach katolickich, a także za granicą.

Pod pseudonimami, gdyż Michnik pędzi w Polsce życie obywatela drugiej kategorii, nazwiska jego w prasie wymieniać nie wolno, padał też wielokrotnie ofiarą rozmaitych represji. Mimo to wiedzie żywot bujny, inspirując przeróżne akty opozycyjno-"kontestatorskie", bardzo popularny i ceniony zarówno wśród warszawskiej młodzieży, jak i w tak zwanych sferach intelektualnych. Lubi wkładać kij w mrowisko, zrobił już w tej dziedzinie wiele, a zapowiada jeszcze więcej.

Pierwsza jego książka, poniżej sprezentowana, to zjawisko wyjątkowe, tak pod względem tematu (Kościół a laicka lewica w Polsce w okresie stalinowskim i później), jak i jego potraktowania. Autor prezentuje się w niej interesująco i wielostronnie: jako bezkompromisowy poszukiwacz i wykrywacz prawdy opierający się na erudycji i selektywnej a niezawodnej pamięci, jako odważny i zwłaszcza niekonwencjonalny polemista, odrzucający nieraz tradycyjne, dawno nie rewidowane podziały i przyzwyczajenia myślowe, demaskujący duchowe lenistwo i zaskorupienie, gdziekolwiek by się ono gnieździło, wreszcie jako człowiek obdarzony żyłką kronikarską i instynktem syntezy, co pozwala mu uporządkować, poklasyfikować niedawne polskie sprawy i pokazać je w przejrzystym, informacyjnym skrócie - ważna to rzecz w kraju, gdzie każda dopiero co przemieniona przeszłość polityczna natychmiast znika z wszelkich szpalt i głośników, a wszyscy są skazani na zapominanie wszystkiego, w myśl aplikowanej z góry wszechwładnej „terapii ciszy". Dla mnie osobiście ważny jest Michnik jako świadomy czy nieświadomy realizator wskazań polemicznych Karola Irzykowskiego: walczy naraz ze wszystkimi, broni wszystkich stanowisk przed ofensywą upraszczaczy, choć je także sam dla próby podważa, aby wykryć całą złożoną prawdę, wciela się i wmyśla w obce stanowiska, dopowiada za innych, a także wątpi za innych - przyświeca mu w tych akcjach ideał wszechlojalności umysłowej i wszechobiektywizmu. Nieoceniony więc z niego szermierz i poszukiwacz, choć w zacietrzewieniu mieni się czasem bez bliższych wyjaśnień „socjalistą" czy „demokratycznym socjalistą", czego nie pochwalam, choć za najwyższe autorytety uważa Słonimskiego i Kołakowskiego (co dla mnie niepewne: jeden płytki, drugi w konkluzjach niejasny, poza tym zresztą obaj pisarsko ogromnie utalentowani), choć apoteozuje książkę Cywińskiego *Rodowody niepokornych,* dla mnie wysoce irytującą. Nie pochwalam też Michnika za schematyczny i urazowy raczej niż analityczny stosunek dla endecji: zapomina, że jeśli Piłsudski wychował pół społeczeństwa swych czasów, to drugie pół wyedukował Dmowski, będący twórcą naszej antyniemieckiej historiozofii i polityki, że „staroendecy" czy ONR-owcy ginęli w hitlerowskich obozach jak wszyscy inni i że błędy chodzą po ludziach, bo nikt nie jest prorokiem (choć Dmowski bywał nim kiedyś w większej mierze niż Piłsudski). Ale nie krytykujmy tutaj zawczasu Adama Michnika, na pewno i tak wszyscy go skrytykują, z własnymi jego przyjaciółmi na czele, gdyż w swej analitycznej szermierce nikogo nie oszczędza, zaś definiując jakiś pogląd czy postawę, jednocześnie wskazuje na jego błędy i braki: tego rodzaju wszechzwątpienie, polecane wszakże i przez Marksa, czyni właśnie Michnika adherentem metody Irzykowskiego, a ten, jak wiadomo, też nie miał łatwego życia.

Autor zaczyna swą polemiczną diatrybę od krytyki polskiej „lewicy laickiej" i jej stanowiska wobec Kościoła w okresie stalinowskim. Znam te sprawy od wewnątrz i z praktyki, wraz z ks. Piwowarczykiem, Jasienicą i innymi brałem udział w ówczesnych symbolicznie dyskusyjnych bojach między „Tygodnikiem Powszechnym" a łódzką „Kuźnicą". Ci kuźniczanie i ich środowisko, cóż to byli za ludzie! Szaleństwa Stalina i tragiczne, narodowe opresje jakby do nich nie docierały: żyli w abstrakcyjnej euforii swojej bigoterii sceptycyzmu. Była to namiętność ludzi pióra wyposzczonych przez okupację, częstokroć „zakompleksionych" i oderwanych od życia kraju. Jakaś ahistoryczna skleroza nie pozwalała im dostrzec nowej sytuacji, w której walka narzuconej, totalistycznej władzy z Kościołem i religią stawała się najdotkliwszym zagrożeniem wolności narodu, jego duchowej i politycznej suwerenności, jego historycznej tożsamości. W niejednym felietonie próbowałem zwrócić uwagę profesorowi Tadeuszowi Kotarbińskiemu, tradycyjnemu od przed wojny szermierzowi laicyzacji, że w nowej rzeczywistości ta jego aktywność idzie na rękę działaniom totalitarnym, niweczącym wszelką demokrację, wolność jest bowiem niepodzielna, nie można walczyć o wolność ateizmu, zamykając oczy na zniewalanie religii, walczyć można tylko o prawo swobodnego wyboru. Niestety, uczony profesor nie zrozumiał mnie. Środowisko wojującej laickiej lewicy zawsze było mi obce, od okresu stalinowskiego jednak pozostały mi w stosunku do nich urazy i opory psychiczne, które działały nawet w okresie antytotalistycznych sojuszów (od „listu 34" w roku 1964 poczynając), aż wręcz po dzień dzisiejszy, choć wielu z tych ludzi się „nawróciło" bądź na naród i religię, bądź na tzw. rewizjonizm.

Michnik nie oszczędza tego środowiska, z którego, jak pisze, sam wyrósł, i zdecydowanie odrzuca „polityczny ateizm" oraz „antykościelny obskurantyzm lewicy". Pozycję wyjściową do ataku daje mu znakomite oczytanie w przedwojennych i powojennych wypowiedziach Kościoła oraz poszczególnych teologów (encyklika *Mit brennender Sorge),* ilustruje też swą polemikę ważkimi cytatami z listów pasterskich Episkopatu Polski zarówno w okresie stalinowskim, jak i w czasach późniejszych - enuncjacje te na pewno mało były znane ówczesnym zawodowym krytykom Kościoła. Jakże na przykład rewelacyjnie i wręcz proroczo wypada dziś *Orędzie biskupów polskich do biskupów niemieckich* z roku 1965 i jak niefortunnie wyglądają obecnie jego ówcześni „opluskwiacze"! Przy okazji czyni Michnik małą samokrytykę - przyznanie się do błędu i zmiany poglądów, bardzo to ujmujące. Nareszcie człowiek, co niczego nie zapomina, przy okazji zaś kronikarz obiektywnie oświetlający przeszłość. To samo już by wystarczało, a to dopiero tło, podbudowa dla problematyki głębszej. Ale już i za to będą go bigoci laickości bili, oj, będą bili!

Czy nasuwają się tu jakieś innego wymiaru wątpliwości? Tu i dalej, gdy Autor przechodzi również do krytyki niektórych wypowiedzi episkopalnych, a także, wierny swym ideałom obiektywizmu, zauważa, że jednak nie bez jakiejś kozery przypięto Kościołowi kiedyś etykietkę konserwatyzmu czy zacofania. Można by się, owszem, obawiać nazbyt taktycznego i świecko utylitarnego potraktowania spraw kościelnych przez człowieka, który przecież również mieni się niewierzącym, lecz te obawy w dalszych partiach książki się rozwieją. Chyba jednak Michnik popada w drugą ostateczność, gdy domaga się czy oczekuje od wypowiedzi kościelnych bezbłędności i jednoznaczności, zapominając, że Kościół to też ludzie dopracowujący się łaski, a nawet papież nieomylny jest tylko w sprawach ściśle dotyczących wiary. Zapomina też może Autor o Kościele ludowo-obyczajowym, o konserwatyzmie uroczym i mającym w kulturze swe miejsce (pluralizm kultury - niechże go i Michnik uzna w praktyce). Kościół był chyba zawsze i pozostanie trochę „reakcyjny": to słowo nie wyczerpuje istoty problemu, każda sprawa ma dwie strony, taka jest natura rzeczy, nie człowiekowi dane jest znać wszystkie tajemnice świata tego. Lecz dylemat określonej epoki i miejsca: Polska chrześcijańska w niezbędnej walce z materialistycznym totalizmem - oświetlony został przez Autora bystro i obiektywnie. Patrzmy zatem, co będzie się działo dalej. Czy ten obiektywizm Michnika nie zgubi? „O szalony, gdzie on goni!". Rycerz harcujący między dwoma duchowymi światami - tradycyjnego ateizmu i tradycyjnego katolicyzmu - próbuje przerzucania pomostów czy mostów zwodzonych. Jak mu to pójdzie, zważywszy, że właśnie oto przechodzi do krytykowania pewnych wypowiedzi Episkopatu?

Oczywiście, listy pasterskie i kazania krytykować można i trzeba, stanowią one bowiem jedyne u nas swobodne publiczne życie ideowe, a więc, chcąc nie chcąc, również polityczne. (Nie liczę oczywiście propagandy partyjnej, martwej z natury i założenia, nie liczę też oficjalnych pism katolickich, zredukowanych do minimum przez cenzurę). Ponieważ jest to życie jedyne, którego istnienie uznać zresztą można za swego rodzaju cud, więc się z tym jedynym publicznym przejawem wolnej polskiej myśli nie dyskutuje, nawet prywatnie, co wytwarza warunki swoistego monopolu, ze wszystkimi niebezpieczeństwami, jakie z monopolizmu, nie tylko świeckiego, wyniknąć mogą. Partyjnej propagandy, ze względu na jej tandetność i oczywistą rozbieżność z życiem, krytykować nie warto, polemizować z zakneblowanymi cenzurą świeckimi publicystami katolickimi nie wypada, natomiast krytyka tego, co wolne, jest dla jego własnego zdrowia konieczna. Zwłaszcza gdy chodzi o pewne tradycjonalne urazy psychiczne przemieniające się w sloganową demagogię, np. w osławione zwalanie winy na liberałów i masonów (dziś już nie na „Żydów i cyklistów"). Tu Michnik jest w swoim absolutnie słusznym prawie krytykowania, z którego lojalnie i ze szczerą troską korzysta. Lecz tuż obok, jednocześnie, wierny swej ogólnoszermierczej zasadzie, krytykuje owych przesadnie i urazowo nawróconych komunistów.

Czy jednak na tych polemiczno-intelektualnych ocenach i zastrzeżeniach laika ma się wszystko zakończyć? Nie, Autor odczuwa pragnienie pogłębienia sprawy. I oto ostatnia partia książki jest zejściem w najgłębsze, eschatologiczne pokłady dualizmu między postawą świecką a religijną. Michnik świadomie wykracza tu poza wszelkie kryteria moralno-społeczne, taktyczne, historyczne i próbuje z maksymalnym obiektywizmem zagłębić się i „wcielić" w duchowe życie człowieka wierzącego, dla którego wymiar nadprzyrodzony jest realnością, a metafizyka konkretną potrzebą umysłu. Utożsamiając się hipotetycznie czy roboczo z postawą tych ludzi, wmyślając się w ich sytuację, Autor zdobywa się na stwierdzenie, że wyzbycie się tego rodzaju postaw, przeżyć i przemyśleń stałoby się dla społeczeństwa i jego kultury katastrofalną stratą, zubożeniem o nieobliczalnie szkodliwych konsekwencjach. Lecz, co jeszcze ważniejsze, z wywodów Michnika w tej partii książki przebija jego osobista tęsknota za eschatologią, i to właśnie tęsknota natury INTELEKTUALNEJ. Znakomity wyraz znajduje ona w cytatach z niemieckiego teologa Metza, iż „historia jako całość stoi pod znakiem eschatologicznego zastrzeżenia Bożego", toteż „Kościół strzeże każdego poszczególnego człowieka żyjącego w danym momencie przed potraktowaniem go jako tworzywa i środka do zbudowania technologicznie zracjonalizowanej przyszłości". Ksiądz rzekłby w tym miejscu, że Łaska różnymi drogami dociera do ludzkiej duszy, nie tylko przez Objawienie i wiarę, lecz także przez mózg...

Tutaj więc, w końcowych partiach książki, Autor, jak mniemam, zeszedł najgłębiej i najbardziej oddalił się od swych dawnych współtowarzyszy z laickiej lewicy - zarazem jednak, wskazując im drogę do co najmniej równouprawnienia odmiennych światów, jeśli nie do umysłowego wzbogacenia się przez przyjęcie na stałe do swej intelektualnej świadomości clementów myślenia alternatywnego, choćby dla równowagi, odtrutki czy konfrontacji. Maksymalne to „ureligijnienie" ludzi niewierzących, paradoksalny na pozór postulat wyciągnięcia krańcowych konsekwencji z intelektualnej rzetelności i obiektywizmu - kluczowy akcent tej ciekawej książki.

Książki cennej poza tym przez swą kronikarską wszechstronność, traktuje ona bowiem także o mnóstwie częstokroć zapomnianych realiów: o PAX-ie i o „Październiku", o procesie biskupa Kaczmarka i o *Porozumieniu* z roku 1950, o wydarzeniach 68 roku i wynikłej z nich debacie sejmowej, o konfliktach w „Znaku" i „Więzi". Michnik pisze prawdziwą historię PRL, której jakoś u nas nikt nie pisze (choć istnieje gruntowna a przejrzysta książka niemiecka: Jörg K. Hoensch, Gerlind Nasarski: *Polen. 30 Jahre Volksdemokratie*, Hannover 1975), pisze ją przy tym z pozycji specjalnej, jakiej jeszcze nikt nie zajął. Może właśnie pod takim specyficznym kątem ujęta książka lepiej pokaże nasze sprawy, czasem niewidoczne z daleka, czasem wypaczone z bliska. Oczywiście, gdy Michnik operuje cytatami z krajowych pism i książek, trzeba pamiętać, że ZAWSZE są one wypaczone albo przez cenzurę, albo przez automatycznie już funkcjonującą autocenzurę piszących. Tej poprawki nie wziął pod uwagę Józef Mackiewicz w swych niezbyt uczciwych i sensownych, obsesyjnych książkach o polskim katolicyzmie. Cenzura jest u nas wszędzie i paczy wszystko, choć ludzie często już tego nie czują. W swoim czasie Jerzy Putrament napisał w „Literaturze" paszkwil na niżej podpisanego, w którym zafałszował w sposób bezczelny treść pewnego mojego artykułu w „Spieglu". Cenzura nie dopuściła żadnych sprostowań, nie dopuszczono też do wytoczenia sprawy. W rezultacie zatem kłamca pozostał nie napiętnowany, a kłamstwo uzyskało rangę świadectwa, które pozostanie w myśl zasady *scripta manent*. Cenzura jest więc wszechmocna i działa ponadczasowo, tym przyjemniej oddać w ręce Czytelnika książkę napisaną w Kraju, a niepodległą cenzurze. To nie tylko akt odwagi, to również dowód młodzieńczej sprawności intelektu, bo przestawanie z cenzurą wypacza nas mimowiednie i służymy jej nieraz, wcale o tym nie wiedząc. Tym większy i na poklask zasługujący wysiłek duchowy Adama Michnika.

Stefan KISIELEWSKI

Warszawa, sierpień 1976

Pamięci Antoniego Słonimskiego
poświęcam

I

Posługiwać się będę pojęciem „lewica laicka". Z uwagi na nieprecyzyjność sformułowania, wyjaśnię, jak rozumiem to pojęcie, odnosząc je do czterech dat z najnowszej historii Polski. Będzie to 1936, 1946, 1956 i 1966 rok; każdą z tych dat oddziela od następnej jedno dziesięciolecie. Dość łatwo określić, kto był na lewicy w 1936 roku. Istotnymi cechami konstytutywnymi postawy lewicowej w owym czasie były: antyfaszyzm, opowiedzenie się za planową gospodarką, za reformą rolną oraz postulat rozdziału Kościoła od państwa. Polska lewica przypominała wtedy swym kształtem klasyczne zachodnioeuropejskie wzory. Polska prawica również. Ale w dziesięć lat później obraz był znacznie bardziej skomplikowany.

Przywykliśmy - za oficjalną historiografią - utożsamiać postawę lewicową w 1946 roku z poparciem dla nowej rzeczywistości i nowej władzy ustanowionej przez Armię Czerwoną. Wielu, szczególnie w krajowym środowisku intelektualnym, uważało tak i wówczas. Do ideałów lewicy odwoływali się ideologowie Polskiej Partii Robotniczej: Jerzy Borejsza, Władysław Bieńkowski czy Stefan Żółkiewski; do tych ideałów odwoływali się, nastawieni na współpracę z komunistami przywódcy „oficjalnej" PPS: Julian Hochfeld, Oskar Lange, Adam Rapacki. Wszelako przeważająca część aktywu przedwojennej PPS (np. Pużak, Zdanowski, Zaremba, Dzięgielewski, Ciołkosz, Żuławski) opowiedziała się przeciw „nowej rzeczywistości". Analogiczne opozycyjne stanowisko zajęli tak prominentni intelektualiści lewicy, jak: Maria Dąbrowska, Maria i Stanisław Ossowscy czy Jan Nepomucen Miller. W ramach tradycyjnej formacji lewicowej dokonał się specyficzny rozłam. „Kuźnica" i jej redaktor Żółkiewski akcentowali postępowy program reform społecznych PPR; przywódcy WRN, Maria Dąbrowska czy Zygmunt Żuławski kładli nacisk na wstecznictwo i totalitaryzm metod reformatorskich. To rozdwojenie lewicy zasługuje na pamięć. Zbyt wielu publicystów dość lekkomyślnie - jak sądzę - stawia znak równości pomiędzy Przodującym Ustrojem a programami politycznymi całej lewicy, które to programy - jak pokazuje doświadczenie - nie są bynajmniej tożsame z afirmacją despotyzmu i kłamstwa.

Po upływie kolejnych dziesięciu lat, w roku 1956 - roku polskiego Października - lewica definiowała się poprzez podwójną negację: przeciw siłom konserwatywnym i wstecznym w łonie partii (zwłaszcza przeciw tzw. grupie natolińskiej) oraz przeciw tradycyjnej prawicy uosabianej przede wszystkim przez Kościół katolicki. Tygodnik „Po prostu" atakował jednocześnie stalinowców i katolickich katechetów; Leszek Kołakowski, ideolog lewicy październikowej, systematycznie oskarżany przez kierownictwo partii o opozycjonizm, rewizjonizm i różne inne herezje, był zarazem współpracownikiem tygodnika „Argumenty", organu Stowarzyszenia Ateistów i Wolnomyślicieli, pisma prowadzącego konsekwentną polemikę z Kościołem katolickim i religią. Tak zwani rewizjoniści byli na ogół eksstalinowcami zbuntowanymi przeciwko partyjnej ortodoksji. Na fali Października nawiązali oni stopniowo duchową łączność z ludźmi antystalinowskiej lewicy w rodzaju Marii Dąbrowskiej czy Marii i Stanisława Ossowskich. Lewica laicka miała dwóch wrogów: Komitet Centralny partii i Kościół katolicki. Negatywne skutki tego stanu rzeczy ujawniły się po upływie kolejnych dziesięciu lat.

1966 rok upłynął pod znakiem ostrego konfliktu między kierownictwem PZPR a Episkopatem. Rewizjoniści, a także grupa młodzieży skupiona wokół programu Kuronia i Modzelewskiego stanęli w obliczu najpoważniejszego konfliktu politycznego od czasu rozwiązania tygodnika „Po prostu" (1957). Nikt z tych ludzi - o niekwestionowanej przecież uczciwości i odwadze - nie zabrał głosu w tej sytuacji. Wszyscy oni uważali za właściwe i stosowne czytać i wysłuchiwać bez protestu dziesiątek bredni dostarczanych opinii publicznej przez partyjną propagandę. Ani Leszek Kołakowski, ani Włodzimierz Brus, ani Maria Ossowska, ani Antoni Słonimski - żaden z przywódców moralnych lewicowej i laickiej inteligencji nie przeciwstawił się publicznie załganej kampanii propagandowej przeciw biskupom i absurdalnemu oskarżaniu ich o zdradę interesu narodowego. Postawę tych ludzi - a dotyczy to także wspomnianej grupy lewicy studenckiej - określi najlepiej może dowcipny *bon mot* jednego z wybitniejszych przedstawicieli tego kręgu: „Nareszcie obie strony (tzn. partia i Kościół) są zadowolone, bo każda znalazła polemistę na swoim poziomie". Obie strony konfliktu były jednako obce i wrogie autorowi dowcipu. Podobną postawę reprezentował w owym czasie Leszek Kołakowski. W jednym z kazań wygłoszonych pod koniec 1965 roku ks. kardynał Wyszyński zacytował z aprobatą esej Kołakowskiego *Jezus Chrystus - prorok i reformator*. Esej Kołakowskiego, jak i życzliwy komentarz Prymasa Polski mogły stać się punktem wyjścia do zbliżenia Kościoła i laickiej inteligencji. Stało się inaczej. Kołakowski odciął się na łamach prasy od prymasowskiej interpretacji swego artykułu. Przez cały okres trwania konfliktu wokół listu biskupów polskich do biskupów niemieckich zachował milczenie. Przerwał je w październiku 1966 roku, kiedy wygłosił do studentów Uniwersytetu Warszawskiego prelekcję poświęconą dziesiątej rocznicy polskiego Października. W błyskotliwym i wnikliwym przemówieniu Kołakowski przeprowadził bilans skutków dziesięcioletnich rządów kierownictwa partii. W bilansie tym - przeprowadzonym ze stanowiska opozycyjnej inteligencji - znalazły się sądy tak krytyczne i sformułowania tak radykalne, że ich efektem było wykluczenie Kołakowskiego z partii. Wszelako w tym przemówieniu, ostrym i daleko idącym, nie było ani jednego sformułowania zahaczającego o sferę spraw związanych z polityką partii wobec Kościoła i religii. Lewica laicka rozumiała potrzebę walki o rozszerzenie swobód demokratycznych, ale nie dostrzegała w Kościele sojusznika swych dążeń.

I oto po upływie następnej dekady znów stawiam pytanie: czym jest lewica obecnie, w 1976 roku? Nie umiem na to pytanie odpowiedzieć jednoznacznie. W ostatnich latach, w wyniku klęski oficjalnej ideologii komunistycznej, nasiliły się i upowszechniły nastroje nacjonalistyczne. Widać to wyraźnie zarówno w kręgach władzy, jak i w środowiskach opozycyjnych. I władza, i opozycja są podzielone. Bardziej interesują mnie podziały w łonie opozycji. Posługując się sformułowaniem jednego z moich przyjaciół, powiem, że opozycja składa się z tych, których opozycyjność wynika z przekonania o wyższości systemu kapitalistycznego nad jakimkolwiek innym, i z tych, których programem jest idea demokratycznego socjalizmu. Świadom jestem, jak bardzo upraszczam, ale trzymając się tego uproszczenia, powiem jeszcze, że lewicę utożsamiam z tymi drugimi. Tak pojmowana lewica głosi idee wolności i tolerancji, idee suwerenności osoby ludzkiej i wyzwolenia pracy, idee sprawiedliwego podziału dochodu narodowego i równego startu dla wszystkich; zwalcza zaś: szowinizm i ucisk narodowy, obskurantyzm i ksenofobię, bezprawie i krzywdę społeczną. Program lewicy to program antytotalitarnego socjalizmu.

***

Stosunki pomiędzy Kościołem katolickim a ruchem socjalistycznym od samego początku były bardzo złe. Panowała wzajemna wrogość. Obie strony stawiały sobie zarzuty, które trudno dziś, po latach, ocenić w sposób jednoznaczny. Dla Kościoła program ruchu socjalistycznego był złamaniem zasad Bożego prawa naturalnego i zapowiedzią moralnego nihilizmu. Patrząc z perspektywy historycznej, wydaje się, że w niejednej z tego rodzaju opinii, wyszydzanych zresztą przez socjalistycznych pisarzy, znajdowały się elementy racjonalne i refleksje zasługujące na baczne przemyślenie dziś jeszcze. Z kolei socjaliści zarzucali Kościołowi wrogość wobec reform społecznych, ścisły związek z możnymi tego świata, chęć zdominowania i podporządkowania sobie wszystkich sfer życia świeckiego, wreszcie nietolerancję wobec innowierców i ludzi niewierzących. Konsekwencją negatywnego stosunku socjalistów do politycznej roli Kościoła była ich wrogość wobec religii jako takiej i programowy ateizm. Religia była np. przez Marksa pojmowana jako ideologiczne uzasadnienie panujących stosunków; była interpretowana wyłącznie w kategoriach fałszywej świadomości. „Religia - pisał Marks - jest westchnieniem uciśnionego stworzenia, sercem nieczułego świata, jak jest duszą bezdusznych stosunków. Religia jest opium ludu". Marks postulował „pozytywne zniesienie religii". „Krytyka religii - pisał - kończy się tezą, że człowiek jest najwyższą istotą dla człowieka, a więc kończy się kategorycznym nakazem obalenia wszelkich stosunków, w których człowiek jest istotą poniżoną, ujarzmioną (...) i godną pogardy"[1].

Antropocentryzm i ateizm Marksa zwraca się przeciw określonym społecznym funkcjom, które religia pełniła, do których bywała redukowana na przestrzeni stuleci. Chcę być dobrze rozumiany: nie twierdzę, że w całokształcie konstrukcji historiozoficznych Marksa czy Engelsa jest miejsce na - chrześcijańskiego czy innego - Boga; twierdzę natomiast, że zdecydowany ateizm Marksa wynikał nie tyle z jego nienawiści do samej idei transcendencji, ile ze stosunku do - konserwatywnej i zachowawczej - nauki społecznej ówczesnego Kościoła.

W naszych polskich warunkach mechanizm tych procesów był podobny. Rezygnując z erudycyjnego wywodu historycznego, odwołam się do świadectwa człowieka niepodejrzanego ani o komunizm, ani o obsesyjną niechęć do Kościoła i religii. Jerzy Zawieyski pisał: „Bo czymże był Kościół i katolicyzm dla nas, byłych socjalistów i katechumenów w dwudziestoleciu? Muszę wyznać z bólem, że Kościół w osobie swych urzędowych przedstawicieli, czyli kleru, stanowił dla nas największą przeszkodę na drodze do katolicyzmu i wiary. Katolicyzm równał się dla nas z antysemityzmem, z faszyzmem, z ciemnogrodem, fanatyzmem i wszelkimi zjawiskami antypostępowymi i antykulturalnymi. W Sejmie wojowali niewybrednym słowem i niewybrednymi metodami ówcześni księża-posłowie. Antysemicka działalność ks. Trze-

---

[1] *Dzieła*, t. l, Warszawa 1976, s. 458 i 466

ciaka, pełna jadu i nienawiści, musiała oburzać każdego. Tak zwana »młodzież wszechpolska« w swym programie stawiała hasła Boga i Ojczyzny, dla nas jednoznaczne. Zawierało się w nich wszystko, co wsteczne, agresywne, sycone nienawiścią. Walki na uniwersytetach, w środowiskach młodzieży, przynosiły tylko ujmę młodzieży katolickiej. Z jej grona wychodzili przecież ci z żyletkami i kastetami.

Aktywność pewnej części katolików popierała ruchy nacjonalistyczne, nawet faszystowskie, prowadząc walkę z »wrogiem« na wszystkich frontach myśli laickiej, z wrogiem urojonym, który wcale tej walki nie chciał i nieraz jej nie podejmował.

Dla przykładu niech posłuży stosunek kleru do ruchu młodzieży wiejskiej »Wici«, zwłaszcza do uniwersytetów ludowych i do osoby Ignacego Solarza, kierownika uniwersytetu w Gaci koło Przeworska. Duchowieństwo wszelkimi dostępnymi sobie sposobami zwalczało »Wici« jako chłopską organizację samodzielną, radykalną, nie chcącą się podporządkować ani organowi hierarchii, ani Akcji Katolickiej, ani autorytetom proboszczów. Koła »Wici« niemal z reguły, z małymi wyjątkami, napotykały w swej pracy wychowawczej i kulturalnej trudności, niechętną postawę miejscowych duszpasterzy"[1].

Niechaj ten cytat będzie choćby cząstkową odpowiedzią na pytanie, dlaczego ludzie lewicy laickiej mieli tak negatywny stosunek do Kościoła katolickiego. Ale oto inny cytat: „Wszelka, choćby najsubtelniejsza, najszlachetniejsza w intencjach obrona lub usprawiedliwianie idei boga jest usprawiedliwianiem reakcji. (...) Idea boga zawsze usypiała i stępiała »uczucia społeczne«, podsuwając zamiast tego, co żywe, martwicę, będąc zawsze ideą niewolnictwa (najgorszego, beznadziejnego niewolnictwa)"[2]. Autorem tych uwag był Lenin.

Tenże autor pisał gdzie indziej: „Wszystkie współczesne religie i kościoły, wszystkie i wszelkie organizacje religijne marksizm traktuje zawsze jako organy burżuazyjnej reakcji, służące do obrony wyzysku i tumanienia klasy robotniczej"[3].

Niechaj ten cytat będzie choćby cząstkową odpowiedzią na pytanie, dlaczego chrześcijańskie Kościoły miały tak negatywny stosunek do laickiego socjalizmu.

Konflikt polskiej lewicy laickiej z Kościołem katolickim był - w latach II Rzeczypospolitej - konfliktem totalnym. Symbolicznym przykładem

[1] Jerzy Zawieyski, *Droga katechumena*. Biblioteka „Więzi", Warszawa 1971, s. 35-36.
[2] Włodzimierz Lenin, *Dzieła*, t. 35, Warszawa 1957, s. 105-106.
[3] *ibid.*, t. 15, 1956, s. 397.

powstałej sytuacji może być postać Henryka Dembińskiego. Ten wybitny działacz katolickiego „Odrodzenia" na Uniwersytecie im. Stefana Batorego w Wilnie był nadzieją intelektualną i polityczną swojej generacji. Wysłany na stypendium rządowe do Rzymu i Stolicy Apostolskiej, Dembiński zerwał z ruchem katolickim i wkrótce stał się czołowym publicystą obozu lewicy. Wszelako z rozmaitych przekazów wiadomo, że nie przestał być - mimo gwałtownych ataków na wstecznictwo kleru i na jasnogórskie śluby endeckich żyletkarzy - wierzącym chrześcijaninem. Przemilcza tę okoliczność oficjalna historiografia komunistyczna; czasem napomyka o tym prasa PAX-owska, sugerując, że w Polsce Ludowej Dembiński byłby prawie tak prominentnym działaczem PAX-u jak Piasecki czy Przetakiewicz. Jest to nonsens. Nie mógłby wylądować w PAX-ie ktoś, kto pisał:

„Kluczową pozycją w walce o demokrację są prawa polityczne ludu, czyli, formalnie przynajmniej, równe dla każdego szanse dostępu do organów władzy. Jeśli nie tylko zwierzchnie polityczno-ustawodawcze ogniska władzy, ale też cała sieć organów administracyjnych i sądowych będzie we wszystkich ich instancjach oparta na bezpośredniej wybieralności depozytariuszy władzy, wówczas można już mówić o istnieniu niezbędnych przesłanek demokracji.

Jej istota nie ogranicza się jednak do wybieralności wszystkich organów władzy. Nawet pełny komplet praw politycznych ludu, z pięcioprzymiotnikowym prawem wyborczym na czele, nie wystarcza jeszcze do tego (...), by urny wyborcze choć w części mogły być narzędziem transmitowania woli ludowej do gmachów władzy państwowej. Nawet najbardziej uprzywilejowane warstwy społeczeństwa (...) będą mogły zanieść do urny wyborczej swą żywą i niesfałszowaną wolę jedynie wówczas, jeśli myśl polityczna będzie się kształtować w klimacie wolności.

Trzeba mieć zagwarantowaną nietykalność osoby, jej życia prywatnego, korespondencji i mieszkania, trzeba mieć równą dla wszystkich wolność zrzeszania się, zgromadzania i dyskutowania, trzeba mieć gwarancje wolności słowa, prasy, nauczania i badania naukowego, a wówczas dopiero masy ludowe będą miały to niezbędne minimum, które pozwoli im rozeznać siebie i swe interesy, rozpoznać właściwą sobie ideologię i znaleźć właściwych sobie przedstawicieli.

Demokracja, która by dawała ludowi prawa polityczne, nie dając swobód obywatelskich, nie byłaby demokracją, bo taki człowiek, któremu zakneblują usta, zawiążą oczy i zatkają uszy, a potem w asyście umundurowanego lub cywilnego obserwatora puszczą do urny wyborczej, taki człowiek, jeśli nawet pójdzie głosować, to głos jego będzie cudzym głosem, głosem tych, którzy uzurpują sobie nad nim władzę.

Żeby wybrać należytych przedstawicieli i żeby ich należycie kontrolować, obywatel musi mieć nie tylko pełnię swobód demokratycznych, ale musi też mieć zagwarantowany wgląd w funkcjonowanie maszynerii państwowej. (...) Cokolwiek się dzieje w aparacie państwowym, musi być dla mas rządzonych równie widoczne, jak widoczne jest urzędowanie w gmachu zbudowanym ze szkła.

Im szerszy jest zakres »spraw tajnych i poufnych«, im większa jest tajemniczość i rozmiar funduszów reprezentacyjnych i dyspozycyjnych, im bardziej lakoniczne jest publikowanie cyfr budżetowych i sprawozdań izb kontroli, im bardziej opancerzone są tajemnicą biura personalne, im mniej jest jawności w rozprawach sądowych i administracyjnych, tym mniej jest demokracji...”[1].

Droga Henryka Dembińskiego ilustruje nie tylko jego własny dramat, ale także dramat polskiego katolicyzmu i polskiej lewicy. W środowiskach katolickich konsekwentny antyfaszysta i zwolennik strukturalnych reform społecznych, wróg endeckich rycerzy kastetu nie miał czego szukać. Z kolei lewica nie umiała i nie chciała zaakceptować w całym bogactwie jego złożonej i oryginalnej osobowości. Dembiński mógł stać się lewicowym publicystą jedynie za cenę okaleczenia własnej myśli, za cenę odarcia jej z religijnej wrażliwości i religijnej żarliwości. Dopiero zubożony o tak ważny wymiar swojej osobowości jak wiara w Boga, mógł stać się człowiekiem lewicy. Mógł więc głosić prawdy i wartości Ewangelii, ale nie mógł ich nazwać ewangelicznymi; mógł domagać się sprawiedliwych reform społecznych, ale nie mógł posługiwać się specyficznie chrześcijańską argumentacją za sprawiedliwością w stosunkach międzyludzkich. W ten sposób obóz lewicy wzbogacał się o utalentowanego pisarza politycznego, ale zarazem utracił odrębny a doniosły wymiar myślenia o ludzkiej egzystencji.

A trzeciej drogi Dembiński nie miał. Nie było w owym czasie formacji intelektualnej, która łączyła lewicowy program społeczny z chrześcijaństwem. Można było co najwyżej być oficjalnie lewicowcem, a prywatnie katolikiem. Sytuacje odwrotne się niemal nie zdarzały. Na tym tle wyjątkową postacią - wedle świadectwa Jerzego Zawieyskiego - był ks. Jan Zieja.

„Był wyjątek. Na jednym z zebrań Związku Młodzieży »Wici« - pisał Zawieyski - dostrzegłem raz księdza. Mówił prosto, inaczej niż księża, ujmował

---

[1] Henryk Dembiński, *Wybór pism*, Warszawa 1962, s. 138-139.

sprawę głęboko. Mówił o Ewangelii - i o duchu sprawiedliwości na podstawie Kazania na Górze. Dowiedziałem się, że ten ksiądz - to jakiś biedak z Polesia, który nazywa się Zieja"[1]. Nie jest rzeczą przypadku - myślę - że 40 lat później ludzie lewicy laickiej właśnie z ks. Zieją znaleźli łatwo wspólny język i porozumienie.

***

Ks. François Six powiada, że terenem spotkania francuskich katolików z niewierzącymi był antyfaszystowski Ruch Oporu[2]. W Polsce w latach okupacji taką próbę spotkania podjął zespół młodych socjalistów skupionych wokół pisma „Płomienie". Ideologiem tej grupy był Jan Strzelecki. Cokolwiek by sądzić o późniejszej ewolucji Strzeleckiego - a świadom jestem, jak bardzo jest to postać kontrowersyjna i jak wielu konformistów znajdowało alibi czy rozgrzeszenie w konsekwentnie „wewnątrzpartyjnej" postawie autora *Niepokojów amerykańskich* - to trzeba przecież przyznać, że znaczenie publicystyki i - szerzej - postawy Strzeleckiego dla nawiązania dialogu lewicy laickiej z chrześcijanami jest wprost trudne do przecenienia. Wnikliwe refleksje Strzeleckiego na ten temat, jego rozważania pełne „mądrości bez gniewu", tolerancji i uczciwości intelektualnej stanowią do dzisiaj najcenniejszy i najrzetelniejszy głos z lewicy laickiej w dialogu z chrześcijaństwem.

Wspominając lata okupacji, Strzelecki pisał: „Jeśli»miłosierdzie chrześcijanina jest (...) nieustającą krucjatą przeciwko obojętności i nienawiści« (Mounier), to wszystko, co było żywym istnieniem tego miłosierdzia, chrześcijańską postacią miłości bliźniego, ukazało się nam w tamtych latach jako jeden z wymiarów wielkości ludzkiego świata, jedna z wartości, której ten czas, niosący jej krańcowe zaprzeczenie, nadał szczególny blask. Było ono jedną z sił moralnych sprawiających, że człowiek świadczył człowiekowi pomoc, narażając się przez to na śmierć (...) raczej niż odmówienie pomocy prześladowanemu. Każdy system idei etycznych, podtrzymujący ten wybór jako jedynie właściwy, nadający mu dodatkową, światopoglądową godność, odczuwaliśmy jako system światu ludzkiemu najgłębiej potrzebny. Nie przychodziło nam na myśl, aby z tymi, którzy czynili to, co czynić powinni, świadcząc pomoc w zagrożeniu, roztrząsać zasadność ich wiary. Jeśli zasadę, z której wyprowadzili swe poczucie, że los prześladowanego jest ich odpowiedzial-

---

[1] Zawieyski, *op. cit.*, s. 37-38.
[2] Jean-François Six, *Od „Syllabusa" do dialogu*, Warszawa 1972, s. 73.

nością, nazywali Bogiem, przyświadczaliśmy ich Bogu jako symbolowi źródeł człowieczeństwa; sił, które każą wychodzić naprzeciw drugiemu człowiekowi, nawet jeśliby to oznaczało wychodzenie naprzeciw śmierci". Strzelecki, rozmyślając o etyce chrześcijańskiej, notował: „W etyce tej widzieliśmy jedną z sił nadających ludziom moc oporu wobec nakazów i porywów wszelkich ziemskich namiastek Boga, wszelkich współczesnych lewiatanów obiecujących w zamian za posłuszeństwo - ukojenie poczuciem wspólnoty i służby, ukojenie rozstroju po relatywistycznym indywidualizmie. Chrześcijaństwo stało w poprzek samoubóstwienia partii, państwa, narodu, w poprzek etykom zmilitaryzowanych kolektywów, wydających swoje dziesięć przykazań i mówiących językiem mistyki i strzałów. Było szkołą koniecznej odpowiedzialności za własne indywidualne życie. Mówię tu o etyce, która wartość zbawienia umieszcza ponad wszelkimi wartościami ziemi, ponad uznaniem zespołu, wdzięcznością führera, obawą śmierci i pogardą bliskich. Mówię o etyce, która braterstwo w Bogu - to znaczy w najwyższych wartościach - stawia wyżej niż braterstwo plemienia i broni. Ten chrześcijański heroizm nie był zjawiskiem częstym. Ale różne jego nasilenia, różne stopnie trwały w ludziach jak osad stuleci i ciążyły swą fatalną siłą przeciw sile posłuszeństwa zbrodni, przeciw zwątpieniu, przeciw samotności. Heroizm ów był urzekającym wzorem zatkniętym gdzieś wysoko ponad głowami ludzi związanych z mistyką wierności głosom świętych i aniołów. Był wezwaniem do pokornej wzniosłości, nadającej moc, której nie przełamią moce piekieł - i to nam było bliskie. Szanowaliśmy źródło tego wzoru, widząc w nim redutę podobną do naszej. Stosunek ten trwa do dziś i dlatego wzruszamy ramionami, gdy szacunek dla religii nazwie ktoś uległością wobec fideizmu. Nie mamy szacunku dla »religii w ogóle«, chodzi o bliskość siłom, które broniły godności człowieka i wznosiły go ponad zatruty czar zmilitaryzowanych wspólnot"[1].

Ta wiedza o chrześcijaństwie i chrześcijanach nakazywała Strzeleckiemu rezygnację z ateizmu, odrzucenie postawy antyreligijnej. W programowym - pisanym w 1946 roku - szkicu *O socjalistycznym humanizmie,* szkicu, który stał się powodem licznych polemik i oskarżeń pod adresem autora o rewizjonizm, socjaldemokratyzm, abstrakcyjny humanizm etc., Strzelecki pisał:

„Nie chodzi o to, aby np. jedna teoria estetyki zastąpiła drugą; ani o to, aby jedna z nich stała się przedmiotem nie tylko uniwersyteckich wykładów,

---

[1] Jan Strzelecki, *Próby świadectwa* w: *Kontynuacje (2)*, Warszawa 1974, s. 45-47.

lecz również pogadanek w świetlicach. Chodzi o to, aby sztuka stała się bliższa codziennemu życiu, a życie bliższe sztuki, znajdujące w niej swój wyraz i kształt. Nie chodzi też o to, aby np. katolicyzm zastąpiony został jakimś państwowym kultem w rodzaju robespierrowskiego kultu rozumu, lecz o to, aby także życie religijne w różnych postaciach i zbiorowościach osiągnęło głębokość i pełnię"[1].

Tak brzmiał program Strzeleckiego. Niestety, ten program zawisł w próżni. Ani środowiska katolickie, ani obóz lewicy nie podjęły tych propozycji. Po obu stronach zwyciężyły - czy też raczej pozostały nienaruszone - postawy integrystyczne, które Strzelecki, w innym zresztą czasie, określił jako integryzm czarny i integryzm czerwony. Na porządku dziennym stanął nie dialog ideowy czy światopoglądowy, ale ostry konflikt polityczny pomiędzy dosyć konserwatywnym Kościołem katolickim a szermującą radykalnymi i postępowymi hasłami totalitarną władzą.

Nie negując potrzeby reform społecznych, Kościół twardo bronił swego stanu posiadania. Episkopat konsekwentnie atakował te wszystkie posunięcia nowej władzy, które wiodły ku laicyzacji życia publicznego. Stąd też przedmiotem licznych krytyk było np. wprowadzenie ślubów cywilnych i prawa o rozwodach. Antykościelna i antyreligijna polityka władz oraz z drugiej strony niezgoda Episkopatu na rozdział Kościoła od państwa prowadziły do zarysowania się określonego typu frontu i podziału w konfliktach politycznych. Był to front i podział wyznaniowy. Nie był to, rzecz prosta, podział mechaniczny. Wielu było ludzi, którzy odrzucali nową władzę, nie przynależąc do Kościoła katolickiego; po raz wtóry wspomnieć wypada o przywódcach PPS i o kręgu inteligencji skupionej wokół Stanisława Stempowskiego, Marii Dąbrowskiej, Marii i Stanisława Ossowskich. Byli również i katolicy - czy też ludzie przyznający się do katolicyzmu, ale określający się jako lewica katolicka - którzy zaakceptowali nowy ład i władzę partii komunistycznej. Choć wygląda to na paradoks, przywódcy tej grupy, skupionej początkowo wokół pisma „Dziś i jutro", a później znanej jako PAX, przewodzili przed 1945 rokiem formacji skrajnie prawicowej - bliskiemu wzorom faszystowskim Obozowi Narodowo-Radykalnemu (ONR-Falanga). Bolesław Piasecki i ludzie jego pokroju nieporównanie łatwiej aprobowali totalitarny etatyzm niż pogrobowcy kooperatystycznych idei Edwarda Abramowskiego czy też socjalistów uformowanych przez walkę z obozem sanacyjnym o autentyczność systemu parlamentarnego.

---

[1] *ibid.*, s. 87.

Można przeto mówić o podziałach i konfliktach dwojakiego typu. Z jednej strony źródłem konfliktu był opór Kościoła przeciw laicyzacji życia publicznego, przeciw rozdziałowi Kościoła od państwa, który to postulat był trwałym elementem programów lewicy laickiej w ciągu dziesięcioleci. Z drugiej strony, lewica katolicka - łamiąc front wyznaniowy - definiowała się głównie poprzez pozytywny stosunek do polityki nowej władzy, a władza ta z tygodnia na tydzień coraz bardziej obnażała swój totalitarny charakter.

Znakomita większość lewicowej inteligencji - nie tylko lewica katolicka - poparła rządzących komunistów. Wystarczy przejrzeć roczniki „Kuźnicy", „Odrodzenia", „Twórczości" czy „Myśli Współczesnej", by się o tym przekonać. W koncepcjach intelektualnych i politycznych zrodzonych w tym pierwszym okresie tkwią korzenie późniejszej klęski moralnej i umysłowej polskiej lewicy. Wtedy zaczął się ten bieg po równi pochyłej, który doprowadził ludzi szlachetnych i prawych do zgody na stalinowskie kłamstwo, na przemoc, na zbrodnię.

Temat to osobny, ważny, zasługujący na wnikliwą refleksję. Nie chcę ludzi, którzy identyfikowali się z lewicą, ani lekkomyślnie oskarżać (co jest ostatnio modne), ani lekkomyślnie usprawiedliwiać (co także jest ostatnio modne). Różne były zapewne ich motywacje. Nie ulega jednak dla mnie wątpliwości, że jednym z istotnych czynników, który wpływał na dokonywane wówczas wybory ideowe, był lęk przed klerykalną prawicą, lęk warunkowany przez określoną wizję polskiego katolicyzmu, lęk uzasadniony niejednokrotnie rzeczywistym wstecznictwem Kościoła katolickiego w epoce II Rzeczypospolitej. Ludziom tradycyjnej lewicy łatwiej przychodziło zaakceptować przemoc wtedy, kiedy służyła sprawie tak oczywiście bezdyskusyjnej jak laicyzacja życia publicznego.

***

Argument ten wielokrotnie powraca w rozmowach z ludźmi zaangażowanymi po stronie PPR. Swoją ówczesną opcję ideową motywują oni lękiem przed siłą i wpływami obozu wstecznictwa. „Nie było trzeciej drogi" - powiadają. „Nie byliśmy w stanie przewidzieć - powiadają także - tego, co się stanie potem, ale dobrze pamiętaliśmy praktykę polityczną Kościoła katolickiego sprzed 1939 roku". Z kolei katolicy, ludzie od 1945 roku pozostający w twardej i konsekwentnej opozycji wobec władzy komunistycznej, powiadają dziś: „Jak możemy ufać ludziom, którzy wtedy podeptali nasze najbardziej elementarne prawa? Jak możemy współpracować z ludźmi, którzy wtedy sprzymierzyli się z kłamstwem i przemocą i którzy nigdy nie rozliczyli się ze swoich czynów?". Konsekwencją obu tych stereotypów było m.in. - jakże szkodliwe - milczenie lewicy laickiej w 1966 roku, gdy prowadzono nagonkę na Episkopat, oraz powściągliwość - jakże bolesna - środowisk katolickich w 1968 roku (grupa „Znak" stanowiła chwalebny wyjątek) podczas pogromu laickiej inteligencji.

Znaczna część laickiej inteligencji wiązała z powojennymi reformami nadzieje na likwidację społecznego i kulturalnego zacofania, na realizację wizji Polski sprawiedliwej i nowoczesnej, tolerancyjnej i demokratycznej. Istotnym rysem tej wizji była idea rozdziału Kościoła od państwa. Wszystkie przeto reformy prawne sprzyjające temu rozdziałowi musiały spotkać się z aprobatą lewicowej laickiej inteligencji. Tak też było w przypadku wprowadzenia - już w 1945 roku - ślubów cywilnych i prawa o rozwodach.

Przeciw tym reformom wystąpił Episkopat. Podkreślić tu wypada, że ostrze tego wystąpienia nie było skierowane przeciw rozwodom katolików - to byłoby zrozumiałe. Biskupi wystąpili przeciwko prawu do rozwodzenia się również tych obywateli państwa polskiego, którzy stali poza Kościołem katolickim. Z punktu widzenia człowieka niewierzącego sprawa pozornie wydaje się oczywista. Kościół bronił po prostu swej uprzywilejowanej pozycji. Stąd też pozytywny i pełen aprobaty stosunek lewicowej inteligencji do laicyzacyjnej polityki władzy komunistycznej zdaje się w tym wypadku nie budzić wątpliwości.

Atoli sądzę, że sprawa nie jest ani prosta, ani jednoznaczna. Cały kontekst polityczny ówczesnych lat wskazywał dowodnie, że celem tych aktów prawnych nie był wcale rozdział Kościoła od państwa, lecz podporządkowanie Kościoła państwu, które projektowało politykę ateizacji narodu. Dążenie do podporządkowania Kościoła było fragmentem polityki zmierzającej do całkowitego podporządkowania całego społeczeństwa reżimowi, do zniszczenia wszystkiego, co w społeczeństwie niezależne i zdolne do samodzielności. Słowem: był to element polityki totalizacji.

Można by na to powiedzieć, iż rozdział Kościoła od państwa jest zawsze czymś pozytywnym, nawet wtedy, gdy przeprowadza ten rozdział władza skądinąd nam mało sympatyczna. Odpowiem na to, że istnieje zasadnicza różnica pomiędzy dążeniem do laicyzacji życia publicznego, tzn. do takiej sytuacji, w której - z punktu widzenia państwa - religia jest sprawą prywatną obywateli, a dążeniem do ateizacji, tzn. do likwidacji religii i Kościoła. Odpowiem także: warunkiem autentycznego rozdziału Kościoła od państwa jest rozdział państwa od Kościoła, a nie uczynienie Kościoła posłusznym narzędziem w ręku ateistycznej władzy (jak to ma miejsce np. w ZSRR). Warunkiem rozdziału Kościoła od państwa jest pełna swoboda uprawiania kultu religijnego. Ten rozdział oznacza, że ludzie niewierzący nie są obywatelami drugiej kategorii, ale bynajmniej nie oznacza, że obywatelami drugiej kategorii stają się ludzie wierzący. Z całą pewnością fałszywe jest także utożsamienie laicyzacji z państwową propagandą ideologii „marksizmu-leninizmu" w jej stalinowskim wariancie. Ideologia ta - podając się za naukę - pełniła wszystkie funkcje oficjalnej, państwowej religii. Jeśli wyznaje się pogląd, iż oddawanie czci Bogu winno być sprawą z punktu widzenia państwa obojętną, to równie obojętną sprawą winno być czczenie bożków Partii, Historii czy Postępu.

Przypomnieć w tym miejscu należy celne sformułowanie francuskiego intelektualisty Jean-Marie Domenacha, który pisał: „Świeckością nazywamy, ściśle biorąc, niedopuszczanie do tego, aby jakaś idea mogła sobie zmonopolizować państwo. Przez to też wydaje się, że świeckość zawiera w sobie najlepszy sposób zabezpieczenia świadomości politycznej przed hypertrofią i jest ochroną społeczeństwa przed bałwochwalstwem". Podług Domenacha świeckość (w niniejszym tekście używam terminu „laicyzacja") „jest zabezpieczeniem, które stwarzamy wszyscy razem, wierzący i niewierzący, przeciw opanowaniu państwa przez filozofie totalitarne"[1].

Nie potrafię nic dodać do celnej formuły Domenacha. Zauważę tylko, że ludzie lewicy, ludzie, którzy przeszli przez marksizm, powinni łatwo pojąć, iż prawda jest konkretna.

Można pojąć ogrom złudzeń z 1945 roku, ale nie sposób zrozumieć ludzi, którzy po 30 latach powtarzają niezmienione tezy. Inaczej mówiąc: ocena pewnych idei zależy od kontekstu, w którym są głoszone. I tak: postawa antyklerykalna (choć nie antyreligijna) była w latach II RP - moim zdaniem - wyrazem dążeń postępowych i demokratycznych. Choć nie bez gorzkiej zadumy czytam dziś przedwojenną opinię ks. Stefana Wyszyńskiego, że „inteligencja nasza nieraz (...) przygotowuje grunt dla komunizmu, a sobie szafot"[1], to jednak sądzę, iż opór przeciw praktykom politycznym Kościoła był w owym czasie - przynajmniej ze stanowiska ludzi lewicy laickiej - rozumny i zrozumiały. Ale ten sam antyklerykalizm nabierał zgoła innego sensu w chwili, gdy Kościół stawiał opór dążeniom władzy państwowej do totalizacji życia duchowego społeczeństwa.

[1] Jean-Marie Domenach, *Świadomość religijna i świadomość polityczna*, „Więź" nr 6/1958.
[2] Ks. dr Stefan Wyszyński, *Inteligencja w straży przedniej komunizmu*, Katowice 1939, s. 5-6.

To, co wczoraj było postępowe i demokratyczne, co zdawało się wieść ku wolności i tolerancji, w odmienionej sytuacji służyło wstecznictwu, otwierało wrota przemocy i tępemu fanatyzmowi. Ludzie lewicy laickiej - autor tych rozważań siebie do tej formacji zalicza - winni o tym stale pamiętać. Staliśmy się nieświadomie narzędziem w rękach totalitarnej władzy, która z obcego mandatu i przy obcej pomocy działała na szkodę polskiego narodu. Dopóki tego nie przyznamy jasno i otwarcie, nie możemy liczyć na zrozumienie i zaufanie ze strony ludzi o biografiach odmiennych od naszych.

***

Leży przede mną encyklika papieża Piusa XI *O położeniu Kościoła katolickiego w Rzeszy Niemieckiej (Mit brennender Sorge)*. Encyklika ta, opublikowana w marcu 1937 roku, zawiera stanowisko Kościoła wobec ideologii nazistowskiej i polityki władców „tysiącletniej Rzeszy".

„Nie ten wierzy w Boga, kto krasomówczo posługuje się wyrazem »Bóg« - czytamy w encyklice - lecz ten, który z wzniosłym tym słowem kojarzy prawdziwe i godne pojęcie Boga. (...) Kto w myśl rzekomych starogermańskich i przedchrześcijańskich wierzeń osobistego Boga zastępuje ponurym nieosobistym losem, przeczy mądrości i Opatrzności Bożej (...). Kto rasę albo naród, albo państwo, albo pewien ustrój państwa lub przedstawicieli władzy państwowej, albo jakąkolwiek inną zasadniczą wartość społeczności ludzkiej – zajmującą bez wątpienia istotne i uwagi godne miejsce w naturalnym porządku - z tej hierarchii wartości wyłącza, do najwyższej normy wszystkich, także religijnych wartości podnosi i bałwochwalczo ubóstwia, ten odwraca i fałszuje porządek naturalny stworzony i nakazany przez Boga. (...) Tylko powierzchowne umysły mogą popaść w błędne pomysły o Bogu narodowym lub religii narodowej. One tylko mogą ważyć się na szalony zamysł zamykania Boga w granicach jednego narodu, w etnicznej ciasnocie jednej rasy, tego Boga, który jest Stwórcą wszechświata, Królem i Prawodawcą wszystkich narodów".

W rozdziale „Wiara w Kościół" czytamy:

„W Waszych dzielnicach, Czcigodni Bracia, odzywają się coraz częściej głosy wzywające do wystąpienia z Kościoła. Pośród prowodyrów tego ruchu znajduje się wielu takich, którzy dzięki swemu urzędowemu stanowisku starają się wywołać wrażenie, jakoby wystąpienie z Kościoła i nieodłączna od tego niewierność Chrystusowi stanowiły szczególnie przekonywającą i zasłużoną formę wierności wobec obecnego państwa. Ukrytym lub jawnym przymusem, zastraszeniem, groźbą gospodarczych, zawodowych, obywatelskich i innych szkód wywiera się na wiernych katolików, a szczególnie na pewne klasy urzędników katolickich nacisk, sprzeczny również z prawem, jak i z godnością ludzką. Współczujemy głęboko w sercu ojcowskim i cierpimy z tymi, którzy wierność swoją Chrystusowi i Kościołowi tak wielką przypłacają ceną. Ale wtedy chodzi już o rzeczy ostateczne i najwyższe: o zbawienie lub potępienie. Wobec tego pozostaje wierzącemu tylko droga bohaterskiego męstwa jako jedyna droga zbawienia".

I dalej o porządku moralnym:

„Moralność ludzkości zasadza się na prawdziwej i nieskażonej wierze w Boga. Wszystkie próby oderwania moralności i porządku moralnego od granitowego podłoża wiary i zbudowania ich na lotnym piasku ludzkich zasad doprowadzą wcześniej czy później jednostki i społeczności do moralnego upadku. Głupi, mówiąc w sercu, że nie ma Boga, chadzać będzie drogami zepsucia moralnego (Ps. 13, 1n.). Liczba tych głupców, poważających się dziś na rozłączenie etyki od religii, stała się legionem. Nie widzą albo nie chcą widzieć, że usunięcie wyznaniowego, tj. jasno określonego chrześcijaństwa z nauczania i wychowania, niedopuszczenie go do współkształtowania życia społecznego i publicznego, wieść musi na tory duchowego zubożenia i upadku. Żadna przemoc państwowa ani też żadne wyłącznie ziemskie, choćby same w sobie szlachetne i wzniosłe, ideały nie zastąpią na dalszą metę ostatnich i decydujących bodźców pochodzących z wiary w Boga i w Chrystusa".

O prawie przyrodzonym:

„Złowrogim znamieniem doby obecnej jest i to, że się nie tylko zasady moralności, lecz i podstawy prawa oraz wymiaru sprawiedliwości coraz bardziej odłącza od prawdziwej wiary w Boga i od objawionych przykazań Bożych. Mamy tu na myśli szczególnie tzw. prawo przyrodzone, zapisane palcem Stwórcy na tablicach serc ludzkich (Rzym. 2, 14), które zdrowy, niezaciemniony grzechem lub namiętnością rozsądek z tablic tych wyczytać może. W świetle zasad tego prawa przyrodzonego można zbadać treść każdego prawa pozytywnego, jaki bądź by prawodawca je postanowił, i ustalić, jaka mu przysługuje moc moralna i w jakiej mierze w sumieniu obowiązuje. Ustawy ludzkie, w bezwzględnej pozostając sprzeczności z prawem przyrodzonym, w samym zarodku dotknięte są niedomaganiem, którego żaden przymus ani też żadna zewnętrzna przemoc uleczyć nie może. Tą miarą należy też mierzyć zasadę:»Prawem jest to, co służy narodowi«. (...) Zasada owa oderwana od prawa moralnego doprowadziłaby w życiu międzynarodowym do nieustannej walki pomiędzy różnymi narodami. W życiu narodowym zaś, mieszając względy pożyteczności z względami prawa, nie uznaje podstawowego faktu, że człowiek jako osobowość posiada prawa dane mu od Boga, które winny być zabezpieczone przeciw jakiemukolwiek zamachowi ze strony zbiorowości zmierzającemu do ich zaprzeczenia, zniesienia lub unieruchomienia. (...) Człowiek wierzący posiada nieutracalne prawo wyznawania swojej wiary i odpowiedniego ujawniania jej. Ustawy (...) utrudniające wyznawanie i wykonywanie wiary sprzeciwiają się prawu przyrodzonemu. Rodzice (...) posiadają pierwsze i pierwotne prawo kierowania wychowaniem przez Boga im danych dzieci, w duchu prawdziwej wiary i zgodnie z jej zasadami i przepisami. Ustawy i inne zarządzenia, które w sprawach szkolnych nie liczą się z tą wolą rodziców prawem przyrodzonym popartą lub ją obezwładniają groźbą czy przymusem, sprzeciwiają się prawu naturalnemu i są z istoty swej niemoralne".

O sytuacji młodzieży encyklika mówi: „Jeśli państwo tworzy organizacje młodzieżowe, do których ona [tzn. młodzież - przyp. autora] z obowiązku należeć musi, w takim razie - pomijając zupełnie prawa organizacyj kościelnych - sama młodzież ma oczywiste i niezaprzepaszczalne prawo domagania się wraz z rodzicami odpowiedzialnymi za nią przed Bogiem, by przymusowe te organizacje były oczyszczone ze wszystkich przejawów wrogich wierze i Kościołowi".

„Formalne utrzymanie nauki religii, kontrolowanej i krępowanej w dodatku przez niepowołane czynniki a udzielanej w atmosferze szkolnej, w której w innych przedmiotach planowo i nienawistnie przeciwdziała się tej religii, to samo nie uprawnia jeszcze wierzącego chrześcijanina, by dobrowolnie zgodził się na taką szkołę działającą w sposób rozkładający na religię"[1].

Te obszerne fragmenty z papieskiej encykliki służyć mają nie tylko uświadomieniu laickiemu czytelnikowi wysoce złożonego stosunku Stolicy Apostolskiej do Trzeciej Rzeszy. Naszą intencją jest wskazanie na zasadniczy kierunek krytyki hitlerowskiego totalizmu przez Kościół katolicki. Będąc instytucją powołaną do służby Bogu i do głoszenia Ewangelii, Kościół koncentrował ciężar swoich krytyk na tych fragmentach polityki, które mu uniemożliwiały realizację elementarnych powinności. Siłą rzeczy w atakach na reżim na pierwszy plan wysuwali biskupi (m.in. w liście pasterskim wydanym w Fuldzie 20 sierpnia 1935 roku, liście czytanym z ambon i skonfiskowanym przez hitlerowską cenzurę) wszelkie ograniczanie uprawnień Kościoła katolickie-

---

[1] *O położeniu Kościoła katolickiego w Rzeszy Niemieckiej*, encyklika Piusa XI, Lwów 1937, s. 9-11, 21-42 (rozdz. 9-15, 26, 37-47, 59).

go i religii katolickiej. Można widzieć w tej walce Kościoła jedynie obronę przywilejów, można ją potraktować jako jeszcze jedno świadectwo kościelnego i katolickiego partykularyzmu. Wszelako można również rozważyć, jaką funkcję pełniła obrona partykularnych przywilejów Kościoła katolickiego w warunkach totalitarnej dyktatury.

Odwołajmy się do przykładu. Biskupi niemieccy pisali: „Prawa małżeńskie katolickiego Kościoła, jak zakaz małżeństw między krewnymi i zakaz nieludzkich rozwodów, były nieobliczalnem błogosławieństwem dla czystości krwi i dla zdrowia rodzin. Dla obyczajów byłoby rzeczą fatalną, gdyby w przeciwieństwie do chrześcijańskich praw małżeńskich zaczęto ujmować małżeństwo tylko z punktu widzenia czystości rasy"[1]. W innych warunkach politycznych walka o prawo do rozwodów była dążeniem do poszerzenia sfery swobód ludzkich, obrona zaś katolickich zasad prawa małżeńskiego (przy założeniu, że obejmuje ono - jako prawo państwowe - także niekatolików) była tożsama z ograniczaniem tych swobód. Aliści w warunkach hitlerowskiej dyktatury zmienił się sens konfliktu wokół prawa małżeńskiego: obrona koncepcji katolickiej stała się obroną praw ludzkich przed uroszczeniami totalitarnego rasizmu.

W hitlerowskich Niemczech obrona religii była czymś więcej niż tylko obroną religii. Była obroną autonomii osoby ludzkiej. Występując w obronie religii, Kościół występował w obronie zasady głoszącej, że człowiek nie jest własnością władzy państwowej; że człowiek ma swoje przyrodzone prawa, których żadna władza państwowa pozbawić go nie jest władna.

Analiza konfliktu Kościoła katolickiego z władzą hitlerowską wskazuje dowodnie, iż niepodobna było zredukować roli Kościoła do zadań czysto konfesyjnych, że taka redukcja leżała wyłącznie w interesie hitlerowców. Likwidacja przywilejów Kościoła katolickiego nabierała w tym kontekście szczególnego sensu: stawała się likwidacją ostatniego być może bastionu praw człowieczych. Likwidacja szkół wyznaniowych we Francji na początku naszego stulecia była fragmentem rozdziału Kościoła od państwa; likwidacja szkół wyznaniowych w hitlerowskich Niemczech oznaczała całkowite zdominowanie edukacji młodzieży przez nazizm. Powtórzmy raz jeszcze: te same postulaty formułowane w odmiennych sytuacjach nasycały się różnymi treściami. Walki Kościoła o szkołę wyznaniową w warunkach hitlerowskiej dyktatury nie można oceniać analogicznie do walki Kościoła

---

[1] *List pasterski biskupów niemieckich* w: „Szkoła Chrystusowa", październik 1935, s. 180.

o szkołę wyznaniową w republikańskiej Francji. Czy jest sens obronę szkoły wyznaniowej w Trzeciej Rzeszy kwalifikować jako obronę obskurantyzmu i wstecznictwa? Czy nie jest największym wstecznictwem utrwalanie reżimu totalitarnego, niezależnie od tego, czy ów reżim posługuje się prawicową, czy też lewicową frazeologią polityczną? Czy my - ludzie lewicy laickiej - nie powinniśmy wreszcie pojąć, że w obliczu totalitarnej dyktatury tradycyjne pojęcie „postępu" i „wstecznictwa" czy też podziały na „prawicę" i „lewicę" stają się mniej istotne od zasadniczej linii podziału, która dzieli zwolenników totalizmu od jego przeciwników? I czy nie powinniśmy - wychodząc z tych konstatacji - zrewidować naszego tradycyjnego poglądu na sytuację i rolę Kościoła katolickiego w powojennej Polsce? Pamiętam konferencję sprawozdawczo-
-wyborczą uniwersyteckiej organizacji PZPR w Warszawie w grudniu 1966 roku. Głównym tematem dyskusji była - żywa wtedy - sprawa usunięcia z partii profesora Leszka Kołakowskiego. W obronie Kołakowskiego wystąpił jeden z przywódców wewnątrzpartyjnej opozycji na UW, moralny autorytet w środowisku studenckim, profesor ekonomii politycznej Włodzimierz Brus. Odważne i błyskotliwe przemówienie Brusa rozpętało burzę i gwałtowne
- choć niezbyt udolne - repliki Stanisława Kociołka (wówczas I sekretarza KW w Warszawie) i Andrzeja Werblana (wówczas kierownika Wydziału Nauki KC PZPR). Dla zwolenników prof. Brusa, tak jak i dla jego oponentów stało się oczywiste, że autor *Ogólnych problemów funkcjonowania gospodarki socjalistycznej* znalazł się w ostrym i otwartym konflikcie z władzami partii. Krytykując decyzję o usunięciu Kołakowskiego z partii, Brus ostro zaatakował zarzut postawiony Kołakowskiemu, iż „swą działalnością obiektywnie popierał reakcyjną politykę Episkopatu i kardynała Wyszyńskiego". Cóż oznaczają te sformułowania? - zapytywał retorycznie Brus. I odpowiadał: „Przecież oznacza to, że skoro Kołakowski idzie z Wyszyńskim, to Wyszyński idzie z Kołakowskim! Jakież pozytywne świadectwo zostało wystawione temu najbardziej reakcyjnemu przywódcy najbardziej reakcyjnego Episkopatu w Europie!".

Włodzimierz Brus z pewnością mówił szczerze i na pewno nie było jego intencją przekonywanie, że wspólnym wrogiem władzy i „rewizjonistów" jest Episkopat. O takiej wspólnocie w owym czasie nie mogło już być mowy. A jednak Brus wypowiedział publicznie swój zdecydowanie negatywny sąd o Episkopacie wkrótce po agresywnej nagonce antykościelnej w związku z listem do biskupów niemieckich. Powiedział to, co myślało wielu z nas. Sądziliśmy, że „mimo wszystko" główny wróg postępu jest tam, gdzie zawsze - na tradycyjnej prawicy - a jego ekspozyturą jest nieodmiennie hierarchia Kościoła rzymskokatolickiego. Ponieważ sam tak sądziłem, wspominam ten czas ze wstydem. Nie potrafię dziś pojąć, jak mogłem w dwa lata później dziwić się i zżymać, kiedy ten „reakcyjny Episkopat" uznał konflikt lewicowej inteligencji z reżimem za wewnątrzrodzinną awanturę między komunistami. Czy daliśmy jakikolwiek powód - my, ludzie lewicy laickiej - by Episkopat sądził inaczej?

Cofnijmy się myślą. I zacznijmy ideowy rachunek sumienia od siebie, a nie od innych. Czy po 1945 roku uczyniliśmy cokolwiek, by ludzie wierzący przestali utożsamiać postawę lewicową z postawą antyreligijną? Jak reagowaliśmy na potęgujące się prześladowania Kościoła? Jak reagowaliśmy na sfingowany proces biskupa Kaczmarka? Jak reagowaliśmy na likwidację „Tygodnika Powszechnego"? Jak reagowaliśmy na bezprawny areszt Prymasa Polski? Czy w naszym środowisku rozległ się wtedy głos protestu? Czy zachowaliśmy chociaż milczenie, w myśl zasady, że leżącego się nie kopie? Odpowiedzmy szczerze. Popieraliśmy politykę represji, często okrutnych, widząc w niej drogę do „nowego wspaniałego świata"; oskarżaliśmy Kościół o reakcyjność i wszystkie inne grzechy główne, nie bacząc na to, że w atmosferze totalitarnego zniewolenia Kościół bronił prawdy, godności i wolności człowieczej. Bronił również swoich przywilejów i wielu innych rzeczy, które wydają się nam mało pociągające. Ale nie bijmy się w cudze piersi. Nie przeprowadzajmy cudzych bilansów, zanim nie rozliczymy się sami z sobą.

***

Rozliczając się konsekwentnie z własną tradycją i własną przeszłością, czuję się w obowiązku wyjaśnić - w tym miejscu - co spowodowało zasadnicze przeobrażenie wizerunku Kościoła i chrześcijaństwa w oczach ludzi takich jak ja sam, w oczach ludzi całkowicie odległych - by nie powiedzieć wrogich - Kościołowi i chrześcijaństwu. Myślę tu o roli, jaką odegrał w naszym życiu duchowym i umysłowym miesięcznik „Więź". O genezie i profilu ideowym tego pisma będzie mowa dalej. Już tu jednak wspomnieć wypada o pewnych cechach polityki redakcyjnej „Więzi": o uporczywym i konsekwentnym dążeniu do dialogu z inaczej myślącymi, o wytrwałym wysiłku zasypywania rowów, które dzielą wierzących od niewierzących, o ciągłym przekraczaniu „kredowych kół" wyznaniowych.

„Więź" znalazła język, który do nas dotarł; „Więź" budowała nowy typ więzi ideowych. Wszelako redaktorzy pisma nie mieli łatwego życia. Zwalczani byli zapamiętale przez PAX; nie ufano im ani w środowiskach laickich, ani w Episkopacie. PAX-owcy widzieli w „więziowcach" zwolenników socjalizmu w jego kształcie humanistycznym, gdy sami akceptowali totalitarny stalinizm. Środowiska klerykalne oskarżały „Więź" o to, że była „koniem trojańskim" dla modernistycznych nowinek. Tymczasem było odwrotnie. Jeśli „Więź" szerzyła gdzieś dywersję ideologiczną, to w kołach ateistycznych i antyklerykalnych. Cierpliwą i dalekowzroczną polityką - łatwą do wyśledzenia w artykułach Tadeusza Mazowieckiego i innych - zespół „Więzi" potrafił ukazać nam inną, daleko bardziej prawdziwą twarz Kościoła katolickiego; potrafił ukazać głęboki sens postawy katolickich biskupów; potrafił - wreszcie - otworzyć niektórych z nas na tajemnicę tego, co nadprzyrodzone. Dzięki temu doświadczeniu intelektualnemu, jakim była lektura kolejnych numerów „Więzi", potrafię spoglądać dziś inaczej na całą przeszłość Kościoła, a zwłaszcza na rolę, jaką Kościół spełniał przez ostatnie 30 lat życia naszego narodu.

***

W epoce nasilonego terroru stalinowskiego (1948-1955) Polska była krajem bezprawia, konstytucja świstkiem papieru, swobody religijne fikcją. Linia postępowania Kościoła nie różniła się w zasadzie niczym od tej nakreślonej w encyklice Piusa XI. Kościół bronił swej wiary i swego prawa do głoszenia nauk Ewangelii.

Spróbujmy zrekonstruować zasadnicze linie postępowania Kościoła katolickiego na podstawie ówczesnych dokumentów kościelnych i listów pasterskich Episkopatu i Prymasa Polski.

W *Liście Episkopatu do katolickiej młodzieży polskiej* datowanym 15 kwietnia 1948 roku czytamy:

„Nowe potrzeby stojące przed odbudowującą się Ojczyzną, konieczne przemiany w życiu społecznym i gospodarczym zbiegły się z wytężoną propagandą światopoglądu materialistycznego. (...) Nie brak głosów, które z góry przesądzają, że przeżyło się wychowanie oparte na zasadach chrześcijańskich i że trzeba szukać nowych sposobów kształtowania młodych pokoleń. Szerzy się hasło całkowitej »przebudowy świadomości człowieka«, przez co rozumie się oparcie wychowania na światopoglądzie materialistycznym. Nowe urządzenie świata i sposobienie człowieka do nowych czasów ma się odbywać bez Boga i bez religii, poza chrześcijańską tradycją Narodu. (...) Kościół nie może się godzić na wychowanie młodzieży katolickiej bez Boga, przy przemilczaniu Jego nauki, przy odrzucaniu Jego przykazań. (...) Kościół nie przesłania

Wam oczu na doczesne obowiązki, ale zarazem wychowuje Was w poczuciu Waszej wysokiej godności jako rozumne i wolne dzieci Boże, związane z losami tej ziemi, ale skierowane ku wiecznym przeznaczeniom. Macie dążyć do poznania całej prawdy, a więc prawdy przyrodzonej i prawdy objawionej. Macie urzeczywistniać w sobie całego człowieka. (...)

Zachowajcie jasną postawę wobec poglądów poniżających człowieka jako stworzenie Boże. Wytrzymujcie w świetle nauki i w duchu wiary wszystkie próby przekonywania Was, że człowiek nie ma nic wspólnego z aktem stwórczym wiecznego Boga, lecz po prostu »zszedł z drzewa«. Odeprzyjcie ten zamach przez wiarę żywą (...).

Ze szczególnym spokojem odnoście się do całego nalotu prasy, propagandy i żywych apostołów materializmu, zachowajcie się z dobrocią i wyrozumiałością. Oni bowiem najczęściej nie wiedzą, co czynią. Uodpornijcie się na ataki błędu. Odrzućcie na bok powódź materialistycznej literatury. Natomiast tym gorliwiej zabierzcie się do (...) systematycznej pracy szkolnej (...). Gruntowne studia powoli ukażą Wam szerokie dziedziny życia, w których sprawy gospodarcze zajmują doniosłe miejsce, nie są atoli wszystkim, bo nie mogą wypełnić wszystkich pragnień człowieka. (...) Nie gorszcie się materializmem starszych i szanujcie dobrą wolę tych ludzi w szeregach materialistów, którzy szczerze pracują dla lepszego jutra mas robotniczych. (...) Bądźcie realistami życiowymi, lecz w granicach prawa Bożego i nigdy nie zapierajcie się ideałów chrześcijańskich. Postanówcie sobie pracować nie tylko dla dobrobytu kraju, ale i dla jego chrześcijańskiej kultury i dla Chrystusowego ducha. (...)

Materializm nie uznaje ani przykazań Bożych, ani wiecznych praw moralnych, ani etyki chrześcijańskiej, ani w ogóle stałej normy moralnej. Wyznaje kult doczesności, zmysłowe używanie, walkę o warunki bytu, nienawiść. Wam (...) przypada zaszczytne zadanie ratować zasady i praktykę moralności chrześcijańskiej we własnym życiu i w swym otoczeniu. (...) Bądźcie czystego serca. Szanujcie w obyczajach święty Zakon Boży i swą godność człowieczą. Kochajcie bliźniego szczerością ewangelicznej miłości (...). Strzeżcie się nienawiści, która jest wyziewem piekła. W obliczu powojennego upadku uczciwości wystrzegajcie się każdej krzywdy bliźniego i samolubstwa. (...) I kochajcie prawdę. Bądźcie jej wyznawcami i apostołami. Zakłamanie deprawuje duszę i jest sprzeczne zarówno z zasadą moralną, jak i z założeniami odrodzenia narodowego"[1].

[1] Listy pasterskie Episkopatu Polski 1945-1974, Paryż 1975, s. 63-66.

W *Liście pasterskim Episkopatu Polski na uroczystość Chrystusa Króla* biskupi pisali m.in.: „Nie posyłajcie dzieci do szkół, z których usunięto naukę religii. W Polsce nie ma prawnego przymusu zapisywania dzieci do szkół bezwyznaniowych". I nieco dalej: „Wzywamy wszystkich do twórczego czynu. Wszyscy pełnimy sumiennie obowiązki swego zawodu. Niech rolnicy rzetelnie obsiewają pola. Niech w hutach, kopalniach, warsztatach, biurach i sklepach wre szlachetna praca, która jest powołaniem człowieka. Niech z miesiąca na miesiąc rośnie odbudowa życia polskiego, stolicy, miast, zagród, kościołów. Zachowujmy ufność i spokój ducha. Miejcie poczucie osobistej, narodowej i katolickiej godności. Niech nikt nie da się sprowokować do nierozsądnych kroków przez ciemne elementy. Życie polskie winno nam być drogie i święte. Nie wolno go niepotrzebnie narażać. Krwią polską nie wolno szafować w bezcelowych rozgrywkach. Naród musi pozostać silny, żywotny, zdolny do urzeczywistnienia tego, co jutro ma stanowić jego wielkość"[1].

Tak oto wygląda opis sytuacji i program „antymaterialistycznego" oporu zawarty w dokumentach kościelnych z pierwszych miesięcy 1948 roku. Program sformułowany przez biskupów to walka o prawo nauczania religii, o prawo do katolickiej edukacji młodzieży. Zalecany w listach pasterskich wzorzec postępowania to wierność zasadom etyki chrześcijańskiej i kultywowanie cnót ewangelicznych. Wezwaniu do sprzeciwu wobec „prądów materialistycznych" (czyli wobec ideologii komunistycznej) towarzyszyła stanowcza przestroga przed związkami ze zbrojnym podziemiem. Było to więc wezwanie nie tyle do opozycji politycznej, ile do opozycji - by tak rzec - moralnej i filozoficznej. Program ten wynikał z ówczesnej sytuacji kraju. W 1948 roku - w rok po sfałszowanych wyborach do Sejmu - zlikwidowane już były ostatki autentycznego pluralizmu politycznego. Jeszcze we wrześniu 1946 roku, przed wyborami, biskupi wzywali katolików do głosowania „tylko na takie osoby, listy i programy wyborcze, które nie sprzeciwiają się katolickiej nauce i moralności"[2]. W 1948 roku przed Polakami nie stała już możliwość żadnego wyboru. Władza komunistów była - zarówno w rzeczywistości, jak i w powszechnej świadomości - utwierdzona i niemożliwa do obalenia. Program biskupów był programem przetrwania i umiaru. Dlatego w ówczesnych listach pasterskich łatwo dostrzec spokojny ton, apel o sumienną pracę, nadzieje na stabilizację i względnie spokojną egzystencję społeczności katolickiej w nowych warunkach.

[1] *ibid.*, s. 70-71.
[2] *Orędzie Episkopatu Polski w sprawie wyborów do Sejmu, ibid.*, s. 42.

Ton listów pasterskich z 1949 roku jest już inny. W ciągu roku doszło do gwałtownego zaostrzenia stosunków na arenie międzynarodowej. Rozpoczął się konflikt Stalina z Jugosławią. W Polsce zjednoczono PPS z PPR i rozpoczęła się gwałtowna kampania przeciw tzw. odchyleniu prawicowo-nacjonalistycznemu. Proklamowano politykę kolektywizacji i politykę zaostrzenia partyjnej czujności, co było tożsame ze wzmożeniem policyjnego terroru. Nowa sytuacja znalazła również odzwierciedlenie w polityce państwa wobec Kościoła. Można to wyczytać z publikacji rządowych i z kościelnych dokumentów. „14 marca 1949 roku - czytamy w książce Mikołaja Rostworowskiego - sekretarzowi Episkopatu Polski ks. biskupowi Zygmuntowi Choromańskiemu zostaje przekazane oświadczenie ministra administracji publicznej w sprawie stosunków między Państwem a Kościołem. Oświadczenie gromadzi szereg zarzutów motywujących tezę o »wzmożeniu nieprzyjaznej w stosunku do rządu i ludowego państwa działalności pewnych odłamów kleru«. »Rząd nie będzie tolerował żadnej akcji wichrzycielskiej« - stwierdza oświadczenie"[1].

Nic dziwnego, że w *Liście pasterskim Episkopatu Polski o radościach i troskach Kościoła* (marzec 1949) pojawił się ton dramatyczny:

„Gdy (...) położenie Kościoła świętego - pisali biskupi - staje się coraz cięższe, a wypełnianie posłannictwa apostolskiego coraz to trudniejsze, gdy w dodatku wina za ten stan rzeczy składana jest wyłącznie na hierarchię kościelną, należy dać świadectwo Prawdzie".

Po przypomnieniu tysiącletniego „historycznego konkordatu Kościoła katolickiego z narodem polskim" biskupi zapytują:

„Czy więc dziś istotnie najpilniejszą i najważniejszą dla Polski sprawą jest rozdzieranie tej dziejowej wspólnoty? Czyż nie jest raczej bardziej konieczne jednoczenie wszystkich sił do walki z nędzą wojenną, do pracy nad zgodną odbudową Ojczyzny!? Czy naprawdę wierzy ktoś w Polsce w to, że Kościół jest groźną dla niej potęgą polityczną? Czy po dokonanym przez wojnę spustoszeniu moralnym bardziej pomoże Ojczyźnie zeświecczenie, czy też uświęcenie ducha Narodu? Co jest zdrowsze dla Polski: rozbicie jej na zwalczające się sekty czy też wzmocnienie w jednej wierze i łasce? Czyż akcja na rzecz oddzielenia Narodu od Kościoła nie jest najgroźniejszym dla Narodu niebezpieczeństwem?". Po tych retorycznych pytaniach następował apel: „Katolicy! Wybiła dziś wielka godzina sumienia chrześcijańskiego! Odpowiedzcie sobie sami na te pytania!".

---

[1] Mikołaj Rostworowski, *Słowo o PAX-ie*, Warszawa 1968, s. 47.

Biskupi w ostrych słowach polemizowali z twierdzeniem, jakoby ducho-wieństwo katolickie wrogie było ludziom pracy i wrogie narodowi: „Wszak duchowieństwo katolickie w Polsce - to wszystko synowie naszej ziemi! Wszak wyrosło ono z twardej doli wsi, wśród warsztatów rzemieślni-czych, z przedmieść robotniczych. (...) Właśnie dlatego tak trudno dziś prze-konać lud, że duchowieństwo to wrogowie ludu, gdyż przyzwyczaił się on od wieków widzieć kapłanów wśród siebie, w swej doli i niedoli. (...) Kapłani pol-scy budowali pierwsze szkółki, oni uczyli otwierać oczy i książki, zakładali bi-blioteki, szpitale, domy sierot, pierwsze spółki i kasy spółdzielcze. (...) Trud-no też przekonać kogokolwiek, że duchowieństwo katolickie to obce siły, wro-gie Narodowi! (...). Ucząc miłości ku Bogu, nie zapomniało duchowieństwo nasze o miłości ku Ojczyźnie! A pierwszą tak przedziwnie wiązało z drugą, że umiało - gdy zaszła potrzeba - krzyżem ukazywać, jak się umiera za prawa ojczyste (...). Za wielu kapłanów legło w tej ziemi dla Polski, byśmy mogli wąt-pić, czy serca ich kochają Naród!".

Zwracając się wprost do kapłanów, biskupi tłumaczyli:

„Nie potrzebujecie więc, umiłowani Bracia Kapłani, określać swego sto-sunku do Narodu, gdyż Wy tu nie od dziś ani od wczoraj! (...) Dzięki Waszej niezmordowanej pracy oddajecie największą przysługę życiu publicznemu. Można o Was powiedzieć, że dobrze zasłużyliście się Narodowi, że darmo polskiego chleba nie jecie! Wobec napaści wrogów krzyża zachowajcie spo-kój! Trwajcie godnie na stanowisku! Oddajcie się z zapałem przepowiadaniu Ewangelii: to przecież najlepsza i jedyna Wasza polityka! Wiecie, że nie jeste-ście powołani do pracy politycznej, ale do zbawiania dusz ludzkich! Praca Wasza jest ku pokojowi Ojczyzny zarówno wtedy, gdy nocną porą wędruje-cie do konających, gdy umacniacie lud w cierpliwości, jak i wtedy, gdy broni-cie wiary świętej przed sekciarzami i bluźniercami, gdy stajecie w obronie krzyżów, zamykanych szkół katolickich, pacierza w przedszkolu!

Słusznie wierzycie, że Polska nie musi być bezbożna, by mogła być spra-wiedliwa dla wszystkich! Obrona wiary nie jest więc politykowaniem, tylko spełnianiem obowiązku powołania kapłańskiego! (...)

Boleśnie odczuwamy wraz z Wami, że tylu kapłanów jest oderwanych od ołtarzy! Niepokoją nas szeregi obwinionych i skazanych, którym nawet po-móc nie jesteśmy w stanie, nie mając możności poznania istoty tych oskar-żeń ani wysłuchania oskarżonych. Wszystkich Was prosimy: wytrwajcie w swym apostolskim posłannictwie spokojnie, ufnie i z godnością!".

Omawiając sytuację zakonów, biskupi zauważyli, że „właśnie zakony toro-wały drogę cywilizacji. (...) Pierwsze szpitale i schroniska dla wędrowców, starców, sierot powstały z pracy zakonów. One to stworzyły mnóstwo fundacji, zastępowały nieistniejące ministerstwa zdrowia i opieki społecznej. (...) Kościół, który dawał natchnienie tej błogosławionej pracy zakonów, wstydzić się jej nie ma potrzeby. (...) Gdy więc wokół tej pracy tyle wywołuje się dziś niepokoju, gdy usuwa się zakonnice ze szpitali, niekiedy z ich własnych domostw, gdy rozwiązuje się stowarzyszenia religijno-społeczne o charakterze zakonnym, Kościół ufa, że namiętności ucichną, a zwycięży sprawiedliwość i rozsądek. Do Kościoła należy rozsądzać, czy te zgromadzenia powołane przezeń do życia odpowiadają wymogom pożytku społecznego, czy też są zbędne. (...) I Wy więc, Bracia i Siostry zakonne, chleba polskiego darmo nie jecie, boć jest on rzetelnie przez Was zapracowany. Macie przyrodzone prawo do zachowania własnych domostw, do zabezpieczenia w nich starości tylu zniszczonym pracą społeczną członkom swych zgromadzeń. Krzywdą byłoby dziś wyrzucać na bruk tych ludzi, którzy życie swe sterali na posłudze bliźnim. Gdy dziś uspołecznia się Wasze szpitale i lecznice, widzicie, że przez ofiarną pracę swoją już dawno uspołeczniliście je sami. (...) Wyrażamy nadzieję - konkludowali biskupi - że dla dobra społecznego będą uszanowane instytucje katolickie, zgromadzenia zakonne, szpitale i domy starców, internaty katolickie oraz prawa ich właścicieli".

Ponownie podniesiona została również sprawa nauczania religii w szkole: „Poczucie sprawiedliwości i pokój społeczny - czytamy w liście pasterskim - wymagają, aby młodzież katolicka mogła korzystać z wolności zrzeszania się w szkołach i pozaszkolnych stowarzyszeniach religijnych. Sprawiedliwość rozdzielcza wymaga, aby szkolnictwo katolickie nie było utrzymywane w ciągłej, dręczącej niepewności co do swego bytu i prawa do spokojnej pracy. Za wielką krzywdę musielibyśmy uważać upaństwowienie szkół katolickich, pozbawienie ich praw, usuwanie ze szkół pracowitych i zasłużonych zakonnic, zamykanie przedszkoli katolickich, internatów dla młodzieży, przejęcie majątku szkolnego".

Kończąc swój list pasterski, biskupi przypominali społeczności katolickiej: „Doceniamy wkład trudu Waszego w życie gospodarcze, radujemy się z każdego zdrowego osiągnięcia. Pragniemy, byście nie zapominali, że droga do Polski sprawiedliwej prowadzi przez sprawiedliwość wobec Boga. Dlatego prosimy Was, Bracia i Siostry, stójcie silnie w wierze, opierając się mężnie wszelkiej pokusie odstępstwa od Boga. (...) Otwarcie przyznawajcie się do Waszego Boga i Kościoła! Brońcie krzyża świętego! Katolik nie zdejmuje krzyżów ze ścian, nie bierze udziału w bluźnierczych wiecach, nie przykłada ręki do usunięcia religii ze szkół, zamykania szkół katolickich.

(...) Młodzieży katolicka! (...) Chroń się zdrady Twego Ojca niebieskiego i Matki-Kościoła. Nie bierz udziału w zebraniach bezbożniczych, nie podnoś głosu przeciw Stworzycielowi Twemu, nie wyrzekaj się Tego, który Cię umiłował aż do śmierci krzyżowej.

Gwałt zadany Twemu sumieniu przez młodocianych bezbożników, przez pisma i związki bezbożnicze wytrzymuj mężnie i godnie. Nie wchodź między bluźnierców ani nie zasiadaj w ich radzie. Nie bierz do ręki pism wrogich Bogu. Nie śpiewaj bluźnierczych, budzących nienawiść hymnów i pieśni, obcych duchowi chrześcijańskiemu. (...)

Wiedz, że na drodze zdrady Boga nie zbudujesz lepszej Polski! Oto nasze prośby i przestrogi"[1].

Oficjalne dokumenty kościelne bywają nader często świadectwem zawodnym, a nigdy nie są dla historyka źródłem wystarczającym. Listy biskupów czy encyklika papieska o narodowym socjalizmie żadną miarą nie wyczerpują bogatej problematyki stosunków Kościoła katolickiego z Trzecią Rzeszą. Miały te stosunki rozmaite fazy, po gwałtownych konfliktach następowały okresy kompromisu. Rozmaici biskupi rozmaicie układali swą koegzystencję z hitlerowskim reżimem. Wszelako właśnie oficjalne dokumenty wskazują na zasadniczy kierunek doktrynalnej krytyki nazizmu przez Kościół katolicki.

Podobnie w warunkach polskich: i tu praktyka była bogatsza i bardziej złożona od listów Episkopatu. W listach tych odnaleźć można zaledwie wątłe strzępy pełnej napięć i dramatyzmu codziennej rzeczywistości tamtych lat. Uwaga, że księża „nie są powołani do polityki, lecz do zbawienia dusz ludzkich", jest aluzją do tworzonej z inicjatywy władz państwowych formacji „księży-patriotów" zorganizowanych w Komisji Księży przy ZBoWiD-zie. Utworzenie Komisji Księży było jedną z wielu prób rozbicia od wewnątrz spoistości Kościoła. Przypomnijmy dokumenty. W exposé ze stycznia 1949 roku premier Józef Cyrankiewicz powiedział m.in.: „Rząd stoi konsekwentnie na stanowisku wolności sumienia i wierzeń religijnych. (...) Równocześnie jednak rząd nie będzie tolerował agresywnej postawy poszczególnych przedstawicieli kleru, a zwłaszcza hierarchii kościelnej, ani prób wtrącania się do spraw państwowych (...). Wszelkie próby wykorzystywania ambony czy szat kapłańskich dla podniecania namiętności przeciw Państwu Ludowemu (...) będą przecinane z całą stanowczością i surowością prawa. Rząd będzie natomiast otaczał opieką tych kapłanów,

---

[1] *Listy pasterskie Episkopatu...*, s. 76-81

którzy dali i dają dowody swego patriotyzmu (...) i nie dają się wciągnąć do antyludowych rozgrywek politycznych"[1]. Dążenie władz państwowych do rozbicia kleru zdaje się - w świetle takich deklaracji - nie ulegać wątpliwości.

Z kolei uwagi biskupów o wielowiekowej pracy społecznej duchowieństwa były odpowiedzią na formułowany nieustannie argument o wstecznictwie Kościoła; patriotyczne deklaracje odczytywać należy w kontekście ciągłych oskarżeń pod adresem biskupów o solidarność z proniemiecką postawą Stolicy Apostolskiej w sprawie Ziem Zachodnich. („Księża ci - przeczytać można w propagandowej broszurze z tamtych lat - podporządkowują interesy narodu polskiego interesom Watykanu stojącego na usługach imperializmu. Jeśli im papież każe walczyć z własnym narodem, to walczą z własnym narodem"). Można by zapewne - ze stanowiska zawodowego historyka - zarzucić stanowisku biskupów polskich daleko idące uproszczenia obrazu przeszłości i niejaką skłonność do autoapologii. Rzecz w tym jednak, że nie była to spokojna i akademicka wymiana opinii, której celem jest jedynie dotarcie do prawdy historycznej; była to ostra polemika ideowa, w której jedna ze stron - posiadając monopol na prezentowanie swojego stanowiska w środkach masowego przekazu - sięgała po takie argumenty, jak kłamstwo, oszczerstwo i policyjna prowokacja.

Program biskupów - to nie ulega wątpliwości - był programem obrony Kościoła. Niejeden z formułowanych postulatów tego programu może nam się wydawać wsteczny i niemożliwy do akceptacji. Bądźmy jednak ostrożni w wyrokowaniu o ich reakcyjności, gdyż łatwo tu dojść do nonsensu. Posłużę się dla zilustrowania swojej myśli jednym tylko przykładem, dość rozpowszechnionym - jak się zdaje - w środowiskach lewicowej laickiej inteligencji.

Jeden z publicystów - omawiając politykę Episkopatu - pisał w 1964 roku: „Na jednym z posiedzeń episkopatu w maju roku 1946 władze kościelne zajęły stanowisko wobec szeregu antysocjalistycznych wystąpień w naszym kraju, między innymi incydentów zorganizowanych przez klasyczną reakcję pod sztandarem antysemityzmu. Kiedy Liga do walki z Rasizmem zwróciła się do episkopatu o potępienie tych zjawisk, podjął on uchwałę postanawiającą, że na pismo Ogólnopolskiej Ligi do walki z Rasizmem odpowiedzi udzieli ksiądz Prymas, który stwierdzi, że Żydzi giną nie z motywów antysemickich w Polsce, ale jako czołowi bojownicy

[1] Cytuję za „Trybuną Ludu" z 11 stycznia 1949 r.

komunizmu. Konferencja episkopatu nie uważa za stosowne wydawanie odezwy, albowiem ta odezwa posiadałaby charakter polityczny"[1]. Tyle napisał publicysta. Sprawa antysemickich zajść (najgłośniejszym z nich był pogrom w Kielcach) jest wystarczająco złożona, by jej w tym miejscu nie omawiać. Trudno podejmować polemikę ze stanowiskiem Episkopatu znanym tylko z nieżyczliwego streszczenia, ale trudno też nie przypomnieć o tym, że krąg katolickiej inteligencji skupionej wokół „Tygodnika Powszechnego" opublikował oświadczenie jednoznacznie potępiające antysemickie ekscesy. Należy też odnotować powtarzaną częstokroć (m.in. przez Stefana Korbońskiego) wersję o UB-owskiej inspiracji tych ekscesów, co dodatkowo gmatwać musi jasność obrazu. Zacytowałem powyższą opinię, aby uprzytomnić czytelnikowi, iż autorem cytowanego artykułu był znany z czarnosecinnych wystąpień, zwłaszcza w 1968 roku, naczelny redaktor dwutygodnika „Wychowanie" - Wojciech Pomykało. Oskarżenie biskupów polskich o antysemityzm brzmi w ustach Pomykały na tyle groteskowo, że nie wymaga polemicznych komentarzy. Ten kontekst, w którym formułowano oskarżenia o reakcyjność pod adresem Kościoła, należy mieć stale w pamięci. Może nas dziś razić konsekwentna obrona zasady nauczania religii w szkole, ale zważmy, iż biskupi - pamiętając smutny los Kościoła i religii w ZSRR - słusznie sądzili, że likwidacja nauki religii w szkole będzie wstępem do całkowitego uniemożliwienia katechizacji młodzieży. Szokująco brzmieć może dla nas wezwanie, by „nie czytać książek bezbożnych etc.", wszelako pamiętać należy, iż w ówczesnej sytuacji oznaczało to stanowcze i kategoryczne stwierdzenie, że wierność zasadom etyki chrześcijańskiej jest niemożliwa do pogodzenia z udziałem w oficjalnym życiu publicznym totalitarnego państwa i z popieraniem totalitarnych ideologii politycznych. Czemu trudno odmówić słuszności.

***

Prognozy i obawy Episkopatu okazały się w pełni uzasadnione. Represje władz wobec Kościoła stawały się coraz bardziej dotkliwe. Drastycznym przykładem była tu tzw. sprawa „Caritasu". „Caritas", kościelna organizacja charytatywna, prowadziła 900 przedszkoli, 230 świetlic, żłobki, internaty, przychodnie lekarskie, schroniska, kolonie etc. Fundusze na tę działalność pochodziły w znacznej mierze z darów Rady Polonii Amerykańskiej i komitetu ratunkowego Episkopatu amerykańskiego. 23 stycznia 1950 roku władze pań-

[1] *Dialog i współdziałanie*, Warszawa 1970, s. 63.

stwowe ustanowiły zarząd komisaryczny nad „Caritasem". Dotychczasowe biura diecezjalne zostały opieczętowane. „30 stycznia 1950 roku - pisze Rostworowski - około 2 tysięcy księży zgromadzonych - często w różnych okolicznościach - w gmachu Politechniki Warszawskiej wysłuchuje państwowej motywacji kroków podjętych w związku z tzw. sprawą »Caritasu«"[1]. Te „różne okoliczności" to doprawdy zbyt eufemistyczne określenie na przekupstwo, szantaż i otwartą przemoc.

Tegoż 30 stycznia wystosował odpowiednie pismo w sprawie „Caritasu" Episkopat. Biskupi skierowali protest do prezydenta Bieruta, w oświadczeniu zaś do wiernych stwierdzili, że „z chwilą zamianowania przez władze państwowe zarządów przymusowych dla organizacji »Caritas« przestała ona być wyrazem społeczno-charytatywnej pracy Kościoła. Kościół nie może brać odpowiedzialności za organizacje z przymusowymi zarządami"[2].

* * *

14 kwietnia 1950 roku zostało podpisane *Porozumienie* pomiędzy rządem a Episkopatem. Poprzedziła je decyzja rządu o przejęciu na własność państwa kościelnych dóbr „martwej ręki". Cokolwiek by dzisiaj sądzić o tej decyzji, wtedy był to kolejny wyraz zaostrzania się totalitarnej przemocy. W świetle tych faktów zawarcie *Porozumienia* było ze strony Episkopatu rozpaczliwą próbą znalezienia *modus vivendi*.

Tekst *Porozumienia* głosił m.in.:

„W celu zapewnienia Narodowi, Polsce Ludowej i jej obywatelom najlepszych warunków rozwoju (...) Rząd Rzeczypospolitej, który stoi na stanowisku poszanowania wolności religijnej, oraz Episkopat Polski, mający na względzie dobro Kościoła i współczesną polską rację stanu - regulują swe stosunki w sposób następujący:

1) Episkopat wezwie duchowieństwo, aby w pracy duszpasterskiej zgodnie z nauką Kościoła nauczano wiernych poszanowania prawa i władzy państwowej.

2) Episkopat wezwie duchowieństwo, aby (...) nawoływało wiernych do wzmożonej pracy nad odbudową kraju i nad podniesieniem dobrobytu Narodu.

---

[1] Mikołaj Rostworowski, *op. cit.*, s. 51.
[2] *Listy pasterskie Episkopatu...*, s. 89.

3) Episkopat Polski stwierdza, że zarówno prawa ekonomiczne, historyczne, kulturalne, religijne, jak i sprawiedliwość dziejowa wymagają, aby Ziemie Odzyskane na zawsze należały do Polski. Wychodząc z założenia, że Ziemie Odzyskane stanowią nieodłączną część Rzeczypospolitej, Episkopat zwróci się z prośbą do Stolicy Apostolskiej, aby administracje kościelne, korzystające z prawa biskupstw rezydencjonalnych, były zamienione na stałe ordynariaty biskupie.

4) Episkopat w granicach sobie dostępnych będzie się przeciwstawiał wrogiej Polsce działalności, a zwłaszcza antypolskim i rewizjonistycznym wystąpieniom części kleru niemieckiego.

5) Zasada, że Papież jest miarodajnym i najwyższym autorytetem Kościoła, odnosi się do spraw wiary, moralności oraz jurysdykcji kościelnej, w innych natomiast sprawach Episkopat kieruje się polską racją stanu.

6) Wychodząc z założenia, że misja Kościoła może być realizowana w różnych ustrojach społeczno-gospodarczych, ustanowionych przez władzę świecką, Episkopat wyjaśni duchowieństwu, aby nie przeciwstawiało się rozbudowie spółdzielczości na wsi, ponieważ wszelka spółdzielczość w istocie swej jest oparta na etycznym założeniu natury ludzkiej, dążącej do dobrowolnej solidarności społecznej, mającej na celu dobro ogółu.

7) Kościół - zgodnie ze swymi zasadami - potępiając wszelkie wystąpienia antypaństwowe, będzie przeciwstawiał się zwłaszcza nadużywaniu uczuć religijnych w celach antypaństwowych.

8) Kościół katolicki, potępiając zgodnie ze swymi założeniami każdą zbrodnię, zwalczać będzie również zbrodniczą działalność band podziemia oraz będzie piętnował i karał konsekwencjami kanonicznymi duchownych winnych udziału w jakiejkolwiek akcji podziemnej i antypaństwowej"[1].

W zamian za te niewątpliwe ustępstwa ze strony hierarchii kościelnej uzgodniono „zabezpieczenie przez Państwo nauki religii w szkole, praktyk religijnych dla młodzieży szkolnej, praw dla pozostałych szkół katolickich, opieki duszpasterskiej w wojsku, w szpitalach i w więzieniach. Katolickiemu Uniwersytetowi Lubelskiemu zapewniono prawo do dalszej pracy. Uznano prawo Kościoła do prowadzenia pracy dobroczynnej i katechetycznej, wydawnictw i pism katolickich. Młodzież duchowna w seminariach duchownych otrzymuje możność prowadzenia bez przeszkód swych studiów teologicznych. Zakony i domy zakonne otrzymują zapewnienie swobodnej pracy i prawo do środków materialnych niezbędnych do skromnego utrzymania"[2].

[1] Cyt wg: *ibid.*, s. 91-92
[2] Komunikat Episkopatu Polski do wiernych o porozumieniu..., ibid., s. 96-97.

* * *

Od czasu *Porozumienia* ton listów pasterskich stał się znacznie ostrożniejszy. W oficjalnych dokumentach kościelnych nie znajdziemy nic na temat łamania praworządności, bezprawnych aresztowań, torturowania więźniów, fingowanych procesów. Jedno, czego biskupi bronili konsekwentnie, to jedności duchowieństwa. Tym należy tłumaczyć wciąż ponawiane apele do księży o zaniechanie działalności politycznej.

Już kilka miesięcy po podpisaniu *Porozumienia* - w listopadzie 1950 roku - ks. kardynał Wyszyński pisał w liście *O modlitwie za kapłanów*.

„Nie tylko (...) przypadł nam w udziale zdwojony trud duszpasterski powojennej pracy, ale nadto wypadło nam pracować w czasach wielkiego zamętu i gorszących prześladowań religii. (...) Można już dziś wyliczyć cały szereg narodów i państw, w których uwięziono niemal wszystkich biskupów i setki kapłanów. Zakonników i zakonnice umieszczono w obozach przymusowej pracy, zagrabiono klasztory, seminaria duchowne, szkoły katolickie, domy i urzędy biskupie. Boleśniejsze nad te krzywdy jest targnięcie się władzy świeckiej na duchowne uprawnienia Kościoła i próby dokonywania schizmy w łonie katolickich narodów. Na miejsce uwięzionych biskupów i kapłanów w wielu państwach ustanawia się oderwanych od Kościoła odstępców, którzy uzurpują sobie władzę biskupią (...) usiłują targnąć się na ołtarze i tam wykonywać władzę, której nie posiadają. (...) Często starają się oderwać od świętej służby Bożej sługi ołtarza i uczynić z nich namiętnych agitatorów, zmuszanych niekiedy do wystąpień przeciwko świętości Kościoła, władzy Ojca Świętego i biskupów.

Z wielką troską patrzymy na te gwałty, które zmieszały z błotem największe świętości, wyśmiały i wyszydziły Boga i Kościół święty, a ze sług Bożych uczyniły niewolnicze narzędzia politycznej igraszki. (...)

Nie masz w Kościele kapłaństwa, jak tylko z Najwyższego Kapłana - Chrystusa. Wszyscy inni nie są pasterzami, lecz wilkami. Nie masz w Kościele władzy kapłańskiej, jak tylko z Piotrowej władzy kluczów, która przez biskupów katolickich spływa na kapłanów. I dlatego tylko takich kapłanów słuchać Wam wolno, którzy są posłani przez biskupów katolickich, utrzymujących zgodę i jedność z Ojcem Świętym".

„Twarda jest mowa nasza, umiłowane Dzieci - kończył ks. Prymas - ale też i twarde są czasy"[1].

---

[1] Listy pasterskie Prymasa Polski, Paryż 1975, s. 183-184.

Miały te apele ks. Prymasa dwojaki sens i podwójnego adresata. Z jednej strony, szło tu o przerwanie związków z antykomunistyczną konspiracją, która zresztą po 1950 roku była już pozbawionym znaczenia marginesem; z drugiej strony, chodziło o przeciwdziałanie angażowaniu się kapłanów w akcje polityczne inspirowane przez PAX i „księży-patriotów". Związki z podziemiem ułatwiały ataki na Kościół z zewnątrz; związki z PAX-em rozbijały Kościół od wewnątrz. Trudno się przeto dziwić trosce o jedność i solidarność duchowieństwa - w ówczesnej sytuacji był to problem pierwszorzędnej wagi. Dlatego też musiała wywołać opór biskupów próba ingerencji w wewnętrzne sprawy Kościoła.

9 lutego 1953 roku Rada Państwa uchwaliła dekret o „tworzeniu, obsadzaniu i znoszeniu stanowisk kościelnych". 5 maja premier (Bolesław Bierut) podpisał zarządzenie wykonawcze.

Artykuł 2. dekretu głosił: „Tworzenie, przekształcanie i znoszenie stanowisk kościelnych oraz zmiana ich zakresu działania wymaga uprzedniej zgody właściwych organów państwowych".

Artykuł 6. tego dekretu stanowił, że „uprawianie przez osobę piastującą duchowne stanowisko kościelne działalności sprzecznej z prawem i porządkiem publicznym bądź popieranie lub osłanianie takiej działalności powoduje usunięcie tej osoby z zajmowanego stanowiska przez zwierzchni organ kościelny, samoistnie lub na żądanie organów państwowych"[1].

Dekret ten był początkiem końca niezależności Kościoła. 8 maja biskupi polscy zebrani w Krakowie na plenarnej sesji Episkopatu wystosowali do rządu PRL memoriał protestujący przeciwko szykanowaniu Kościoła. Stwierdzili tam wyraźnie, że dalsze ustępstwa ze strony hierarchii są niemożliwe. 4 czerwca na procesji Bożego Ciała w Warszawie ks. kardynał Wyszyński wygłosił kazanie przed kościołem akademickim św. Anny. Nawiązując do ostatnich decyzji rządu, Prymas Polski stwierdził jasno i niedwuznacznie, że „między Wieczystym Kapłanem - Jezusem Chrystusem - a Jego Uczniami w Wieczerniku nie stał żaden pośrednik. Wcale nie potrzeba, aby kapłaństwo przekazywano przez kogoś obcego (...). Kościół święty (...) twardo broni Kapłaństwa Chrystusowego (...) bo wolność Kapłaństwa Chrystusowego jest najbardziej widzialnym znakiem wolności sumienia. Gdy kapłaństwo jest wolne, lud Boży ma gwarancję wolności sumienia. I dlatego też trudno jest mówić o wolności sumienia tam, gdzie kapłan przestaje być wolny, a zamienia się go, wbrew woli Kościoła, w urzędnika. Rozumieją to dobrzy ludzie (...) iż między

---

[1] Cyt. za: Mikołaj Rostworowski, op. cit., s. 74-75.

nami - kapłanami - a Wami - Najmilsze Dzieci, którym podajemy Chrystusa - a Wami, których sumienie osądzamy i kierujemy - nikt stanąć nie może. Bo gdyby ktoś próbował stanąć, byłby to zamach na ustrój Kościoła, zamach na wolność sumienia, na istotę kapłaństwa, na kapłaństwo Boże, na Kapłaństwo Chrystusowe.

I dlatego to Kościół, jak niegdyś, przed wiekami, tak i w Ojczyźnie naszej przez biskupów swoich musi bronić i bronić będzie - nawet do oddania własnej krwi - wolności kapłaństwa Chrystusowego, bo ta obrona oznacza obronę wolności Waszego sumienia, bo ta obrona oznacza zarazem obronę głębi kultury ducha. Rozumie to Kościół cały. Rozumieją to również ludzie poza Kościołem, choćby najbardziej niekatolicko postępowi. I dlatego też naród polski broni religii i swego kapłaństwa od zbiurokratyzowania. Uważał i uważa etatyzację duchowieństwa za najwyższą krzywdę, za pogwałcenie najbardziej istotnych praw sumienia człowieka. A świadectwo takiego rozumienia rzeczy mamy nawet w słowach najbardziej radykalnych rewolucjonistów, gdyż i oni dochodzili do wniosku, iż choćby wszystkie objawy życia były zetatyzowane, to nie wolno sięgać do duszy kapłana, bo to byłoby największym barbarzyństwem. Nie wolno sięgać do ołtarza, nie wolno stawać między Chrystusem a kapłanem, nie wolno gwałcić sumienia kapłana, nie wolno stawać między biskupem a kapłanem. Uczymy, że należy oddać, co jest Cezara Cezarowi, a co Bożego Bogu. A gdy Cezar siada na ołtarzu, to mówimy krótko: nie wolno!".

„ (...) Tylko jedną zależność kapłanów uznajemy - od Pana naszego Jezusa Chrystusa"[1].

Jeśli dekret Rady Państwa był rzuceniem wojennej rękawicy Kościołowi, to kazanie ks. kardynała Wyszyńskiego było podjęciem tej rękawicy. Prymas Polski odpowiedział Cezarowi: *Non possumus!*

***

14 września 1953 roku rozpoczął się proces ks. biskupa Czesława Kaczmarka. Kardynał Wyszyński zaprotestował przeciw temu procesowi w specjalnym piśmie skierowanym do władz państwowych. 25 września, w uroczystość błogosławionego Ładysława z Gielniowa, Prymas Polski wygłosił kolejne kazanie w kościele św. Anny. Raz jeszcze sprecyzowany został punkt widzenia Kościoła katolickiego w Polsce:

---

[1] *Kazanie Prymasa Polski w uroczystość Błogosławionego Ładysława z Gielniowa – patrona stolicy w Warszawie*, kościół św. Anny, 25 września 1953 (maszynopis w posiadaniu autora).

„Święty Ładysław - powiedział m.in. kardynał Wyszyński - był niezadowolony z czasów, w których żył. Nigdy człowiek nie może być w pełni zadowolony. Nie może być zadowolony z dziejów, z czasów, z idei, z ludzi, z samego siebie. Ja pierwszy nie będę zadowolony, choćby wszystkie problemy były rozwiązane, bo rozwiązanie jednych problemów jest początkiem nowych, a rozwiązanie tych nowych - początkiem następnych. Nie wolno więc człowiekowi powiedzieć, że odkrył coś, co jest doskonałe, że jakaś idea, jakiś system gospodarczy, społeczny, polityczny jest najlepszy. Nie może być stagnacji (...) nawet najdoskonalszy system (...) musi być poddawany rewizji; od tego zależy postęp. Postęp istnieje tylko wtedy, gdy jest niezadowolenie ze stanu obecnego (...).

Na czym polega świętość? - kontynuował ks. Prymas. - To umiłowanie prawdy i wolności (...). Wolność jest ściśle związana z prawdą (...). Musimy być wolni od wszystkiego, co krępuje nasz umysł, musimy być wolni od nas samych. »Sprzedajcie, co macie - nie noście trzosa«... dopiero wtedy, gdy będziemy naprawdę wolni od wszystkiego, co nas wiąże - będziemy mogli iść naprzód do Boga, dopiero wtedy będziemy dobrze słyszeć głos Boży (...). A więc prawda i wolność to wartości podstawowe - dopiero gdy one istnieją, jak rosa ożywcza spływa łaska i zlewa na nas miłość nadprzyrodzoną (...).

Kościół będzie wiecznie żądać prawdy i wolności - powiedział ks. Prymas na zakończenie. - Może dlatego Kościół ma tylu wrogów, bo chrześcijaństwo będzie zawsze wzywało do oporu, do walki z każdym zakłamaniem i z każdą stabilizacją. Kościół zawsze będzie wołał:»sprzedajcie, co macie, nie noście trzosa«, odetnijcie się od wszystkiego, co was wiąże, swobodnie dążcie do Boga - stańcie przed sobą w prawdzie, którą zna tylko Bóg"[1].

Riposta władz państwowych na postępowanie Prymasa nastąpiła natychmiast po tym kazaniu. Tegoż dnia (25 września) wieczorem ks. kardynał Wyszyński został aresztowany i wywieziony z Warszawy.

Przytaczając powyższe fakty, cytując obszernie dokumenty z tamtych czasów, pragnąłem uświadomić moim przyjaciołom z lewicy laickiej, nieznającym na ogół cytowanych tekstów i faktów, jaka była rzeczywista sytuacja Kościoła i postawa katolickich biskupów w okresie stalinowskim. Jeśli skonfrontują postulaty Episkopatu z tym, co o tych postulatach czytali wtedy i później w oficjalnej prasie, to dostrzegą być może cały ogrom swojej niewiedzy. Jeżeli te postulaty zestawią z ówczesnymi praktykami władzy państwowej,

---

[1] *Kazanie Prymasa Polski na procesji Bożego Ciała w Warszawie przed kościołem akademickiem św. Anny,* 4 czerwca 1953 (maszynopis w posiadaniu autora).

to bardziej zrozumiałe stanie się dla nich moje pytanie: gdzie był główny wróg postępu i dobra w owym czasie? W kościołach katolickich czy w komitetach partyjnych i urzędach bezpieczeństwa? Rozmaite sformułowania w listach pasterskich mogą razić; inne mogą wydawać się anachronizmem. Ale pytanie zasadnicze brzmi, czy w okresie stalinowskim Kościół bronił praw ludzkich, czy bronił wolności i godności człowieczej? Odpowiadam na to pytanie twierdząco. W pełni podzielam opinię Czesława Miłosza, który napisał, iż w okresie stalinowskim „budynek kościelny był jedynym miejscem, dokąd nie przenikało urzędowe kłamstwo, a kościelna łacina pozwalała zachować wiarę w wartość ludzkiej mowy, poza tym poniżanej i naginanej do najgorszych zadań”[1].

* * *

19 października 1956 roku rozpoczęło obrady VIII Plenum KC PZPR, które Władysława Gomułkę wyniosło na stanowisko I sekretarza. 26 tegoż miesiąca przybyli do uwięzionego w Komańczy ks. kardynała Wyszyńskiego bliscy współpracownicy Gomułki: Władysław Bieńkowski i Zenon Kliszko. W wyniku odbytej rozmowy Prymas Polski powrócił do Warszawy i - po trzyletniej przerwie - objął urzędowanie.

Uwolniony z więzienia Prymas Polski nie włączył się do politycznych rozgrywek. Jedynym terenem nacisku Kościoła była sprawa nauczania religii w szkołach:

„8 grudnia - pisze w cytowanej wyżej książce Mikołaj Rostworowski - zostaje ogłoszone porozumienie werbalne między Rządem a Episkopatem Polski. W jego wyniku nauczanie religii ma być prowadzone w szkole jako przedmiot nadobowiązkowy dla tych uczniów, których rodzice wyrażą w tej sprawie indywidualne życzenie na piśmie. 31 grudnia Rada Państwa uchwala dekret o organizowaniu i obsadzaniu stanowisk kościelnych. Wraz z jego ogłoszeniem traci moc (...) analogiczny dekret z dnia 9 lutego 1953 roku”[2].

Ustępstwa poczynione wobec Kościoła miały doniosłe konsekwencje polityczne.

Natychmiast po objęciu władzy w partii Władysław Gomułka rozpoczął pacyfikację „rozpolitykowanej” opinii publicznej. Już w pierwszych jego

---

[1]Wstęp do *Wyboru pism* Simone Weil, Paryż 1958, s. 11.
[2]*op. cit.*, s. 115-116.

przemówieniach pojawiły się ataki na tzw. rewizjonistów, na ich program władzy rad robotniczych, niezależnych od partii związków zawodowych, pluralizmu w ruchu młodzieżowym czy likwidacji cenzury prewencyjnej. Zmierzając do politycznej neutralizacji Kościoła i środowisk katolickich w trakcie konfliktu z rewizjonistami, nowe kierownictwo partii - poza wspomnianymi ustępstwami - wyraziło również zgodę na reaktywowanie „Tygodnika Powszechnego" pod „starą" redakcją Jerzego Turowicza (pismo zostało zlikwidowane w marcu 1953 roku i następnie przejęte przez PAX). Te posunięcia taktyczne opłaciły się władzy sowicie.

Wkrótce po przywróceniu nauki religii w szkołach na łamach prasy rewizjonistycznej - m.in. na łamach organu „wściekłych", tygodnika „Po prostu" - pojawiły się artykuły atakujące nietolerancję katolickich katechetów i dyskryminację dzieci nieuczęszczających na lekcje religii. W artykułach tych łatwo było dostrzec krytyczne nastawienie do samej zasady nauczania religii w szkole. Krytycyzm ów był zrozumiały, jeśli zważyć na ideowy rodowód rewizjonistów. Ateizm i antyklerykalizm były trwałymi składnikami ideologii polskiego rewizjonizmu. W przeprowadzanych przez rewizjonistów - najostrzejszych nawet - krytykach stalinizmu prześladowania religii i Kościoła nie piętnowano wcale albo też widziano w nich jedynie błędną taktykę, która - spychając Kościół na skraj katakumb - umacniała „przesądy religijne". Zaryzykowałbym pogląd, że wielu rewizjonistów uważało wydatne ograniczenie wpływów katolicyzmu i Kościoła za jedną z niewielu zalet epoki „błędów i wypaczeń". Nie bez znaczenia była i ta okoliczność, że w swych krytykach partii i partyjnej ortodoksji rewizjoniści nader często uciekali się do analogii z Kościołem katolickim. Rzec by można, iż partia była dla nich tym bardziej antypatyczna, im bardziej przypominała im Kościół. Piętnując w swych pismach irracjonalizm i fideizm mętnych konstrukcji stalinowskiego „diamatu", rewizjoniści byli spadkobiercami idei filozofów racjonalistycznych. „Fanatycznej wierze" stalinowców przeciwstawiali „rozum" i tolerancję.

W atakach rewizjonistów na złą atmosferę w szkole po przywróceniu nauki religii było zapewne sporo rzetelnej prawdy. Trudno nie zaakceptować postulatu rozdzielenia Kościoła od państwa na wzór francuski. Rzecz w tym jednak, że te ataki i te argumenty musiały brzmieć dosyć dwuznacznie i fałszywie dla katolickich uszu. „Jakże to?" - zapytywano. „To teraz obudzili się w nich obrońcy tolerancji? A gdzież była ich umiłowana tolerancja, kiedy utrudniano naukę religii, kiedy prześladowano Kościół katolicki, kiedy likwidowano »Tygodnik Powszechny«, kiedy więziono kapłanów?". Sądzić można, iż z punktu widzenia wczoraj jeszcze prześladowanego biskupa „wściekli" rewizjoniści stanowili formację szczególnie odrażającą. Wczoraj jeszcze atakujący religię i biskupów, wczoraj jeszcze aktywiści frontu ideologicznego partii, chwalcy reżimu, gdy był on szczególnie okrutny, a dziś - wciąż nieuznający swej osobistej winy, przerzucający odpowiedzialność na obiektywne warunki i innych ludzi, bijący się w cudze piersi, a jednocześnie - znów w todze moralistów - gromiący nietolerancję u innych, tych wczoraj prześladowanych. Również opozycyjność rewizjonistów wobec nowego kierownictwa partii musiała dla prześladowanych katolików wyglądać mocno podejrzanie. „Skąd ten rygoryzm moralny u ludzi, którzy pisali apologie polityki Bieruta? Czym wytłumaczyć ich niezłomność wobec względnie liberalnej polityki Władysława Gomułki, który deklarował chęć uchronienia narodu od radzieckiej interwencji zbrojnej, od powtórzenia między Odrą a Bugiem tragedii węgierskiej?". Taki właśnie sens miała gwałtowna polemika Stefana Kisielewskiego z Wiktorem Woroszylskim na temat stosunku rządu do sprawy węgierskiej; polemika, w której całkowitą - moralną i polityczną - słuszność miał Woroszylski. Ustępstwami poczynionymi wobec Kościoła władza storpedowała jakiekolwiek ewentualne próby porozumienia między hierarchią kościelną i środowiskami tradycyjnie katolickimi a rewizjonistami.

***

Publiczne wypowiedzi Episkopatu z pierwszych lat po Październiku cechuje apolityczność, umiar w sformułowaniach, a nawet pewna przychylność wobec reżimu. Częstym tematem wystąpień Episkopatu były apele do wiernych o katolicką edukację młodzieży i ataki na proceder przerywania ciąży. Wszelako żadne z tych wystąpień nie miało charakteru antyrządowego. Przeciwnie: w *Liście pasterskim na nowy rok pracy wychowawczej* z 3 września 1959 roku piętnastą rocznicę ogłoszenia manifestu PKWN biskupi nazwali „piętnastoleciem odzyskania niepodległości". List wzywa do kultywowania takich cnót, jak: życie rodzinne, trzeźwość, skromność, czystość, pracowitość i oszczędność. Przywrócenie nauki religii w szkole zostało określone jako „wielki dowód mądrości" władz państwowych[1]. W *Głosie biskupów polskich do duchowieństwa o wysiłkach duszpasterskich* z 17 marca 1960 roku odnaleźć można analogiczne sformułowania. Biskupi wzywają do pilności i rzetelnej pracy, a piętnują „niedbalstwo i lenistwo, nietrzeźwość, kradzież dobra publicznego". „Pracujemy wiele - pisali biskupi - ale

---

[1] *Listy pasterskie Episkopatu...*, s. 184-188.

nie zawsze sumiennie, umiemy szanować dobra własne, ale nie umiemy uszanować wspólnego dobra narodu. Nie pamiętamy, że szkodnictwo w pracy, niszczycielstwo, rozkradanie mienia społecznego, tak zwane brakoróbstwo godzi w nas i opóźnia ogólny postęp gospodarczy"[1]. Ta troska o sytuację społeczną i gospodarczą narodu, przy jednoczesnym pominięciu jakichkolwiek akcentów opozycyjnych czy polemicznych, doskonale współbrzmiała z lansowanym przez prasę partyjną dążeniem do dobrobytu materialnego i z propagowanymi hasłami „dobrej roboty". Wszelkie konflikty między rządem a hierarchią pozostawały w utajeniu.

Nie oznacza to jednak, że konfliktów takich nie było. Kompetentny świadek ówczesnych zdarzeń Władysław Bieńkowski tak oto pisał w swojej książce *Socjologia klęski:*

„...odcinkiem popaździernikowej polityki zajadle atakowanym przez konserwatywne elementy aparatu były próby uregulowania stosunku do Kościoła i religii. Osobliwością w stosunkach między Kościołem i państwem była taktyka władz polegająca na unikaniu prawnego uregulowania całego szeregu spraw bezpośrednio obchodzących większość społeczeństwa, do jakich należała np. sprawa religii w szkole. Zamiast uregulowania aktem prawnym wybrano metodę »politycznego« oddziaływania, tzn. stopniowego usuwania religii ze szkół w miarę »dojrzewania« społeczeństwa. Obłuda tej taktyki była oczywista. W istocie było to oddanie tego czułego problemu na całkowitą samowolę rozmaitego rodzaju sekciarzy i lokalnych kacyków, którzy w dążeniu do przyspieszenia dojrzewania społeczeństwa dopuszczali się różnego rodzaju nadużyć i wręcz prowokacji. Usuwano religię ze szkół pod rozmaitymi pretekstami, często powołując się na wolę »ludności«. (...) Głównym celem ataków stała się polityka oświatowa usiłująca oczyścić szkolnictwo z wynaturzeń stalinowskiego okresu. Już w kilkanaście dni po VIII Plenum antypaździernikowe elementy stworzyły organizację do walki z polityką oświatową. Powstało Towarzystwo Szkół Świeckich, którego założycielami (o czym mało kto wie) byli prawie wyłącznie pracownicy organów bezpieczeństwa i aparatu partyjnego usunięci w czasie październikowego zwrotu. Dopiero później zwerbowano tam sporą ilość nauczycieli i działaczy oświatowych. Towarzystwo to stało się stopniowo drugim, »partyjnym« ministerstwem oświaty, popieranym przez lokalne komitety przeciwko władzom szkolnym i przy poparciu tym organizującym różnego rodzaju akty dywersji. (...) Głównym motywem było podtrzymywanie »ideologicznej aktywności« partii, dla któ-

---

[1] *ibid.*, s. 197.

rej ta dziedzina stwarzała szerokie i niezwykle dogodne pole"[1]. Jakoż w tym samym jeszcze 1960 roku, po upływie zaledwie kilku miesięcy, Episkopat zdecydował się na ujawnienie konfliktu. W czasie letnich wakacji władze państwowe podjęły decyzję o likwidacji nauki religii w szkołach. Episkopat odpowiedział listami do kapłanów i do wiernych. Oba listy opatrzone są datą 4 września.

List do kapłanów jest wezwaniem do jedności. „W bieżącym roku - pisali biskupi - dało się zauważyć nasilenie tendencji do wywołania nieufności i rozdźwięku między kapłanami i biskupami oraz administracją kurialną. W pewnych wypadkach usiłuje się przedstawić biskupów jako prześladowców księży. Dyskretnie wsącza się pogląd, iż biskupi byli winni temu, że księża dostawali się do więzień, że usunięto religię ze szkół, że duchowieństwo musi ponosić wygórowane ciężary podatkowe itp. (...) ofensywa antykościelna przeciw nam idzie w kilku kierunkach: poderwania zaufania wiernych do swych pasterzy, podziału księży na mniej i więcej lojalnych oraz uderzenia w środki materialne". Zasadami postępowania kapłanów winny być: „jedność, zaufanie i miłość". „Nie pozwólmy się podzielić na »patriotów« i »niepatriotów«, na »postępowych« i »niepostępowych«". Rozważając zagadnienie relacji pomiędzy duchownymi i polityką, biskupi wyjaśniali: „Jako obywatele winniśmy państwu lojalność, mamy obowiązek wykonywać sprawiedliwe zarządzenia. Mamy obowiązek kochać naród i dbać o jego dobro, wzbogacać te wszystkie wartości, które określamy mianem Ojczyzny. (...) Natomiast trzeba sobie uświadomić, iż wiązanie duchowieństwa z jakimikolwiek ustrojami, z bieżącą polityką państwa, a zwłaszcza z walczącymi o wpływy partiami, nie było w zgodzie z duchem Ewangelii Jezusa Chrystusa i z wolą Kościoła. Historia zresztą aż nazbyt boleśnie pouczyła, że wypadki »podpierania tronów« czy jakichkolwiek rządów kończyły się smutno dla kleru, a co gorsza - i dla sprawy Bożej". Usunięcie nauki religii ze szkół nazywają biskupi „cynicznym", dokonanym wbrew *Porozumieniu* i woli rodziców. Piszą o „postępie laicyzacji i demoralizacji", o „natrętnej propagandzie płycizny i barbarzyństwa", o „szerzącym się bezprawiu i przemocy". „Trzeba zauważyć - czytamy w liście - że po rozsądnym i humanitarnym okresie popaździernikowym w dziedzinie szkolnictwa powiał duch wojującego, fanatycznego ateizmu". Wszelako dzięki temu wszystkiemu „religia staje się znowu bardziej atrakcyjna, bo jest owocem zakazanym..."[2].

[1] Biblioteka „Kultury", Paryż 1971, s. 41-42.
[2] Listy pasterskie Episkopatu..., s. 203-207.

W *Liście Episkopatu Polski do dzieci Bożych Kościoła Chrystusowego o aktualnych niebezpieczeństwach* znalazły się sformułowania równie stanowcze i radykalne:

„W chwili obecnej - pisali biskupi - wiara w Chrystusa jest zagrożona (...) przez ataki ze strony ateizmu, który z miesiąca na miesiąc wzmaga działalność i walczy z Kościołem Chrystusowym z nieludzkim wprost fanatyzmem. W tej walce posiada wszystkie nowoczesne środki, a zarazem sam przywdziewa maskę tolerancji, humanitaryzmu i postępu. Kiedy zaś katolicy usiłują się bronić, to zarzuca się im antypaństwowość, wrogość do ustroju i Bóg wie co jeszcze".

Odpowiadając na obiegowo stawiane Kościołowi zarzuty, biskupi stwierdzali:

„Ileż to razy powtarza się obraźliwy zarzut, że nasza wiara święta, która jest kamieniem węgielnym jednoczącym naród i państwo, która wychowała nam niemal wszystkie pokolenia, a wśród nich tysiące najlepszych synów narodu: od Mieszka i Bolesława - poprzez świętych i błogosławionych, mężów nauki, jak Kopernik, i mistrzów słowa, jak Skarga, Mickiewicz, Sienkiewicz, aż do kapłanów i świeckich ofiar obozów koncentracyjnych i powstańców warszawskich - że ta nasza święta wiara katolicka, »żywot i nadzieja nasza«, że to wszystko jest »wstecznictwem, ciemnotą i zacofaniem«... Czy można wobec tego dziwić się nam, katolikom, że się oburzamy, jeżeli to, co dla nas jest najświętsze, bywa tak nieludzko poniewierane i deptane? (...) Trzeba więc mieć szacunek dla tego, co nazywamy świętością religijną, i nie obrażać najgłębszych naszych uczuć religijnych tak ściśle związanych z narodowymi".

„Zastrzegamy się najuroczyściej przed tym - kontynuowali biskupi - by nasz katolicyzm nazywać »fanatyzmem religijnym«. (...) Bylibyśmy fanatykami religijnymi dopiero wtedy, gdyby w kościołach naszych i w miejscach pielgrzymkowych rozbrzmiewały akcenty nienawiści, wzywania do gwałtu i mściwości. Ale tego nie słyszał jeszcze nikt ani na Jasnej Górze, ani gdzie indziej. Wszędzie natomiast, w każdym konfesjonale i z każdej ambony katolik słyszy nie tylko słowa miłosierdzia dla siebie, ale także upomnienia, aby spełnił gorliwie przykazania zarówno te, które dotyczą Bożej czci, jak i te, które przez miłość regulują nasz stosunek do rodziny, małżeństwa, do państwa, do własności osobistej i społecznej. (...)

Zarzut, jakobyśmy byli »zacofani«, odpieramy z tą samą stanowczością. Wcale nie pragniemy powrotu do minionych, a nie zawsze dobrych form średniowiecznych. (...) Do przeszłości chyba powinien należeć zarzut, że Kościół w Polsce jest »kapitalistyczny«. Wszak odebrano nam kolejno wszystkie poważniejsze środki materialne kościelnej egzystencji. Parafie, diecezje i zakony, jeżeli gdzieś jeszcze coś posiadają, są to raczej znikome resztki, których nam naprawdę już nikt nie zazdrości. Szpitale, zakłady wychowawcze i społeczne (...) zostały przejęte pod władanie państwa. A to, co Kościołowi pozostało, jest obciążone tak wielkimi podatkami, że pomimo najlepszej woli nie jesteśmy w stanie ich zapłacić. Kapłani i zakonnicy oraz zakony żeńskie żyją dosłownie dziś z pracy rąk i z chrześcijańskiej ofiarności wiernych. A te sumy, które rzekomo »wyciągają ze społeczeństwa«, zostają w kraju, służą ożywieniu gospodarki ogólnonarodowej, wracają do społeczeństwa w formie odbudowanych i utrzymanych kościołów, w tysiącznych formach służby społecznej".

„Nie jesteśmy antypaństwowi - tłumaczyli na koniec biskupi - bo jako wierzący chrześcijanie nie możemy tacy być. Głosimy przecież Chrystusowe: »Oddajcie cesarzowi, co jest cesarskiego« - ale też - »co jest Bożego, Bogu« (Łk 20, 25). Bronimy się legalnie przeciw ewentualnym nadużyciom władzy. To jest nasze ludzkie i obywatelskie prawo i chyba nikt tego prawa nam, katolikom, nie odmówi. (...) Niedotrzymywanie lub torpedowanie ustaw państwowych przez zwolenników ateizmu jest z pewnością akcją bardziej antypaństwową niż upominanie się o zachowywanie tych ustaw"[1].

***

Od 1960 roku konflikt Kościoła z władzami państwowymi nasilał się bezustannie. W czerwcu 1962 roku Episkopat opublikował dokument pod nazwą *Współczesna laicyzacja*. W dokumencie tym - pełnym spokojnej i wnikliwej refleksji - przeprowadzone zostało rozróżnienie pomiędzy laicyzacją rozumianą jako obiektywne, charakterystyczne dla naszej epoki zjawisko zeświecczenia a laicyzacją - „działaniem zorganizowanym, zmierzającym do przyspieszenia procesu zeświecczenia i kierowania nim". Ruch laicyzacji w Polsce, w drugim ze swych znaczeń, jest - zdaniem autorów dokumentu - „ruchem politycznym, gdyż objęty jest planowaniem politycznym, kierowany przez instancje polityczne, a wspierany i egzekwowany środkami administracyjnymi. (...) Jest ruchem totalitarnym, bo dąży do objęcia swym wpływem wszelkich objawów życia społecznego, rodzinnego i osobistego i wyłączenia z nich wszelkich sądów i ocen opartych na religii. Jest ruchem nie pozostawiającym możliwości wyboru. Każde dziecko i każdy młody

[1]ibid., s. 209-212.

człowiek mogą uczęszczać tylko do takiej szkoły, która programowo dąży do laicyzacji"[1].

Do meritum sprawy, tj. do zagadnienia procesów laicyzacji, powrócę w dalszych rozważaniach. Tu podkreślić wypada stanowczy i bezkompromisowy ton dokumentu, świadectwo zaostrzającego się konfliktu. Ten sam ton łatwo dostrzec w datowanym w marcu 1963 roku orędziu biskupów „w sprawie wychowania religijnego". W orędziu tym biskupi ostro zaatakowali politykę władz państwowych utrudniającą, a w pewnych sytuacjach wręcz uniemożliwiającą nauczanie religii. Szykany administracyjne polegały na tym, że kapłanom zakonnym, siostrom zakonnym, a także osobom świeckim zakazano nauczania religii:

„Nie mogli oni - stwierdza orędzie - podporządkować się temu zakazowi jako sprzecznemu z ich sumieniem. Do głoszenia prawdy Chrystusowej zobowiązani są bowiem na mocy swego powołania".

Wymierzono im za to kary pieniężne. Zakazano także nauczania religii w prywatnych mieszkaniach, salach parafialnych etc., motywując to przepisami bhp:

„I ten zakaz był nie do spełnienia, gdyż był przeciwny wolności wyznawania Boga i oznaczał likwidację nauki religii w poszczególnych miejscowościach. I znowu posypały się kary pieniężne".

Od księży proboszczów zażądano w inspektoratach oświaty złożenia sprawozdań z nauczania religii:

„Duszpasterze nie mogą składać takich sprawozdań władzom oświatowym - brzmiała odpowiedź biskupów - ponieważ nauczanie religii (...) jest normalną pracą duszpasterską Kościoła, która nie podlega kontroli władz oświatowych". Odmowa złożenia sprawozdań stała się ponowną okazją do wymierzenia kar pieniężnych katechetom: „Wiecie dobrze - pisali biskupi - iż obok zakazów i kar stosowanych wobec uczących religii istnieją wypadki różnorakiego utrudniania dzieciom i młodzieży udziału w katechizacji, a nawet stosowania gróźb i represji wobec uczęszczających na naukę religii i wobec ich rodziców. Znane są fakty wyraźnego zakazu posyłania dzieci na naukę religii, stosowanego wobec niektórych grup społecznych. (...)

Jaką postawę zajmiemy wobec tych trudności? Będziemy nadal prowadzili katechizację dzieci i młodzieży. (...) Będziemy wiernie wypełniać nasz obowiązek w przekonaniu, że działamy zgodnie z najwyższymi polskimi postanowieniami prawnymi".

[1] ibid., s. 263.

Potwierdzenie tego przekonania znajdują biskupi w tekście Konstytucji PRL oraz w aktach ONZ sygnowanych przez rząd PRL: „Dobrowolna nauka religii - czytamy w orędziu - jest sprawą sumienia każdego obywatela. Podporządkowanie tej dziedziny kontroli Inspektorów Oświaty, którzy faktycznie zakazują w wielu wypadkach uczącym prowadzenia lekcji religii, żądają sprawozdań obejmujących między innymi wykazy dzieci i młodzieży uczęszczającej na katechizację oraz wymierzają kary pieniężne za nauczanie, godzi w wolność sumienia, wychowania i religii, co nie da się pogodzić ze wspomnianymi wyżej zasadami prawnymi polskimi i międzynarodowymi"[1].

***

W cytowanych wyżej tekstach łatwo dostrzec swoistą ewolucję sformułowań: z biegiem czasu stają się coraz ostrzejsze. Był to wynik nasilenia się konfliktu, systematycznego wzrostu napięcia między Kościołem a państwem. Ekipa Władysława Gomułki - jak się zdaje - nigdy nie myślała serio o trwałej koegzystencji z katolicyzmem. Deklaracje i ustępstwa z okresu października 1956 roku były posunięciami taktycznymi, spowodowanymi złożoną sytuacją polityczną i słabością nowego kierownictwa. Postępom stabilizacji politycznej towarzyszył wzrost represji antykościelnych. Z kolei Episkopat, widząc całą iluzoryczność popaździernikowych nadziei na rzetelny kompromis, formułował swój punkt widzenia w słowach coraz bardziej drastycznych. W piśmie *Biskupi polscy do braci kapłanów* z 28 sierpnia 1963 roku pojawił się ton dramatyczny. Pismo poprzedzone było znamiennym mottem z *Ewangelii według św. Jana*, które nadawało dokumentowi szczególną rangę: „A gdy to powiedział, jeden ze służby tam stojący wymierzył Jezusowi policzek, mówiąc: »Tak odpowiadasz najwyższemu kapłanowi?«. Odpowiedział mu Jezus: »Jeśli źle powiedziałem, daj świadectwo o złym, a jeśli dobrze, dlaczego mnie bijesz?«. I odesłał go Annasz związanego do najwyższego kapłana Kajfasza" (J. 18, 22-24). Intencją, która przyświecała biskupom przy pisaniu tego listu, była chęć wyjaśnienia kapłanom, „dlaczego dalej »ustąpić« nie możemy, że to »ustąpienie« byłoby zdradą prawdy, sprawiedliwości, Chrystusa i naszej kapłańskiej misji w Polsce". Chodzi tu, rzecz prosta, o ustąpienie przed kolejnymi żądaniami władzy państwowej.

[1] *ibid.*, s. 289-290.

Biskupi rozpoczynają swoje pismo od przypomnienia wielkich nadziei, jakie wiązali z przychylnym stosunkiem władz państwowych i partyjnych do papieża Jana XXIII:

„Odczuliśmy powiew czystego wiatru, gdy przeczytaliśmy (...) szereg artykułów względnie obiektywnych i rzeczowych. (...) Świtała nadzieja, że się przezwycięży widma nieszczerości, dyskryminacji i dokuczliwości".

Biskupi sądzili, „że w stosunku rządzących ateistów do rzesz rządzonych ludzi wierzących w Polsce pękają wreszcie zardzewiałe łańcuchy bezdusznych schematów i uprzedzeń".

Jednakże „nadzieje te były bezpodstawne". Wszystkie te deklaracje i gesty władz państwowych okazały się kolejnym manewrem, „jeszcze jedną próbą wbicia klina w jedność Kościoła w Polsce". Episkopat polski został zaatakowany za rzekomą wrogość ideom odnowy soborowej, przedstawiany był jako „jeden z najbardziej zacofanych w świecie". Przeciwstawiano mu „Episkopat francuski czy nawet niemiecki", ale te same episkopaty potępiano jako „imperialistyczne". Zacietrzewieniem i nieustępliwością „zacofanego" Episkopatu wyjaśniano represje stosowane wobec duchowieństwa i przedstawiano je jako „obronę tolerancji i wolności sumienia":

„Nawet egzekucja mienia - zabieranie motorów, aut, maszyn do pisania, zegarków, a czasem i bielizny osobistej - motywowana jest tym, że »biskupi nie chcą ustąpić«...".

Oto dlaczego Episkopat polski uznał za niezbędne ponowne przypomnienie realiów i sformułowanie własnego punktu widzenia:

„Czynimy to w formie wewnętrznej - listu do Was, Bracia Kapłani, jako do ludzi dojrzałych pod względem duchowym i obywatelskim. Mimo bowiem licznych głosów, aby ujawnić wobec rzesz wiernych wszystkie nadużycia, krzywdy i fakty bolesnej dyskryminacji i nietolerancji, na razie tego nie czynimy, aby nie wywołać fali oburzenia i gniewu pod adresem przedstawicieli władz. Mimo wszystko żywimy jeszcze nadzieję, że odpowiedzialne czynniki uznają wreszcie prawa ludzkie ogromnej większości narodu i zejdą z tej fałszywej i pełnej niebezpieczeństw drogi".

Po tych kategorycznych przestrogach biskupi przechodzą do analizy i opisu realiów sytuacji Kościoła.

Aparat ucisku pozostał nienaruszony - stwierdzają biskupi. „Nadal Kościołem w Polsce z polecenia władz partyjnych rządzą funkcjonariusze Urzędu do spraw Wyznań i wojewódzkich wydziałów wyznań, jak również tajna milicja. Rządzą bezwzględnie i bez apelacji. Starają się to czynić jednak jak najbardziej dyskretnie i anonimowo. Czynniki te, nie eksponując się na zewnątrz, są wykonawcami programu stopniowego niszczenia Kościoła w Polsce". Na dowód tej ogólnej tezy biskupi przytaczają fakty. Przypominają, że „uległy cichemu zlikwidowaniu ostatnie w Polsce niższe seminaria przeznaczone dla chłopców w wieku szkoły średniej, którzy w przyszłości chcieliby poświęcić się stanowi duchownemu". Systematycznym szykanom podlegają też wyższe seminaria duchowne:

„Oto w Krakowie dochodzi do usiłowania zabrania gmachu Seminarium Śląskiego, wzniesionego kiedyś z górniczych składek; to znów w innym mieście czynniki rządzące stwierdzają, że seminarium dysponuje zbyt wielkimi pomieszczeniami, które należy ograniczyć przez dokwaterowanie lokatorów, jacy mają zamieszkać w jednym domu z instytucją naukowo-wychowawczą. Dlaczego nie słyszeliśmy dotąd, że umieszcza się lokatorów w pomieszczeniach uniwersyteckich, że ogranicza się czytelnie, laboratoria i sale wykładowe uczelni państwowych?".

Kandydaci do stanu duchownego są - wbrew zapewnieniom władz państwowych - wcielani do wojska, co przerywa ich studia. Siostry zakonne są systematycznie eliminowane ze szpitali, pozbawiane prawa i możliwości wykonywania zawodu pielęgniarek:

„Dlaczego? Tylko dlatego, że ubrane były w zakonny habit i były zewnętrznym wyrazem ideologii innej niż urzędowa. (...) Czy nie przypomina [to] gwiazdy, którą Żydzi musieli nosić swego czasu jako »najniższa kategoria ludzi«? Czy jawną nietolerancję można widzieć tylko na dalekim, obcym podwórzu?".

Dalej przypominają biskupi o zakazach zawierania ślubów kościelnych czy chrzczenia dzieci, którym podlegają oficerowie służby czynnej, pracownicy MO i „członkowie niektórych organizacji politycznych". Przypominają także o utrudnieniach w działalności katechetycznej, o pozbawieniu katolików możliwości propagowania swej wiary w środkach masowego przekazu, o brutalnym cenzurowaniu katolickich wydawnictw, o ciągłych represjach i obciążeniach materialnych.

Władzom państwowym zarzucają biskupi nieszczerość, obłudę i fałszowanie rzeczywistości:

„Okłamywanie społeczeństwa - pisali biskupi - uważamy za wielką krzywdę wyrządzoną naszemu narodowi. (...) Pamiętać należy, że w brudnych propozycjach wysuwanych przez niektóre czynniki partyjno-administracyjne, które miałyby bądź zasłaniać, bądź sankcjonować przez autorytet Kościoła szkodliwy klimat kłamstwa upowszechnionego w naszej Ojczyźnie, mieści się także groźne niebezpieczeństwo o znaczeniu ogólnospołecznym".

Uzasadniając tę myśl, biskupi przytoczyli następujący fragment encykliki Jana XXIII *Pacem in terris*:

„Jeśli władza opiera się wyłącznie lub też głównie na groźbie i lęku przed sankcjami karnymi, lub też na obietnicach czy kuszeniu nagrodami, jej działanie nie zachęca skutecznie ludzi do przykładania się do wspólnego dobra. A jeśliby - załóżmy - ten cel miała osiągnąć, działoby się to wbrew godności osobistej ludzi, istot rozumnych i wolnych". Z tego to względu - zdaniem biskupów - „próby niweczenia Kościoła są równocześnie zamachem na ludzką uczciwość, prawość, sumienność i wzajemne zaufanie, do którego chrześcijaństwo nieustannie wychowuje swych wyznawców. Można te duchowe przymioty w ludziach podcinać, można ludzi nasycać oszustwami i zwodzić ich nieprawdą, ale wtedy druzgocze się równocześnie cnoty obywatelskie, bez których nie ma ani rzetelności w pracy zawodowej, ani społecznej życzliwości".

Obowiązujące w państwie prawo nie może pozostawać w sprzeczności z prawem naturalnym, „którego zasady wypisane w swoim wnętrzu odczytuje przy pomocy rozumu każdy myślący człowiek. Zasady te są zarazem zakreślonymi w naszej egzystencji ludzkiej, w naszej wspólnej naturze, wytycznymi samego Boga Stwórcy. Nikt od nich nie jest wolny, nawet gdyby mu się wydawało albo gdyby twierdził, że jest niewierzący. Moc obowiązująca tych praw zapisanych w głębi ludzkiej duszy jest powszechna. One to nakazują czynienie dobra, bez względu na koniunkturę, oraz omijanie zła bez oglądania się na jakiekolwiek krótkotrwałe wygody stąd płynące. To główne wskazanie domaga się w bezpośredniej konsekwencji przede wszystkim wzajemnego ludzkiego szacunku bez względu na jakiekolwiek okoliczności lub na sugestie ze strony ludzi kierujących się dowolnie określonymi interesami partykularnymi czy sprawujących aktualnie władzę". W tym kontekście przypominają biskupi inny fragment encykliki *Pacem in terris*:

„Władzy rozkazywania domaga się porządek moralny, gdyż wywodzi się ona od Boga. Jeśli więc sprawujący władzę w państwie wydają ustawy albo jakiekolwiek rozporządzenia przeciwne temu porządkowi, a tym samym wbrew woli Bożej, wtedy ani owe ustawy, ani rozkazy nie mogą wiązać obywateli w sumieniu, gdyż »bardziej trzeba słuchać Boga niż ludzi« (Dz. 5, 29). Wtedy w rzeczywistości sama władza ulega degeneracji i staje się bezprawiem i potworną tyranią".

„Nie mamy zamiaru - powiadają biskupi - słowami Jana XXIII buntować przeciwko aktualnej władzy w Polsce. Ostrzegamy jednak przed zgubnymi sposobami i konsekwencjami nieodpowiedzialnego rządzenia".

Te konsekwencje mogą okazać się analogiczne do konsekwencji zbrodni hitlerowskich osądzonych w procesie norymberskim:

„Oskarżonych zbrodniarzy nie zasądzono tam na podstawie spisanych przepisów prawnych, lecz uznano ich za winnych wobec sumienia, wobec ludzkości, gdyż pogwałcili ogólnoludzką konstytucję wpisaną przez Stwórcę w ludzkie myślenie, dążenie i odczuwanie".

Główną przyczyną wyrządzonego przez hitleryzm zła i hitlerowskich zbrodni: „było lekceważenie i deptanie prawa naturalnego i godności osoby każdego człowieka, której to prawo strzeże. (...) Bezprawie ograniczające elementarne prawa ludzkie do pełnego rozwoju osobowości - pisali biskupi pod adresem administracji państwowej - należy do rzędu tych samych przestępstw, za jakie stają jeszcze dzisiaj hitlerowscy zbrodniarze przed trybunałami".

Walkę z Kościołem nazwali biskupi „zaślepionym wstecznictwem".

W cytowanym dokumencie biskupi nie ograniczyli się do spraw czysto kościelnych:

„Chcemy wraz z Wami, Bracia Kapłani - pisali biskupi - wczuwać się w kłopotliwą sytuację gospodarczą naszego kraju. Pragniemy ją zrozumieć. Nie pojmujemy jednak, jak w życiu praktycznym i osobistym niektórzy działacze partyjni, reprezentujący rzekomo klasę robotniczą, nie dbają o prawdziwy interes robotnika czy chłopa, nie zajmują się wysokością płacy robotnika ani poziomem życia w jego rodzinie. Sami natomiast usiłują zdobywać możliwie najwyższy pułap swych dochodów, które daleko odbiegają od faktycznego wynagrodzenia niektórych pracowników produkcji przemysłowej, nie mówiąc już o ludziach żyjących tylko z własnej roli na wsi. Z punktu widzenia demokracji gospodarczej niepokoi narastający fakt powstania nowej klasy - górnych kilku tysięcy - które standardem swego życia wysuwają się wysoko ponad przeciętny poziom warstwy właściwych pracowników fizycznych. Nie w tym rzecz, że zarysowują się jednostkowe odchylenia, ale bolesne jest to, że luksusowe życie, nie liczące się często z ogólnym poziomem egzystencji szarego pracownika, staje się dla tego typu ludzi zjawiskiem prawidłowym. (...)

Prosimy Was, drodzy Bracia - zwracali się biskupi do kapłanów - byście sami waszego życia materialnego nie układali ponad rozumne potrzeby i stan licujący z ogólnym poziomem życia w Polsce". „Do Kościoła triumfującego na ziemi - dodają w innym miejscu biskupi - ani dążyliśmy, ani dążyć chcemy. (...) Dosyć nasłuchaliśmy się zarzutów, że w dawniejszych pokoleniach hierarchia i duchowieństwo podpierały trony doczesne i kąpały się w ich blasku. Być może, iż czasem tak bywało. Toteż w konsekwencji tych doświadczeń z przeszłości powinniśmy trzymać się jak najdalej od tronów i możnych tego świata".

Biskupi w dalszym ciągu wywodu tłumaczą, że „ponieważ narzuca się nam niesprawiedliwe prawa i zarządzenia (...), jesteśmy zmuszeni podejmować codziennie na nowo tę walkę o zachowanie religijności i bytu Kościoła Chrystusowego (...), o prawdę i o prawa ludzkie i boskie powierzonych nam przez Boga dusz ludzkich. Nie wolno nam jednak w tej walce stosować pierwotnej zasady, potępionej przez Chrystusa Pana:»oko za oko, ząb za ząb«- czyli»jak wy nam, tak my wam«. Nie wolno stosować metod obcych Ewangelii i tolerować w sobie gniewu i nienawiści. (...) Nauczmy się być nie tylko sprawiedliwi w walce, ale miłosierni, nauczmy się przebaczać, zwłaszcza tam, gdzie widzimy chociażby iskrę dobrej woli i szczerego zawstydzenia". Z tej walki kapłani i wierni powinni wyjść „duchowo i wewnętrznie wzbogaceni, oczyszczeni. Wówczas będzie ona naszym pełnym zwycięstwem".

Kreśląc perspektywę przyszłości, biskupi zauważają: „Jesteśmy głęboko przekonani, patrząc na rozwój rzeczywistości, że czas wojującego ateizmu w świecie mija; mija wraz z podobnymi do niego fałszywymi systemami i nurtami. Idzie natomiast epoka braterstwa narodów i ras. Idea uniwersalizmu Jana XXIII (...) ogarnia całą ludzkość". Dlatego „wszelkimi sposobami powinniśmy też pracować nad tym, by w naszym narodzie nie było nienawiści do innych wyznań i innych narodów: ani do niemieckiego (...), ani do rosyjskiego, ani do żadnego innego. Mamy pełne prawo bronić swego bytu i rozwoju narodowego; mamy prawo i obowiązek kochać swoją Ojczyznę, ale bez nienawiści do bliźnich, chociażby wczorajszych krzywdzicieli. (...) Jesteśmy i z całą świadomością chcemy nadal być stróżami i krzewicielami prawdziwej, autentycznej kultury narodowej - nie ciasnej, nie zaściankowej, ale takiej, co oddycha szerokim, ekumenicznym oddechem całego świata i wszystkich ludzi dobrej woli".

Na temat stosunku do władz państwowych biskupi wypowiadają słowa mocne i niedwuznaczne:

„Nie dajcie się podzielić na księży bardziej i mniej oddanych »cesarzowi«, na »pozytywnych« i »negatywnych«, na »patriotów« i »niepatriotów«. Wiemy dobrze, iż (...) kapłan, który opuszcza Pana Boga, zaczyna służyć bożyszczu. I tutaj jest geneza kultu jednostki w różnych postaciach. (...) Trzeba mieć w pamięci - kontynuowali biskupi - zasadę wyrażoną w Dziejach Apostolskich, że za każdym razem, kiedy jednostki dzierżące władzę dają nakazy nieetyczne, przekraczające ludzkie możliwości, »należy Boga więcej słuchać aniżeli ludzi«. Nakazów sprzecznych z naturą ludzką, z Ewangelią, z Kartą Praw Człowieka, z Konstytucją - nie wolno wykonywać!"[1]. Wezwanie do „obywatelskiego nieposłuszeństwa" nie było figurą li tylko retoryczną. W odpowiedzi na wydany przez władze państwowe zakaz nauczania religii przez siostry zakonne, zakonników i katechetki biskupi opublikowali odezwę do duchowieństwa, gdzie napisali wprost:

„Polecamy Wam, drodzy Kapłani, Siostry zakonne i Katechetki, byście dalej pełnili swoje szczytne obowiązki, które w każdym społeczeństwie są tak bardzo cenione"[2].

Nigdy później biskupi nie ustąpili z tak sformułowanego stanowiska. Również władze państwowe nie były skłonne do ustępstw. Konflikt nasilał się nieustannie, by stać się otwarty w grudniu 1965 roku.

***

Zaostrzenie konfliktu pomiędzy państwem a Kościołem było konsekwencją i fragmentem całościowej polityki władz zmierzającej do ograniczenia swobód demokratycznych. Wcześniej niż w Kościół ugodziła ta polityka w środowiska „rewizjonistyczne", czyli po prostu w laicką inteligencję.

Odwrót od haseł i praktyk polskiego Października rozpoczął się bezpośrednio po objęciu władzy przez Władysława Gomułkę. Po prasowych atakach na rewizjonistów przyszła kolej na posunięcia administracyjne. Dokładnie w pierwszą rocznicę VIII plenum, które wyniosło Gomułkę na stanowisko I sekretarza, zlikwidowany został bardzo popularny tygodnik młodej inteligencji - „Po prostu". Do rozpędzenia protestującej na wiecach młodzieży studenckiej użyto oddziałów milicji (tzw. golędzinowców), które poczynały sobie nader brutalnie. W tym samym czasie zlikwidowano - przed ukazaniem się pierwszego numeru - pismo literackie „Europa". Spowodowało to wystąpienie z partii kilku wybitnych pisarzy (m.in. Jerzy Andrzejewski, Mieczysław Jastrun, Adam Ważyk, Paweł Hertz, Juliusz Żuławski, Jan Kott, Stanisław Dygat). Praktycznej likwidacji uległ również - na początku 1958 roku - tygodnik „Nowa Kultura". Wobec próby narzucenia pismu nowej linii ideowej przez reprezentującego kierownictwo partii Andrzeja Werblana z zespołu ustąpili: Wiktor Woroszylski, Tadeusz Konwicki, Wilhelm Mach, Marian Brandys, Leszek Kołakowski, Witold Wirpsza i Jerzy Piórkowski. Do 1961 roku ustąpili z kierowniczych stanowisk politycy reprezentujący

---

[1] *ibid.*, s. 296-313.
[2] *ibid.*, s. 314-315.

liberalne skrzydło w partii. Władysław Bieńkowski przestał być ministrem oświaty, Stefan Żółkiewski - ministrem szkolnictwa wyższego, Julian Hochfeld - dyrektorem Instytutu Spraw Międzynarodowych. Antoni Słonimski przestał być prezesem Związku Literatów. Aktywizuje się policja polityczna i prokuratura - świadczą o tym procesy Rewskiej, Kornackiego i Rudzińskiej; świadczy o tym sprawa Henryka Hollanda. Na początku 1962 roku - posługując się policyjną prowokacją - władze zlikwidowały Klub Krzywego Koła, jeden z ostatnich reliktów Października i jedną z ostatnich autentycznych placówek wolnego słowa w Polsce. W 1963 roku został zlikwidowany „Przegląd Kulturalny", tygodnik redagowany przez krąg laickiej inteligencji i zachowujący pewną niezależność wobec nasilających się tendencji zamordystycznych i nacjonalistycznych w aparacie partyjnym. Na XIII Plenum KC PZPR (lipiec 1963) proklamowano walkę z „wrogimi tendencjami" w nauce i kulturze. Rozwiązano klub dyskusyjny na Uniwersytecie Warszawskim oraz tzw. Klub Poszukiwaczy Sprzeczności grupujący młodzież licealną. Potęgujące się ograniczenia cenzuralne doprowadziły do ostrego konfliktu między kierownictwem partii a intelektualistami. Zewnętrznym przejawem tego konfliktu była głośna awantura wokół tzw. Listu 34. Jesienią 1964 roku odbył się proces Melchiora Wańkowicza, a latem 1965 roku proces Jana Nepomucena Millera. Również na jesieni 1964 roku wybuchła pierwszy raz głośna sprawa Kuronia i Modzelewskiego; w lipcu 1965 roku Kuroń i Modzelewski zostali skazani na trzy oraz trzy i pół roku więzienia. Wkrótce po procesie karnym Kuronia i Modzelewskiego odbyła się na UW komisja dyscyplinarna związanych z nimi studentów.

Wszystkie te represje wywoływały kolejne protesty w środowisku inteligenckim. Przeciw polityce władz publicznie wypowiadali się w różnych formach m.in.: Maria Dąbrowska i Antoni Słonimski, Maria Ossowska i Tadeusz Kotarbiński, Edward Lipiński i Leopold Infeld, Leszek Kołakowski i Włodzimierz Brus. 1966 rok zastał inteligenckie środowiska lewicy laickiej zasadniczo skłócone z władzą. Także w tym konflikcie kierownictwo partii nie wykazywało żadnych skłonności do ustępstw. Oficjalna polityka władz nie pozwalała nikomu żywić nadziei na rzetelny kompromis.

***

Na przełomie listopada i grudnia 1965 roku, w trakcie kończącego się soboru, biskupi polscy wystosowali do biskupów niemieckich orędzie, które na dłuższy czas stało się przedmiotem licznych komentarzy i sporów. Było to ponad dziesięć lat temu. Przez dziesięć lat nie sięgałem do tekstu *Orędzia* i oto teraz leży przede mną niewielka książeczka pod tytułem *Orędzie biskupów polskich do niemieckich. Materiały i dokumenty.* Książeczkę opublikowało wydawnictwo Polonia w nakładzie 100 tys. egzemplarzy[1]. Bardzo uważnie przeczytałem list polskich biskupów. Nie znalazłem w tym liście nic - dosłownie nic - co mogłoby uzasadnić pełną oburzenia reakcję ludzi skądinąd przyzwoitych i tak nieoczekiwaną podatność tych ludzi na demagogiczne argumenty oficjalnej propagandy. Nie mam tu na myśli płatnych łobuzów dziennikarskich, ale takich ludzi, jak Konstanty Grzybowski i Bogusław Leśnodorski, Michał Radgowski i Tadeusz Mrówczyński, Andrzej Gwiżdż i Marian Małowist. Po co zresztą mówić o innych - w tym nieprzyzwoitym spektaklu sam wziąłem udział i na samo wspomnienie czerwienię się ze wstydu. Wstydzę się swojej głupoty, choć oczywiście głupota nie może być żadnym usprawiedliwieniem.

Dlaczego tak postąpiłem? Dlaczego zdecydowałem się umieścić w „Argumentach" tę rozmowę z profesorem Konstantym Grzybowskim? W wywiadzie, odpowiadając na moje pytania, Grzybowski bardzo krytycznie oceniał przeszłość Kościoła, a również i teraźniejszość. W ówczesnym kontekście było to jednoznaczne. Miałem wtedy poczucie całkowitej niewinności. Nikt mnie nie zmuszał, nikt mnie nawet nie namawiał. To nie słabość charakteru mną powodowała, ale absurdalne przekonanie, że zabieram głos w dobrej sprawie. Czym innym są - myślałem - moje konflikty z partią - bo już miałem i takie za sobą - a czym innym polemika z Kościołem. Że ten atak nie był żadną polemiką, tylko przyłączeniem się do politycznej nagonki, że nie mówiłem własnym głosem, a stałem się - *nolens volens* - propagandystą złej sprawy - to wszystko nie przychodziło mi wówczas do głowy. Powiem wyraźnie: uważałem pozycję ideową Episkopatu - znaną mi w zasadzie tylko z tendencyjnych streszczeń oficjalnej propagandy - za tożsamą z obroną „okopów Świętej Trójcy". Niczego więcej nie umiałem dostrzec. Bezmyślnie powtarzałem dowcipy o tym, że Gomułka i Prymas są siebie warci etc. A przecież miałem już wszelkie dane, żeby wiedzieć, jak jest naprawdę. To nie biskupi wydali nakaz, by mnie aresztować, i nie oni żądali, by mnie usunąć ze studiów. Język, którym posługiwali się biskupi, był mi obcy, niezrozumiały. Utrwalało to tylko mój całkowicie wypaczony wizerunek Kościoła.

---

[1] Orędzie było wydane najpierw przez Instytut Literacki w Bibliotece „Kultury", tom 124, seria „Dokumenty", nr 15, w lutym 1966 pt. *Dialog polsko-niemiecki* z przedmową Juliusza Mieroszewskiego (przyp. redakcji „Krytyki" do wydania niniejszej książki z 1983 r.). W niniejszym wydaniu cytaty z *Orędzia* za: *Listy pasterskie Episkopatu...*

Nie jest to próba szukania usprawiedliwienia, bo nic nie może usprawiedliwiać udziału w zorganizowanym kłamstwie. Nie motywy naszych postępków są najważniejsze, lecz ich konsekwencje. Wszelako bez tej osobistej dygresji nie potrafiłbym pisać na temat relacji między Kościołem a laicką inteligencją... To prawda - rozmaite sformułowania dokumentów kościelnych raziły mnie wówczas; rażą mnie i dzisiaj. Jednak w *Orędziu* biskupów polskich nie znajduję dzisiaj prawie nic z tych akcentów, które wydają mi się najtrudniejsze do zaakceptowania - będzie o tym mowa dalej - w linii ideowej Prymasa Polski i Episkopatu. „Symbioza chrześcijańska Kościoła i państwa - czytamy w *Orędziu* - istniała w Polsce od początku i nigdy właściwie nie uległa zerwaniu. Doprowadziło to z czasem do powszechnego niemal wśród Polaków sposobu myślenia: co »polskie«, to i »katolickie«. Z niego to zrodził się także polski styl religijny, w którym (...) czynnik religijny jest ściśle spleciony i zrośnięty z czynnikiem narodowym, ze wszystkimi pozytywnymi, ale również i negatywnymi stronami tego problemu". Nieczęsto zdarzało mi się odnajdywać w dokumentach kościelnych tak otwarte uznanie mankamentów tkwiących w postawie „Polaka-katolika".

Nieco dalej, pisząc o związkach średniowiecznej Polski z Zachodem, biskupi podkreślają udział obcoplemieńców w tworzeniu polskiej kultury. Piszą o niemieckich kupcach, architektach, artystach, „z których bardzo wielu spolonizowało się; pozostawiono im ich niemieckie nazwiska rodzinne". Piszą o Wicie Stwoszu z Norymbergi, który stworzył w Krakowie - tak ważną dla polskiej kultury - własną szkołę artystyczną. „Polacy głęboko szanowali swych braci chrześcijańskiego Zachodu, którzy przybywali do nich jako posłowie prawdziwej kultury. Polacy nie pomijali milczeniem ich niepolskiego pochodzenia. Mamy zaiste wiele do zawdzięczenia kulturze zachodniej, a w tym i niemieckiej". Taka wizja narodu i kultury narodowej, wolna od szowinizmu i ksenofobii, bliska winna być lewicowej laickiej inteligencji. Różni się ona całkowicie od - spotykanej nieraz w środowiskach katolickich - endeckiej, nacjonalistycznej koncepcji polskości. Dlatego też biskupi nieprzypadkowo podkreślali, że dewizą polską było hasło „Za naszą i waszą wolność", wolnościowe i tolerancyjne tradycje polskiej kultury (np. pisma Pawła Włodkowica).

Podpisując się pod tolerancyjnym i wolnościowym nurtem polskich dziejów, biskupi zdobyli się na odwagę wyciągnięcia z tej tradycji aktualnych wniosków. Podjęli mianowicie wysiłek oddzielenia nazizmu od narodu niemieckiego. Po przypomnieniu wszystkiego, co mroczne w polsko-niemieckich dziejach, po przypomnieniu polityki Fryderyka Wielkiego, Bismarcka, a nade wszystko okrucieństw Adolfa Hitlera, polscy biskupi podjęli sprawy aktualne. Konsekwentnie trwając na stanowisku ostateczności polskiej granicy zachodniej, podjęli wysiłek zrozumienia punktu widzenia Niemców. „Polska granica na Odrze i Nysie jest - głosi *Orędzie* -jak to dobrze rozumiemy, dla Niemców nad wyraz gorzkim owocem ostatniej wojny masowego zniszczenia, podobnie jak jest nim cierpienie milionów uchodźców i przesiedleńców niemieckich".

Powyższe zdanie oznacza, że biskupi polscy rozumieją ogrom krzywd Niemców wysiedlonych z ojczystej ziemi; Niemców, którzy niekoniecznie byli wszyscy nazistami, a których - wszystkich - pozbawiono rodzinnego domu i dobytku. Trudno zaiste tego nie pojmować. Można bowiem - myślę - uznawać te przesiedlenia za nieuchronną konsekwencję rozpętania przez nazizm ludobójczej wojny, ale nie można - bez nacjonalistycznego zaślepienia - uznawać, że są to zdarzenia moralnie obojętne: krzywda zawsze jest krzywdą. Dlatego też nie została zaoszczędzona biskupom niemieckim długa lista krzywd polskich, ale dlatego też cierpienia Niemców nie pozostały w *Orędziu* niezauważone.

„Wiemy doskonale - pisali polscy biskupi - jak wielka część ludności niemieckiej znajdowała się pod nieludzką, narodowosocjalistyczną presją. Znane nam są okropne udręki wewnętrzne, na jakie swego czasu byli wystawieni prawi i pełni odpowiedzialności niemieccy biskupi, wystarczy bowiem wspomnieć kardynała Faulhabera, von Galena i Preysinga. Wiemy o męczennikach »Białej Róży«, o bojownikach ruchu oporu z 20 Lipca, wiemy, że wielu świeckich i kapłanów złożyło swoje życie w ofierze (Lichtenberg, Metzger, Klausener i wielu innych). Tysiące Niemców, zarówno chrześcijan, jak i komunistów, dzieliło w obozach koncentracyjnych los naszych polskich braci...".

I właśnie dlatego - brzmi konkluzja *Orędzia* - „próbujmy zapomnieć. Żadnej polemiki, żadnej dalszej zimnej wojny, ale początek dialogu, do jakiego dziś dąży wszędzie Sobór i Papież Paweł VI. Jeśli po obu stronach znajdzie się dobra wola (...) to poważny dialog musi się udać i z czasem wydać dobre owoce (...). Właśnie w czasie Soboru wydaje nam się nakazem chwili, abyśmy zaczęli dialog na pasterskiej platformie biskupiej (...) byśmy się nawzajem lepiej poznali - nasze wzajemne obyczaje ludowe, kult religijny i styl życia, tkwiące korzeniami w przeszłości i tą przeszłością kulturalną uwarunkowane. (...)

Prosimy Was, katoliccy Pasterze Narodu niemieckiego, abyście na własny sposób obchodzili z nami nasze chrześcijańskie *Millennium:* czy to przez modlitwy, czy przez ustanowienie w tym celu odpowiedniego dnia. Za każdy taki gest będziemy Wam wdzięczni. (...) W tym jak najbardziej chrześcijańskim, ale i bardzo ludzkim duchu wyciągamy do Was (...) nasze ręce oraz udzielamy wybaczenia i prosimy o nie. A jeśli Wy (...) po bratersku wyciągnięte ręce ujmiecie, to wtedy dopiero będziemy mogli ze spokojnym sumieniem obchodzić nasze *Millennium* w sposób jak najbardziej chrześcijański"[1].

Dziesięciolecie, które upłynęło od czasu ogłoszenia cytowanych zdań, ujawniło głęboko humanistyczny sens *Orędzia* polskich biskupów i jego polityczną mądrość. Bieg wydarzeń potwierdził słuszność wystąpienia biskupów: nie ma dla Polaków innej drogi, jak dialog z demokratyczną opinią niemiecką i wspólne przezwyciężanie skutków hitlerowskiej apokalipsy. Rozpętywanie i kultywowanie nienawiści narodowej jest drogą donikąd. Dlatego nikt przy zdrowych zmysłach nie będzie dzisiaj oskarżał biskupów o to, że kwestionowali trwałość polskich granic, i o to, że „wybaczyli" hitlerowskim zbrodniarzom. Pełne załgania i prorządowego serwilizmu wywody Zbigniewa Załuskiego o „skrusze niewinnych i rozgrzeszeniu nieskruszonych" odczytujemy dziś z zażenowaniem i obrzydzeniem. Wszelako wtedy... Wtedy kwestionowano nawet samo prawo biskupów do napisania *Orędzia*. „Kto i kiedy upoważnił Episkopat Polski do tego rodzaju wystąpień i demonstracji?" - zapytywała „Trybuna Ludu". W „Życiu Warszawy" zaś można było przeczytać, że biskupi „samowolnie wkroczyli w dziedzinę polityki zagranicznej, która nie ma nic wspólnego z religijną misją Kościoła. Kto upoważnił biskupów do przemawiania w sprawach polityki zagranicznej (...) bez porozumienia i uzgodnienia z rządem polskim (...)? W czyim imieniu występują biskupi ze stanowiskiem sprzecznym z opinią całego społeczeństwa i z interesami kraju?". A po tych retorycznych pytaniach następowała pogróżka: „To pewne, że w naszej ludowej Rzeczypospolitej (...) na sobiepaństwo miejsca nie ma i nie będzie".

19 grudnia 1965 roku, wkrótce po powrocie z soboru, ks. kardynał Wyszyński ustosunkował się do tych głosów w kazaniu wygłoszonym w parafii Niepokalanego Serca Maryi w Warszawie:

„Gdy wróciłem do Polski - powiedział m.in. ks. Prymas - przywitano mnie całym tym jazgotem, krzykiem i hałasem. (...) Zarzuca się biskupom polskim, że swoich listów nie posyłali do odpowiednich czynników. Nie ma takiego zwyczaju, aby listy pisane do określonych osób rozsyłać na wszystkie strony. List przeznaczony jest do adresata, a adresatem tym w naszym wypadku jest Episkopat niemiecki. (...) Ale nawet gdybyśmy chcieli ogłosić nasze listy, to

[1] *Listy pasterskie Episkopatu..*, s. 830-836.

co by z nimi zrobiła cenzura (...)? Czy wtedy list byłby autentyczny? Mając przed sobą taką perspektywę, wolę milczeć. (...) Nie zamierzam polemizować! Nie będę na tym poziomie prowadził polemiki, bo to nie jest w ogóle poziom". Wszelako, kontynuował Prymas Polski, „jestem przekonany, że na to, co dziś przeżywam, nie zasłużyłem sobie w mojej Ojczyźnie. Ale jeżeli tak się dzieje, to w Imię Boże wszystkim swoim oszczercom - bo inaczej ich nazwać nie mogę - przebaczam!"¹.

Niedługo później wypowiedział się cały Episkopat. Biskupi odpowiedzieli na zarzuty z wielką mądrością i spokojem. W odczytanym w kościołach dokumencie *O listach do Episkopatów na temat Millenium* z 10 lutego 1966 roku replikowali:

„Nie występowaliśmy w imieniu społeczeństwa ani w imieniu narodu w sensie świeckim i politycznym. Chociaż bowiem naród polski jest w absolutnej większości katolicki i wyraża swą przynależność do Kościoła, to jednak my, biskupi, nie uważamy się tym samym za politycznych przywódców narodu. Inne jest nasze powołanie. (...) Przemawialiśmy jako przedstawiciele społeczności katolickiej w narodzie polskim, a prawo do głosu wzięliśmy z naszego posłannictwa od Chrystusa, z posługiwania, jakie w Kościele spełniamy. Prawo do przemawiania wzięliśmy z wiary i wierności Was wszystkich, to znaczy tych, którym chcemy służyć nie mądrością polityczną, nie budowaniem tego czy innego ustroju, ale pokazywaniem drogi do Chrystusa. (...) Niech więc nikt z tych, którzy nie poczuwają się do żywej łączności ze wspólnotą katolicką, nie sądzi, że przemawialiśmy w jego imieniu".

„Nie mamy zamiaru pouczać - kontynuowali biskupi - tych, którzy mierzą wszystko jedynie własną, ludzką miarą. Zwracamy się do ludzi wierzących w to, że Jezus Chrystus, który żył na ziemi (...) jest samym Bogiem i Prawodawcą. Zwracamy się do tych, którzy wierzą Chrystusowym słowom. A Chrystus zapowiada, że przynosi ludzkości nowe prawo. Jego prawo jest trudne: »Przykazanie nowe daję wam, abyście się wzajemnie miłowali« (J. 13, 34). W zakresie prawa miłości znajduje się najtrudniejszy element: prawo, którego nie ma w żadnej innej religii, prawo, które wydaje się na ludzki sposób trudne do zachowania, prawo miłości nieprzyjaciół: »Miłujcie waszych nieprzyjaciół, dobrze czyńcie tym, którzy was nienawidzą« (Mt. 5, 44). Dla wielu wydaje się to sprzeczne z porządkiem ludzkiego myślenia, zwłaszcza jeżeli myślenie ich obraca się jedynie w ramach doczesności i wyklucza pomoc łaski w wykonaniu każdego dobra, a zwłaszcza dobra najtrudniejszego.

¹Cyt za: *Stefan kardynał Wyszyński*, Orchard Lake 1969, s. 230-231.

Ale prawo to jest warunkiem nadziei, jest bodźcem wszelkich wysiłków ku postępowi społecznemu i rozwiązywaniu niepokonalnych - zda się - przeciwności. (...) Obserwujemy, jak przez dzisiejszy świat idzie kryzys sztywnych, kodeksowych, ludzkich miar. Miary te okazują się niewystarczające dla rozwiązania spraw społecznych, tym bardziej - konfliktów międzynarodowych. Gdzie zawodzą kodeksy, gdzie urzędowe czynniki nie mogą dojść do porozumienia i są bezsilne, tam - poza oficjalną polityką i wojną - pragną dojść do porozumienia ludzie dobrej woli, poczuwając się - ponad granicami, językami i ustrojami - do wspólnoty wielkiej rodziny człowieczej. (...) To również mieliśmy na myśli, pisząc do biskupów i do katolików niemieckich. Chcieliśmy im powiedzieć, że jeśli po tysiącu lat, dla nas przeważnie ciężkich i przykrych, mamy żyć jako sąsiedzi, może się to stać jedynie na drodze wzajemnego zrozumienia, zawartego nie tylko w kodeksach, ale przede wszystkim w sumieniu i duszy narodów (...). Wyraziliśmy słowa przebaczenia dla tych, którzy winę swoją rozumieją i mają dobrą wolę pokojowego współżycia z nami (...). Przebaczyliśmy tak, jak przebaczył Chrystus na krzyżu, a przez tajemnicę krzyża przebaczył wszystkim: i nam, którzy do Was mówimy, i Wam, którzy nas słuchacie. (...)

Czy naród polski ma powód do tego, by prosić swych sąsiadów o przebaczenie? Zapewne, nie! Jesteśmy przekonani, że jako naród nie wyrządziliśmy przez wieki narodowi niemieckiemu krzywd (...). Ale też wyznajemy chrześcijańską zasadę, tak podkreślaną ostatnio również w niektórych dziełach literatury, że »nie ma ludzi niewinnych« (Albert Camus). Jesteśmy przekonani, że gdyby nawet tylko jeden Polak (...) w ciągu historii spełnił czyn niegodny, już mielibyśmy powód do wyrażenia: »przepraszamy«, jeżeli chcemy być narodem ludzi szlachetnych i wielkodusznych, narodem lepszej przyszłości"[1].

Odpowiedź biskupów, jej rzeczowość i konsekwentna obrona własnych racji, jej ton pełen godności i humanizmu spowodowała kolejne ataki władz państwowych na Kościół. Nieustannym krytykom Kościoła w środkach masowego przekazu towarzyszyły represje administracyjne. Utrudniano, a czasem wręcz uniemożliwiano odbycie się procesji religijnych (m.in. w dzień Bożego Ciała milicja zaatakowała pałkami procesję w Warszawie). Organizowano słynne „polowania" na obraz Matki Boskiej Częstochowskiej. Między innymi 2 września 1966 roku obraz ten, w trakcie przewożenia z Warszawy do Ka-

---

[1] *Listy pasterskie Episkopatu...*, s. 435-437.

towic, gdzie miał rozpocząć dalsze „nawiedzanie" kościołów i parafii diecezji katowickiej, zatrzymano siłą i odwieziono do Częstochowy, zabraniając wydania go poza obręb Jasnej Góry[1]. W trakcie uroczystości milenijnych organizowano w różnych miastach uliczne demonstracje antyprymasowskie. W Warszawie tłum złożony ze zgonionych członków PZPR, a komenderowany przez nieumundurowanych funkcjonariuszy służby bezpieczeństwa wznosił „spontaniczne" okrzyki: „Niech Rzym zabierze swego kardynała! " Jednocześnie uniemożliwiano przyjazd do Polski Papieża, nie mówiąc już o biskupach niemieckich. Ks. kardynałowi Wyszyńskiemu władze odmówiły paszportu na wyjazd do Rzymu. Za próby obrony biskupów i ich *Orędzia* usuwano ludzi z pracy. Ton rządowej propagandy i praktyki terenowej administracji nasuwały analogię z prześladowaniami Kościoła w epoce Kulturkampfu. Metody polemiczne przypominały najgorsze wzory z epoki stalinowskiej.

Wobec tej sytuacji ludzie ze środowisk lewicy laickiej zachowywali się - w najlepszym razie - biernie. W milczeniu przyjmowali antykościelne brednie i kalumnie, w milczeniu przyjmowali publiczne popisy i sukcesy zwolenników dziennikarskiego kastetu. Zapyta ktoś: a w jaki sposób mogli się odezwać? Czyż milczenie nie było formą protestu? Myślę, że w 1966 roku milczenie formą protestu nie było. Co innego w czasach stalinizmu. Wtedy milczenie Marii i Stanisława Ossowskich miało sens jednoznacznie opozycyjny i trzeba złej woli lub ignorancji, by czynić Ossowskich współodpowiedzialnymi za prześladowanie religii. W tamtych czasach Ossowscy krzyczeli swoim milczeniem. Ale w roku obchodów milenijnych sytuacja była już zupełnie inna. Laiccy intelektualiści niejednokrotnie przedtem występowali przeciw rozmaitym aspektom polityki partii. Przykładem może być choćby sprawa „Listu 34". Dlatego powodów ich milczenia szukałbym gdzie indziej. Myślę mianowicie, że niewielu tylko rozumiało istotny sens ówczesnych zdarzeń. Myślę, że niewielu tylko pojmowało właściwy powód rozpętywania nacjonalistycznych emocji i rzeczywistą przyczynę brutalnych ataków na jedyną niezależną instytucję w kraju.

O co chodziło? Ludzie lewicy laickiej skłonni byli interpretować walkę Kościoła jako walkę o uzyskanie konkretnych przywilejów dla siebie. Tymczasem władzy nie chodziło o żadne przywileje Kościoła - te były już dawno zlikwidowane - tylko o sterroryzowanie społeczeństwa, o nasycenie potocznej mentalności ksenofobią, o integrację narodu wokół haseł szowinistycznych,

[1] *Stefan kardynał Wyszyński*, Orchard Lake, s. 268.

o utożsamienie w powszechnej świadomości wartości chrześcijańskich i humanistycznych, których broniło *Orędzie* biskupów, z ideologią zdrady narodowej. To, co antytotalitarne, miało się odtąd nieodmiennie kojarzyć z tym, co antynarodowe. Słowem: znowu szło o totalizację duchowego i publicznego życia Polaków. Następnym etapem tej akcji totalizacyjnej - tym razem kosztem laickiej inteligencji - były „wypadki marcowe" w 1968 roku.

***

Nie miejsce tutaj na szczegółowy opis historii „wypadków marcowych" i dokonanego pod szyldem antysemickim pogromu lewicowej laickiej inteligencji. Interesuje nas natomiast rozpowszechniana opinia o stanowisku Episkopatu wobec ówczesnych zdarzeń. Opinia ta głosi, jakoby Episkopat uznał ówczesne wystąpienia intelektualistów i młodzieży studenckiej za fragment wewnętrznego sporu między komunistami, zaś pogrom antyinteligencki i demagogię antysemicką za dalszy ciąg partyjnych porachunków.

Ponieważ sądzę, że pogląd powyższy jest daleko idącym uproszczeniem, przypomnieć wypada niektóre fakty i dokumenty. Datą 21 marca 1968 roku opatrzony jest dokument pod nazwą *Słowo Episkopatu Polski o bolesnych wydarzeniach*.

„W ostatnich tygodniach - czytamy w tym dokumencie - miały miejsce w wielu miastach polskich, zwłaszcza w ośrodkach uniwersyteckich, niepokojące i bolesne wydarzenia. Biskupi polscy pragną być wierni posłannictwu Kościoła w świecie współczesnym na swej ojczystej ziemi i dlatego czują się zobowiązani do zabrania głosu w tej sprawie". Nawiązując do nauk Soboru Watykańskiego II, biskupi powiadają, że „Kościół widzi swe posłannictwo w głoszeniu i utrzymywaniu prawdziwego pokoju wśród ludzi". Konsekwencją tego dążenia jest „takie układanie stosunków społecznych, w których uszanowane zostaną zasadnicze uprawnienia osoby i społeczeństwa. Uprawnienia te to prawo do prawdy, do wolności, do sprawiedliwości i miłości. Wszelkie sprawy, jakie dzielą ludzi w świecie dzisiejszym, powinny być rozwiązywane nie przy pomocy siły, ale na drodze wnikliwego dialogu. Tylko taka metoda może prowadzić do unikania dyskryminacji, a nade wszystko - do znajdowania prawdy i sprawiedliwości w stosunkach między ludźmi. Tylko ta metoda odpowiada godności człowieka, w niej bowiem dochodzi do głosu jego siła moralna. Stosowanie środków przemocy fizycznej nie prowadzi do prawdziwego rozwiązania napięć pomiędzy ludźmi ani pomiędzy grupami społecznymi. Brutalne użycie siły uwłacza godności ludzkiej - i zamiast służyć utrzymaniu pokoju, rozjątrza tylko bolesne rany. Biskupi polscy zwrócili się w tej sprawie z osobnym memoriałem do rządu naszego państwa".

„Staramy się zrozumieć i odczuć - zwracali się biskupi do młodzieży studenckiej - źródła tego niepokoju, jaki Was nurtuje i jaki zdaje się nurtować dziś młodzież całego świata. Jest to niepokój, którego korzenie sięgają najgłębszych ludzkich spraw: niepokój o sens ludzkiego istnienia, niepokój związany z dążeniem do prawdy i do wolności, jaka jest naturalnym prawem każdego człowieka w życiu osobistym i społecznym. (...) Dlatego też my, biskupi, wraz z całym Kościołem w Polsce nie przestajemy modlić się z młodzieżą i za młodzież. (...) Polecamy Bogu tych wszystkich, którym ostatnie dni przysporzyły wiele cierpienia"[1].

W wygłoszonym 30 marca w Warszawie kazaniu do nauczycieli i wychowawców ks. kardynał Wyszyński powrócił do bieżących wydarzeń:

„Młodzież nasza - mówił ks. Prymas - świadoma trudnych warunków, w jakich żyjemy, ma skromne wymagania. Oczekuje tylko szacunku dla swego człowieczeństwa, pełnej prawdy, odrobiny miłości i sprawiedliwości. Dlatego (...) trzeba podejść do młodzieży z sercem. (...) Serce zrozumieją, kija - nie! (...) Musimy pamiętać, że do młodzieży należy przyszłość i Polska! (...) Każdy, kto się odgradza od młodzieży - kimkolwiek byłby - jest samobójcą! Nie można bowiem mówić o przyszłości Kościoła, państwa czy narodu bez młodzieży. I dlatego nie wolno się od niej odgradzać. Nie można stosować tylko represji, trzeba okazać serce, miłość, zaufanie, szacunek, zrozumienie"[2].

Z kolei w kazaniu wygłoszonym w Wielki Czwartek w katedrze św. Jana w Warszawie ks. kardynał Wyszyński podniósł problem antysemityzmu. Padły w tym kazaniu mocne słowa o „widowiskach nienawiści", o ludziach „znieważonych", o potrzebie „rzetelnego uznania prawa miłości dla wszystkich w naszej Ojczyźnie".

„W naszej Ojczyźnie - powiedział m.in. ks. Prymas - jesteśmy świadkami przeżyć i widowisk tak bolesnych, że serce się wprost kurczy z bólu, gdy się na to wszystko patrzy. Wydaje się, jak gdyby dla pewnej kategorii ludzi zabrakło już miłości i prawa do serca. Dzieją się wśród nas fakty, które nie mogą się nawet w głowie pomieścić! (...) Może to ja jestem winien, biskup Warszawy, bo niedostatecznie mówiłem o prawie, o obowiązku miłości i miłowania bez względu na mowę, język i rasę, żeby na Was nie padał cień potworny

[1] *Listy pasterskie Episkopatu..*, s. 518-519.
[2] Cyt. za: Stefan kardynał Wyszyński *Idzie nowych ludzi plemię*, Poznań-Warszawa 1973, s 287.

jakiegoś odnowionego rasizmu, w imię którego my rzekomo bronimy naszej kultury. Nie tą drogą! Nie drogą nienawiści. (...) Kulturę naszą obronimy tylko przez prawo miłości"[1].

Raz jeszcze biskupi powrócili do „wydarzeń marcowych". W ogłoszonym 3 maja *Słowie Episkopatu Polski* czytamy, że do ponownego zabrania głosu skłonił biskupów „dalszy bieg wypadków".

„Trudno bowiem nie dostrzec - pisali biskupi - że chodzi o same podstawy moralności społecznej i publicznej, a w tej dziedzinie Kościół Chrystusowy nigdy nie przestaje spełniać swego posłannictwa". „Posłannictwo Kościoła - wyjaśniali biskupi - polega na głoszeniu pokoju, którego warunkiem jest sprawiedliwość i miłość społeczna. Domaga się ona dopuszczenia wszystkich członków narodu i obywateli państwa do kształtowania wspólnego dobra wedle uzasadnionych przekonań i w oparciu o własne sumienie. Z powodu odmienności swoich przekonań nikt nie może być zniesławiony jako wróg. (...) Jest to szczególnie ważne dla prawidłowego funkcjonowania przedstawicielstwa narodu, które powinno być terenem swobodnej wymiany poglądów, podyktowanej troską o dobro społeczne i wyczulonej na wszystkie problemy, które je nurtują. Wszelka forma tłumienia tej wymiany poglądów i podporządkowania przedstawicielstwa narodu jednej grupie pozbawia tę instytucję jej właściwego sensu, społeczeństwo zaś pozbawia możliwości wyrażenia swych życzeń i opinii oraz kształtowania życia zbiorowego zgodnie z wolą obywateli. Na tej drodze władza naraża się na utratę kontaktu ze społeczeństwem.

Również i funkcja prasy oraz innych środków masowego przekazu myśli i informacji wtedy jest prawidłowa, gdy każdy ma prawo wypowiadać swe słuszne przekonania i bronić ich. Jeżeli natomiast prawowita swoboda wypowiadania przekonań zostaje stłumiona, funkcja ta staje się szkodliwa. (...) Zasada wolności przekonań posiada szczególne znaczenie dla kształtowania kultury narodowej, na którą składają się różne dziedziny twórczości naukowej oraz artystycznej. W dziedzinie nauki konieczna jest wolność badań i upowszechniania ich wyników, bez czego nie może być mowy o pogłębianiu i rozwoju kultury. Powołaniem uczonego jest dążenie do prawdy w wybranej przez siebie dziedzinie. Odnosi się to do wszystkich dziedzin pracy naukowej łącznie z filozofią, która od najdawniejszych czasów szukała odpowiedzi na najbardziej podstawowe pytania, jakie nurtują człowieka. (...) Historia kultury,

[1] Cyt. za „Na Antenie", nr 68 z 24 listopada 1968, por.: Stefan kardynał Wyszyński *W sercu stolicy*, Rzym 1972, s. 93-95 (wersje tego kazania nieco się różnią).

nauki, a zwłaszcza filozofii, uczy nas, że ich rozwój zawsze był ściśle związany z wolnością badań oraz z prawem do prowadzenia dialogu pomiędzy reprezentantami różnych poglądów. (...) Kościół katolicki (...) wielką wagę przywiązuje do dialogu wśród ludzi różnych przekonań, między innymi również pomiędzy wierzącymi a niewierzącymi. Tylko taki wnikliwy dialog służy prawdziwemu postępowi w duchu poszanowania dla prawdy, a równocześnie dla osoby ludzkiej, której godność wyraża się stosunkiem do wolności i prawdy.

Biskupi polscy pragną dać temu wyraz. Ludziom, którzy wysiłek swojego życia wkładają w poznanie prawdy naukowej, wyrażają należny szacunek. Wyrażają również niezłomną nadzieję, że w życiu społecznym i publicznym znajdą odzwierciedlenie zasady tolerancji, które odpowiadają szlachetnej przeszłości naszego narodu.

Właśnie z uwagi na te szlachetne tradycje biskupi polscy myślą z głęboką przykrością o krzywdach, jakie dobremu imieniu naszego narodu wyrządza się przez niektóre środowiska zagraniczne. Usiłuje się mianowicie eksterminację Żydów, dokonaną w hitlerowskich obozach zagłady, przypisywać Polakom. Jest to straszliwa krzywda moralna, jeśli się zważy, że w obozach tych poniosły śmierć miliony Polaków. Przez pamięć o tych naszych rodakach, a także w oparciu o wszystkie dowody miłości bliźniego, jakie w okresie okupacji Polacy wyświadczyli prześladowanym Żydom, domagamy się przerwania tej kłamliwej i krzywdzącej propagandy oraz jej prowokowania. Sobór Watykański II w *Deklaracji o stosunku do religii pozachrześcijańskich* jasno określił zasady odnoszenia się chrześcijan między innymi do wyznawców religii Starego Testamentu. Biskupi polscy przypominają wszystkim te zasady ze względu na ich głęboko humanitarną treść.

To wszystko - kończyli biskupi - (...) przekazujemy duchowieństwu i wiernym, którzy pełni są tej samej troski co my. (...) Myśl nasza biegnie zwłaszcza do młodzieży studiującej i pracującej. Zawierzamy Maryi Królowej Polski te wszystkie szlachetne pragnienia lepszego człowieczeństwa i lepszego społeczeństwa na dziś i na przyszłość, jakie tkwią właśnie w młodzieży"[1].

Tyle mówią dokumenty. Wynika z nich dowodnie, iż biskupi otwarcie opowiedzieli się po stronie prześladowanych ludzi i wartości, a przeciw prześladowcom; że wzięli w obronę opozycyjnych intelektualistów i protestującą na wiecach młodzież studencką; że potępili przemoc i kłamstwo. Nie można - bez złej woli - zinterpretować listów Episkopatu i kazań Prymasa Polski

[1] *Listy pasterskie Episkopatu...*, s. 525-526.

w żaden inny sposób. Można - co najwyżej - zarzucać tym wystąpieniom pewną niekonkretność; przesadną ogólnikowość, zbytnią lakoniczność. Przy innych okazjach - jak pamiętamy - biskupi polscy zdobywali się na wystąpienia nieporównanie obszerniej uargumentowane, na znacznie bardziej dosadne nazywanie rzeczy po imieniu. Ale my wszyscy, lewicowi i laiccy krytycy stanowiska, jakie zajął Episkopat w 1968 roku, pamiętajmy o własnych reakcjach sprzed dwóch lat w czasie nagonki antykościelnej i porównajmy nasze ówczesne postępowanie z postawą biskupów w trakcie „wypadków marcowych". Pozwoli to nam może ujrzeć własne pretensje we właściwych proporcjach. Nim wskazywać będziemy źdźbło w cudzym oku, pamiętajmy o belce we własnym.

Po tych rozlicznych uwagach krytycznych i zastrzeżeniach pod własnym i moich ideowych przyjaciół adresem sądzę, że uczciwość nakazuje wypowiedzieć szczerze uwagi krytyczne również pod adresem Episkopatu. Powiem otwarcie: w wystąpieniach biskupów zabrakło - moim zdaniem - jednoznacznego potępienia dla oficjalnie propagowanego antysemityzmu. Myślę, że w ówczesnej sytuacji nie wystarczało poprzestanie na aluzjach. Chcę być dobrze zrozumiany: nie myślę, aby sprawa żydowska była wtedy sprawą centralną i najważniejszą. Nie mogła być taką w kraju praktycznie bez Żydów. Rozpętana na wielką skalę kampania antysemicka miała nie tyle ugodzić w tę resztę społeczności żydowskiej ocalałą z hitlerowskiego piekła, ile miała rozpalić nastroje nacjonalizmu i ksenofobii, przysłonić rzeczywiste przyczyny kryzysu społecznego, oduczyć Polaków racjonalnego myślenia i uczynić ich wspólnikami zbrodni. Dlatego właśnie antysemityzm był tak istotnym problemem.

Próbuję zrozumieć źródła wstrzemięźliwości Kościoła. Najpierw nieufność. Powiedzieć trzeba, że biskupi nie mieli powodu, by sympatyzować z intelektualistami, którzy nie tylko przed Październikiem zwalczali Kościół i religię chrześcijańską, nie tylko szmat życia spędzili w szeregach Polskiej Zjednoczonej Partii Robotniczej, ale nawet bezpośrednio przed „wypadkami marcowymi" nie ukrywali swej niechęci do Kościoła; nie tylko nie protestowali przeciw godzącym w Kościół represjom, ale pisywali w periodykach programowo głoszących ateizm. Nie mieli również biskupi powodu, by sympatyzować z rozreklamowaną przez prasę grupą młodzieży studenckiej skupionej wokół Kuronia i Modzelewskiego, bowiem programowy dokument tej grupy, tzw. list otwarty do PZPR, miał wszystkie cechy antykościelnego obskurantyzmu lewicy (ponieważ poza obskurantyzmem kościelnym istnieje też obskurantyzm antykościelny!). Zarówno lewicowi i laiccy intelektualiści, jak i wspomniana grupa młodzieży studenckiej (tzw. komandosi) reprezentowali wiele z tego, co było obce i wrogie tradycyjnemu modelowi „Polaka-katolika". Zatem: krytyczny, „szyderczy" stosunek do tradycji; niechęć do gloryfikowania przeszłości wiodącą czasem ku przesadnemu „czarnowidztwu" polskich dziejów; lekceważenie i całkowite niemal pomijanie roli katolicyzmu w kulturze narodowej; ignorowanie funkcji Kościoła w życiu społecznym. Były to wprawdzie w ideologii tych grup i ludzi elementy drugorzędne, mniej istotne, ale - w warunkach braku jasno sformułowanych programów - nikt z tych ludzi nie uczynił nic, aby w kręgach kościelnych znane było ich prawdziwe, antytotalitarne raczej niż antyreligijne oblicze.

Przypuszczam, że istotnie konflikt lewicowej laickiej inteligencji z reżimem był w opinii biskupów przejawem jakiejś ostrej wewnątrzkomunistycznej rozgrywki o władzę. W tych samych kategoriach rozpatrywali oni zapewne również i lansowany odgórnie antysemityzm, który od dawna już był używany w rozgrywkach wewnątrzpartyjnych. Zakładając taką ocenę sytuacji, trudno się dziwić wstrzemięźliwości Episkopatu; trudno się dziwić, że długofalowych interesów Kościoła nie chcieli biskupi łączyć z mętnymi rozgrywkami partyjnych matadorów. Tym prawdopodobnie należy tłumaczyć zignorowanie konkretu polityczno-ideologicznego w wystąpieniach Episkopatu i ograniczenie tych wystąpień do dość ogólnikowej deklaracji na temat fundamentalnego prawa do protestu wiecującej młodzieży i równie fundamentalnego prawa do wolności nauki i kultury dla protestujących intelektualistów.

A jednak, mając to wszystko w pamięci, nadal skłonny jestem sądzić, że ten umiar był poważnym błędem Episkopatu. Albowiem zupełnie niezależnie od rozgrywek frakcyjnych ofiarą rasistowskiej demagogii padali żywi ludzie, zarówno ci prześladowani, jak i ci, których wciągając do antysemickiej awantury - deprawowano i czyniono współprześladowcami. Jednym i drugim jednoznaczny głos biskupów na temat antysemityzmu był wtedy bardzo potrzebny.

Wyjaśnię swą myśl cytatem z rozważań Tadeusza Mazowieckiego o sytuacji Kościołów chrześcijańskich w epoce hitleryzmu.

„W tym doświadczeniu całego chrześcijaństwa niemieckiego - pisał Mazowiecki - zawarta jest nauka sięgająca poza tamten okres i warunki. Zrozumiejmy się przy tym dobrze: nie można czynić Kościołom - w tamtej czy w innych sytuacjach - zarzutu, że przejawiają troskę o własny los; nie można też oczekiwać, że miałyby zastąpić wszelkie inne działania, gdy potrzebny jest protest czy walka o najgłębsze ludzkie sprawy. Ale nauka, ba, cały wstrząs, który budzić musi świadomość chrześcijańską, bierze się stąd, że zawód tamtego okresu ukazuje, jak dalece Kościół może zostać pokonany moralnie, jeśli uczyni się sam wartością nadrzędną i jeśli nie sprosta wymogom ludzkiej solidarności, oczekiwanej od chrześcijaństwa zawsze przez tych, którzy cierpią i są poniżani. Kościoły niemieckie nie sprostały wówczas sytuacji nie dlatego, że były słabe instytucjonalnie, lecz dlatego, że w zbyt wielu sytuacjach krańcowych obronę własnych możliwości działania przełożyły nad obronę zasad; nie dlatego zawiodły, że były wkorzenione w życie i tradycję swego narodu, ale dlatego, że zapoznały, iż chrześcijaństwo nie pozwala iść bezkrytycznie za tradycją narodową, lecz wymaga i wystąpienia przeciw niej, gdy odzywa się to, co jest w niej mroczne"[1].

W 1968 roku odezwało się to, co jest mroczne w polskiej tradycji; odezwało się głośno i agresywnie. Wyposażony w antyinteligencką i rasistowską demagogię obskurantyzm komunistyczny brutalnie uderzył w polskich zwolenników demokratycznego socjalizmu. Uderzając w demokratyczny socjalizm, rządzący Ciemnogród deptał i niszczył wartości bliskie również chrześcijaństwu: prawdę, wolność, solidarność. Zrozumieli to znakomicie postępowi intelektualiści z kręgów chrześcijańskich i nie bacząc na zadawnione spory, wypowiedzieli się w sposób ostry, jednoznaczny i konkretny. Mam na myśli postawę posłów Koła „Znak". Wystąpienia Jerzego Zawieyskiego i Stanisława Stommy w trakcie debaty sejmowej miały ogromne znaczenie moralne i polityczne. Jeszcze większe znaczenie miałby głos Episkopatu.

**

Przypomnieć jednak wypada, że dla kierownictwa partyjno-państwowego głos biskupów był zupełnie jednoznaczny. Wedle oceny władz partyjnych właśnie biskupi, a szczególnie ks. kardynał Wyszyński, mieli być inspiratorami interpelacji posłów „Znaku". Przypomnijmy fakty.

16 marca 1968 roku Radio Wolna Europa odczytało tekst interpelacji posłów Koła „Znak" do premiera Józefa Cyrankiewicza. Interpelacja opatrzona była datą 11 marca.

„Do głębi przejęci wypadkami w dniach 8 i 9 marca - pisali posłowie „Znaku" - na Uniwersytecie Warszawskim i Politechnice, w trosce o spokój w naszym kraju w skomplikowanej sytuacji międzynarodowej oraz w trosce o właściwą atmosferę dla wychowywania i kształcenia młodzieży, na podstawie

[1] Tadeusz Mazowiecki *Nauczył się wierzyć wśród tęgich razów*, „Więź" nr 12/1971.

artykułu 22 Konstytucji PRL i art. 70-71 Regulaminu Sejmu PRL zapytujemy:
1. Co zamierza uczynić Rząd, aby powściągnąć brutalną akcję milicji
i ORMO wobec młodzieży akademickiej i ustalić odpowiedzialność za brutalne potraktowanie tej młodzieży? 2. Co zamierza Rząd uczynić, aby mery-
torycznie odpowiedzieć młodzieży na stawiane przez nią palące pytania, które nurtują także szeroką opinię społeczną, a dotyczące demokratycznych
swobód obywatelskich i polityki kulturalnej Rządu?

Uzasadnienie

Do wystąpień młodzieży studiującej w Warszawie doszło wskutek pewnych wyrazistych błędów czynników rządowych w dziedzinie polityki kulturalnej. Zdjęcie »Dziadów« z programu teatralnego zostało odczute także
przez młodzież jako bolesna i dramatyczna ingerencja, zagrażająca swobodzie życia kulturalnego i uwłaczająca narodowym tradycjom.

Uważamy również, że w piątek 8 marca można było zapobiec zajściom na
UW. W trakcie wiecu wjechały na teren Uniwersytetu autokary z ORMO, co
niesłychanie zaogniło sytuację.

W dniach 8-9 marca manifestująca młodzież była bita niesłychanie brutalnie, częstokroć w sposób zagrażający życiu. Widziano szereg wypadków znęcania się nad młodzieżą, w tym nad kobietami.

Wszystko to rozjątrzyło niesłychanie społeczeństwo. Zwracamy się do Obywatela Premiera, aby Rząd podjął kroki zmierzające do politycznego rozła-
dowania sytuacji. Wymaga to zaprzestania brutalnej akcji milicji. Nie należy
wszystkich, którzy widząc te brutalne akty - protestują przeciwko nim, traktować jako wrogów ustroju.

Ani młodzież, ani całe społeczeństwo nie dały w tych wypadkach wyrazu
swojej wrogiej postawie wobec socjalizmu. Nieodpowiedzialne okrzyki, jakie również się zdarzały, spowodowane zostały postępowaniem ORMO i milicji i nie mogą stanowić miary dla oceny postawy młodzieży.

Wyrażamy także nasze zaniepokojenie pojawieniem się tego rodzaju interpretacji prasowych, które jeszcze bardziej zaogniają sytuację. Nie jest wyj-
ściem zdławienie manifestacji, ale nieutracenie możliwości rozmawiania ze
społeczeństwem. Apelujemy o ten kierunek rozwiązań.

Konstanty Łubieński, Tadeusz Mazowiecki,
Stanisław Stomma, Janusz Zabłocki,
Jerzy Zawieyski"[1].

---

[1] Maszynopis w posiadaniu autora.

Na interpelację odpowiedział premier Józef Cyrankiewicz 10 kwietnia w trakcie obrad sejmowych. Właśnie on zasugerował istnienie ścisłego związku między postawą ks. Prymasa a „Znakowym" wystąpieniem. Przypomniał mianowicie rozruchy studenckie we Włoszech, które zostały ostro skrytykowane przez ks. kardynała Colombo i papieża Pawła VI. Jakkolwiek premier nie wspominał, że powodem tej krytyki było demolowanie sklepów, samochodów etc. oraz że prasa włoska lojalnie przytaczała żądania i postulaty manifestującej młodzieży, to jednak posłużyły mu wystąpienia włoskich dostojników kościelnych do skonstruowania pseudozgrabnej figury retorycznej.

„Rozumiem - powiedział Cyrankiewicz - rozterkę duchową posłów podpisanych pod interpelacją tu złożoną i rozumiem ich wybór w tej rozterce między autorytetem uniwersalnym a lokalnym. Ale jest to jednocześnie wybór, w którym autorzy interpelacji stanęli w jednym szeregu z inspiratorami zajść".
„Nasza polityka [kulturalna - przyp. autora] - odpowiadał dalej Cyrankiewicz - była i jest powszechnie uznana przez opinię krajową i zagraniczną za wyraz rzeczywistej, a nie formalnej wolności kultury w Polsce Ludowej. Nie chcą tego uznać tylko ci, którzy pod flagą obrony rzekomo zagrożonej wolności kultury chcą atakować porządek społeczny w naszym kraju i uprawiać nieodpowiedzialną grę polityczną. I największą szkodę swobodzie kultury w Polsce wyrządzili właśnie ci, którzy nadużyli tej flagi dla wrogiej gry politycznej, dla omamienia, oszukania części młodzieży akademickiej i walki z władzą ludową. Wykazali, że wyżej stawiają swoje małe politykierskie ambicje, niż interesy literatury i sztuki, niż rzeczywiste interesy kraju. (...) Posłowie Koła Poselskiego »Znak« przyłączyli się do tej gry przez swoją interpelację, która wcześniej, niż trafiła do rąk adresata, stała się rodzajem odezwy zachęcającej do działania prowodyrów zajść i wichrzycieli".
Podejmowanie polemiki z tezami Józefa Cyrankiewicza byłoby przedsięwzięciem całkowicie bezużytecznym. Wychwalana przez Cyrankiewicza „słuszna i odpowiedzialna" polityka rządu i partii doprowadziła w dwa lata później do krwawej masakry robotników Wybrzeża i spowodowała odejście samego Cyrankiewicza. Należy jednak odnotować, że na tle późniejszych głosów w debacie poselskiej cytowane przemówienie premiera jest wzorem politycznej kultury, liberalizmu i dobrej woli. Występujący bezpośrednio po nim Józef Ozga-Michalski - to nazwisko nie powinno zostać zapomniane! - wygłosił przemówienie, które powinno znaleźć się kiedyś w antologii dokumentów bełkotu i podłości. Większość głosów z tej debaty mogłaby się znaleźć w takiej antologii. Wszyscy mówili mniej więcej jedno i to samo: deklarowali miłość do Partii w ogólności, a do I sekretarza - Władysława Gomułki

- w szczególności; rzucali gromy i klątwy na „wrogów wszelkiej maści, którzy chcieli upiec swoją pieczeń"; powtarzali w kółko, że interpelacja została odczytana przez Wolną Europę. I tak np. wspomniany Ozga-Michalski oskarżył posłów „Znaku" o sojusz „z syjonizmem legitymującym się przymierzem z imperializmem amerykańskim i siłami odwetowymi Niemieckiej Republiki Federalnej". Powiązał również interpelację „Znaku" z „przemówieniem syna Brandta na wiecu w Berlinie Zachodnim na tle wielkiego portretu Trockiego, solidaryzującym się z Michnikami i Dojczgewantami", a także uznał za właściwe wspomnieć, że widział w piśmie zachodnioniemieckim fotografię „pana Straussa pociągającego sznur dzwonu w Nazarecie, zdobytym w błyskawicznej wojnie przez Dajana". Następnie - z właściwą sobie logiką - postawił retoryczne pytanie: „czy Koło Poselskie »Znak« jest za bałkanizacją kraju?". Interpelację nazwał „bumerangiem", po czym oskarżył Stefana Kisielewskiego o gloryfikowanie sanacji, Brześcia i Berezy oraz sojusz z Andersem i „Kulturą" paryską. Oświadczył również, że aktualnie realizowana polityka nie ma nic wspólnego z antysemityzmem i że Dajan przez swoich pełnomocników w Polsce nie będzie niczego dyktował narodowi polskiemu. Później dużo było o Ionesco i Kołakowskim, o pamiętnikach młodzieży robotniczo-chłopskiej i wojnie w Wietnamie, o Gomułce „wypróbowanym przywódcy narodu" i zachodnioeuropejskich filozofach egzystencjalistycznych, „których celem jest paraliżować zdrową aktywność społeczną i w ten sposób uniemożliwić osiąganie celów polityki Polski Ludowej".

Zacytujmy jeszcze fragment poświęcony postawie Episkopatu:

„Głos nasz przenika - deklarował Ozga-Michalski - całą historię i nie cofa się przed żadną prawdą. Dlatego nie możemy pozostawić samej sobie niczyjej postawy przyzwalającej, niczyjego pobłażania dla sprawców zamieszek. Dlatego zwrócenie się Episkopatu ze swoim słowem do sprawców zamieszek z pozycji przyzwalającego dociekania do »prawdy, do wolności, do sprawiedliwości« - jest zachętą moralną dla sił aż nadto określonych w swojej antypolskiej pozycji. Jesteśmy za rozmową i wnikliwym dialogiem z młodzieżą, za tym, aby student był nie tylko przedmiotem nauczania, ale także jego podmiotem (...). Ale nie o to przecież Episkopatowi chodzi. On zwraca się w swoim słowie z apelem do poszukiwaczy prawdy i wolności, które według nich nie znajdują sensu istnienia w rzeczywistości Polski Ludowej i muszą ich szukać w przeciwstawieniu się ideałom Polski Ludowej. Wydaje się, że zanoszenie modłów za takie aspiracje nie przyniesie społecznego spokoju, o który prosi Episkopat".

„Posłowie Koła»Znak« - grzmiał Zenon Kliszko, członek najwyższych władz partyjnych i wicemarszałek Sejmu - chyba nie mogą już mieć wątpliwości, że swym stanowiskiem znaleźli się w głębokiej izolacji politycznej, że razem z tymi, którym faktycznie chcieli udzielić poparcia, postawili się naprzeciw powszechnej opinii narodu". „Do kogo posłowie»Znaku« - zapytywał retorycznie Kliszko - kierowali swą interpelację? Czy do rządu? Nie! Do ulicy i do zagranicy. Jej tekst natychmiast kolportowano po Warszawie. Przekazano go do Wolnej Europy, przez którą był wielokrotnie nadawany. (...) Posłowie z Koła»Znak« (...) skorzystali z istniejącej sytuacji, aby popróbować upiec na ruszcie niedawnych wydarzeń własną reakcyjną pieczeń. (...) Koło»Znak«, jak wiadomo, występowało w obronie orędzia Episkopatu polskiego do biskupów niemieckich. Dziś koło to, odchodząc coraz dalej od polskiej racji stanu, faktycznie stanęło po stronie tych elementów syjonistycznych i rewizjonistycznych, które inspirowały i zorganizowały prowokację wymierzoną w spokój ojczyzny, w jej żywotne interesy".

W obronie interpelacji wystąpili Jerzy Zawieyski i Stanisław Stomma.

„Bardzo rzadko pojawiam się na tej trybunie - powiedział Jerzy Zawieyski. - Tak się złożyło, że dziś z tej trybuny mówię z wielkim bólem. (...) Polityka może być traktowana w bardzo różny sposób. Polityka jest także szkołą upokorzenia i tę szkołę upokorzenia Koło Poselskie»Znak« - a ja z nim, z moimi przyjaciółmi - nieraz znosiliśmy.

Muszę zaprotestować, na ile mnie tylko stać, z całej duszy, że nasza interpelacja, która podyktowana została porywem serca, rozumu i sumienia, nie była adresowana do żadnej międzynarodówki, takiej czy owakiej. (...) Ze wszystkich przemówień (...) najbardziej mnie zabolała interpretacja, jaką dał Pan Marszałek Zenon Kliszko, który powiedział między innymi, że ta interpelacja stawia nas poza narodem i że nas izoluje od narodu.

Muszę tutaj uczynić uwagę, że mogą być różne kryteria, kto przynależy do narodu, komu się poczucia narodowego nie kwestionuje. Mnie się wydaje, że najbardziej zawodne są kryteria polityczne, kryteria politycznej oceny, kto do narodu przynależy, a kto nie przynależy.

Ja nie mam w swej naturze cienia ani ochoty tego, bym miał być złośliwy, czy bym miał przypominać pewne rzeczy - ale ja poproszę Pana Marszałka Kliszkę, aby przypomniał sobie, że na tej sali także były czynione interpretacje, kto jest poza narodem, kto jest izolowany, a dotyczyło to izolowania i bycia poza narodem postaci bardzo czcigodnych".

Zawieyski zaapelował o umiar osobiście do Władysława Gomułki, tłumacząc, że partia „jest przecież związana z życiem, więc i omylna, mimo swych twórczych, ciekawych, interesujących i nawet wielkich pod względem historycznym koncepcji społecznych. Te błędy można zrozumieć. Nic to nie umniejsza autorytetu władzy, jeżeli do tych błędów się przyzna".

Autor *Korzeni* wziął również w obronę atakowanych pisarzy, wyjaśniając niezwykle złożoną i trudną sytuacją polskiej literatury, jej klęskę artystyczną w epoce stalinowskiej i wstrząs moralny po XX Zjeździe KPZR.

„Ten dramat - mówił Zawieyski - godzien jest szacunku. (...) Nastąpiły potem ze strony władz kontrolujących twórczość artystyczną fakty przypominające dawny nacisk administracyjny. Ból pisarzy, ich zawiedziona wiara wzmogły niechęć do cenzury, do zakazów i wszelkich ograniczeń, zrodziła się nieufność, a z nieufności obawa i podejrzliwość. (...) Ołówek cenzury robił wiele nierozważnych błędów. (...)

Na nadzwyczajnym zebraniu Związku Literatów nie mogłem być, bo leżałem w szpitalu chory na serce, ale chcę powiedzieć rzecz, którą mi nakazuje sumienie. Jeżeli atmosfera na tym zjeździe była burzliwa i gorąca, to dlatego, że pisarzy wiele spraw bolało, że to, co się stało błędem, wyzwoliło ich dramatyczną sytuację jako pisarzy i jako obywateli zatroskanych o los kultury polskiej".

„Poseł Ozga-Michalski zaatakował także list Episkopatu dotyczący wydarzeń marcowych. Według mojej oceny jest to dokument historyczny, list piękny, pełen obywatelskiego stanowiska".

Zaprezentowanym na sali sejmowej metodom postępowania z inaczej myślącymi Zawieyski przeciwstawił ideę dialogu.

„Warunkiem dialogu - tłumaczył - poza obustronną dobrą wolą, jest postawa szacunku dla cudzej odmienności, chęć zrozumienia cudzej racji, swoista transcendencja na drugiego człowieka, którego nie chce się pochłonąć, zagarnąć czy przeinaczyć, lecz z którym chce się wspólnie czegoś szukać. Jeżeli tak, to trzeba coś z własnej racji zawiesić, a nawet zakwestionować, aby w pełni objąć obiektywność drugiej strony, a także, aby obudzić w nas poczucie, że sens życia nie jest tylko w nas samych, lecz również poza nami. W dialogu nie zawsze chodzi o zaproszenie do rozważania czegoś, co jest różne i odmienne, ale także o to, co nam jest wspólne, nam - ludziom współczesnej epoki. Tym, co w każdym rodzaju dialogu jest punktem wyjścia i dojścia, to oprócz solidarności - duch braterstwa. To ostatnie słowo nie jest za wielkie ani za mocne, nawet jeśli je przemilczamy, bo ono porusza w nas pragnienie nie zawsze w pełni uświadomione, aby wspólnie szukać i wspólnie iść. (...) I o taki dialog młodzież występowała w swoich rezolucjach, o taki dialog występuje także »resztówka reakcji«, czyli Koło Poselskie »Znak« w Sejmie Polskiej Rzeczypospolitej Ludowej".

„Pomawianie mnie - powiedział na zakończenie Zawieyski - że podpisując interpelację, adresowałem ją do ulicy, do Wolnej Europy, do syjonistów, uderza we mnie ciosem bardzo ciężkim. Czy to jest zła wola, dyskredytacja, obraza - nie chcę nikomu przypisywać tych intencji. Może to jest tylko nieopatrzne, w ferworze wypowiedziane sformułowanie, ale oświadczam, że wiele sił, energii, czasu, myśli poświęciłem w ciągu 11 lat, jako człowiek dobrej woli, Polsce Ludowej, socjalistycznej. Wierzę w jej przyszłość, co nie oznacza, abym nie bolał nad błędami, jakie nieraz władza naszego kraju popełnia".

Wkrótce po pięknym i dramatycznym przemówieniu Zawieyskiego na zarzuty Cyrankiewicza i Kliszki odpowiadał Stanisław Stomma:

„Jeżeli chodzi o sprawę upowszechnienia - powiedział przewodniczący Koła»Znak« - to uważamy, że interpelacja nie jest dokumentem poufnym czy tajnym i że przeto może być udostępniona także ludności [szum na sali - tak jest w stenogramie sejmowym, przyp. autora]. Nie wiem, kiedy i którego dnia Wolna Europa zakomunikowała o naszej interpelacji. (...) Wiem natomiast, że są różne sprawy państwowe, które są natychmiast w Wolnej Europie powtarzane, i nie wiem, jakimi drogami są przez nią uzyskiwane. Dlatego ten zarzut nic nas nie obchodzi.

(...) Apelowaliśmy o polityczną ocenę faktów i wysłuchanie postulatów młodzieży (...). Chodzi nam o zmianę spojrzenia, o zrozumienie, że jest to jakiś nurt o cechach tragicznych, nurt jakoś się szamocący - że się tak wyrażę - w Polsce i szukający dla siebie wyrazu, mający swoje postulaty i wynikający z problemów głęboko sięgających w podłoże społeczne. Mówimy o nabrzmiałych problemach społecznych. Odczuwa je młodzież, a też i starsze pokolenie. Istnieje wielka tęsknota do realizacji modelu socjalistycznej demokracji. Młodzi to odczuwają i wykazują niecierpliwość w tej sprawie".

W dalszej dyskusji - podzielonym na wiele głosów monologu - pojawiły się te same co przedtem oszczerstwa, wyzwiska i kłamstwa. Z kronikarskiego obowiązku zacytuję kilka fragmentów. Władysław Piłatowski, I sekretarz KW PZPR we Wrocławiu, posunął się do zarzutu, że Jerzy Zawieyski poparł zwolenników stalinizmu.

„Z tej trybuny przypomniano - mówił Piłatowski - pewne fakty związane z tragedią osób w latach 1948-1956. Była to tragedia, o której (...) historyk powie, że była tragedią partii i narodu, która i Pana, Panie Pośle Zawieyski, również dotknęła. Ale czy nie rozumie Pan tego, że swą postawą - niezależnie od intencji - obiektywnie poparł Pan te siły, które taki właśnie los partii i narodowi wówczas zgotowały".

Z przemówienia Antoniego Walaszka, I sekretarza KW w Szczecinie, można było się dowiedzieć, że odwetowy kanclerz NRF Kiesinger liczy w Polsce na poparcie swej polityki nie tylko przez „autorów słynnego orędzia o przebaczeniu i pojednaniu z Niemcami Zachodnimi", ale także „na skompromitowanych prowodyrów ostatnich zajść, rewizjonistów i syjonistów uprawiających politykę rozmiękczania socjalizmu, i na tych, którzy przygotowywali przejście do tak zwanego drugiego etapu. Liczy on również - spointował Walaszek - czy tego chcecie, panowie z Koła »Znak«, czy nie - na wasze wyraźne poparcie".

„Zaiste - nie waham się tego stwierdzić - powiedział z kolei Jan Szydlak, wówczas I sekretarz KW w Poznaniu - niezgłębiony jest ten ocean fałszu i obłudy, jaki zaprezentowali nam organizatorzy tej interpelacji. Troska o spokój (...) wymaga (...) nawoływania do porządku, a nie dolewania przysłowiowej oliwy do ognia. (...) Nie chcieli więc spokoju ani polityczni rozbitkowie marzący o powrocie do władzy, nie pragnęli go również ci, dla których ważniejsze od wszystkiego są interesy ich międzynarodowych mocodawców, i nie pragnęli go (...) ci, którzy chcieli przy tym ogniu, dolewając doń wątpliwej wartości oliwy, upiec swoją pieczeń".

Czesław Domagała, I sekretarz KW w Krakowie, odpowiadając Zawieyskiemu, stwierdził, że „nie każdy pisarz może być sumieniem narodu i nie są, nigdy nie byli i nigdy nie będą sumieniem narodu różnego rodzaju Grzędzińscy, Słonimscy, Bejnary-Jasienice czy Kisielewscy. Nie będą też sprzedajni i kosmopolityczni gracze, rewizjoniści wszelkiej maści, syjonistyczni pismacy, piewcy szowinizmu narodowego i anarchii oraz wielbiciele świata przemocy, krzywdy ludzkiej i wyzysku. Prawdziwym sumieniem narodu - powiedział w konkluzji poseł Domagała - jest Polska Zjednoczona Partia Robotnicza".

Stanisław Kociołek, I sekretarz KW w Gdańsku, zaatakował Stommę za ideę „planu demokratyzacyjnego" i raz jeszcze nawiązał do postawy Episkopatu:

„Gdy rozważać sprawy konkretne (...) to wówczas okazuje się, że wasze demokratyzacyjne postulaty i aspiracje zmierzają do stworzenia pola działania dla tak zwanej wolnej gry sił politycznych, a konkretnie dla sił reakcji, kontrrewolucji. Gdy np. we wrześniu ub. roku Episkopat opracował dokument *Pro memoria*, nakazujący księżom łamanie prawa i zarządzeń władz państwowych, wyście nas tu, z tej trybuny, pouczali o potrzebie elastycznej polityki państwa wobec Kościoła. Nie wydusiliście z siebie wówczas (...)

słowa krytyki wobec antypaństwowej i antysocjalistycznej postawy Episkopatu. Gdy obecnie raz jeszcze (...) ruszyły do ataku siły reakcji, wyście nazwali to pytaniami nurtującymi młodzież i społeczeństwo. Zaś list Episkopatu, wrogi politycznie i podjudzający, poseł Zawieyski nazwał, co wzbudziło zrozumiałą wesołość Izby, »listem pięknym, pełnym obywatelskiego stanowiska«...".

Nawiązując do uczynionego przez Cyrankiewicza zestawienia postawy biskupów włoskich i polskich, Kociołek powiedział, że „zasadnicze podobieństwo obu stanowisk polegało na tym, że obie te hierarchie występowały i wystąpiły w imię starych, klasowych interesów, a wasz kardynał w imię tej walki od lat skierowanej przeciwko Polsce Ludowej"[1].

Spróbujmy zbilansować znaczenie interpelacji posłów Koła „Znak". Na pierwsze miejsce wysunąć należy aspekt moralny. Demonstracyjna interpelacja „Znaku" była obroną ludzi prześladowanych i potrzebujących obrony. Ujmując się za ludźmi bitymi i lżonymi, broniąc ich honoru i czystości ich intencji, posłowie „Znaku" przyznali priorytet racjom etycznym nad taktyczno-politykierskimi; nie próbowali - mówiąc językiem pp. Kliszki i Szydlaka - „piec swojej pieczeni" wśród politycznego rozgardiaszu, ale dali pierwszeństwo fundamentalnym wartościom moralnym. Szczególne znaczenie miała - podjęta przez Jerzego Zawieyskiego - obrona racji moralnych i umysłowych atakowanych pisarzy. Nie mam tu na myśli nazwania Antoniego Słonimskiego „wybitnym polskim poetą", co było w ówczesnej atmosferze pięknym aktem odwagi i solidarności, nie idzie mi także o ten oto fragment mowy Zawieyskiego:

„Znam Kisielewskiego i wiem, że pod maską kpiarza nie jest to cynik, przeciwnie - to człowiek głęboko zaangażowany w życie Polski Ludowej, człowiek prawy, uczciwy i odważny. (...) Stefan Kisielewski, który w ferworze mówcy użył sformułowań bardzo niewłaściwych [szło o słowo „ciemniaki" - przyp. autora], stawał w obronie rzeczy według swego rozeznania i swego sumienia słusznych i ważnych".

Powtórzmy: w ówczesnej sytuacji taka obrona Kisielewskiego wymagała wyjątkowego hartu i determinacji.

Wszelako sądzę, że największe moralne znaczenie miała obrona pisarzy zaangażowanych przed laty w socrealizm. W ich obronie stawał pisarz, który za niezgodę na program literackiego lakiernictwa, za wierność swemu światopoglądowi religijnemu zapłacił latami milczenia i nędzy. Zawieyski swoim wystąpieniem unaocznił opinii publicznej, że ludzie, którzy kiedyś byli stalinowcami, po czym ze stalinizmem totalnie zerwali, oskarżają o stalinizm ludzie, którzy nigdy stalinowcami być nie przestali (Putrament, Czeszko etc.). Gest Zawieyskiego miał również swój wymiar polityczny. Zdeprecjonował on, podobnie jak cała interpelacja i późniejsza postawa „Znaku", starannie opracowaną taktykę propagandową, w myśl której „marcowa" opozycja miała się składać z Żydów, kosmopolitów i eksstalinowców. Nawet najbardziej bezczelna i zakłamana propaganda nie mogła w ten sposób zaklasyfikować Zawieyskiego czy Stommy.

Interpelacja i postawa „Znaku" miały znaczenie olbrzymie, długofalowe. Okazało się mianowicie, że podziały polityczne nie są tożsame z podziałami wyznaniowymi, że tradycyjne linie demarkacyjne są całkowicie nieaktualne. Uzasadnił to raz jeszcze Tadeusz Mazowiecki, kiedy w czasie obrad sejmowej komisji nauki i oświaty (marzec 1968) wziął w obronę obciążonych studentów i prześladowanych intelektualistów, przez co naraził się na gwałtowny atak Andrzeja Werblana.

Po jednej stronie zatem znaleźli się przywódcy PZPR i katolicy z PAX-u czy ChSS-u, po drugiej zaś - lewica laicka i katolicy ze „Znaku". W tym sensie interpelacja uzasadniła praktycznie pisane z tych pozycji i w tym duchu artykuły na łamach „Tygodnika Powszechnego" czy też - częściej - na łamach „Więzi". W tym też sensie interpelacja „Znaku" otworzyła nowy etap w najnowszej historii Polski. Wszelako pamiętać należy, że - w oczach powszechnej opinii - lwią część swego znaczenia zawdzięczała ta interpelacja postawie Episkopatu i Prymasa Polski.

II

Polityczny punkt widzenia Prymasa Polski można zrekonstruować na podstawie „kazań świętokrzyskich" wygłoszonych w styczniu 1974 roku i opublikowanych w tymże roku w Rzymie. Akcentując pełną solidarność z treściami encykliki *Pacem in terris,* rozpoczął ks. kardynał Wyszyński od przypomnienia niektórych zawartych tam idei:

„Każdy człowiek - głosi encyklika - jest osobą, to znaczy istotą obdarzoną rozumem i wolną wolą, wskutek czego ma prawa i obowiązki wypływające bezpośrednio i równocześnie z własnej jego natury. A ponieważ są one powszechne i nienaruszalne, dlatego nie można się ich w żaden sposób wyrzec".

„Prawa te - rozwija myśl papieża Jana XXIII ks. Prymas - nie są nadawane człowiekowi przez żadną społeczność, lecz przez Ojca naszego Niebieskiego. A do nas należy szanować je, pielęgnować, rozwijać, bronić i stwarzać środowisko sprzyjające ich rozwojowi. Chociaż współcześnie odradza się - zwłaszcza w państwach totalnych - tak zwana omnipotencja państwa, które chce rządzić człowiekiem w każdym wymiarze jego bytowania, niemniej jednak są prawa, które od społeczności politycznej nie zależą. Zależą one od Stwórcy (...). I żadna społeczność, nawet najpotężniejsza, nie może tych praw pogwałcić, nie narażając się na konflikty z obywatelami, z człowiekiem i jego osobowością. (...) Wyliczę te prawa. A więc - prawo do życia, prawo do godnej człowieka stopy życiowej. Wiąże się z nim prawo do wolności, do pewnego stylu życiowego. Dalej - prawo do korzystania z wartości moralnych i kulturalnych. One również nie zależą od nadania, lecz są właściwością człowieka jako istoty rozumnej. (...) Następnie - prawo do oddawania czci Bogu, zgodnie z wymaganiami własnego sumienia. Mieści się w tym zagadnienie wolności religii. Idzie o to, aby człowiek wierzący nie tworzył sobie katakumb, ale odważnie i mężnie zmierzał do Ojca Niebieskiego, oddając Mu cześć nie tylko prywatnie, lecz i publicznie". Dalej wymienia ks. kardynał Wyszyński „prawo do wolnego wyboru stanu i do swobody życia rodzinnego", po czym analizuje „prawo do zrzeszania się", „aby między obywatelem i władzą zwierzchnią nie było pustki, próżni. Wolność zrzeszania się została zagwarantowana w Karcie Praw Człowieka i Obywatela ogłoszonej dwadzieścia pięć lat temu, w roku 1948 - aby człowiek prawdziwie mógł korzystać z tego, co jest konieczne do rozwoju jego osobowości. A osobowość kształtuje się nie poprzez instytucje narzucone, lecz przez stowarzyszenia dobrowolnie utworzone przez człowieka. Rozwój osobowości ludzkiej (...) zależy od zagwarantowania (...)

prawa do udziału w życiu publicznym. Człowiek, jako istota rozumna i wolna, nie może być wyręczany przez żadne narzucone mu instytucje. On sam je tworzy zgodnie z własnym zapotrzebowaniem. Bogactwo tych instytucji (...) zależy tylko od poziomu kultury duchowej narodu. Im wyższa jest kultura narodu, tym więcej istnieje inicjatyw do zrzeszania się (...). I jeszcze jedno - prawo do ochrony swych praw. Jest to wytworzenie takiej atmosfery wewnętrznej swobody, aby obywatel - z chwilą gdy jego prawa zostaną naruszone - nie bał się ich bronić i miał świadomość, że znajdzie wreszcie sprawiedliwość". Omawiając problematykę społeczną i gospodarczą, ks. kardynał Wyszyński zwrócił uwagę, że człowiek ma prawo „żądać odpowiedniej pracy zarobkowej we własnej ojczyźnie. (...) Ma się to łączyć ze swobodą wyboru w jej podejmowaniu. Nie może to być praca narzucona".

Dalej wymienione jest prawo do godziwych warunków pracy, tzn. do takich warunków, w których „siły fizyczne i moralne człowieka nie są wyniszczane". Omawia także ks. Prymas „zagadnienie sprawiedliwości zapłaty" i atakuje naruszanie prawa do niedzielnego wypoczynku przez tzw. dobrowolne zobowiązania. W tym kontekście atakuje też „niebezpieczeństwo odrodzenia się ducha kapitalizmu" wynikające z „ubóstwienia materii i produkcji":

„Lękam się - powiedział ks. Prymas - aby nie odrodził się u nas duch kapitalizmu, aby ustrój demokratyczny nie rządził się duchem kapitalistycznym, gdyż wówczas zepchnęłoby się człowieka na pozycję robota i oceniałoby się go tylko od strony jego zdolności produkcyjnej".

Ostro zaatakował ks. Prymas rządową politykę ateizacji: „Jeżeli ludzie sprawujący władzę - mówił - lubią słuchać o tym, że wszelka władza pochodzi od Boga", to powinni rozumieć, że „władzy nie można używać przeciwko Bogu (...) że ilekroć władza jest sprawowana przeciwko Bogu, traci ona podstawę i tytuł do rozkazywania obywatelom i do zobowiązywania ich". Dlatego „anachronizmem jest ateizm państwowy czy polityczny", anachronizmem jest również „montowanie aparatu ateizującego społeczeństwo" i „finansowanie ateizacji przez państwo".

„Osiągnięciem pozytywnym byłoby - powiedział, konkludując swój wywód ks. Prymas - utrzymanie równości praw i awansu społecznego czy zawodowego, uszanowanie wszystkich ludzi jednakowo. Wierzący, wdzięczni Bogu za dar wiary, prędzej wtedy uchronią się wobec tych, którzy uważają się za niewierzących, od wyniosłości, od (...) wyrażeń i zwrotów, którymi mogliby pomniejszyć w swojej opinii ludzi wyznających swoją niewiarę. Stojąc na stanowisku uszanowania ludzkiego sumienia, choćby błędnego, obywatele wierzący mają prawo oczekiwać dla siebie poszanowania ich przekonań, ich wiary i Kościoła (...). Mają prawo do spokojnego życia religijnego w Ojczyźnie na wszystkich stopniach, w rodzinie, w społeczności zawodowej, kulturalnej i politycznej. (...) Klimat zastraszania powinien wreszcie zniknąć, aby władza państwowa zyskiwała sobie miłość obywateli przez poszanowanie ich praw. Im bardziej uszanowane będą podstawowe prawa obywateli, a szczególnie prawo do wolności osoby ludzkiej, prawo do prawdy, miłości i sprawiedliwości, prawo do równego startu społecznego, zawodowego czy kulturalnego, prawo do wolności wierzenia i wyznania - tym bardziej okaże się zbędny klimat zastraszania i tym szybciej można będzie ograniczyć fantastycznie rozbudowany aparat bezpieczeństwa, który dla wielu obywateli jest prawdziwym niebezpieczeństwem". Rozważając zagadnienie normalizacji stosunków między państwem a Kościołem, ks. kardynał Wyszyński stwierdził, że „najważniejszą rzeczą jest uznanie obecności Kościoła w społeczeństwie polskim". Podstawowe elementy normalizacji to: „wolność obywatelska, wolność korzystania z praw, wolność sumienia i religii - wolność dla środowiska kultury katolickiej".

„Chodzi nam - podkreślił ks. Prymas - o możność tworzenia kultury katolickiej w naszej Ojczyźnie - nie tylko kultury materialnej, o której świadczą bogate »Katalogi zabytków« - ale kultury duchowej, moralnej, etycznej, światopoglądowej; aby w społeczeństwie katolickim istniały luzy dla kultury katolickiej. Podstawowym elementem normalizacji jest także wolność wychowania obywateli (...) w duchu moralności chrześcijańskiej (...). Uważamy wreszcie za niezbędne stworzenie katolickiego środowiska społeczno-etycznego, aby wyeliminować rozkładowe siły amoralne działające na szkodę młodego pokolenia. Dopiero wtedy, gdy te problemy będą rozważane, uznane i uszanowane (...) można będzie mówić o zasadniczej (...) normalizacji".

„Mądra organizacja społeczeństwa - podsumował swoje rozważania Prymas Polski - nie polega na tym, aby stosować wszędzie ten sam wąski schemat, tylko na tym, aby stworzyć możliwości wolnej i swobodnej pracy różnych (...) grup społecznych (...). Łączy się z tym konieczność odważnej obrony prawa koalicji, czyli zrzeszania się dla swoich celów, również prawa do wolności prasy, opinii publicznej, wydawnictw, dyskusji, rozważań i badań naukowych. Oto elementy, które tworzą bogactwo życia kulturalnego, społecznego, narodowego i politycznego".

W świetle tych przytoczeń jedno zdaje się nie podlegać dyskusji. Upowszechniane przez oficjalną propagandę i dość powszechne w środowiskach lewicowej laickiej inteligencji przekonanie o postulowanym jakoby przez Episkopat i Prymasa Polski programie „restauracji kapitalizmu" - nie odpowiada prawdzie. Przeciwnie: zasadniczy zrąb społecznych i politycznych postulatów zawarty w „kazaniach świętokrzyskich" i w omawianych wcześniej listach Episkopatu jest niemal całkowicie zgodny - a w każdym razie nie jest sprzeczny - z lewicowym programem demokratycznych przemian. Na szczególne podkreślenie zasługują społeczne idee sformułowane w dokumentach Episkopatu i Prymasa Polski: troska o prawa obywatelskie ludzi pracy oraz postulat rzeczywistej równości społecznej i politycznej. Zwolennikom antytotalitarnego socjalizmu muszą być te idee szczególnie bliskie.

Z przytoczonych cytatów wyłania się również określona wizja roli Kościoła katolickiego w naszym kraju. Nie jest to wizja Kościoła jako siły politycznej, lecz jako wspólnoty religijnej i moralnej, która nie wyrzeka się jednak swych etycznych zasad w chwili, gdy są one gwałcone przez czynniki polityczne. Realizowana w codziennej praktyce linia postępowania Prymasa Polski zdaje się bliska sformułowanej przez niemieckiego teologa Johanna Baptista Metza idei „teologii politycznej" z jej wizją krytyczno-antytotalitarnych funkcji Kościoła w dzisiejszym świecie. Świadectwem wierności tym zasadom antytotalitarnym są konkretne poczynania Episkopatu i Prymasa Polski. W cytowanych wyżej „kazaniach świętokrzyskich" ks. kardynał Wyszyński wspomniał, że „biskupi polscy z bólem przyjęli próbę wciągnięcia całej młodzieży polskiej do jednej monopolistycznej organizacji i dali wyraz swej postawie. Dążenia te bowiem zubażają i zmniejszają możliwość wyrobienia społecznego młodzieży, zwłaszcza akademickiej. Będzie to niewątpliwie szkodą dla kultury narodowej, a nawet dla kultury życia społecznego i politycznego"[1].

Podobnej opinii zwolennikami musieli być zapewne ci studenci Uniwersytetu Warszawskiego, którzy wystąpili z ostrym protestem przeciw rządowym projektom unifikacyjnym, przeciw próbom upodobnienia organizacji młodzieżowych w Polsce do radzieckich wzorów Komsomołu. Zasługą tej grupy ludzi - znajdującej się poza Kościołem i złożonej na ogół z ludzi niewierzących - było to, że na kongresie jednoczącym Zrzeszenie Studentów Pol-

---

[1] Stefan kardynał Wyszyński *Kazania świętokrzyskie. Konferencje wygłoszone w Kościele Świętego Krzyża w Warszawie*, Rzym 1974, s. 13-15, 26-38, 48-61.

skich ze Związkiem Młodzieży Socjalistycznej nie było jednomyślności, co jest zdarzeniem w naszych warunkach dość wyjątkowym. Z trybuny zjazdowej - pośród łgarstw i frazesów - odczytane zostało oświadczenie ludzi protestujących przeciwko „zjednoczeniu", ludzi uczciwych i autentycznie pragnących dać świadectwo prawdzie. (Była to czwórka delegatów z UW: Irena Halak, Konrad Bieliński, Jacek Santorski i Tadeusz Szawiel).

W tym kontekście na przypomnienie zasługuje dokument oporu Episkopatu przeciwko projektom reformy szkolnictwa, których ukrytym celem było uniemożliwienie pozaszkolnej katechizacji młodzieży. W *Deklaracji w sprawie wychowania katolickiej młodzieży w Polsce* biskupi wypowiedzieli m.in. następujący pogląd:

„U podstaw wszelkiego prawdziwie humanistycznego systemu wychowawczego musi znaleźć się prawda o godności człowieka, każdej bez wyjątku osoby ludzkiej. W epoce, w której mają miejsce przerażające fakty poniżania i dyskryminowania ludzi przez ludzi, obrona młodego pokolenia przed demoralizacją oznacza przede wszystkim ukazanie wielkiej, nienaruszalnej wartości, jaką jest każdy człowiek. Jeżeli dla ukazania tej prawdy dobiera się w wychowaniu różne argumenty filozoficzne i socjologiczne, to trzeba stwierdzić, że w społeczności wychowywanej po chrześcijańsku ta podstawowa prawda znajduje najgłębsze uzasadnienie w twierdzeniu, iż człowiek jest stworzony na obraz Boży, odkupiony miłością Syna Bożego, Jezusa Chrystusa, powołany do współdziałania z Bogiem w urządzaniu świata i do uczestniczenia w życiu Boga na całą wieczność"[1].

Odnajdujemy w tym wywodzie zespolenie zasad chrześcijańskich z laicką zasadą „praw człowieka". Biskupi polscy wystąpili przeto nie tylko w obronie partykularnych interesów instytucjonalnego Kościoła, nie tylko w obronie praw religijnych wspólnoty katolickiej, ale w obronie praw obywatelskich wszystkich ludzi, niezależnie od ich przynależności wyznaniowej. Również w obronie praw ludzi niewierzących.

Prymas Polski i Episkopat wypowiadali się także na temat obywatelskich obowiązków. Szczególnie interesuje nas w tym momencie model powinności intelektualistów. W pamiętnym marcu 1968 roku ks. kardynał Wyszyński w kazaniu w kościele Sióstr Wizytek powiedział:

„W każdym społeczeństwie są ludzie, którzy mają obowiązek mówić prawdę. Są do niej przygotowani przez wiedzę, studia, doświadczenie, znajomość życia. Oni muszą mówić prawdę! To jest obowiązek moralny i społeczny!

[1] *Listy pasterskie Episkopatu...*, s. 758.

Jeśli oni będą milczeć, do głosu dojdzie tania demagogia i będzie zatruwać społeczeństwo mirażami samobójczych recept. Ktoś musi mówić prawdę! Jeżeli znajdzie się gromadka ludzi zdolnych mówić prawdę, korzysta na tym naród i ci, którzy nim rządzą, gdyż uchronią się przed błędami. I ktoś ma obowiązek to czynić!". „Jesteście odpowiedzialni za prawdę - zwrócił się ks. Prymas wprost do słuchaczy - i lękliwie milczeć nie możecie! Gdy będziecie mówić prawdę, okażecie miłość swej Ojczyźnie, Narodowi i Państwu. Gdy będziecie milczeć, okażecie brak miłości. Milczenie wasze będzie działać na szkodę wszystkich"[1].

W sprawie tej wypowiedział się cały Episkopat w liście z 1 października 1969 roku:

„Kłamstwo jest jedną z plag życia społecznego - czytamy w tym liście - (...) deprawuje człowieka, obraża godność bliźniego, podrywa autorytet. (...) Posługiwanie się kłamstwem nie tylko szkodzi dobru wspólnemu, ale prowadzi do podważenia podstaw życia społecznego. Człowiek ma prawo do prawdy. Poszukiwanie i głoszenie prawdy jest środkiem obrony przed poddaniem człowieka w niewolę. Często jesteśmy zalewani kłamliwymi informacjami, wiadomości o zdarzeniach podawane są tendencyjnie lub fałszywie. Musimy zdobyć się na odwagę i wystąpić w obronie prawdy, jeśli chcemy zachować własną godność. Pisarze, publicyści, ludzie pióra, apelujemy do Was: piszcie prawdę, brońcie prawdy we wszystkich dziedzinach życia i nauki. Dajcie w ten sposób dowód miłości bliźniego"[2].

Identyczny sens ma dewiza Aleksandra Sołżenicyna „Nie żyć w kłamstwie!" i dewiza Leszka Kołakowskiego „Żyć w godności".

***

Nazwiska Aleksandra Sołżenicyna i Leszka Kołakowskiego pojawiły się w kontekście analizy programowych wypowiedzi Episkopatu i Prymasa Polski nieprzypadkowo. Chcę przez to zestawienie pokazać istnienie fundamentalnej zbieżności pomiędzy rozmaitymi tradycjami i postawami. Płaszczyzną spotkania - ponad narodami i ponad wyznaniami - jest antytotalitarna wizja jedności człowieczych praw i obowiązków, bowiem życie w prawdzie i w dążeniu do prawdy jest prawem człowieka i jest zarazem jego obowiązkiem. Dostrzeżenie tych zbieżności nie jest niczym odkrywczym; te warto-

---

[1] Stefan kardynał Wyszyński *Idzie nowych ludzi plemię...*, s. 277.
[2] *Listy pasterskie Episkopatu...*, s. 577

ści i idee są głęboko zakorzenione w tradycji chrześcijańskiej i w tradycji laickiej. Analizując doktrynę chrześcijańską, bez trudu można odnaleźć uzasadnienie protestu przeciw omnipotencji władzy państwowej, przeciw statolatrii. Również bez trudu można analogiczne idee wywieść z myśli laickiej (wspomnieć tu wypada nazwiska: Johna S. Milla, klasyka myśli liberalnej, autora traktatu o wolności, i Karola Marksa, autora mądrych i wnikliwych rozważań o cenzurze prasowej). Jednakże mimo tych obiektywnych zbieżności, nigdy chrześcijanie i ludzie lewicy laickiej nie mieli poczucia wspólnoty w tym przedmiocie, nigdy nie bronili tych wartości solidarnie i nie uważali się nawzajem za sojuszników. Realność i konkretność tej solidarności, narastająca po obu stronach świadomość jej potrzeby - oto, co zdaje się zjawiskiem stosunkowo nowym.

W ostatnich latach środowiska lewicowej laickiej inteligencji zmieniły swój stosunek do Kościoła. Laiccy intelektualiści przestali zajmować się zwalczaniem Kościoła, przestali być propagatorami urzędowego ateizmu. Wielu z nich dało publicznie wyraz zmianie swego punktu widzenia. Antoni Słonimski, moralny autorytet tego środowiska, pisał tak oto, odpowiadając na ankietę „Tygodnika Powszechnego":

„W latach mojej młodości spór między Kościołem katolickim a postępową inteligencją polską przybierał nieraz charakter otwartego konfliktu. Kościół uważany był za podporę kapitalizmu i nieraz, przypomnieć mi to wypada, dawałem wyraz moim poglądom laicystycznym, zwłaszcza w dyskusjach obyczajowych i społecznych. Watykan jak bastion zamknięty bramą spiżową separował się całkowicie od zmieniającego się świata (...) niemal do połowy dwudziestego wieku bronił się przed otwarciem swojej bramy spiżowej".

Następnie wskazał Słonimski na zasadnicze zbieżności pomiędzy ideami encykliki *Populorum progressio* a zasadami z ducha laickiego poczętej Karty Praw Człowieka; wskazał na obustronne zbliżenie między posoborowym katolicyzmem a postępową myślą laicką, która wzięła rozbrat z „arogancją naukową typową dla początków naszego wieku".

„Wydaje mi się jednak - napisał na zakończenie Antoni Słonimski - że to, co zbliża dziś Kościół i postępową myśl laicką, nie rodzi się z koncepcji światopoglądowych, a raczej ze wzmożonego poczucia odpowiedzialności za społeczeństwo zagrożone dziś w samym swoim istnieniu"[1].

---

[1] Cyt. za: Antoni Słonimski, *Obecność*, Warszawa 1973, s. 9-11.

Autor „Alarmu" doprecyzował swą myśl w wywiadzie udzielonym któremuś z zachodnich pism. Na pytanie, dlaczego on, konsekwentny racjonalista, libertyn i liberał, pisuje stale do katolickiego tygodnika, mając do wyboru tyle innych pism, Słonimski odpowiedział krótko: „Przed wojną Kościół był wsteczny, a komunizm głosił idee postępowe; dziś jest odwrotnie".

O całkowitej zmianie stosunku wobec Kościoła i religii świadczą także pisane w ostatnich latach eseje człowieka, którego laicka lewicowa inteligencja milcząco uznała za swego ideologa - Leszka Kołakowskiego.

Ponadto trzeba wspomnieć, że zasada swobody praktyk religijnych znalazła swój wyraz zarówno w liście traktującym o sytuacji Polaków w ZSRR (tzw. List 15, grudzień 1974), jak i w liście ustosunkowującym się do projektowanych zmian Konstytucji PRL (tzw. List 59, grudzień 1975). Oba te listy były współsygnowane przez ludzi związanych z kręgiem lewicowej laickiej inteligencji. Na obu tych listach - *signum temporis* - widniały również podpisy katolickich kapłanów. Uważam to za jedną z najbardziej doniosłych przemian w polskim życiu ideowym.

* * *

Mniej więcej na początku 1940 roku Niemiec, pastor luterański, jeden z najwybitniejszych teologów XX wieku, Dietrich Bonhoeffer, zanotował „jedno z najbardziej zdumiewających doświadczeń, jakie uczyniliśmy w ostatnich latach".

„W tych latach - pisał Bonhoeffer - kiedy zaczęto prześladować wszystko, co tylko związane było z chrześcijaństwem, kiedy ubóstwieniu irracjonalności, krwi, instynktu, bestii w człowieku trzeba było przeciwstawić rozum, samowoli - prawo pisane, barbarzyństwu - kulturę i humanizm, gwałtowi - wolność, tolerancję i prawa człowieka, upolitycznieniu nauki, sztuki itp. - autonomię różnych dziedzin życia, zarówno wśród obrońców tych atakowanych wartości, jak i wśród chrześcijan obudziło się poczucie pewnego rodzaju sojuszu. I oto okazało się, że wszystkie te pojęcia - rozum, wykształcenie, humanizm, tolerancja, autonomia, które jeszcze do niedawna pełniły funkcję haseł bojowych w walce przeciwko Kościołowi, przeciwko chrześcijaństwu - są mu niesłychanie bliskie. Stało się to w dodatku w momencie, kiedy usiłowano chrześcijaństwo zapędzić jak nigdy przedtem w ślepą uliczkę, kiedy podstawowe prawdy wiary poddawano krytyce najostrzejszej, najbardziej bezkompromisowej i sprzecznej z wszelkim rozumem, kulturą, humanizmem i tolerancją. Co więcej, im bardziej chrześcijaństwo było uciskane i prześladowane, tym jaśniejszy stawał się dlań sojusz z tymi wszystkimi wartościami, które przeżywało jako nieprzeczuwane poszerzenie horyzontów. Szczególnie uderzające było to, że nie Kościół szukał owego sojuszu dla swej ochrony, lecz przeciwnie, wymienione wartości, które stały się w jakiś sposób bezdomne - szukały schronienia w obrębie chrześcijaństwa, w cieniu Kościoła. Oczywiście nieprawdziwa była interpretacja taka, że chodziło tu li tylko o przymierze broni, a więc o wspólnotę »docelową« - do czasu zakończenia walki. Najważniejsze było co innego: powrót do praźródła. Dzieci Kościoła, które stały się samodzielne i odeszły od niego, w godzinie niebezpieczeństwa wróciły do matki. I chociaż w czasie swojego wyobcowania zmieniły się bardzo, zmienił się ich wygląd i język, to przecież w decydującym momencie matka i dzieci poznały się wzajemnie. Rozum, prawo, kultura, humanizm - jak tylko się zwą - szukały i odnalazły u swojego źródła nowy sens i nową siłę. Źródłem tym jest Jezus Chrystus"[1].

W języku chrześcijanina oznacza to, że Chrystus-Bóg wcielony w postać człowieczą poniósł męczeńską śmierć na Krzyżu za wszystkich ludzi, odkupił ich grzechy i stworzył w ten sposób nienaruszalny kanon prawdy i miłości. Taki sens ma zapewne przypowieść z *Ewangelii według św. Mateusza,* kiedy to Chrystus mówi do sprawiedliwych: „Zaprawdę powiadam wam: Wszystko, co uczyniliście jednemu z tych braci moich najmniejszych, Mnieście uczynili" (Mt. 25, 40), a chwilę później do „tych po lewej stronie" powiada Syn Człowieczy: „Wszystko, czego nie uczyniliście jednemu z tych najmniejszych, tegoście i Mnie nie uczynili" (Mt. 25, 45). Oznacza ta przypowieść bowiem, że każda krzywda wyrządzona każdemu z ludzi jest krzywdą wyrządzoną samemu Chrystusowi.

Aliści zdanie Bonhoeffera o tym, że Jezus Chrystus jest „źródłem", ma głęboki sens także dla ludzi niewierzących. Oznacza ono mianowicie, że nie można odrzucać bezkarnie tradycji chrześcijańskiej, gdyż odrzucając naukę Chrystusa o miłości bliźniego, odrzuca się tym samym fundament kanonu kultury europejskiej, fundament wiary w autonomiczną wartość prawdy i ludzkiej solidarności. Wiara w boskość Chrystusa jest wynikiem Łaski i jako taka dana jest tylko niektórym, ale wiara w nienaruszalność Chrystusowych przykazań jest powinnością każdego człowieka, bo jest jedynym światłem ocalającym ludzką wolność i godność przed przemocą i spodleniem, przed nihilizmem i piekłem samotności...

---

[1] Dietrich Bonhoeffer *Wybór pism* (opracowanie Anny Morawskiej), Warszawa 1970, s. 150-151.

„Dlatego wszelka próba - pięknie pisał Leszek Kołakowski - »unieważnienia Jezusa«, usunięcia go z naszej kultury pod takim oto pretekstem lub na takiej oto zasadzie, iż nie wierzymy w Boga, w którego on wierzył - wszelka taka próba jest śmieszna i jałowa. Próba taka jest tylko dziełem ludzi ciemnych, którzy wyobrażają sobie, że sam prostacko zapisany ateizm nie tylko może wystarczyć jako pogląd na świat, ale może ponadto upoważniać do tego, by dowolnie, wedle własnego, doktrynerskiego zamysłu, okrawać tradycję kulturalną, wyjaławiając ją z najżywotniejszych soków"[1].

Podejmując interesujący nas problem od nieco innej strony, Jan Strzelecki zanotował na marginesie pism Bonhoeffera, że doświadczenie hitleryzmu „uczyniło tradycyjne potyczki między obrońcami Kościoła a liberalną inteligencją rzeczą z nierzeczywistego światka wobec zagrożenia samych podstaw humanistycznego dziedzictwa wspólnej cywilizacji. Sprawa nie polega na tym - pisał Strzelecki - że dojrzały świat zagraża Kościołowi, lecz na tym, że najcenniejsze wartości dojrzałości świata znajdują się, wraz z Kościołem, w śmiertelnym niebezpieczeństwie, a broniący ich ludzie bronią jednocześnie najistotniejszych wartości chrześcijaństwa. Te wartości to istnienie dla innych, solidarność, braterstwo"[2].

Celne spostrzeżenia Strzeleckiego zdają się grzeszyć banalnością. Wszelako nam, moim przyjaciołom „komandosom" i mnie samemu, trzeba było dopiero doświadczeń marca 1968 roku, by pojąć do końca, że mamy do czynienia z władzą totalitarną i wyzbytą wszelkich skrupułów, że deptane są na naszych oczach elementarne ludzkie wartości tak samo drogie chrześcijanom jak i nam, ludziom laickiej lewicy. Nowa świadomość stworzyła przesłanki do zbliżenia, do spotkania z chrześcijaństwem. Byłoby pożądane, by odbyło się to spotkanie w autentyczności i prawdzie, a tego warunkiem jest wzajemny szacunek i szczerość. Szczerość nakazuje rozmowę nie tylko o tym, co łączy, ale i o tym, co dzieli, o wątpliwościach, niepokojach, zastrzeżeniach... Nie myślę spierać się o istnienie porządku nadprzyrodzonego, gdyż wiara w taki porządek jest - jak już pisałem - dziełem Łaski. Można ludzi obdarzonych Łaską podziwiać, można im zazdrościć, ale nie można z nimi dyskutować. Przynajmniej piszącemu te słowa spór taki jawi się jako bezprzedmiotowy. Pragnę natomiast powiedzieć nieco o swoich zastrzeżeniach wobec linii ideowej Kościoła katolickiego w Polsce. Sądzę, że niejeden z moich niepokojów dzielę ze sporą grupą laickich inteligentów.

[2] Leszek Kołakowski *Jezus Chrystus – prorok i reformator*, „Argumenty" nr 51-52/1965.
[1] Kontynuacje (2), s. 188.

***

Pisał kiedyś Jerzy Turowicz, że człowiek niewierzący może być „nastawiony jak najbardziej liberalnie, może głosić, że każdemu wolno wierzyć w co mu się podoba i że szanuje cudze przekonania, niemniej", w jego „światopoglądzie nie ma miejsca na Kościół. Jeśli świat i ludzie na nim żyjący stanowią układ zamknięty - kontynuował naczelny redaktor „Tygodnika Powszechnego" - niemający wymiarów pozaczasowych i pozamaterialnych, jeśli człowiek wysiłkiem rozumu swego świat ten poznaje, opanowuje, przekształca i urządza, jeśli poprzez tragiczne meandry historii dokonuje się w tym świecie ciągła praca postępu, to Kościół - zjawisko o tak wielkich historyczno-przestrzennych rozmiarach - stanowi dla rozumu ludzkiego i dla postępu jakąś olbrzymią zawadę, stoi w poprzek historii. W racjonalistyczno-materialistycznej perspektywie Kościół jest, musi być, zbiorowiskiem ludzi zabłąkanych na irracjonalistyczne manowce, a wśród jego kierowników i kapłanów nie brak zapewne szarlatanów, którzy świadomie prowadzą wiernych po owych manowcach, by ciągnąć z tego korzyści, które daje władza, rząd dusz. I nawet przy największym poszanowaniu cudzych przekonań, jeśli się w istnienie Boga nie wierzy, trudno zapewne bronić się przed pokusą marzenia o tym - czy też dążenia do tego - by owe fałszywe przekonania, by owa olbrzymia mistyfikacja, której na imię Kościół, zniknęła z drogi rozumu i postępu"[1].

Opis Jerzego Turowicza w pełni odpowiada rzeczywistości. Powiedziałbym to nawet dosadniej: ludzie lewicy laickiej, wychowani nierzadko w atmosferze antyreligijnego obskurantyzmu, przez wiele lat sądzili - a wielu z nich, po prawdzie, i dziś tak sądzi - że każdy człowiek wierzący, a już z pewnością każdy kapłan, ma jakiś defekt osobowości, że - w gruncie rzeczy - wiara, a tym bardziej kapłaństwo, jest rodzajem duchowego kalectwa. Wychodząc z takich oto przesłanek, istotnie uważaliśmy Kościół za zawadę na drodze rozumu i postępu i nie przychodziła nam do głowy myśl o potrzebie obrony praw obywatelskich ludzi Kościoła. Jakże mogliśmy bronić swobód religijnych, skoro sądziliśmy, że są to po prostu swobody krzewienia przesądów, magii i zabobonów; skoro uważaliśmy religię za relikt epoki zacofania i Ciemnogrodu? „Mówię, bom smutny i sam pełen winy".

Coś się jednak zmienia na lepsze, coś się przełamuje. Podpisując wspomniane wyżej dokumenty w sprawie losu Polaków w ZSRR i w sprawie poprawek do konstytucji, ludzie lewicy laickiej zadeklarowali totalne odrzucenie tępego i prymitywnego ateizmu. Sądzę jednak, że to nie wystarcza.

[1] Jerzy Turowicz *Ecclesia*, w: *idem, Chrześcijanin w dzisiejszym świecie*, Kraków 1963, s. 24-25.

Nasza rewizja intelektualna musi sięgnąć głębiej, musi dotknąć samych korzeni tego pełnego pychy przekonania, że - w istocie rzeczy - my znamy przecież prawdziwą drogę postępu i rozumu. Albowiem - w istocie rzeczy - my takiej drogi nie znamy; ani my, ani nikt na świecie nie wie, jakimi drogami potoczy się historia, natomiast my właśnie - bardziej niż ktokolwiek inny - powinniśmy rozumieć, iż taka pseudowiedza o tajemnicach „Weltgeistu" miewa zbrodnicze konsekwencje. Uprawnia ona mianowicie na mocy znajomości wyimaginowanych praw dziejowych do kierowania na drogę „rozumu i postępu" tysięcy ludzi nieuświadomionych o potrzebie i nieuchronności Nowego Ładu. Realizacja zaś projektów Nowego Ładu, tego królestwa Postępu, Rozumu i Wolności, wiedzie z nieuchronną koniecznością do pogardy dla ludzi, do stosowania przemocy, do moralnej samozagłady.

Myślę, że równie złowrogie konsekwencje kryje w sobie zadufane przekonanie o nieistnieniu porządku nadprzyrodzonego. Powiadam „zadufane", albowiem zupełną pewność możemy mieć w tym tylko przedmiocie, że śmierć nas nie ominie. Reszta jest błądzeniem, trudem istnienia, uporczywą drogą do prawdy. Zachowajmy na tej drodze, pełnej poszukiwań, upadków i wzlotów, szacunek dla tych, którzy wierzą, iż został im objawiony jakiś ład ponadludzki. Sądźmy po uczynkach, a nie po słowach wypaczanych przez innych i wykoślawianych. Tylko pod tym warunkiem będziemy mogli z podniesionym czołem domagać się od ludzi Kościoła postawy analogicznej.

Będziemy mogli tedy domagać się, by nasza niewiara, nasze przekonania filozoficzne, nie czyniły nas w oczach Kościoła ludźmi mniej wartościowymi czy kalekimi duchowo. Będziemy mogli domagać się, by osądzono nas na podstawie naszych codziennych czynów, a nie na podstawie uczestnictwa w praktykach religijnych. Szanując cudzą wiarę, będziemy mogli domagać się szacunku dla naszej niewiary. I wtedy dopiero będziemy mogli - na koniec - stanowczo domagać się rozróżnienia pomiędzy światopoglądem laickim a praktyką polityczną władzy komunistycznej, pomiędzy laicyzacją a politycznym ateizmem, pomiędzy ideą demokratycznego socjalizmu a totalitarną rzeczywistością naszego kraju.

**

Simone Weil, Francuzka żydowskiego pochodzenia, chrześcijanka, która nigdy nie przyjęła chrztu, autorka przejmujących rozważań o kondycji moralnej naszych czasów, pisała w 1942 roku do przyjaciela ks. Josepha-Marie Perrina, dominikanina:

„Kościół broni dzisiaj niezniszczalnych praw jednostki przed zbiorowym uciskiem, swobody myśli przed tyranią. Ale takim sprawom chętnie służą ci, którzy chwilowo nie są najmocniejsi. Jest to jedyny dla nich sposób, aby kiedyś stać się być może najmocniejszymi. (...) Aby obecna postawa Kościoła była skuteczna i sięgnęła naprawdę głęboko, niby klin, w życie społeczne, trzeba byłoby, żeby Kościół powiedział otwarcie, że zmienił się, czy też, że chce się zmienić. W przeciwnym razie, kto weźmie go poważnie, pamiętając Inkwizycję? Przepraszam, że mówię o Inkwizycji. Wzmianka o niej, z powodu mojej przyjaźni, która obejmuje również zakon ojca, jest dla mnie bardzo bolesna. Ale Inkwizycja istniała. Po upadku rzymskiego imperium, imperium totalistycznego, Kościół pierwszy położył w Europie XIII wieku, po wojnie przeciwko Albigensom, fundamenty totalizmu. Drzewo to wydało wiele owoców. A sprężyną tego totalizmu był użytek zrobiony z dwóch małych słów: *anathema sit.* Zresztą, przez zręczne podchwycenie tego użytku, utworzono wszystkie partie, którym w naszych czasach udało się wprowadzić totalitarne reżymy"[1].

Nie powiem rewelacji, twierdząc, że wielu ludzi w Polsce podziela dzisiaj diagnozę i obawy Simone Weil. Tym ludziom, przywołującym nieustannie widmo inkwizycyjnych stosów, trzeba powiedzieć, że Kościół się zmienił. Już dawno heretycy przestali płonąć na stosach, już nie padają złowieszcze słowa *anathema sit,* już nie funkcjonuje indeks ksiąg zakazanych. Trzeba ignorancji albo złej woli, by nie rozumieć sensu ostatnich encyklik papieskich lub deklaracji Soboru Watykańskiego II.

W odpowiedzi na te argumenty usłyszeć można, że „polskiego katolicyzmu nie ogarnął nurt posoborowych przemian". Zdziwienie ogarnia słuchacza takich wypowiedzi. Mając pełne zrozumienie i sympatię dla postulujących wewnątrzkościelne reformy publicystów „Więzi" czy „Tygodnika Powszechnego" (choć nie dla „reformatorów" z PAX-u), nie bardzo rozumiem podobne argumenty w ustach ludzi niewierzących. Choć stopniem niewiedzy dorównuję tym wszystkim, którzy ubolewając nad konserwatyzmem polskich biskupów, przeciwstawiają im światłych i postępowych biskupów z Watykanu, nie dorównuję im widać śmiałością; dlatego nie podejmuję sporu na temat, czy polski Episkopat jest czy nie jest konserwatywny. Bo o cóż tu właściwie chodzi? O reformę liturgiczną? O kult maryjny? O stosunek do celibatu? O kolegialność podejmowania decyzji w Kościele? O negatywny stosunek

[1] Simone Weil *Wybór pism* (tłumaczenie i opracowanie Czesława Miłosza), Biblioteka „Kultury", Paryż 1958, s. 114.

biskupów do katechizmu holenderskiego? Nie pojmuję! Dlaczego troszczą się o to katolicy - rozumiem; wszyscy rozumiemy, dlaczego Ignacy Krasicki, Wiesław Mysłek czy inny dziennikarski opryszek ubolewa nad reakcyjnością polskich biskupów; ale czy doprawdy moi przyjaciele z lewicy laickiej nie mają większych zmartwień? Czy może bardziej odpowiada im model „postępowości" kardynała Casarolego, watykańskiego wysłannika, który - jak głosi wieść gminna - skłaniać miał pono Prymasa Polski do bardziej „elastycznej" (czyli kapitulanckiej) polityki wobec rządu? Przypominam przeto, że ten sam Casaroli nakłaniał do większej „elastyczności" wobec rządu... biskupów hiszpańskich krytykujących politykę generała Franco.

Krytyka wewnętrznej struktury polskiego Kościoła katolickiego jest być może - nie mnie o tym sądzić - zasadna i pożądana. Jest to jednak, doprawdy, sprawą społeczności katolickiej. Formułowane przez niewierzących publiczne krytyki biskupów za ich wewnątrzkościelny konserwatyzm są w naszych warunkach - a nie żyjemy przecież w parlamentarnej Anglii - tyleż jałowe, ile dwuznaczne.

Wielu z moich znajomych powiada jednak: dziś Kościół jest za wolnością sumienia i wyznania, za wolnością prasy i badań naukowych, za wolnością słowa i zgromadzeń, gdyż jest pozbawiony tych wolności. Ale czy równie konsekwentnie bronili biskupi tych wolności w okresie dominacji katolicyzmu, w latach II Rzeczypospolitej? I czy będą ich bronić równie konsekwentnie, gdy znów katolicyzm zostanie uznany przez władzą państwową za wyznanie uprzywilejowane, gdy znów ołtarz będzie blisko tronu? Odpowiem na to: tylko ślepiec może nie dostrzegać przemian zachodzących w polskim katolicyzmie. Dość porównać styl i poziom przedwojennej prasy katolickiej z zawartością i poziomem „Tygodnika Powszechnego", „Więzi" czy „Znaku", by dostrzec cały ogrom przeobrażeń. Wystarczy uważnie przeczytać listy pasterskie Episkopatu, by odnaleźć w nich elementy nowe i wzbudzające najlepsze nadzieje. Wszakże nie to zdaje mi się najbardziej istotne. I nie to nawet, że stosunek Kościoła do lewicy laickiej pozostawać musi - banalna to prawda - w ścisłym związku ze stosunkiem lewicy laickiej do Kościoła. Idzie mi w tym momencie o sprawy zasadnicze. Wątpliwe byłoby nasze umiłowanie swobód obywatelskich, gdybyśmy pragnęli ich tylko dla siebie. Nasza moralność byłaby wtedy moralnością Kalego: „Jak Kali ukraść, to dobrze, ale jak Kalemu ukraść - to źle". Dlatego jest naszym - ludzi lewicy laickiej - politycznym obowiązkiem bronić wolności Kościoła i praw obywatelskich chrześcijan zupełnie niezależnie od tego, co sądzimy o roli, jaką pełnił Kościół 40 lat temu i jaką może pełnić po upływie kolejnych 40 lat. Prawa człowieka są dla wszystkich - albo nie ma ich dla nikogo. To jest bezsporne.

22 22 2222

2222

2222222222

***

Ale to nie uchyla postawionego problemu. Czym innym bowiem jest powinność polityczna i obywatelska ludzi lewicy laickiej, którzy muszą - pod groźbą duchowej autodestrukcji - wyznawać ideę niepodzielności i powszechności praw człowieka i bronić wszystkich prześladowanych, a zupełnie czym innym jest ich niepokój tyczący linii postępowania Kościoła i jego hierarchii. Jak Simone Weil, powiadają ci ludzie nader często, że Kościół znów pragnie być „najmocniejszy", że pragnie powrócić do konstantyńskiego modelu sprawowania władzy duchowej. Wyjaśnię tę myśl odwołaniem się do rozważań Bohdana Cywińskiego, który na przeciwieństwo idei „Kościoła konstantyńskiego" stworzył termin „Kościół juliański".

„Pojęcie konstantynizmu - pisał Bohdan Cywiński w *Rodowodach niepokornych* - pochodzi (...) od imienia cesarza Konstantyna, za którego panowania po raz pierwszy znalazła zastosowanie teoria dwóch władz: świeckiej i duchownej. (...) Julianizm [od nazwiska cesarza Juliana Apostaty, który „wyrzekł się chrześcijaństwa i usiłował zniszczyć Kościół" - przyp. autora] jako model sytuacji politycznej jest przeciwieństwem konstantynizmu. Zamiast współdziałania obu władz - świeckiej i duchownej - cechuje go ich konflikt. Kościół znajduje się w opozycji. Pozbawiony jest władzy politycznej, dysponuje natomiast autorytetem moralnym - i w tym leży jego siła. Jest to być może nawet ogólna prawidłowość określająca sytuację społeczną Kościoła w państwie: jego autorytet moralny w społeczeństwie jest odwrotnie proporcjonalny do jego udziału we władzy politycznej. (...) Autorytet moralny Kościoła juliańskiego jest jego podstawową cechą, podobnie jak potęga polityczna charakteryzuje Kościół konstantyński. Kościół juliański jest czystszy moralnie, prześladowania eliminują zeń oportunistów i otaczają go swoistą aureolą, tradycja julianizmu jest piękna i trwała.

Jednocześnie julianizm jest w pewien sposób związany z konstantynizmem, mają cechy wspólne, uderzające zwłaszcza w mentalności ludzi Kościoła. Łatwo zauważyć, że obie formacje są powiązane następstwem czasu. (...) Julianizm nie wynika sam z siebie; jest konstantynizmem zakwestionowanym, rodzi się tam, gdzie władza państwowa odstąpi od poprzedniej idei współdziałania z Kościołem. Mylne jest twierdzenie, że Kościół juliański nie ma nic wspólnego z władzą polityczną: jest to Kościół od udziału w tej władzy przemocą odepchnięty. To ważne, bo to określa mentalność. Za Juliana Apostaty wspominano zapewne czasy Konstantyna jako wzór prawidłowego układu społecznego. Czekano na moment, kiedy będzie można powrócić do dawnego wzoru. Ani na chwilę nie uznawano legalności systemu wprowadzonego przez cesarza-odstępcę, usiłowano przetrwać czas trudności, by po ich ustąpieniu odzyskać dawne miejsce w systemie społecznym. Nie wyrzeczono się sojuszu z władzą raz na zawsze, czekano jedynie na władzę taką, która dla tego sojuszu okaże się odpowiednia. Tymczasem w braku władzy politycznej Kościołowi wystarczał moralny autorytet przywódcy duchowej opozycji. Ten autorytet miał w sobie coś z władzy króla na wygnaniu, nie przestawał być jednak władzą.

(...) Konstantynizm jest udziałem we władzy. Julianizm cechuje żal i oburzenie po jego utracie, nigdy zaś dobrowolna rezygnacja z niej. Dlatego też Kościół juliański przy całej swej duchowej potędze nigdy nie jest w pełni solidarny ze społeczeństwem i nigdy się z nim w pełni nie identyfikuje. Owszem, dąży do pełnej identyfikacji społeczeństwa ze sobą, ale to nie jest to samo. Pozbawiony mocy politycznej walczy o zachowanie duchowego przywództwa nad narodem. Nie przyjmuje zatem do wiadomości istnienia innych środków duchowej czy ideowej integracji społeczeństwa ani innych formuł opozycji wobec władzy świeckiej niż te, które sam pobudza i kontroluje. Jeśli obecność tej opozycji staje się ewidentna i stwarza społeczeństwu jakąkolwiek alternatywę ideologiczną, umożliwiając mu gromadzenie się niekoniecznie pod sztandarami hierarchii, wtedy Kościół juliański opozycję tę potępia lub co najmniej lekceważy i dezawuuje w opinii publicznej. Nigdy natomiast nie garnie się Kościół juliański do jakiejkolwiek formy współdziałania z niezależnymi od niego ośrodkami myśli opozycyjnej wobec skłóconej ze społeczeństwem władzy. W swoim konflikcie z władzą świecką występować chce sam, bez partnerów, wobec których nie poczuwa się do żadnej solidarności"[1].

Tyle pisze Cywiński. Nikt z ludzi lewicy laickiej nie ujął swych obaw w formuły równie lapidarnie i precyzyjnie. Nasz lęk jest lękiem przed juliańską polityką Kościoła i przed możliwymi następstwami tej polityki.

Sprawa jest poważna. Nikt z nas nie myśli negować olbrzymich, trudnych do ogarnięcia zasług julianizmu w oporze stawianym przez Kościół urzędowemu kłamstwu i przemocy. Wszelako należy pamiętać, że negatywne konsekwencje julianizmu - tak świetnie opisane przez Cywińskiego - mogą stać się udziałem Kościoła również w naszych czasach. Julianizm jest nie tylko konsekwencją konstantynizmu; jest także konsekwencją osamotnienia. Jak długo biskupi polscy samotnie bronili nie tylko religii i Kościoła, ale także ele-

---

[1]Bohdan Cywiński *Rodowody niepokornych*, Warszawa 1971, s. 262-264.

mentarnych praw człowieka i centralnych wartości humanistycznych przed niszczycielskimi zakusami Przodującej Ideologii, tak długo julianizm był jedyną formułą możliwą; jak długo laicka opozycja demonstrowała swój wrogi stosunek do religii i Kościoła, tak długo julianizm był formułą praktycznie nieuniknioną. Wszakże ten stan rzeczy zdaje się ulegać zmianie. Powoli krystalizuje się opozycja, która wyznając tradycyjne wartości lewicy (Wolność, Równość, Niepodległość), odrzuca jednoznacznie - oby na zawsze! - polityczny ateizm.

Jest to istotne *novum*. W tej sytuacji ludzie Kościoła katolickiego będą musieli zadeklarować, czy - w porządku doczesnym - posłannictwem Kościoła ma być obrona Kościoła, czy obrona człowieka? Czy Kościół dąży do autentycznej wolności obejmującej wszystkich ludzi, także innowierców i niewierzących, czy też pragnąć będzie tylko „wolności dla siebie, swobody własnego kultu, własnego szkolnictwa, własnej prasy?"[2]. Czy Kościół uważa za możliwe wydzielenie swobód dla katolików z szerokiej sfery swobód podstawowych dotyczących wszystkich obywateli? Dalej: czy Kościół pragnie - powtarzam: w porządku ziemskim, ludzkim - być obrońcą wszystkich skrzywdzonych i poniżonych, wszystkich cierpiących i prześladowanych, czy też chce zmierzać do stałego poszerzania swych instytucjonalnych praw i do całkowitego odzyskania uprzywilejowanej pozycji w państwie? Czy pragnie pełnić swą misję apostolską w warunkach rozdziału Kościoła i państwa, czy też chce wespół z władzą państwową sprawować rządy nad narodem? Na koniec: czy zechce matkować politycznym partiom wyznaniowym, czy też - rozdzielając „boskie od cesarskiego" - ograniczy się w przedmiocie polityki do wskazań równie ogólnych, jak te zawarte np. w encyklikach Pawła VI. Nie do mnie należy odpowiedź na te pytania. Podkreślić jednak powinienem, że dla ludzi lewicy laickiej - a może też i dla autentycznie lewicowych katolików? - nie są to pytania teoretyczne, lecz najzupełniej konkretne; na tyle, na ile konkretna może być wizja Polski, o którą walczymy.

***

Niepodobna wyobrazić sobie przyszłej Polski bez Kościoła katolickiego i jego olbrzymiego wpływu na społeczeństwo. Nic przeto dziwnego, że ludzie lewicy laickiej interesują programowe wypowiedzi katolickich biskupów. Weźmy dla przykładu szkolnictwo. Przez długie lata Kościół twardo bronił

---

[1] Jean-Marie Domenach, *op. cit.*

zasady nauczania religii w szkole państwowej. Sprawa ta - pisałem o tym wyżej - miała w naszych warunkach szczególne zabarwienie i dlatego konflikt wokół niej był szczególnie skomplikowany. Dopóki szkoła będzie przekaźnikiem Przodującego Światopoglądu i narzędziem ateizacji, dopóty owe „szczególne komplikacje" pozostaną w mocy. Taki model edukacji nie odpowiada także laickiej inteligencji, nie może odpowiadać żadnemu światłemu człowiekowi. Ale jak wygląda model postulowany? Dla ludzi lewicy laickiej sprawa jest prosta: usunięcie religii ze szkół jest fragmentem rozdziału Kościoła od państwa. Konsekwencją rozdziału państwa od Kościoła - a rozdział ten jest warunkiem koniecznym rzeczywistej demokratyzacji - winno być usunięcie ze szkół ateizmu jako obowiązującej ideologii. Sformułowany przez Tadeusza Mazowieckiego (w przemówieniu sejmowym na temat reformy systemu oświaty - 1961 rok) postulat szkoły pluralistycznej zdaje się sprawę - z tego punktu widzenia - wyczerpywać przy założeniu, że Kościół miałby zagwarantowaną pełną swobodę nauczania religii w punktach katechetycznych.

Taki oto jest punkt widzenia lewicy laickiej precyzyjnie sformułowany przez katolickiego posła na Sejm. Ciekawe, że od pewnego czasu słychać podobne głosy ze środowisk kościelnych. „W gruncie rzeczy - powiadają niektórzy katecheci - przeniesienie nauki religii ze szkół do punktów katechetycznych wyszło tej nauce na korzyść. Władze - wcale tego nie chcąc - wyrządziły Kościołowi przysługę. Dobrowolność sprzyja katechizacji i zwiększa jej atrakcyjność".

Trudno powiedzieć, na ile jest to stanowisko typowe i na ile miarodajne. Jedno jest pewne - jest ono przyjmowane przez środowiska laickie z radością i z nadzieją. Nic tak bowiem nie ułatwia władzom państwowym antykościelnej demagogii, jak możliwość odwołania się do straszaka nietolerancji wobec niewierzących dzieci i do smutnych w tym zakresie wspomnień z 1956 roku. Bojkot dzieci nieuczęszczających w tamtym czasie na religię nie był wymysłem ateistycznej propagandy. Dla tych, którzy to przeżyli, jest co wspominać i jest czego się obawiać... Jednoznaczna deklaracja Episkopatu w tej sprawie mogłaby odegrać bardzo ważną rolę...

* * *

Jerzy Turowicz napisał kiedyś w „Tygodniku Powszechnym":
„Mówi się (...) że Kościół - który »rzekomo jest obrońcą wolności« - jest przecież nietolerancyjny w najwyższym stopniu w stosunku do własnych wyznawców. Narzuca im swoje poglądy, żąda ortodoksji, życie ich i postępo-

wanie ogranicza tysiącem nakazów i zakazów, grozi sankcjami doczesnymi i wiecznymi. Gdzież tu miejsce na wolność?". Trudno o większe nieporozumienie - odpowiada Turowicz. „Kościół wszak mówi człowiekowi: taka jest prawda o tobie, o twoim życiu, o sensie i celu twojego istnienia. Jeśli wierzysz, postępuj zgodnie z nią. Jeśli odrzucasz tę prawdę, nie jesteś katolikiem. Jeśli ją przyjmujesz, ale postępujesz niezgodnie z nią, jesteś złym katolikiem, nie ty jeden zresztą. Sankcje doczesne? Jakież to sankcje? Przecież nie więzienie ani kary pieniężne (...). Jakaż egzekutywa? Odmowa sakramentów czy wykluczenie ze społeczności wiernych? Tak, ale te sankcje uderzają tylko w tego, kto uznaje prawo Kościoła do ich wymierzania. Sankcje wieczne? Te nie leżą w dyspozycji Kościoła. Kościół tylko uświadamia wiernych o ich istnieniu. Nikt nie będzie zbawiony bez własnej woli, nikt nie będzie potępiony bez własnej winy. A do tego jeszcze »poprawka« na miłosierdzie Boże. Kościół mówi człowiekowi: jesteś dojrzały, masz lata, zrozumiałeś, oto nadprzyrodzona społeczność, złączona węzłem miłości, która gotowa ci dać wszelką pomoc. Jeśli więcej dostałeś, więcej się od ciebie będzie wymagać. Poza tym myśl i czyń, jak uważasz. Konsekwencje własnych czynów - dobre lub złe - poniesiesz sam. (...) Więc może przestalibyśmy mówić o nietolerancji wewnątrz Kościoła?"[1].

Ten wywód Turowicza wnikliwie obnaża różne obiegowe głupstwa. Ale dotyczy jedynie Kościoła w jego funkcji depozytariusza wiary. A przecież Kościół ma - jako organizacja - także swój wymiar doczesny. I dlatego właśnie myślę, że nie powinniśmy przestać o tym mówić. Tylko wtedy bowiem mógłbym zapytać, dlaczego do dzisiaj jest białym krukiem bibliofilskim wycofana dwadzieścia parę lat temu z księgarń w wyniku presji hierarchii kościelnej świetna książka ks. Mieczysława Żywczyńskiego o Kościele w epoce rewolucji francuskiej? Nie zadowoli mnie odpowiedź, że ks. Żywczyński posłuchał polecenia swego kościelnego zwierzchnika „dobrowolnie", gdyż ten nie dysponował egzekutywą w postaci stójkowego czy prokuratora. Świadom jestem, że dotykam sprawy nieprostej. Książka ks. Żywczyńskiego - świetnie napisany pamflet historyka na wstecznictwo Kościoła katolickiego w epoce rewolucji francuskiej - ukazała się w wydawnictwie PAX-u w epoce głębokiego stalinizmu, w okresie brutalnych ataków rządowej propagandy na Kościół i towarzyszących tym atakom represji karno-administracyjnych wobec ludzi Kościoła. Tendencja książki ks. Żywczyńskiego była oczywista. Chodziło w niej o napiętnowanie ścisłego związku Kościoła z *ancien régime'em*,

---

[1] *Katolicy, polityka i tolerancja*, cytuję za: Jerzy Turowicz *Chrześcijanin w dzisiejszym świecie*, s. 89-90.

o zasugerowanie, że Kościół mógł się, za cenę rezygnacji z tych związków, porozumieć z rewolucyjną władzą. Przekładając historyczną metaforę na język współczesnego konkretu, można było odczytać wywody ks. Żywczyńskiego jako apel do polskich biskupów katolickich, by poparli nową władzę lub też - przynajmniej - zrezygnowali z antykomunistycznej postawy politycznej. Taką interpretację mogłyby potwierdzać ścisłe - trwające do dziś - związki ks. Żywczyńskiego z PAX-em. Te związki, a także niedawny atak na *Rodowody...* Cywińskiego czynią z autora książki *Kościół a rewolucja francuska* postać politycznie dość dwuznaczną. Powiedzmy wyraźniej: niesympatycznie jednoznaczną dla autora niniejszych rozważań, tym bardziej że recenzja z *Rodowodów...* jest majstersztykiem donosu skierowanego do dwóch adresatów jednocześnie: do aktywu PZPR i do hierarchii kościelnej. Rozumiem, że zawarte w książce krytyki postawy francuskiego kleru mogły - w ówczesnej sytuacji - być jakoś wykorzystane przez antykościelną propagandę. Biskupi mieli prawo sądzić, że mogły również wpłynąć na „rozmiękczenie" twardej linii Kościoła, że mogły wzmocnić tendencje do kapitulacji przed władzą totalitarną. Słowem: że wywody ks. Żywczyńskiego mogły być szkodliwe.

A jednak - takie jest moje głębokie przekonanie - na dłuższą metę prawda nie może być szkodliwa dla społeczeństwa. Odnoszę to także do książki ks. Żywczyńskiego. Wydaje się bowiem, że uważne jej przeczytanie mogłoby być nader pożyteczne. Wyciągnięcie z niej nauk mogłoby przynieść efekt zgoła odmienny od niezbyt może szlachetnych zamysłów autora. Myślę mianowicie, że w swojej walce z komunistyczną, totalitarną władzą, walce, która - powtórzmy - przynosi Kościołowi zaszczyt, uniknęliby biskupi niejednego błędu dzięki starannej lekturze książki ks. Żywczyńskiego. A jeśli nie biskupi, to z pewnością wielu księży czy świeckich katolików. Myślę tu mianowicie o takich posunięciach, jak protesty przeciw upaństwowieniu lasów etc.

Niedawno się od tego odżegnywałem, a dotykam przecież w tym miejscu spraw wewnątrzkatolickich czy wewnątrzkościelnych. Wszelako ta sprawa i mnie dotyczy. O książkę Żywczyńskiego stała się uboższa cała polska kultura, a nie tylko jej katolicki fragment; trudno przeto ludziom spoza Kościoła odmówić prawa do troski o jej los. Mam nadzieję, że w świetle całości tych wywodów nie będę podejrzewany o złą wolę i demagogię, o złośliwe szukanie dziury w całym; że nie będę utożsamiony z „bojownikami wolności", którzy na łamach „Argumentów" czy „Życia Warszawy" krytykują brak swobód wewnątrz Kościoła. Choć przypadek książki Żywczyńskiego nie jest - niestety! - jedynym ze znanych mi faktów tego rodzaju, to nie zamierzam przecież zestawiać tych faktów z konsekwentnym wyniszczaniem kultury polskiej przez władzę komunistyczną. Byłby to nonsens. Ale ludzie Kościoła powinni zrozumieć, że tylko wtedy - i dopiero wtedy - gdy takie fakty nie będą się przytrafiać, ich deklaracje o potrzebie poszanowania wolności kultury i swobody badań naukowych staną się całkowicie wiarygodne. Nie można domagać się prawa do „tworzenia katolickiej kultury w katolickim kraju", a jednocześnie konfiskować książki katolickiego intelektualisty. Albo - albo. Trzeba wybrać.

***

Zresztą - prawdę mówiąc - niezbyt przemawia do mnie argument taki oto: katolikom należą się swobody (religijne, kulturalne, polityczne etc.), ponieważ stanowią większość w polskim społeczeństwie. A gdyby byli mniejszością?

Czyż wtedy winno im przysługiwać mniej, choćby troszkę, praw obywatelskich? Co zatem stanowi źródło katolickich roszczeń: liczba zwolenników czy też zasada niezbywalnych praw osoby ludzkiej? Prawa i wolności katolików - sądzę - winny być zupełnie niezależne od liczby osób deklarujących wyznanie rzymskokatolickie; tak czy inaczej katolikom winna przysługiwać ta sama pełnia praw, co innym obywatelom, niezależnie od tego, czy są protestantami, mahometanami czy ateistami. Z punktu widzenia prawa państwowego wyznanie powinno być ich prywatną sprawą.

W ten sposób pojmuję zasadę laicyzacji: pełny rozdział Kościoła od państwa, pełny rozdział państwa od Kościoła, pełnia praw obywatelskich. Całkiem inaczej definiuje tę zasadę ks. kardynał Wyszyński, który laicyzacją nazywa „odczyszczanie wierzących obywateli z elementów religijnych, katolickich".

„Jest to prąd - mówił ks. Prymas w cytowanych wyżej „kazaniach świętokrzyskich" - który wyrósł na schyłku XVIII wieku i zapanował na przełomie wieku XIX. Dążył on do tego, aby z pomocą władzy państwowej tworzyć laicką szkołę i moralność i zlaicyzować wszystkie urządzenia państwowe, społeczne i polityczne. Są to terminy zawleczone z literatury francuskiej. (...) Wyrażenia *école laïque, morale laïque*, pochodzą z okresu, gdy masoneria i liberalizm polityczno-ekonomiczny, nie licząc się z żadnymi zasadami moralnymi, umacniał taką właśnie dążność głównie we Francji. Jeżeli więc dzisiaj tyle się słyszy, czyta i pisze o państwie laickim, to jest to odgrzewanie starych, zadawnionych potraw, które współczesnemu człowiekowi absolutnie przez gardło przejść nie mogą. Są to pojęcia przestarzałe.

Władza państwowa nie ma takiego prawa, aby siłą, z pomocą urządzeń społecznych i publicznych, propagować tak zwaną moralność laicką czy też obrzędowość laicką, zwłaszcza w społeczeństwie na wskroś katolickim"[1]. Być może chodzi tu o nieporozumienie terminologiczne. Jeśli laicyzacją nazywa się cenzurowanie i kaleczenie kultury narodowej przez eliminację jej tradycji religijnych, jeśli laicyzacją nazywa się stosowanie przez państwo siły w zwalczaniu obyczajowości katolickiej i narzucaniu innej - to trudno nie podzielać opinii ks. Prymasa. Taka laicyzacja to po prostu jeszcze jedna maska zakrywająca totalitarną przemoc. Wywody ks. kardynała Wyszyńskiego można jednak zrozumieć również jako krytykę samej zasady rozdziału Kościoła i państwa. Straszne jest to pomieszanie pojęć w naszym języku, coraz więcej słów - dzięki oficjalnej propagandzie - utrudnia porozumienie, miast je ułatwiać.

Cytowany wcześniej Jean-Marie Domenach przypomina dokonane przez francuskich biskupów rozróżnienie między „świeckością" („suwerennością państwa w swojej dziedzinie porządku doczesnego [...] będącego w pełnej zgodzie z doktryną Kościoła") i „laicyzmem" („doktryną filozoficzną, która zawiera cały system materialistycznej i ateistycznej filozofii życia ludzkiego w społeczeństwie").

„Broniąc praw swego Kościoła - tłumaczył Domenach - katolicy powinni brać pod uwagę to, że w walce politycznej znajdują się na tej samej płaszczyźnie, co inni i że dobro doczesne, które uznają, jest nie tylko ich przywilejem, ale dobrem wszystkich ludzi żyjących w jednym kraju. Okoliczności zmierzają coraz bardziej do stosowania tej praktycznej świeckości. Polityka doprowadza do porozumienia się ludzi między sobą w ramach jednego narodu (...). Pozbywszy się otaczających ją namiętności, świeckość ukazuje się jako coś przystosowanego do samej natury państwa. Jako konieczny warunek każdej (...) decyzji politycznej, jest dla polityki tym, czym metodologiczny ateizm jest dla nauki: nie jakąś doktryną, ale przesłanką poszukiwań, dyscypliną poznania i wymogiem działania. (...) Katolicy muszą tu zrobić wysiłek, aby uwolnić pojęcie natury państwa od wspomnień walk otaczających je w ubiegłym stuleciu. Państwo świeckie, tak jak każde państwo, zaznało pokusy nadużycia władzy i uległo jej, jednakże w mniejszym stopniu niż państwo religijne lub państwo z samego swego założenia stronnicze. (...) Państwo jako swego rodzaju technika jest neutralne, ale (...) staje się państwem totalnym, kiedy poddaje się jakiejś idei". Dotyczy to „także Kościoła w tym zakre-

---

[1] Stefan kardynał Wyszyński *Kazania świętokrzyskie...*, s. 51-52.

sie, w jakim jest on wystawiony na pokusę tworzenia bezpośrednio lub pośrednio aparatu państwowego (...)".

W pełni akceptując tezy Domenacha, dodam dla porządku, że w polskich realiach mogą być one zaledwie postulatami. PRL nie jest państwem demokratycznym i świeckim; jest poddanym określonej idei państwem totalitarnym. Warunkiem koniecznym jego zeświecczenia czy laicyzacji (używam tych terminów zamiennie) jest likwidacja totalitarnej struktury politycznej. Państwo zeświecczone przeto to takie państwo, w którym chrześcijanin nie będzie musiał „dokonywać przerażającego wyboru między Bogiem a Cezarem". W idei państwa laickiego idzie o to, aby „ten, który wybrał Boga (...) nie został umęczony przez bałwochwalczego Cezara", i aby nikt inny „nie został ujarzmiony przez Cezara rzekomo chrześcijańskiego"[1].

Takie ujęcie zagadnienia jest sprzeczne z długotrwałą tradycją myślenia o Kościele i państwie. Domenach całkowicie zaakceptował sytuację, w której „państwo wychodzi z ram Kościoła: jest to laicyzm" (ks. Jacques Leclercq).

„Przez cały XIX wiek - pisze ks. Leclercq, profesor Uniwersytetu Katolickiego w Louvain - większość katolików będzie żyła z myślą o państwie chrześcijańskim i z pragnieniem powrotu do dawnych stosunków. Jeszcze dziś spotykamy takich ludzi. Skoro tylko zaświeci jakaś nadzieja w tym kierunku, rzucają się na nią z entuzjazmem. Jest w tym cień padający na wszystkie dyskusje"[2].

W kwietniu 1962 roku - trzeba to w tym miejscu przypomnieć - biskupi polscy pisali:

„Środkami bogatymi nie rozporządzamy, siły materialnej nie mamy; za ten ostatni brak Bogu dziękujemy, bo wolni jesteśmy nawet od pokusy jej używania"[3].

W sierpniu 1963 roku - zacytujmy po raz drugi - biskupi deklarowali:

„Dosyć nasłuchaliśmy się zarzutów, że w dawniejszych pokoleniach hierarchia i duchowieństwo podpierały trony doczesne i kąpały się w ich blasku. Być może, iż czasem tak bywało. Toteż w konsekwencji tych doświadczeń z przeszłości powinniśmy trzymać się jak najdalej od tronów i możnych tego świata"[4]. W opatrzonym datą 22 marca 1968 roku dokumencie o laicyzacji można przeczytać: „Jesteśmy tego świadomi, że w nowoczesnych

[1] Domenach, op. cit.
[2] Jacques Leclercq *Katolicy i wolność myśli*, Kraków 1964, s. 186.
[3] *Listy pasterskie Episkopatu...*, s. 258.
[4] *ibid.*, s. 312.

społeczeństwach będą obok siebie żyć ludzie o różnych poglądach na świat. (...) Kościołowi zarzuca się często, że nie chce uznać istnienia nowoczesnego społeczeństwa zróżnicowanego światopoglądowo. Nie odpowiada to prawdzie. Prawdą jest natomiast, że nie możemy pogodzić się z wykorzystywaniem władzy zarządzania państwem do narzucania obywatelom światopoglądu materialistycznego. Kościół nie obarcza władz świeckich troską o rozwój Królestwa Bożego; Kościół nie pragnie pozycji uprzywilejowanej, ale domaga się tylko słusznie należnych mu praw, domaga się prawdziwej swobody prowadzenia dzieła samego Chrystusa. (...)

Coraz powszechniej głosi się dziś - pisali dalej biskupi - że państwo współczesne nie powinno przyznawać jakichkolwiek przywilejów żadnemu z systemów filozofii, ideologii czy kierunków kulturalnych lub artystycznych. Gdy zatem - jak to ma miejsce w wypadku laicyzacji narzuconej - władze państwowe angażują się po stronie światopoglądu materialistycznego, używając do jego szerzenia aparatu administracji i urządzeń państwowych, wtedy zmuszeni jesteśmy wypowiedzieć swój sprzeciw. Dobro ogółu i zasady sprawiedliwości społecznej wymagają, by ludzie o różnych światopoglądach współżyli ze sobą, korzystając z równych praw w każdej dziedzinie, bez stosowania przez władze świeckie dyskryminacji i nacisków administracyjnych w stosunku do ludzi wierzących"[1].

Jeśli można te oświadczenia potraktować jako dowód rezygnacji Kościoła z dążenia do zdobycia, w jakiejkolwiek formie, siły materialnej w przyszłości - to wychodzą one naprzeciw głębokim pragnieniom ludzi lewicy laickiej i uchylają wiele z ich niepokojów. Chętnie wtedy uznam, że - przeciwstawiając wywody Domenacha cytowanej opinii ks. Prymasa - prowadzę walkę z wiatrakami. Chciałbym, żeby tak było. Ale nie uchyla to innych wątpliwości, które nasuwa przytoczony fragment „kazań świętokrzyskich".

Nie pojmuję mianowicie argumentu, że jakieś idee zostały „zawleczone" z Francji. Sądzę, że izolacja i wrogość wobec cudzoziemskich idei - z tego powodu, że cudzoziemskie - jest tą tradycją naszego życia umysłowego, której doprawdy nie warto kontynuować. Stąd już tylko mały krok wiedzie do ulubionych przez totalitarne dyktatury oskarżeń o kosmopolityzm. Nie ominęły one również chrześcijan, jako że - zauważyć wypada - religia chrześcijańska nie jest w swej genezie ani polska, ani słowiańska i też skądś została "zawleczona" na nasze ziemie.

[1] *ibid.*, s. 522-523.

Niesprawiedliwie jednostronna wydaje mi się ocena liberalizmu. Istotnie, idee liberalne znalazły się w XIX wieku w ostrym konflikcie z Kościołem, ale przecież trudno je do tego redukować, trudno czynić z tego jedyny układ odniesienia. Antyklerykalizm liberałów musiał zapewne w owym czasie determinować punkt widzenia Kościoła. W epoce totalitarnych dyktatur nie to jednak jest najważniejsze. Ważniejsze jest - myślę - że to liberałowie właśnie sformułowali w języku laickim zasady wolności sumienia i wyznania, prawa człowieka, idee tolerancji i systemu parlamentarnego. Rozważając problem wolności Kościół, powiada, że człowiek - będąc wolnym - posiada możność wyboru między dobrem a złem, lecz jego obowiązkiem jest dążenie do Boga, czyli do dobra.

„Otóż liberałowie - zauważa cytowany wyżej ks. Leclercq - nie zajmują się Bogiem, nie zastanawiają się, czy Bóg nakłada na nas jakieś obowiązki. Zajmują się polityką, chcą wiedzieć, czy państwo może narzucać lub faworyzować określone przekonania. W XIX w. mówiono raczej o religii niż o przekonaniach. Szło więc o to, czy państwo ma popierać określoną religię. Była to więc kwestia czysto polityczna"[1].

Przebieg konfliktu był bardzo burzliwy. Rozdział Kościoła od państwa we Francji przeprowadzony został metodami brutalnymi, których niepodobna aprobować. Ale czy istotnie racje moralne były po jednej tylko stronie? Jak w takim razie zakwalifikować wspieranie rojalistycznych spisków i postawę Kościoła wobec sprawy Dreyfusa? Nie to jest jednak najistotniejsze. Najistotniejsze jest - jak sądzę - to, że ogromna większość francuskich katolików wcale nie chce powrotu do dawnego stanu rzeczy i uważa obecny status formalno-prawny Kościoła za całkiem naturalny.

Idee liberalne są - doktrynalnie rzecz biorąc - dla Kościoła niemożliwe do przyjęcia. Ale doktrynalny punkt widzenia nie jest przecież jedyny. Doktrynalnie Kościół nie akceptuje również innych religii, jednak podejmuje z nimi dialog. Przypomnijmy: zasada wolności człowieka - wedle klasyka liberalizmu Johna S. Milla - zasadza się na wolności sumienia i wyznania, wolności myśli i uczucia, absolutnej swobody opinii i sądu we wszystkich przedmiotach praktycznych lub filozoficznych, naukowych, moralnych lub teologicznych. Nieodłączna od tego jest praktyczna wolność wyrażania i ogłaszania opinii.

„Zasada ta wymaga swobody gustów i zajęć; opracowania planu naszego życia zgodnie z naszym charakterem; (...) swobody do zrzeszania się jednostek, swobody łączenia się w każdym celu nieprzynoszącym szkody innym".

---

[1] Leclercq, *op. cit.*, s. 192.

„Żadne społeczeństwo - pisał Mili - w którym swobody te nie są (...) szanowane, nie jest wolne, bez względu na formę jego rządu; i żadne (...) nie jest całkowicie wolne, jeśli nie są one w nim uznawane bez żadnych absolutnie zastrzeżeń"[1].

W innym zaś miejscu Mill dodawał: „Trzymanie się surowych reguł sprawiedliwości przez wzgląd na innych rozwija uczucia i zdolności, które mają dobro innych na celu. Ale gdy ograniczamy człowieka w rzeczach, które innych ludzi nie dotyczą po prostu dlatego, że im się one nie podobają, nie rozwijamy nic cennego poza siłą charakteru wyrobioną przy stawianiu oporu tym ograniczeniom. Jeśli zaś człowiek godzi się na nie, stępia i zuboża całą swoją naturę. Chcąc dać równe szanse naturze każdego, trzeba pozwolić, by różne osoby prowadziły różny tryb życia. Im szersza była ta swoboda w jakimś wieku, tym bardziej był on godny uwagi dla potomności. Nawet despotyzm nie daje nam odczuć swoich najgorszych skutków, dopóki indywidualność istnieje pod jego rządami; a to, co miażdży indywidualność, jest zawsze despotyzmem, bez względu na to, pod jaką występuje nazwą i czy podaje za cel swój wypełnianie woli Bożej, czy ludzkich nakazów"[2].

Jakże wiele odnaleźć można w tym fragmencie idei podobnych zasadom formułowanym przez konstytucje soborowe i listy pasterskie polskich biskupów! Inny jest tu język, inny punkt wyjścia, wszelako sposób wartościowania spraw ziemskich wspólny przecież, bo mający źródła we wspólnej, europejskiej i chrześcijańskiej, glebie kulturalnej. Nieprzypadkowo piękna książka Milla - zakazana w ZSRR - jest jedną z podstawowych lektur rosyjskich dysydentów walczących nieugięcie o prawa człowieka w swoim kraju. Nieprzypadkowo w języku propagandy komunistycznej zarzut „liberalizmu" należy do najpoważniejszych. Przywódcy Przodującego Ustroju doskonale rozumieją - nierzadko lepiej od ludzi Kościoła - że idee duchowych spadkobierców Milla godzą swym ostrzem w ich totalitarną władzę łamiącą charaktery i wyniszczającą sumienia, a nie w religię chrześcijańską i Kościół. Idea państwa laickiego jest dziś antytotalitarna, a nie antykościelna. Otwarty konflikt liberalnej laickiej inteligencji z Kościołem jest zamkniętym - oby na zawsze - fragmentem dziejów Europy. Idee Kościoła, idee soborowej konstytucji *Gaudium et spes* i encyklik papieży Jana XXIII i Pawła VI w niczym nie zagrażają ludziom wyznającym liberalną koncepcję praw człowieka. Prze-

---

[1] *O wolności*, cyt. za: *Utylitaryzm. O wolności*, Warszawa 1959, s. 133.
[2] *ibid.*, s. 207-208.

ciwnie: w zasadniczych problemach porządku doczesnego, a zwłaszcza w przedmiocie stosunku do zasady niezbywalnych praw osoby ludzkiej, dążenia chrześcijan i duchowych uczniów Milla są tożsame.

Kto - teraz i tu, w Polsce - zwalcza w imię obrony wolności ludzkiej Kościół katolicki, ten - kimkolwiek byłby - jest albo ignorantem, albo nie jest liberałem. Tak może czynić bądź głupiec, bądź uzbrojony w liberalną frazeologię rycerz totalistycznego i ateistycznego wstecznictwa. Albowiem liberał jest zawsze po stronie obrońców praw człowieka.

W tym kontekście - całkiem marginesowo - wspomnę jeszcze o masonach. Także ich pokrzywdził chyba ksiądz Prymas w swoim kazaniu. Zaciążył na jego opinii bardzo stary i jeszcze bardziej niesprawiedliwy stereotyp. Z opublikowanych ostatnio prac naukowych można wnosić, że masoneria była formacją ideową i umysłową w pełni zasługującą na szacunek. Edward Abramowski i Jan Wolski, Szymon Askenazy i Marceli Handelsman, Stanisław Stempowski i Andrzej Strug - oto nazwiska ilustrujące tendencję moralną i polityczną polskich wolnomularzy. Byli to ludzie prawi i uczciwi, konsekwentni obrońcy zasad wolności i tolerancji, szczerzy patrioci. Wolnomularze byli liberałami. Dążyli do demokratycznego i laickiego państwa, co nastawiło wrogo do nich hierarchię kościelną. Wszelako powtórzmy: stosunek do Kościoła nie powinien być jedynym kryterium oceny żadnego ruchu ideowego - nawet dla biskupów. Tym bardziej że z Kościołem było się o co spierać. Wypadki „podpierania tronów" przez Kościół - cytuję tu określenie polskich biskupów - zdarzały się przecież niejednokrotnie. Nie zawsze - w sprawach doczesnych - Kościół stawał po stronie obrońców praw człowieka. Zwalczani przez Kościół wolnomularze zapisali piękne karty polskich dziejów, tworząc trwałe dobra kultury i broniąc niezłomnie praw człowieka i obywatela. Dlatego zasłużyli na szacunek i obiektywny sąd. Natomiast prowadzona pod hasłami „laicyzacji" akcja wyniszczania kultury narodowej i obyczaju przez komunistyczną władzę nie ma nic wspólnego z masońskimi tradycjami. Wolnomularskie fartuszki, kielnie i cyrkle nie były zaprowadzane przemocą. Wolnomularski obyczaj obowiązywał tylko tych, którzy go świadomie wybierali.

Nie z przyczyn historyczno-erudycyjnych podejmuję ten spór. I nie dlatego, by masoni potrzebowali dzisiaj obrony, bowiem lóż wolnomularskich nie ma w Polsce od blisko 40 lat. Egzystuje za to w naszym kraju coś, co jest nieporównanie bardziej szkodliwe niż wszystkie loże świata - mit wszechwładzy masonerii. Istnieje ten mit nie od dzisiaj - i zawsze był szkodliwy. Przypomnę tylko, że wielka kampania antywolnomularska w latach

1936-1938 - zakończona autolikwidacją lóż - była istotnym elementem w procesie niszczenia swobód demokratycznych przez żywioły „ozonowe". Z bólem i gniewem pisała o tym Maria Dąbrowska. Wszelako wtedy loże wolnomularskie - choć bynajmniej nie wszechwładne - jednak naprawdę istniały. W sytuacji kiedy masonów nie ma, każdy może zostać masonem w wyniku prasowej nominacji, tak jak każdy mógł być mianowany w 1968 roku Żydem. Mit „wszechwładnej masonerii" może okazać się nader wygodny dla komunistycznej elity władzy - pozwala wskazać na tajemniczą mafię odpowiedzialną za kolejne „trudności przejściowe" czy krach gospodarczy. Groźny to mit: kultywuje bezmyślność, umacnia obskurantyzm. W sytuacjach kryzysowych może być jeszcze groźniejszy: może - na podobieństwo antysemityzmu - rozpalać emocje antyinteligenckie, sprzyjać wynajdywaniu „kozłów ofiarnych", ułatwiać totalitarną demagogię. Ataki Kościoła na „liberałów i masonów" - powiem i to jeszcze na zakończenie - mają niedobrą tradycję. Kojarzą się ludziom laickiej lewicy z atakami na wartości im najdroższe: na wolność, na tolerancję, na prawa człowieka. Odzywa się w nich przeszłość pełna konfliktów i urazów.

Wymienione wartości lewicy laickiej - prawda to wielokrotnie powtarzana - wyrosły z tradycji chrześcijańskiej. Wartości te są dzisiaj głoszone i bronione przez Kościół. Dali temu wyraz Ojcowie Soboru w konstytucjach, dali temu wyraz biskupi polscy w listach pasterskich, zaświadczył temu Prymas Polski swą - często samotną, ale zawsze nieugiętą - obroną wolności, tolerancji i praw człowieka. Aliści przez bardzo wiele lat lewica laicka i Kościół pojmowały te wartości i ich obronę całkowicie odmiennie. W opinii lewicy laickiej trzeba było bronić tych wartości przeciw Kościołowi, gdyż idee praw człowieka i dążenia Kościoła znalazły się na przeciwległych krańcach. Konsekwencją tego było rozszczepienie kultury narodowej: osobnymi drogami podążał Polak-radykał wyposażony w idee praw człowieka i etykę laicką, a innymi szedł Polak-katolik świadomy swych obowiązków wobec Boga i Ojczyzny. Dochodziło do dramatycznych konfliktów, pięknie i przejmująco opisanych przez Bohdana Cywińskiego w *Rodowodach niepokornych*. Trwało to długo. Laicką lewicę zbliżył do Kościoła i chrześcijaństwa dopiero komunistyczny totalitaryzm i świadomość zagrożenia wspólnych wartości. Bo okazało się - choć długo zaprzeczali temu i ludzie lewicy laickiej, i ludzie Kościoła - że są one wspólne. I nikt z ludzi Kościoła nie będzie chyba twierdził, że lewica laicka ich dzisiaj nie broni. Przecież w imię obrony tych właśnie wspólnych wartości wielu duchowych synów „liberałów i masonów" podpisało - wspólnie m.in. z kapłanami - listy w sprawie poprawek do konstytucji (tzw.

List 59 i tzw. List 101), które to listy były notabene zbieżne w zasadniczych postulatach z wystąpieniem Episkopatu. Ta zbieżność była spektakularnym uwidocznieniem spotkania, które nastąpiło. Zarazem Kościół wykonał szlachetny i dalekowzroczny gest: Episkopat wziął w obronę represjonowanych sygnatariuszy. Jak w przypowieści Bonhoeffera „matka i dzieci poznały się wzajemnie".

Droga do tego spotkania była skomplikowana, kręta, pełna zygzaków i nieporozumień. Nieporozumienia te nie mogą mechanicznie zniknąć. Rozładowywanie zadawnionych napięć i urazów trwać będzie długo. Jeśli jednak spotkanie lewicy laickiej z chrześcijaństwem ma być autentyczne, to jedynym celem tych sporów o przeszłość winno być wspólne szukanie prawdy. Oby tak się stało. Bowiem sens historyczny tego spotkania może być rozmaicie pojmowany. Dla jednych jest to „czasowe zawieszenie broni" czy też taktyczne porozumienie. Dla drugich, m.in. dla piszącego te słowa, spotkanie lewicy laickiej z Kościołem, z chrześcijaństwem, jest przede wszystkim wielką szansą dla polskiej kultury. Stwarza nadzieję na stanowcze przełamanie gettowości naszego życia umysłowego, na zdecydowane przekroczenie „kredowych kół". Stwarza nadzieję na likwidację sztywnego podziału na dwa obozy - katolicki i laicki - oraz na zastąpienie go pluralistyczną jednością naszej kultury. Skorzystają na tym wszyscy. Katolicy pozostaną katolikami, laicy laikami, ale zniknie - częściowo choćby - niszczący klimat gettowości. W tej jednej - choć wcale nie jednolitej - kulturze będzie miejsce dla katolików i dla „liberało-masonów". Jedni i drudzy są niezbędni.

Oto wyjaśnienie, dlaczego ludzi lewicy laickiej muszą niepokoić ataki Kościoła na masonerię.

Powiedzieć można na ten wywód, że jest to utopijna mrzonka. Czymże jednak - jak powiada Antoni Słonimski - byłoby nasze życie bez mrzonki?

***

Ale mówiąc serio, czy rzeczywiście taki model kultury narodowej warunkujący określone rozumienie idei patriotyzmu i - szerzej - idei polskości jest całkowicie utopijny? Podobne myśli odnalazłem w liście Episkopatu. 5 września 1972 roku Episkopat Polski ogłosił list o chrześcijańskim patriotyzmie. Definiując „patriotyzm" jako „dobrze pojętą miłość do ojczyzny", biskupi precyzują chrześcijański punkt widzenia:

„Nauka Jezusa - czytamy w liście - o miłości bliźniego oraz o równości wszystkich ludzi w obliczu Boga i wobec siebie wzajemnie jest podstawą i źródłem chrześcijańskiego patriotyzmu. Mamy kochać wszystkich ludzi. Aby dojść do tego, trzeba najpierw objąć miłością tych, którzy razem z nami dzielą nie tylko wspólną ziemię, ale najczęściej ten sam język, te same umiłowania, wartości duchowe i kulturalne, z całym różnorodnym dziedzictwem przeszłości. Dzięki miłości własnej Ojczyzny dochodzimy do miłości całej rodziny ludzkiej; dzięki zaś rozwijaniu swoich zalet narodowych wzbogacamy całą rodzinę ludzką. Istniejąca bowiem różnorodność życia narodów składa się na bogactwo i piękno całej rodziny ludzkiej. Pochodzi ona od Ojca niebieskiego, Stwórcy wszystkich narodów, źródła wszelkiego piękna i dobra". „Prawdziwa miłość do ojczyzny - czytamy dalej - (...) łączy się z głębokim szacunkiem dla wszystkiego, co stanowi wartość innych narodów. Wymaga uznania wszelkiego dobra znajdującego się poza nami i gotowości do własnego doskonalenia się w oparciu o dorobek i doświadczenie innych narodów". Wyklucza nienawiść, „bo nienawiść to siła rozkładowa, która prowadzi do choroby i zwyrodnienia dobrze pojętego patriotyzmu. Nasze czasy obficie dostarczyły nam odstraszających przykładów wypaczonego patriotyzmu w postaci rasizmu, różnego rodzaju samolubnych szowinizmów i schorzałych nacjonalizmów. W imię rzekomej miłości własnego narodu niszczono byt biologiczny, wartości gospodarcze, kulturalne i duchowe, a nawet religijne innych narodów. Zapomniano o tym, że posiew nienawiści niszczy i zatruwa także tych, którzy kierują się nią jako zasadą postępowania. Postawa nienawiści niesłychanie zuboża własny naród, pozbawiając go możliwości korzystania z dorobku całej rodziny ludzkiej. (...) Łączy się z tym inne niebezpieczeństwo, występujące głównie u tych jednostek czy narodów, które zatraciły (...) świadomość obecności Boga jako najwyższej wartości i normy postępowania ludzkiego. (...) Gdy»nie ma Boga«, zaczyna się absolutyzować własny naród i ojczyznę, stawiając je na miejscu Boga. Dokonuje się wówczas straszne w skutkach zafałszowanie rzeczywistości. I choć człowiek stawia wartości ojczyste bardzo wysoko, to jednak wie, że ponad narodami jest Bóg, który jedyny ma prawo do tego, aby ustanawiać najwyższe normy moralne, niezależnie od poszczególnych narodów. Takie poczucie rzeczywistości opiera patriotyzm na prawdzie, oczyszcza go i uzdalnia do pogłębienia świadomości wspólnoty rodziny ludzkiej. Broni nas ono od obojętności na losy drugich, uwrażliwia coraz bardziej na potrzeby każdego człowieka, obojętnie, jakim językiem mówi i jakie ma poczucie narodowe". „Prawdziwi patrioci - dodają biskupi - niewiele mówią na temat swojej miłości do ojczyzny, natomiast nie zamykają się usta tym, którzy w rzeczywistości mają na względzie tylko swoje prywatne interesy"[1].

Trudno tak sformułowanych ideałów patriotycznych nie podzielać w całej rozciągłości. Model patriotyzmu wolnego od szowinistycznych schorzeń i gromkich frazesów jest nader bliski ludziom lewicy laickiej wychowanym na pisarstwie Żeromskiego czy Dąbrowskiej. Ludzie lewicy laickiej nie powiedzą, że „ponad narodami stoi Bóg", ale odżegnają się przecież stanowczo od absolutyzowania własnego narodu. Ponad solidarność z narodem przełożą solidarność z fundamentalnymi wartościami etycznymi wykształconymi w kręgu kultury europejskiej. Dlatego bliższy im będzie Niemiec walczący wespół z aliantami przeciw armiom Trzeciej Rzeszy niż Niemiec broniący państwa Hitlera w imię solidarności z własnym narodem. Sądzą oni - co więcej - że ci „inni Niemcy", tacy jak Dietrich Bonhoeffer, Willy Brandt czy Tomasz Mann, ci, którzy potrafili wystąpić przeciw własnemu narodowi, dali swoim postępowaniem dowód rzeczywistego patriotyzmu i dobrze pojmowanej miłości ojczyzny. Byli wśród nich chrześcijanie i ludzie niewierzący, którym etyka laicka nakazała wybór właściwej postawy. Dlatego ludzie lewicy laickiej nie mogą przystać na tezę, że warunkiem koniecznym rzetelnego patriotyzmu jest światopogląd chrześcijański. Zbyt wielu chrześcijan walczyło w szeregach Wehrmachtu, zbyt wielu niechrześcijan uczestniczyło w antyhitlerowskim Ruchu Oporu. Tak samo w Polsce. Czyż publicznie deklarujący swój katolicyzm i gromko wyznający swój patriotyzm Piasecki, Żukrowski lub Zabłocki są bardziej rzetelnymi patriotami polskimi niż ludzie lewicy laickiej, jak Maria i Stanisław Ossowscy, Edward Lipiński i Antoni Słonimski? Troska o ciągłość tradycji i kultury narodowej jest w polskiej sytuacji sprawą szczególnej wagi. „Dlatego - słusznie pisał ks. kardynał Wyszyński - wychowanie młodego pokolenia w duchu miłości do dziejów ojczystych ma olbrzymie znaczenie dla przyszłości narodu". Z tym trudno się nie zgodzić. Ale dalszy ciąg wywodu ks. Prymasa jest znacznie bardziej kontrowersyjny:

„Trzeba zerwać - mówił ks. Prymas - z manią »obrzydzania« naszych dziejów i dowcipkowania z tragicznych niekiedy przeżyć narodu. Trzeba myśleć o tym, że młode pokolenie Polski żyjące na przełęczy świata musi być wychowane w duchu głębokiej czci dla przeszłości narodu, jeśli ma ono dzisiaj ofiarnie wypełniać swoje obowiązki i pracować dla przyszłości. (...) Nie lękajmy się najmilsi, że zejdziemy na manowce szowinizmu i błędnego nacjonalizmu. Nigdy nam to nie groziło. Zawsze wykazywaliśmy gotowość do poświęcania siebie za wolność ludów"[1].

Jest zupełnie bezsporne, że szacunek dla tradycji historycznych narodu winien być nieodłącznym elementem procesu edukacji. Wszelako szacunek należy się tylko dobrym tradycjom. Znać powinniśmy całość naszych dziejów, ale ocenić i kontynuować jedynie to, co na kontynuację zasługuje. Co innego znać tradycję ONR-owską, a co innego ją szanować; co innego znać prawdę o targowiczanach, a co innego otaczać ich czcią. Nie bardzo rozumiem, co ks. Prymas miał na myśli, mówiąc o „obrzydzaniu" naszych dziejów. Jeśli chodzi tu o zohydzanie żołnierzy Armii Krajowej, o nazywanie Józefa Becka hitlerowskim sługusem etc. - to w pełni podpisać się wypada pod tą opinią. Ale jeśli chodzi ks. Prymasowi także o krytyczną ocenę polityki Komendy Głównej AK czy też polityki Becka - to pogląd taki musi wzbudzić sprzeciw. Bezkrytycyzm wobec własnych dziejów jest - jak sądzę - nieporównanie bardziej szkodliwy dla rzetelnego patriotyzmu niż najbardziej nawet gorzki i krytyczny rozrachunek. Uczciwe mówienie prawdy o naszej - nie zawsze przecież chwalebnej - historii nie jest jej obrzydzaniem. Gorzkie szyderstwo bywa daleko bardziej dobitnym i autentycznym świadectwem miłości ojczyzny niż pseudopatriotyczny oleodruk. Jeśli coś może obrzydzić - i obrzydza - młodzieży tę naszą trudną historię, to właśnie koturny, slogany, apologetyczne malowanki. Ten model edukacji produkuje cyników albo nacjonalistów. Dlatego nie podzielam optymizmu ks. Prymasa, który w kwietniu 1967 roku twierdził, że „nie mamy powodu lękać się manowców szowinizmu i błędnego nacjonalizmu". Wydarzenia, które rozegrały się w naszym kraju w rok później, ujawniły powody obaw, ujawniły szeroki zasięg manowców szowinizmu. Były one, w jakiejś mierze, kontynuacją wcześniejszych nurtów ideowych i politycznych; były jakąś zdegenerowaną mieszanką stalinowskiego komunizmu z ONR-owskim faszyzmem. Nie zawsze więc umieli ustrzec się Polacy pokus „błędnego nacjonalizmu", nie zawsze umieli się ich ustrzec polscy katolicy. Pisał o tym w cytowanym wcześniej artykule Jerzy Zawieyski, pisali i inni.

Nie zawsze również - niestety - wykazywaliśmy „gotowość do poświęcania siebie za wolność innych ludów". Brakło nam tej gotowości zwłaszcza w stosunkach z naszymi wschodnimi sąsiadami: z Litwinami i z Ukraińcami. Zabrakło nam jej także w 1938 roku podczas wyprawy na Zaolzie i podczas, o 30 lat późniejszej, wyprawy na Hradec Kralove. Gorzko pisać to wszystko,

[1] *Listy pasterskie Prymasa...*, s. 545.

ale jeśli chcemy żyć w prawdzie - nie wolno nam zapominać. Przypomniały nam o tym odważne i pełne godności wystąpienia ks. Jana Ziei, Władysława Bieńkowskiego i Edwarda Lipińskiego. Czy „obrzydzali" oni tym samym naszą przeszłość? Sądzę, że wprost przeciwnie; sądzę, że dali dowód szlachetnego, mądrze pojmowanego patriotyzmu, tak samo jak pięknym świadectwem humanizmu i patriotycznej mądrości był - omawiany uprzednio - list biskupów polskich do biskupów niemieckich.

***

Wszystkie te spory o przeszłość są zwykle - warto być tego świadomym - sporami o model kultury narodowej. Biskupi wielokrotnie podkreślali jej katolicki charakter; wielokrotnie deklarowali ścisły związek katolicyzmu z polskością. Rozmaicie można ten związek pojmować. Można powiedzieć, że katolicyzm jest nieodłącznym fragmentem kultury polskiej, ale można też powiedzieć, że tylko to, co katolickie, jest polskie. Pojmowanie tego związku jako trwałej obecności katolicyzmu w naszej kulturze jest oczywistością, na którą wszyscy się zgodzą, ale akcentowanie go z intencją redukcji kultury polskiej do tych jej fragmentów, które inspirowała myśl katolicka - może być niebezpieczne.

Wyobrazić sobie współczesną kulturę polską bez tych jej dokonań, które trudno uznać za jednoznacznie katolickie, to tyle co wyobrazić ją sobie bez m.in. takich oto, pierwszych z brzegu, nazwisk: Nina Assorodobraj, Szymon Askenazy, Jerzy Andrzejewski, Tadeusz Borowski, Jacek Bocheński, Tadeusz Boy-Żeleński, Kazimierz Brandys, Marian Brandys, Władysław Broniewski, Włodzimierz Brus, Maria Dąbrowska, Henryk Elzenberg, Marian Falski, Gustaw Herling-Grudziński, Mieczysław Jastrun, Michał Kalecki, Leszek Kołakowski, Janina i Tadeusz Kotarbińscy, Tadeusz Konwicki, Tadeusz Kroński, Ludwik Krzywicki, Witold Kula, Oskar Lange, Edward Lipiński, Tadeusz Manteuffel, Czesław Miłosz, Zofia Nałkowska, Marek Nowakowski, Maria i Stanisław Ossowscy, Julian Przyboś, Adolf Rudnicki, Bruno Schulz, Antoni Słonimski, Andrzej Stawar, Julian Stryjkowski, Andrzej Strug, Jan Józef Szczepański, Wisława Szymborska, Julian Tuwim, Adam Ważyk, Wiktor Woroszylski, Kazimierz Wyka, Stefan Żółkiewski. Można by oczywiście tę listę znacznie wydłużyć. Można by również sięgnąć wstecz poprzez Stefana Żeromskiego, Aleksandra Świętochowskiego aż do Mikołaja Reja i braci polskich. Jak bardzo bez tych nazwisk byłaby polska kultura okaleczona. O ileż mniej atrakcyjna, o ileż uboższa!

Jest moim głębokim przekonaniem, że siłą naszej kultury, tym, co stanowi o jej bogactwie i pięknie, jest pluralizm, różnorodność, wielobarwność. Na tej ziemi żyli i tworzyli nie tylko katolicy: tutaj żyli i tworzyli również ewangelicy, prawosławni, muzułmanie, Żydzi. Także ludzie niewierzący. Jednowyznaniowość i monoetniczność próbowano osiągać wprawdzie nieraz, ale zawsze czyniono to sposobami, które - oględnie mówiąc - niezbyt sprzyjały rozwojowi kultury narodowej. Udział w tych dążeniach jest ciemną kartą polskiego katolicyzmu. Nie potrafię w inny sposób określić wygnania arian czy ograniczenia praw obywatelskich protestantów. Choć uniknęliśmy stosów, to efektem tej polityki było postępujące ujednolicenie życia duchowego grożące uniformizacją i wyjałowieniem. Ten zespół faktów zapewne podyktował Leszkowi Kołakowskiemu gorzką uwagę o „zmorze klerykalnego, fanatycznego i tępego katolicyzmu, który od czterech stuleci przygniata i sterylizuje naszą kulturę narodową"[1]. Niezupełnie zgadzam się z Kołakowskim. Myślę, że w epoce zaborów katolicyzm co najmniej w tym samym stopniu polską kulturę wzbogacał. Do sytuacji po 1945 roku nie da się opinii Kołakowskiego odnieść żadną miarą. A jednak Kołakowski - prawda, że z publicystyczną przesadą - dotknął problemu nader istotnego. Albowiem Kościół katolicki wygrał batalię o „rząd dusz". Inne wyznania niemal zniknęły, pozostały tylko niewielkie resztki. Atoli zwycięstwo okazało się pyrrusowe, gdyż zapłacona zań cena była bardzo wysoka; zbyt wysoka. Pozostawszy samotnie na placu boju, zwycięski katolicyzm stał się aintelektualny, płytki i bardzo konserwatywny społecznie. Broniąc przez cały XIX wiek polskiej tożsamości narodowej, pozostał - wedle określenia Ksawerego Pruszyńskiego - katolicyzmem „czasów saskich". Dzięki temu właśnie cały Ciemnogród mógł przylgnąć do kościelnej nazwy.

Oczywiście to nie Ciemnogród - wbrew schematowi utartemu przez antyklerykalną propagandę - uformował duchowe oblicze polskiego katolicyzmu. Uczyniła to konkretna sytuacja historyczna, w której Kościół - zagrożony w swym istnieniu - był skazany na permanentną obronę. Biskupi katoliccy bronili się w XIX wieku przed represjami rosyjskiego zaborcy i przed polityką „Kulturkampfu", przed liberalizmem i przed socjalistami; wciąż odpowiadać musieli na ataki, na fałszywe zarzuty, na oszczerstwa. Kościół trwał w kamiennym oporze i twardniał od wewnątrz świadom, że najmniejsza rysa na jego spoistości - ideowej czy organizacyjnej - może spowodować nieobliczalne konsekwencje.

---

[1] Kołakowski *Jezus Chrystus...*, op. cit.

20 lat trwania niepodległej Polski nie wystarczyło, by ten stan rzeczy uległ zasadniczym przeobrażeniom. Potem była okupacja hitlerowska i znów trzeba było wskrzesić „model obrony oblężonej twierdzy". Po 1945 roku, po instauracji Przodującego Ustroju, było jeszcze gorzej. Kościół znalazł się w śmiertelnym niebezpieczeństwie. Zagrożenie wciąż wzrastało, ataki osiągnęły nieznane przedtem nasilenie. Już nie było zbrodni, o którą by nie oskarżano polskich biskupów. Ta sytuacja nie sprzyjała rewizji stereotypów. Przeciwnie: nieuczciwe i totalne ataki prowokowały równie integralny opór. Samoobrona przeobrażała się w autoapologię. To było zapewne nieuniknione. Kościół katolicki wytrzymał straszliwą presję, nie sprzeniewierzył się ani razu zasadom Ewangelii, ocalił honor i umocnił swój autorytet w całym społeczeństwie. Wszelako ta godna podziwu niezłomność utrwaliła również zjawiska negatywne, których skutki dają się odczuć do dzisiaj. Zilustruję to przykładem. 22 marca 1973 roku biskupi polscy opublikowali pismo „na pięćsetlecie jego urodzin w hołdzie Mikołajowi Kopernikowi". W piśmie tym czytamy m.in.:

„Kościół zawsze w ciągu wieków spełniał rolę opiekuna nauki i sztuki, pielęgnował studia nie tylko kościelne, ale i świeckie oraz stwarzał uczonym odpowiednie warunki materialne, aby mogli rozwijać swoje zdolności i poświęcać się badaniom naukowym. Tak było i z Kopernikiem, który w pełni korzystał z opieki i pomocy ludzi Kościoła. (...) Kościół nie tylko nie zwalczał jego heliocentrycznej teorii, ale przeciwnie - ludzie Kościoła pomagali mu do studiów, do badań naukowych i do wydrukowania dzieła, które dokonało przewrotu w nauce. (...) Zamiary przedstawienia Kopernika jako człowieka niewierzącego lub zeświecczonego, nie robiącego sobie skrupułów z dogmatów i przykazań kościelnych, są bezpodstawne, tendencyjne i krzywdzące jego wielkie i czczone przez cały świat imię"[1].

Ostatnie z cytowanych zdań z pewnością odpowiada prawdzie. Ludzie lewicy laickiej nie mogą bez zażenowania wspominać ponurych bredni wypisywanych o Koperniku np. przez Andrzeja Nowickiego, który przedstawiał wielkiego astronoma jako ateistę, wroga Kościoła i jego ofiarę. Zachowując przeto proporcję, umiar i pamięć o tych faktach, zauważyć jednak wypada, iż opinie pomieszczone w cytowanym piśmie skażone są nazbyt chyba jednostronną apologią przeszłości Kościoła. Kościół nie zawsze spełniał rolę opiekuna nauki i sztuki, chyba że w pojęciu opieki chce się pomieścić obyczaj palenia książek na stosach, czasem wespół z ich autorami. Również i do teorii kopernikowskiej stosunek Kościoła musiał być nieco bardziej złożony, skoro dzieło jego znalazło się na liście ksiąg zakazanych przez Kościół.

---

[1] *Listy pasterskie Episkopatu...*, s. 747-748

Na tym drobnym, ale charakterystycznym przykładzie znakomicie widać wszystkie złe nawyki narosłe w okresie „integralnego oporu". Ich konsekwencje są fatalne, gdyż przynoszą Kościołowi i społeczeństwu o wiele więcej szkody niż pożytku. Przecież nikt świadomy rzeczy - a na nieświadomość ludzką trudno w tym zakresie liczyć - nie uwierzy w tak skonstruowany wizerunek przeszłości Kościoła. Reakcja może być tylko jedna. „Nikt nam nie mówi prawdy - powiedzą ludzie -»każdy« - tzn. Rząd i Episkopat - przeinacza fakty na swoją korzyść. Wart pałac Paca...".

Rozumiem trudną sytuację biskupów. O Kościele i jego dziejach wciąż pisze się wiele nieprawdy. Trwają beznadziejne wysiłki wyeliminowania Kościoła z polskiej historii i kultury, nadal konsekwentnie przemilcza się doniosłą rolę, jaką odegrał katolicyzm w tysiącletnich dziejach naszego narodu. Naturalnym obowiązkiem biskupów jest tę rolę przypominać. Wszelako sprawa, o której mówimy, ma swój daleko szerszy aspekt.

Rządzący komuniści realizują długofalowy program polityki kulturalnej, który jest - w swej istocie - planem sowietyzacji, czyli wyniszczenia i stotalizowania kultury polskiej. Jeżeli uda im się ten program wcielić w życie, Polacy przeistoczą się w ludzi o złamanych kręgosłupach, zniewolonych umysłach, zdewastowanych sumieniach. Przestaną być narodem, staną się zbiorowiskiem mówiących sowiecką polszczyzną niewolników. Istota zjawiska, które nazywam - za Leszkiem Kołakowskim - sowietyzacją, polega na dążeniu do takiego uformowania polskiej mentalności, żeby każda myśl o zmianie istniejącego stanu rzeczy wydawała się nieracjonalnym absurdem. Jest to najbardziej niebezpieczna forma dyktatury, gdyż polega nie tylko - i nie tyle - na pozbawieniu człowieka wolności fizycznej, ile na zniszczeniu jego wolności duchowej. Sowiecki niewolnik czuje się wolny i jest dumny ze swej „wolności".

W klasycznym systemie sowieckim kultura nie jest źródłem napięć produkującym nowe idee, inspirującym myśl krytyczną, aktywizującym ludzkie dążenia do wolności i autentyczności; jest groźnym - groźniejszym od otwartego terroru - instrumentem w rękach dyktatorskiej władzy. Poprzez zorganizowane kłamstwo, poprzez środki masowego przekazu, które stają się środkami masowej zagłady ludzkich umysłów i sumień, sowiecka „kultura" zaciera różnicę pomiędzy wartościowaniem i opisem, pomiędzy rzeczywistością a jej propagandowym obrazem, stępia społeczną wrażliwość, niszczy umiejętność samodzielnego myślenia. Sowietyzm jest swoistą analfabetyzacją społeczeństwa, gdyż wolność prasy ma znaczenie tylko tam, gdzie ludzie umieją czytać, a o swobodzie wyrażania opinii wtedy dopiero można sensownie mówić, kiedy człowiek jest w stanie mieć własną opinię i potrafi ją sformułować. Człowiek sowiecki jest tej umiejętności pozbawiony; nie będzie przeto walczył o wolność, bo wolność nie jest mu do niczego otrzebna. Człowiek sowiecki nie potrafi nawet wyjaśnić rzeczywistego sensu tego dziwnego słowa, bo taki człowiek jest nieświadomym więźniem sowieckiego języka.

Sowietyzacja języka jest istotnym etapem sowietyzacji kultury. Słowa tracą pierwotny sens. „Wolnością" nazywa się niewolę, „prawdą" kłamstwo, „dobrobytem" nędzę. George Orwell nazwał ten język nowomową. Sowiecka nowomowa utrzymuje obywateli w ryzach skuteczniej niż terror. Dzięki nowomowie edukacja przeobraża się w tresurę, a krytyka społeczna staje się niemożliwością: z języka znikają kategorie pozwalające analizować i wartościować społeczną rzeczywistość poprzez odwołanie się do „zewnętrznego", „poza-" lub „ponadsystemowego" układu odniesienia. Znikają słowa. Znika słowo „pluralizm" - bo w świecie sowieckim panuje „jedność myśli i czynów"; znika słowo „dialog" - bo w świecie sowieckim nie ma racji podzielonych; znika słowo „Bóg" - bo czci się tylko Cezara.

Postępującemu procesowi sowietyzacji opierają się wszyscy ludzie dobrej woli; wszyscy, dla których takie słowa, jak: prawda, solidarność, wolność i ojczyzna nie stały się pusto brzmiącymi frazesami. Najbardziej konsekwentny opór stawia Kościół. Kierunek i program tego oporu jest dzisiaj sprawą pierwszorzędnej wagi, bowiem Kościół stanął na rozdrożu. Ludzie Kościoła muszą się zdecydować - powtarzam tu raz jeszcze myśl Domenacha - czy ich celem jest dążenie do zastąpienia oficjalnie głoszonej, totalitarnej i integralnej koncepcji kultury „socjalistycznej" równie integralną doktryną „kultury katolickiej", czy też pragną po prostu warunków, w których byłby możliwy swobodny rozwój całej kultury narodowej? Czego konkretnie chcą bronić: wyniszczanej kultury i jej pluralizmu czy też jedynie miejsca dla tego, co nazywają kulturą katolicką?

Nasuwają się w tym kontekście dwa spostrzeżenia. Po pierwsze: w warunkach całkowitego wyniszczenia wszystkich innych nurtów życia umysłowego i artystycznego wywalczony - ewentualnie - margines dla „kultury katolickiej" mógłby być jedynie czymś na kształt rezerwatu. Jak w rezerwacie Puszczy Białowieskiej dogorywają ostatnie żubry, tak w tym rezerwacie dogorywaliby ostatni Mohikanie „kultury katolickiej" w Polsce. Po wtóre: podział na kulturę katolicką i niekatolicką jest - jak sądzę - całkowicie arbitralny i społecznie szkodliwy. Jest to podział w naszych warunkach czysto formalny. Literatura katolicka to taka, która jest publikowana w katolickich wydawnictwach. Wszystkie inne kryteria są jeszcze bardziej arbitralne niż powyższe.

Katolicyzm jako religia może inspirować - i inspiruje - rozmaitych twórców kultury. Ale kultura jest jednością. Nie ma kultury katolickiej, kultury protestanckiej, kultury ludzi niewierzących - jest tylko kultura polska. Takiej właśnie kultury - pluralistycznej, lecz pojmowanej jako jedność - musimy bronić.

Musimy jej bronić my, ludzie lewicy laickiej, zupełnie niezależnie od tego, jaką linię postępowania wybierze Kościół. Powiedzmy to sobie jasno i wyraźnie: każda konfiskata książki o treści np. religijnej powinna być przez nas traktowana jak konfiskata własnej książki; każdą represję polityczną musimy traktować jako represję godzącą w nas samych; każdego prześladowanego musimy bronić jak najbliższego towarzysza. Tylko wtedy dochowamy wierności własnym ideałom. Reszta jest zalganiem.

***

Proces sowietyzacji przebiega dwoma torami, toczy się - by tak rzec - na dwóch frontach, ma dwojakiego rodzaju skutki. Pierwszym torem sowietyzacji jest próba zniszczenia tradycji, czyli dążenie do wyplenienia ze zbiorowej pamięci wiedzy o złożonej przeszłości naszego kraju, o jego kulturze i jego imponderabiliach. W wyniku tych właśnie dążeń wciąż nie zostały opublikowane pełne dzieła Zygmunta Krasińskiego czy Stefana Żeromskiego, Karola Irzykowskiego czy Stanisława Brzozowskiego. Wskutek tej polityki nieznanymi pisarzami są dzisiaj Marian Zdziechowski, Jan Kucharzewski czy - tak ceniony przez ks. Prymasa - Eugeniusz Małaczewski; wskutek tej polityki także nie zostały wznowione tak fundamentalne dzieła, jak: Feldmana historia polskiej myśli politycznej, Askenazego biografia Waleriana Łukasińskiego, Mochnackiego historia powstania listopadowego, pisma polityczne Klaczki, pamiętniki Witosa, a również Róży Luksemburg doskonały pamflet o rewolucji bolszewickiej[1]. Całe obszary historii pozostają nieznane: nie wolno pisać prawdy o Piłsudskim i legionach, o Dmowskim i narodowych demokratach, o Bolesławie Piaseckim i ONR-Falandze, o Pużaku i Polskiej Partii Socjalistycznej, o Grocie-Roweckim i Armii Krajowej, o Mikołajczyku i ruchu ludowym, o Warskim i tragicznym losie polskich komunistów. Całkowitym zakazem obłożona jest XIX-wieczna historia Kościoła katolic-

[1] Biblioteka „Kultury", Paryż 1961.

kiego; tragedia unitów jest dziś tematem bardziej drażliwym niż w epoce carskiego imperium.

Efektem tej polityki jest powstawanie przerażających luk w świadomości historycznej młodzieży, przerwanie ciągłości tradycji, zanikanie poczucia odpowiedzialności za naród i jego los. Potoczna świadomość historyczna zaczyna przypominać bezkształtną glinianą miazgę.

Sowietyzacja - i to jest drugi tor tego procesu - jest dążeniem do uformowania z owej glinianej miazgi nowego, zafałszowanego kształtu rzeczywistości w ludzkich umysłach; jest próbą skonstruowania nowego, zsowietyzowanego wizerunku przeszłości i teraźniejszości naszego narodu. Taki sens ma nieustannie praktykowane włączanie w okastrowaną i zmasakrowaną wcześniej tradycję kulturalną zupełnie nowych wątków. Wszystko, co wydarzyło się w przeszłości, a może jakoś służyć legitymizacji nowej władzy, zaczyna być przez nią inkorporowane i wpisywane w nowy kontekst ideologiczny. A więc: Grunwald i Jagiełło, Racławice i Kościuszko, Konstytucja 3 maja i Kołłątaj, Maria Curie-Skłodowska i Kopernik, Mickiewicz, Norwid, Żeromski... I do tego jeszcze: Edward Dembowski i Jarosław Dąbrowski, Ludwik Waryński i Stefan Okrzeja, Róża Luksemburg i Feliks Dzierżyński, Wera Kostrzewa i Marceli Nowotko. Wszystkie zdarzenia i życiorysy są przemienione nie do poznania, wszystkie odpowiednio spreparowane i wyretuszowane. Wszyscy ci ludzie, jak się okazuje, byli w tym samym stopniu prekursorami ideałów władzy komunistycznej, wszystkim im śnił się po nocach totalitarny model ładu społecznego.

W ten sposób powstaje nowy kanon myślenia i pisania o polskiej historii. Załgany to kanon, nieprawdziwy, ale za to wszechobowiązujący, pilnie strzeżony przez cenzurę, popularyzowany przez oficjalną propagandę... Państwo ma mieć monopol na interpretowanie dziejowego znaczenia Konstytucji 3 maja, powieści Żeromskiego i inscenizacji *Wesela*. Państwo ma mieć monopol na kanon, na straszny kanon kultury zsowietyzowanej. Z jednej strony przeto niechlujna papka przypadkowej wiedzy, gliniana miazga zniszczonej tradycji, z drugiej: lepione z tej miazgi i papki gliniane bałwany nowych mitów i kultów opartych na kłamstwie. Chrześcijanin by powiedział: usuwa się z ołtarza Boga, by umieścić na nim Cezara. Oto, ku czemu wiedzie sowietyzacja. Obroną jest autentyczność. Kiedy władza dąży, by całą kulturę stotalizować, to każdy autentyczny gest, każde autentyczne wzruszenie, każdy w autentyzmie poczęty utwór naukowy czy artystyczny - jest antytotalitarny. Dlatego w epoce stalinowskiej antytotalitarny wymiar miały opowiadania Adolfa Rudnickiego i Jana Józefa Szczepańskiego, *Głosy w ciemności*

Juliana Stryjkowskiego i *Bolesław Chrobry* Antoniego Gołubiewa, wiersze Mirona Białoszewskiego i felietony Kisiela, logiczne studia Ajdukiewicza i filozoficzne rozmyślania Elzenberga.

Mocno upraszczając rzecz całą, powiedzieć można tak oto: kultura polska - oglądana z lotu ptaka - od dawna stawia opór niszczącemu działaniu sowietyzacji. Odbywa się to na obu płaszczyznach: wciąż trwa obrona autentycznego kanonu tradycji przed sowietyzacyjnym wyniszczaniem, wciąż trwa gwałtowna polemika z ulepionym na sowiecką modłę bałwanem nowego kanonu.

Wyniszczaniu tradycji sprzeciwia się przede wszystkim Kościół. Uważna lektura listów pasterskich Episkopatu i kazań Prymasa Polski pozwala bez trudu odnaleźć w tych listach i kazaniach klasyczny kanon myślenia o polskich dziejach. Szczególnie instruktywna - z tego punktu widzenia - jest lektura dwóch tomów kazań ks. Prymasa: Z *gniazda orląt* i W *sercu stolicy*[1]. Niejedno z pomieszczonych tam sformułowań może wydawać się nam - ludziom lewicy laickiej - jednostronnie uproszczone czy rażąco triumfalistyczne. Wiele z nich razić nas musi anachronizmem czy barokową stylistyką. Mógłbym się spierać o rozłożenie akcentów czy dobór sformułowań, ale nie mógłbym - przy wszystkich zastrzeżeniach - zakwestionować potrzeby istnienia sformułowanego w tych listach pasterskich Episkopatu i kazaniach ks. Prymasa kanonu myślenia o Polsce. Ten kanon jest potrzebny; potrzebne jest to nieustanne przypominanie, że Polacy byli kiedyś narodem wolnym i niepodległym, narodem, który będąc przez 150 lat w niewoli, chciał i potrafił walczyć o swoje prawa. Potrzebne jest to ciągłe demonstrowanie, na czym może dzisiaj polegać wiara w wolną i niepodległą Polskę, albowiem jest to - twierdzę - niezbędny warunek ocalenia przez Polaków autentycznej tożsamości narodowej przed niszczącym działaniem procesów sowietyzacji. Ten nurt myślenia o historii i kulturze polskiej, jej nieustannego rekonstruowania i współtworzenia, nazwałbym nurtem kontynuacji. Do tego nurtu przynależy np. piękna i mądra twórczość Antoniego Słonimskiego, historyczna eseistyka Pawła Jasienicy, szwoleżerska epopeja Mariana Brandysa, edytorski trud Juliusza W. Gomulickiego, portret Bogusławskiego skreślony świetnym piórem Zbigniewa Raszewskiego, *Dziady* i *Historya o chwalebnym zmartwychwstaniu...* w reżyserii Kazimierza Dejmka czy historyczno-literackie studia Stanisława Pigonia. Ważny to nurt. Przeciwstawia milczeniu słowo, bezsensowi ład, ignorancji wiedzę, cynizmowi rzetelny patriotyzm.

---

[1] Oba wydane w Rzymie w 1972 r.

Wszelako i drugi nurt naszego życia umysłowego - nazwijmy go nurtem kontestacji - ma olbrzymie znaczenie. Jeśli bowiem istotą nurtu kontynuacji jest rekonstrukcja tradycyjnego kanonu kultury polskiej, to zasadą i racją bytu nurtu kontestacji jest destrukcja oficjalnego kanonu kultury zsowietyzowanej. Będzie więc ten nurt demaskował fałsze, obnażał obłudę, wyszydzał oficjalną sztampę. Wymieniłbym tu, dla przykładu, pisarstwo Mrożka, felietonistykę Kisiela, nowele Marka Nowakowskiego, *Wniebowstąpienie* oraz *Kalendarz i klepsydrę* Konwickiego, *Wariacje pocztowe* Kazimierza Brandysa, spektakle Studenckiego Teatru Satyryków, krytyki teatralne Konstantego Puzyny, twórczość pisarzy młodszego pokolenia: Tomasza Burka, Stanisława Barańczaka czy Ryszarda Krynickiego. Nurt kontestacji uczy krytycyzmu, nieufności, zaszczepia odporność na pustoszące działanie oficjalnej propagandy.

Oba nurty są potrzebne, oba umożliwiają przetrwanie autentycznej kultury polskiej; są dwiema drogami do prawdy narodu o sobie samym. Oba są niezbędne narodowi i sobie nawzajem. Nurt kontynuacji rekonstruujący tradycyjny kanon kultury polskiej jest niezbędny, aby świadomość narodowa nie stała się lotnym piaskiem lub sowiecką miazgą. Jeżeli nie jest on jednak poddany wiecznej krytyce, czujnemu kwestionowaniu, to grozi mu prowincjonalizm, zaściankowość, bezkrytycyzm i umysłowa płycizna. Z kolei nurt kontestacji jest niezbędny, bowiem ujawniając bezsens języka propagandy i oficjalnych stereotypów, demaskując gazetową rzeczywistość i szydząc z glinianych bałwanów po sowiecku spreparowanej tradycji, nie pozwala ten nurt, aby ta tradycja zakrzepła w potocznej świadomości. Jednakże zredukowanie antysowietyzacyjnego oporu do kontestacji, czyli do samej antytezy, prowadzić może - i to także powiedzmy otwarcie - do całkowitego relatywizmu i totalnej negacji, do przeświadczenia o bezsensie wszelkich norm etycznych czy też aktywnych i patriotycznych postaw.

Równie potrzebny jest przeto *Koniec świata szwoleżerów* Mariana Brandysa, jak i *Wariacje pocztowe* Kazimierza Brandysa; równie niezbędny "kanoniczny", prowadzony przez Dejmka Teatr Narodowy, co "szydercze", reżyserowane przez Jerzego Markuszewskiego spektakle Studenckiego Teatru Satyryków. Jak to słusznie kiedyś napisano: „Harmonia możliwa jest jedynie w rozmaitości: jeden ton nie wyda akordu".

Konflikty pomiędzy obu nurtami są tyleż szkodliwe, co nieuchronne. Przed dziesięcioma laty niejeden z „szyderców" uważał Jasienicę za proreżimowego nacjonalistę, a niejeden z „kontynuatorów" widział w Mrożku antynarodowego bluźniercę i niszczyciela imponderabiliów. Dopiero upływ czasu pozwolił oddzielić prawdę od głupstwa, Pawła Jasienicę od Zbigniewa Załuskiego, a dramaturgię Mrożka od felietonów Wiesława Górnickiego czy Jerzego Urbana. Jasienica nie był nacjonalistą. Napisał wiele mądrych, uczących politycznego myślenia książek, które przeorały - w dobrym sensie tego słowa - potoczne myślenie o polskiej historii. A Mrożek w swej *Śmierci porucznika* nie Mickiewicza zwalczał - ten by się obronił bez pomocy pisma „Stolica" - ale specyficzną aurę wytworzoną wokół mickiewiczowskiego mitu, aurę groźną dla racjonalnego myślenia, aurę, w której zdrowy rozsądek jest wypierany przez patetyczny frazes, a rzeczowy argument zastąpić można pseudopatriotyczną tromtadracją.

Powtórzmy: nurt kontynuacji rekonstruuje przeszłość, jej imponderabilia, pomniki i zabytki, nakazuje szanować to, co swojskie, zakorzenia w narodowej tradycji.

Nurt kontestacji jest konsekwentnie destrukcyjny wobec przeszłości, wyszydza obskurantyzm, umysłowe zacofanie i swojski banał, wykorzenia ze „swojskosowieckiej" tradycji.

Nurt kontynuacji, szukając oparcia w uniwersalnych wartościach kultury, będzie je odnajdywał w klasycznym kanonie europejskim, w tradycji antycznej i chrześcijańskiej. Przykładem tego może być twórczość Zbigniewa Herberta, Jacka Bocheńskiego, Zygmunta Kubiaka, Mieczysława Jastruna czy Jacka Woźniakowskiego.

Nurt kontestacji znajdzie oparcie w nowoczesnych prądach antyautorytarnych świata zachodniego. Potencjalnym sojusznikiem dlań jest zachodnia kontestacja.

***

Polscy biskupi wypowiadali się na temat zachodniej kontestacji zdecydowanie negatywnie:

„Potęgujące się zło - pisali biskupi w marcu 1970 roku - niewiara, nienawiść społeczna, rozwiązłość, zeświecczenie, nieposłuszeństwo wszelkiej władzy Boskiej i ludzkiej, zaplanowany przez wrogie Kościołowi siły bunt generalny przeciw wszystkiemu - zwany kontestacją - to wielki front ataku"[1]. W tym samym czasie ks. kardynał Wyszyński ogłosił *List wielkopostny do duchowieństwa i wiernych,* w którym pisał:

„Zrodziło się na świecie potężne liczebnie pokolenie synów »kłamstwa«.

---

[1] *Listy pasterskie Episkopatu...,* s. 593.

Zasiewają oni wszędzie ducha zwątpienia, negacji, chorobliwego krytycyzmu, który wszystko chce obalić, chociaż nie wie, co ma budować i jak to czynić. (...) Musimy się strzec przed prądami niosącymi anarchię, rozkład i fałsz. Musimy się bronić przed różnymi »kontestacjami«, podważaniem prawdy i autorytetu Kościoła Chrystusowego. (...) Nie dopuśćmy do progów domowych i ojczystych ducha społecznego nieładu, nieufności wobec Kościoła i jego powagi, burzącej gadaniny, która jest straszną chorobą dusz i pychą umysłów. (...) Brońmy przed tym nieładem naszą młodzież i naród. Jeżeli pozwalają sobie na anarchię inne narody, dostatnie, niewiedzące, co robić z czasem i pieniędzmi, to jest ich sprawa. Ale nas na to nie stać! Jesteśmy narodem odbudowującym się po latach niewoli i zniszczenia. Żyjemy w odmiennym położeniu dziejowym. Musimy mocno trzymać się opoki, którą widzimy w Kościele, a która jest naszą siłą, mocą i wytrwaniem. Musimy być trzeźwi i mądrzy. Nie możemy ulegać propagandzie ludzi owładniętych pychą umysłu, zbytnią pewnością siebie, zmiennych przekonań i własnych sposobów »zbawiania« świata. (...) Nie wszystko, co czyni młodzież za granicą, ma naśladować młodzież polska. Ma ona rodzime tradycje i piękne wzory do naśladowania. Musimy całą siłą, niesłychanie odważnie bronić młodzież przed bezładem uczuć, myśli i dążeń.

Nie wszystko również, co podejmują kapłani za granicą, nadaje się u nas do naśladowania. (...) Dążąc do odnowy soborowej, trzeba pamiętać, że prawdziwa odnowa to nie tyle nowość, ile świętość w duchu Chrystusowym, to zaczynanie od uświęcania samego siebie. (...) Odnowa soborowa to nie parawan, zza którego można wygłaszać niepoczytalne hasła mętnej reformy. To nie jest niekończący się dialog, za którym kryje się niechęć do pracy, wysiłku i ofiary, gadulstwo bez pogłębionej wiedzy i pozytywnego programu, duch sprzeciwu i nieposłuszeństwa. (...) O tych prawdach nie może zapominać również nasza inteligencja oczekująca od Kościoła odnowy. Bo odnowa w Kościele zaczyna się od naszego wnętrza. (...) Żądając od Kościoła postępu, pamiętajcie, że »postęp w Kościele nie oznacza nowość, ale świętość«. To nie bezpłodna, ustawiczna dyskusja, produkcja słów, gonienie za nowością, zmianą, podważanie wszystkiego, co było i jest, ale osobista świętość. A świętość zaczynamy od samego siebie. (...) Pamiętajcie, że odnowę soborową wprowadza się nie tyle przez zmianę instytucji kościelnych, ile przez odnowę umysłów, serc i stylu osobistego życia.

Chcecie być nauczycielami całego świata - zostańcie świętymi!

Odrobina szlachetności powinna pouczyć, że nie wolno burzyć w innych wiary, nadziei i miłości. Zamiast szarpać więzy z Bogiem i Kościołem w duszach braci gadulstwem i wątpieniem, sami powinniśmy tę więź nawiązać przez modlitwę, żal za grzechy nieprawdy, przez spowiedź, pokorne uznanie popełnionych błędów". „Wzywam Was - pisał na zakończenie ks. Prymas - do odpowiedzialności za słowo. Połóżcie palec na ustach Waszych. Rozważcie każde słowo, zanim je wypowiecie. Nie mówcie słów burzących w ludziach ich wiarę, zasady moralne, Boży sposób myślenia. Skończcie z bezpłodną gadaniną, która nic nie tworzy, a wszystko niszczy. (...) Wzywam Was wreszcie do apostolstwa prawdy Bożej. Musicie dać świadectwo prawdzie, odważnie przyznać się do prawdy, do Chrystusa i Jego Kościoła. Musicie mieć odwagę mówienia o prawdzie, świadczenia prawdy uczynkiem i słowem"[1].

Przytoczyłem obszerne fragmenty wypowiedzi Episkopatu i listu Prymasa Polski, by nie zdeformować - na ile to możliwe przy cytowaniu - podstawowego kierunku argumentacji. Z poprzednich wywodów wynika jasno, że patrzę na zjawisko kontestacji całkiem inaczej niż polscy biskupi. Długo zastanawiałem się, czy podejmować tę polemikę. Czy jest na nią miejsce w tekście pomyślanym jako szczere wyciągnięcie ręki, jako fragment trudnej rozmowy, jako skomplikowany zabieg nawlekania igły? Czy w tekście - po części ekspiacyjnym - nie lepiej tę sprawę pominąć, przemilczeć, zbyć eufemizmem? Czy człowiek, który nie ma wobec biskupów czystego sumienia, a świadom jest złożoności spraw i nawarstwionej przez lata - uzasadnionej zresztą - nieufności ludzi Kościoła; czy taki człowiek powinien podejmować spór tak istotny, ryzykując, że będzie źle zrozumiany, że wątpliwe mogą się wydać jego intencje i podejrzane jego dążenia?

Pomyślałem jednak potem, że niewielką wartość miałoby spotkanie oparte od samego początku na istotnym fałszu. Dlatego zdecydowałem się wyjaśnić powody, dla których uważam stanowisko Prymasa i Episkopatu Polski za niesłuszne. Wierzę, że te uwagi polemiczne zostaną odczytane z tą samą dobrą wolą, z jaką były pisane.

Podnoszony w cytowanych dokumentach problem kontestacji ma trzy aspekty, które omówię po kolei. Pierwszy aspekt to sprawa kontestacji w łonie Kościoła, drugi - to kontestacja jako zjawisko ogarniające cały świat zachodni, trzeci - to przeniesienie ideałów zachodnich kontestatorów na polski grunt.

Zagadnienie reform wewnątrzkościelnych - pisałem o tym wyżej - całkowicie przerasta moje kompetencje. Ludziom spoza Kościoła wypowiadać się

---

[1] *Listy pasterskie Prymasa...*, s. 614-617.

na ten temat jest tym trudniej, że ks. Prymas przestrzegał, zapewne zasadnie, przed stosowaniem do spraw Kościoła terminologii świeckiej. Dlatego ograniczę się jedynie do odnotowania - w kategoriach świeckich - niektórych refleksji nasuwających się przy lekturze tych dokumentów człowiekowi niewierzącemu. Człowiekowi niewierzącemu, który kiedyś wyznawał doktrynę marksizmu-leninizmu, miał do czynienia z instancjami partyjnymi i - co więcej - popadał z tymi instancjami w konflikty, takiemu człowiekowi lektura listu ks. Prymasa nasuwa bardzo niewesołe skojarzenia. Przede wszystkim przypomina mu się sytuacja, kiedy kierownictwo partii wzywało do dyskusji i natychmiast oskarżało wszystkich krytyków obowiązującej linii o „malkontenctwo", „totalną negację", „mętniactwo", „brak odpowiedzialności", „bezpłodne gadulstwo", „pseudonowoczesność", „rozkładową działalność" etc., etc.

Nie znam języka kościelnego ani teologicznego, ale w języku świeckim nie można ze sobą pogodzić jednoczesnego wezwania do milczenia i do mówienia prawdy. Zarazem ogólnikowość i niekonkretność tych inwektyw - bo niepodobna uznać tego za rzeczowe argumenty - wskazują na chęć uniemożliwienia dyskusji, w której pojawiają się opinie sprzeczne z przekonaniami partyjnego kierownictwa. Temu też służy metoda polegająca na przypisywaniu oponentom brzydkich intencji i umysłowych niekompetencji („niechęć do pracy, wysiłku", „gadulstwo bez pogłębionej wiedzy"). Wzywanie tych oponentów do samodoskonalenia się zamiast snucia projektów instytucjonalnych reform również jest dobrze znaną w partiach komunistycznych formą zakazu. Powtarzam: jestem spoza Kościoła. Może w Kościele te słowa mają inny sens. Ale ja, poza Kościołem, nie od biskupa, ale od wysokiego działacza partyjnego usłyszałem, że „gadulstwem i wątpieniem" „burzę w innych wiarę, nadzieję i miłość". Odpowiedziałem wtedy, że „te trzy: wiarę, nadzieję i miłość" nie drogą „gadulstwa" się osiąga i nie w wyniku cudzego gadulstwa można je utracić, natomiast nikt jeszcze nie obronił wiary zakazem, nadziei nakazem, a miłości - inwektywą. I powiedziałem jeszcze, iż jedynym skutkiem takiego postępowania, tych wszystkich zakazów, nakazów i inwektyw będzie atrofia życia ideowego i odchodzenie od partii tych wszystkich, którzy pragną w zgodzie z własnym sumieniem szukać prawdy. W języku kategorii świeckich jest to, jak sądzę, oczywistość; czy jest to również prawdą w języku kościelnym - nie wiem... Wydaje mi się natomiast, że wiem, iż nie mają racji biskupi, określając kontestację jako „zaplanowany przez wrogie Kościołowi siły bunt generalny przeciw wszystkiemu". Mowa tu o zjawisku na tyle wielonurtowym i złożonym, że niemożliwym do zamknięcia w jednej prostej formule, tym bardziej w formule antykościelnego spisku. Taka formuła niepokojąco przypomina lapidarne interpretacje komunistycznych władców na temat działań demokratycznej opozycji. Wszędzie wietrzy się tajną zmowę, spisek... Całe doświadczenie historyczne wskazuje, że obraz wielkich ruchów społecznych jako produktu sekretnych planów sił tajnych i anonimowych jest całkowitym nieporozumieniem. Kontestacja jest potężnym ruchem społecznym młodzieży przeciw powszechnemu systemowi wartości społeczeństw wysoko rozwiniętego kapitalizmu. Wspólnym mianownikiem tego ruchu - wewnętrznie nader zróżnicowanego - jest powrót do pytań najprostszych, do pytań o sens życia jednostkowego i społecznego. Wiele głupstw i nonsensów - to prawda - napisali kontestatorzy; nierzadko dokonywali uczynków zasługujących na jednoznaczne potępienie. Znaczy to, że na fundamentalne pytania odpowiadają często fałszywie, ale to nie oznacza, że fałszywe są same pytania. Trudno podejmować tu konkretną polemikę, gdyż w sformułowaniach biskupów i ks. Prymasa wiele jest ogólnego zgorszenia, ale za to wcale nie ma konkretnych zarzutów. Powiedzmy więc krótko: niepodobna akceptować takiej walki z cywilizacją konsumpcyjną, która manifestuje się jako bezmyślne niszczenie bibliotek, laboratoriów czy dzieł sztuki, ale bacznie śledzić wypada „kontestatorskie" analizy mechanizmów zwyrodnienia kultury masowej czy systemu powszechnej edukacji. Niepodobna akceptować totalitarnych ideologii (np. maoizmu), ale starannie studiować należy konkretne krytyki systemu demokracji parlamentarnej. Zmartwienia Zachodu mogą być niezadługo również naszymi zmartwieniami.

Dlatego nie mogę przystać na określanie zachodniej kontestacji po prostu jako „prądów niosących anarchię, rozkład i fałsz"; nie mogę przystać na nazywanie „pokoleniem synów kłamstwa" pokolenia ludzi poszukujących, często rozpaczliwie, prawdy i autentyczności w świecie rządzonym przez przemoc, zakłamanie i interes. Nie trafia do mnie argument, że „im się za dobrze powodzi", bowiem z faktu, że ktoś posiada samochód i luksusowe mieszkanie, nie wynika bynajmniej, by tym tylko miał się interesować, by to tylko wyznaczało sens jego życia. Nie trafia również do mnie argument, że są to prądy „rozkładowe", albowiem jestem zdania, iż są zjawiska i organizmy polityczne w świecie, których „rozkład" jest pożądany (np. sowiecki totalitaryzm i sowieckie imperium). Twierdzę, że bardziej niż „duch zwątpienia, negacji i chorobliwego krytycyzmu" niebezpieczny jest dzisiaj duch fanatyzmu, totalnej afirmacji i chorobliwego bezkrytycyzmu. Bardziej niż „rozwiązłości" kontestatora obawiam się urzędowego purytanizmu; większym złem niż długie włosy jest państwowy nakaz ich obcinania. Francuski dominikanin ks. Bruckberger, daleki od liberalizmu wewnątrzkościelnego, tak oto pisał: „Szatan jest purytaninem, istotą wyrafinowaną. Jestem pewien, że Antychryst pod tym względem będzie do niego podobny; członkowie świty tego księcia będą »cnotliwi« w ludowym i potocznym tego słowa znaczeniu, kobiety będą robiły na drutach dla swych »dzieł miłosierdzia«, mężczyźni będą pili mleko zamiast alkoholu i nie będą mieli kochanek. Prawdziwe uczestniczenie w zbrodni z szatanem we własnej osobie nie dokonuje się na płaszczyźnie pospolitych grzechów"[1]. Nie bronię kontestatorów totalnie. Myślę, że oni błądzą, ale jest to błądzenie w poszukiwaniu prawdy. Tacy ludzie zasługują na coś więcej: zasługują na wnikliwą uwagę, na życzliwy dialog, na przyjacielską rozmowę...

Albowiem, twierdzę, z kontestatorami warto rozmawiać. Szczególnie gdy się jest Polakiem. Warto z nimi rozmawiać nie tylko dlatego, że szukają prawdy. I nie tylko dlatego, że borykają się z problemami częstokroć wspólnymi lub podobnymi do naszych. Również dlatego, że zachodnia kontestacyjna lewica może wkrótce okazać się cennym sojusznikiem „sprawy polskiej" i sprawy wyzwolenia narodów Europy Wschodniej spod sowieckiego panowania.

Z pozoru wygląda to na absurd. Można bowiem zapytać: jak mogą stać się naszymi sojusznikami młodociani zwolennicy idei Mao Tse-tunga? Sympatia części lewicowej młodzieży Zachodu do maoizmu polega na niewiedzy i braniu złudzeń za rzeczywistość. Ich poparcie dla maoizmu - choć nas drażniące - jest mirażem. Natomiast realnym elementem postawy tej młodzieży jest zakwestionowanie moralnych (czy raczej amoralnych) zasad polityki państw kapitalistycznych. Istotnym fragmentem tej polityki jest słynna dzisiaj *détente* i handel zachodniego kapitału z ZSRR. W ramach tego handlu - przypominał o tym niedawno Aleksander Sołżenicyn - do Związku Radzieckiego dostarczany jest nowoczesny sprzęt techniczny, który umożliwia podsłuchiwanie i inwigilowanie, a w konsekwencji i prześladowanie rosyjskich dysydentów. Ta polityka, produkt amoralnego biznesu, musi zostać zakwestionowa. Nie zrobią tego żadne siły establishmentu, nie zrobią tego prosowieckie partie komunistyczne. Mogą to - być może - zrobić partie głoszące tzw. eurokomunizm, czyli poszanowanie wszystkich praw demokratycznych, nie tylko w Europie Zachodniej, ale także w Europie Wschodniej i w ZSRR. Mogą to zrobić także kontestatorzy. Kwestionując tę politykę, zakwestionują oni tym samym główny filar rządzącego światem międzynarodowego Świętego Przymierza.

---

[1] R.-L. Bruckberger *Dzieje Jezusa Chrystusa*, Warszawa 1972, s. 115-116.

Wydaje się - przechodzę tu do trzeciego aspektu interesującego nas zagadnienia - że tak pojętych ideałów kontestacji Polacy nie powinni się obawiać. Nieufność, krytycyzm czy umiejętność podawania w wątpliwość są cechami, które polskiej młodzieży mogą być bardzo użyteczne. Przed jaką kontestacją należy tedy bronić „progów domowych i ojczystych"? Przed „duchem społecznego nieładu"? Ależ od tego są służby wyspecjalizowane (SB i WOP) i czujna publicystyka „Prawa i Życia"! Nikt tak nie obawia się „społecznego nieładu" jak rząd naszego kraju. Nikt tak jak oni nie tępi „burzącej gadaniny", bo nikt tak dobrze jak oni nie wie, że jeśli gadanina może coś zburzyć, to znaczy, że z tym „czymś" jest kiepsko. Dlatego myślę, że Kościół broniący prawdy i wolności nie ma powodu obawiać się „burzącej gadaniny" i ducha „zwątpienia". Nie ma również powodu obawiać się nieufności.

Stanisław Barańczak, pisarz „pokolenia 68", odpowiadając na pytanie, czym powinna być współczesna poezja? - notował:

„1) Powinna być nieufnością.

2) Powinna być nieufnością, bo tylko to usprawiedliwia dzisiaj jej istnienie. Im szerszy zasięg ma jakiś środek wypowiedzi, tym usilniej stara się odzwyczaić nas od myślenia, wpoić nam te czy inne prawdy, prawdy absolutne, podporządkować nas określonym systemom wartości, zmusić nas do takich czy innych zachowań. Poezja - jak dobrze wszystkim wiadomo - ma dziś zasięg wąski. Ale w tym może leżeć szansa jej odrodzenia, jej »kapitał zakładowy«, od którego można wyjść. Jest szansa, aby stworzyć z poezji pierwszy przyczółek walki o niezafałszowany obraz świata, w którym żyjemy: właśnie dlatego, że poezja zwraca się nie do biernego odbiorcy rozwalonego przed telewizorem lub przerzucającego stronice gazety, ale do człowieka, który widać pragnie myśleć, skoro w ogóle bierze książkę poetycką do ręki.

3) Ale nie tylko dlatego. Jest też i ten powód, że poezja jest nie anonimowym głosem Wielkich Manipulatorów, ale głosem jednostki. Myślenie indywidualne to myślenie nieufne, krytyczne wobec zbiorowych wiar, sentymentów i histerii. Wrodzony indywidualizm tego rodzaju literackiego, przez poetów różnych epok tłumiony lub podsycany na nowo, dzisiaj staje się dla poezji jeszcze jedną szansą aktywnego stosunku do świata.

4) I to zresztą nie wszystko. Przecież wrodzoną (co nie znaczy, że nie dającą się kształtować lub zaniedbywać) cechą poezji trzeba też nazwać jej skłonność do konkretu. Poezja zawsze sprawdza, przymierza pobożne życzenia do stanu faktycznego. »Jak to sobie konkretnie wyobrażacie? « - to pytanie, jakie właśnie dziś szczególnie często powinien zadawać poeta przysłuchujący się nieufnie ogólnikowym hasłom, pojemnym mitom, wymijającym trud-

ności i zacierającym konflikty opisom świata. Powinien sprowadzać to wszystko na poziom jednostkowego przypadku i na tym pojedynczym przykładzie sprawdzać, co się ostaje z pięknie brzmiących ogólników.

5) Więc powinna być nieufnością. Krytycyzmem. Demaskacją. Powinna być tym wszystkim aż do chwili, gdy z tej Ziemi zniknie ostatnie kłamstwo, ostatnia demagogia i ostatni akt przemocy. Nie sądzę, aby to właśnie poezja miała do tego doprowadzić (jeśli zresztą cokolwiek jest w stanie do tego doprowadzić). Ale wierzę, że poezja może się do tego przyczynić: może nauczyć człowieka myśleć o świecie w kategoriach racjonalnej nieufności wobec wszystkiego, co zagraża mu pod postacią kłamstwa, demagogii i przemocy. Stanie się tak wtedy, gdy poezja, o której myślę, będzie nieufna w pełni, konsekwentnie, gdy będzie zdzierać maski pozorów nie tylko z zewnętrznego świata, ale i z samej siebie. Gdy będzie zarówno w tym, co ją otacza, jak i w tym, co tkwi wewnątrz niej, ukazywać skłócenie, niejednolitość i wieloznaczność czającą się pod powierzchnią harmonii, zgody i oczywistości.

6) Od tego musi zacząć. Od nieufności, która oczyści drogę temu, czego wszyscy potrzebujemy. Mam na myśli - to nic nowego, zgoda, ale już niemal zapomnieliśmy, na czym nam powinno zależeć - mam na myśli, oczywiście, prawdę"[1].

Nieufność jest niebezpieczna tylko dla zwolenników zadufania, kłamstwa i przemocy; jest bowiem cennym narzędziem walki z totalitarnymi skłonnościami świata, w którym żyjemy. Ks. kardynał Wyszyński w kazaniu wygłoszonym do młodzieży polskiej z Londynu (styczeń 1972 roku) powiedział m.in.:

„Młodzież polska musi być mężna i ofiarna! Nie może być bibułą, nie może być bez wyrazu i bez oblicza. (...) Widzieliśmy, jak w roku 1968 na brukach Warszawy, przed kościołem Świętego Krzyża, młodzież upominała się o prawa do wolności: wolności myślenia, sądów, studiów, wolności wyznania Boga i miłowania Ojczyzny. Młodzież umiała o to walczyć. Byliśmy tego świadkami"[2].

Przypomnieć wypada zatem, że warunkiem koniecznym męstwa i ofiarności była wtedy umysłowa samodzielność, krytycyzm, twórcze wątpienie. Męstwo i ofiarność były pochodnymi zakwestionowania powszechnie propagowanej, fałszywej i apologetycznej wizji społecznej rzeczywistości i oficjalnie lansowanego systemu ludzkich wartości. Bez krytycyzmu, bez

---

[1] Stanisław Barańczak *Jednym tchem*, Warszawa 1970, s. 3-4.
[2] Stefan kardynał Wyszyński *Z gniazda orląt*, s. 137-138.

twórczej nieufności, byłoby to niemożliwe. Cechy te - typowo kontestator-skie - są zupełnie niepotrzebne tym tylko, którzy nie szukają prawdy. Wszelako polskiej młodzieży, która w imię prawdy odrzuca konformizm i wybiera drogę buntu i obywatelskiego nieposłuszeństwa, te cechy były, są i będą bardzo potrzebne. Myślę zresztą, że najbardziej kontestatorskie w naszej rzeczywistości są właśnie idee chrześcijańskie, a tymi, którzy najbardziej nas wzywają do kontestacji - biskupi. Jeśli bowiem ludzi, ludzi wychowywa-nych w kłamstwie, wzywa się do „życia w prawdzie", to jakże mogą oni dojść do tego, jeśli nie drogą krytycyzmu, wątpienia i nieufności? Jeśli się im mó-wi „oddajcie, co macie, nie noście trzosa", to jakże mają uznać te wartości, jeśli nie drogą podważania obowiązujących praw i autorytetów? Nie wszy-scy mogą uznać za bezsporne prawdy głoszone przez Kościół, bo nie wszy-scy są wierzącymi chrześcijanami. Laicyzacja jest faktem społecznym, a nie wynikiem antychrześcijańskiego spisku. Ks. Prymas wzywa, by „moc-no trzymać się opoki, którą widzimy w Kościele". Nie do mnie należy udzie-lanie rad, jaką ma Kościół zająć postawę wobec laicyzacji i środowisk laickich, ale czuję się w prawie wypowiedzieć przypuszczenie, że dla tych środowisk Kościół wtedy tylko będzie autorytetem, gdy podejmie problemy autentycznie je dręczące, gdy zastąpi postawę obronnej wrogości postawą życzliwego dialogu.

III

Padło słowo „dialog". Pojawiło się ono już wcześniej, choćby w sejmowym przemówieniu Zawieyskiego. Słowo wieloznaczne, często nadużywane i rozmaicie interpretowane; idea prosta do wytłumaczenia i trudna do rzetelnej realizacji.

Historycznie rzecz biorąc, pierwszymi, którzy sformułowali program dialogu i współdziałania katolików z niewierzącymi, byli PAX-owscy publicyści. Bezpośrednio po zakończeniu wojny, w 1945 roku, Bolesław Piasecki i jego towarzysze z faszyzującej ONR-Falangi rozpoczęli nowy etap swych politycznych biografii na łamach tygodnika „Dziś i Jutro". Obecnie powszechnie znane są kulisy i fakty towarzyszące początkom kariery politycznej Piaseckiego w Polsce Ludowej; wiadome jest, że początkom jego działalności w zmienionej sytuacji patronował jeden z szefów radzieckiego NKWD, gen. Sierow. Przez radzieckich protektorów PAX był od samego początku pomyślany jako organizacja agenturalna.

Gdy zastanawiam się nad genezą ideową PAX-u, nad kształtem duchowości przywódców tej organizacji, nasuwa mi się nieodparcie refleksja, że trzy czynniki odegrały decydującą rolę w procesie formowania nowej ideologii. Po pierwsze: było to wyciągnięcie wniosków z realiów politycznych. Przedwojenni ONR-owcy bardzo szybko zrozumieli, że w odmiennej sytuacji geopolitycznej mogą funkcjonować jedynie jako wierny realizator polityki komunistów i ZSRR; na żadną inną linię polityczną w ówczesnym układzie nie było miejsca. Dlatego też publicyści „Dziś i Jutro" nieustannie deklarowali swą „postępowość", co przeciwstawiali „wstecznictwu" innych grup katolickich, nie mówiąc już o Episkopacie. Po wtóre: program etatyzacji i silnej władzy - pisałem o tym wyżej - był dla ONR-owców stosunkowo łatwy do zaakceptowania. Podobne postulaty formułowali w swoich przedwojennych dokumentach programowych. Tyle tylko, że w myśl tych przedwojennych koncepcji ktoś inny miał być sternikiem totalitarnej nawy państwowej: oni sami. Po trzecie: Piasecki i jego koledzy podjęli zręczną próbę „przerzucenia pomostu pomiędzy katolicyzmem a obozem głoszącym hasło radykalnej przebudowy społecznej". Autor tej formuły z czerwca 1946 roku, Stefan Kisielewski, bronił wtedy byłych falangistów przed zarzutami totalitarnych inklinacji i utylitarnego stosunku do religii katolickiej. Kisielewski, stary wyga

ADAM MICHNIK

polityczny, wierzył wtedy w rzetelność i uczciwość grupy „Dziś i Jutro". Cóż więc się dziwić, że uwierzyli i inni? Pisałem wcześniej o powodach popularności Przodującej Ideologii w środowiskach inteligencji laickiej w latach 1945-1947. Podobny zespół motywacji istniał również w kręgach młodej inteligencji katolickiej. Tu również uważano program PPR za zapowiedź demokratyzacji i modernizacji kraju. Publicyści z „Dziś i Jutro" potrafili odwołać się do tych nastrojów. Szermując postępowymi hasłami, potrafili przyciągnąć sporą grupę młodej i wartościowej inteligencji. Grupa ta serio potraktowała oficjalny program reform i równie serio poparła PAX-owską próbę „pogodzenia" katolicyzmu z socjalistycznymi przeobrażeniami.

Dramat znacznej części młodego pokolenia polskiej inteligencji stał się udziałem również tych ludzi. Jak ich rówieśnicy ideałami laickiego humanizmu i uniwersalnego braterstwa, tak ci byli zafascynowani francuskim personalizmem. Spod ich piór wyszły pierwsze artykuły na temat personalizmu i Mouniera. Wszelako działając w ramach PAX-u, współtworzyli bynajmniej nie personalistyczną rzeczywistość. W imię uczciwie rozumianych personalistycznych ideałów - służyli totalitaryzmowi; subiektywnie służąc Kościołowi - działali na jego szkodę. Ludziom lewicy laickiej - a więc i piszącemu te słowa - niełatwo tu o kategoryczny osąd. Sytuacja była wtedy bardzo złożona i złożone były motywy ludzkich wyborów. Po kilkunastu latach przywódca tej grupy, Tadeusz Mazowiecki, napisze:

„Patrząc z perspektywy historycznej nie można zaprzeczyć, że w pierwszych latach powojennych, kiedy dokonywane były podstawowe reformy społeczne, jak nacjonalizacja przemysłu czy reforma rolna, Kościół stał na pozycjach co najmniej niechętnych, jeśli nie wrogich reformom. Był w tym stanowisku również sprzeciw wobec władzy, którą uważał za narzuconą i ateistyczną, i były też ogromne elementy konserwatyzmu społecznego. Z drugiej strony, spoglądając także z dystansu, trudno nie dostrzec, że w okresie błędów stalinizmu poczucie wolności i godności przysługujące osobie ludzkiej znajdowało szczególne oparcie w Kościele"[1].

Zważywszy na krajową cenzurę, trudno o uczciwszy autorozrachunek. Mazowiecki, nie tylko on zresztą, rozliczył się publicznie - w okresie 1956-1957 - także ze swojego uczestnictwa w PAX-ie, z którym rozstał się po ostrym wewnętrznym konflikcie już w 1955 roku.

To rozstanie było konsekwencją całkowitej rozbieżności stanowisk politycznych. Mazowiecki i jego koledzy chcieli służyć Kościołowi i ideałom per-

[1] Tadeusz Mazowiecki *Rozdroża i wartości*, Warszawa 1970, s. 57.

sonalistycznym; PAX był organizacją o strukturze totalitarnej i instrumentem w ręku władz służącym do rozbijania Kościoła. Taka była - i jest do dzisiaj - cena istnienia PAX-u. Nic przeto dziwnego, że w ujęciu PAX-owskim idea „dialogu" była po prostu ideologiczną nazwą i uzasadnieniem kolaboracji z władzą oraz sposobem uzyskiwania koncesji od rządu. Wobec społeczeństwa i władzy PAX reprezentował zawsze bardziej proradziecką tendencję niż jakikolwiek z polskich przywódców komunistycznych. Był również najbardziej konsekwentnym rzecznikiem programów totalizacji życia publicznego. Katolicyzm i nauki Ewangelii nie stanowiły w tym przedmiocie żadnej przeszkody dla PAX-owskich przywódców, podobnie jak nie przeszkadzały im w „górnych i chmurnych" latach ONR-Falangi.

Demokratyczna zasada swobody sumienia i wyznania oraz pluralizmu światopoglądowego została w programie PAX-u zastąpiona konceptem współtwórczości dwóch światopoglądów - katolickiego i marksistowskiego - określanych jako „prometejskie". Prometeizm marksizmu (oczywiście tego autentycznego, powiązanego z władzą) i katolicyzmu (również tego autentycznego, reprezentowanego przez przez PAX) polegać miał na „optymizmie poznawczym". Ta bełkotliwa i ponura brednia oznaczać ma w języku PAX-owskich ideologów, że optymalnym układem politycznym jest sojusz ich, postępowych katolików, z „optymistyczno-poznawczym" skrzydłem w partii. Jakie to skrzydło? W momentach kryzysów politycznych, w 1956 i 1968 roku, PAX-owcy jednoznacznie odpowiadali na to pytanie. Sojusznikami PAX-u byli albo tzw. natolińczycy, frakcja jawnie inspirowana przez radziecką ambasadę i otwarcie wroga tendencjom liberalnym, albo też tzw. partyzanci, zwolennicy ksenofobii i policyjnych metod sprawowania władzy.

W trakcie jednej z „dialogowych" dyskusji z marksistami zagajający z ramienia PAX-u Mikołaj Rostworowski powiedział:

„To nie przypadek, że problem współpracy wierzących i niewierzących (...) dyskutujemy właśnie z redakcją zespołu »Wychowania«. Wasze pismo reprezentuje bowiem ten kierunek we współczesnej polskiej myśli marksistowskiej, który z jednej strony docenia wagę światopoglądowej inspiracji w działaniu społecznym, z drugiej zaś strony jako pierwszy podjął w sposób konstruktywny i odważny propozycję nieodrywania dialogu światopoglądowego katolicyzm-marksizm od patriotycznego konkretu, jakim jest rzeczywistość Polski Ludowej"[1].

---

[1] *Dialog i współdziałanie*, s. 53.

Jeśli zważyć, że dwutygodnik „Wychowanie" zawsze celował w atakach na ludzi światłych i prześladowanych, że jest nosicielem tendencji najbardziej wstecznych i obskuranckich w polskim życiu umysłowym, że - na koniec - jest pisemkiem zupełnie pozbawionym społecznego znaczenia - to istotnie spotkanie tej redakcji z PAX-em trudno uznać za zbieg okoliczności. Albowiem w ujęciu PAX-owskim „dialog" jest spotkaniem totalistów czerpiących swe inspiracje z dość osobliwie pojmowanego katolicyzmu i specyficznie, bardzo po sowiecku, rozumianego marksizmu. W winiecie PAX-owskich pism i „Wychowania" mógłby widnieć wspólny slogan: „Totaliści obu światopoglądów, łączcie się".

***

Podczas cytowanej wyżej dyskusji zabrał również głos inny publicysta PAX-owski - Maciej Wrzeszcz. Wrzeszcz powiedział, że dzięki istnieniu PAX-u „socjalizm nie został wplątany w totalną walkę z Kościołem"[1].

Jest to oczywista nieprawda. „Socjalizm" - PAX-owski publicysta określa w ten sposób praktykę rządzącej partii komunistycznej - „wplątywał się" niejednokrotnie w totalną walkę z Kościołem, o czym wcześniej obszernie pisałem. PAX każdorazowo w takich konfliktach pełnił funkcję pomocnika ateistycznej władzy. Załagodzenie konfliktu podważyło rację bytu PAX-u. Nie dzięki istnieniu PAX-u przeto ocalał polski Kościół, lecz w wyniku twardej i konsekwentnej postawy biskupów katolickich wobec władzy państwowej. Stosunki pomiędzy Episkopatem a władzami państwowymi określa się czasem jako „dialog", co wydaje się nieporozumieniem. Trudno bowiem mówić serio w tym kontekście o dialogu. Bardziej zasadne jest traktowanie tych stosunków jako permanentnego konfliktu przerywanego krótkimi okresami kompromisu. Wydaje się, że obie strony - partia i Kościół - zawsze traktowały się wzajemnie jak zło konieczne. Przywódcy PZPR nigdy poważnie nie planowali rezygnacji z polityki ateizacyjnej, a biskupi katoliccy nigdy nie myśleli biernie przystać na skutki tej polityki. Reszta była taktyką i dyplomacją.

Istnieje wszelako orientacja polityczna w ruchu katolickim, która dąży do trwałego porozumienia między państwem a Kościołem. Mowa tu o środowisku ODISS-u i o jego przywódcy, pośle na Sejm, Januszu Zabłockim. Zabłocki był przez długi czas jedynym politykiem katolickim w Polsce, który miał równie poprawne stosunki z władzami partyjnymi i z kierownictwem

[1] *ibid.*, s. 98.

Episkopatu. Czemu to zawdzięczał? Złożyło się na to parę okoliczności. Wskażemy niektóre z nich. Ten były działacz PAX-u (do 1955 roku), potem wieloletni zastępca redaktora naczelnego w miesięczniku „Więź", ujawnił swą odrębność od innych działaczy ruchu „Znakowego" w trakcie wypadków marcowych 1968 roku. Jakkolwiek podpisał sejmową interpelację wraz z innymi posłami, to wkrótce potem zaczął się od nich publicznie dystansować. Definiując odrębność swego punktu widzenia, powiedział publicznie na jednym z zebrań Klubu Inteligencji Katolickiej: „My nie szukamy poklasku i sojuszników w Bonn i Tel Awiwie!". Tymi, którzy poklasku tego mieli w stolicach Niemiec Zachodnich i Izraela poszukiwać, byli jego sejmowi koledzy: Zawieyski, Stomma i Mazowiecki. Na tym tle w zespole „Więzi" doszło do rozłamu. Z redakcji ustąpiła grupa Zabłockiego, zakładając Ośrodek Dokumentacji i Studiów Społecznych (ODISS) oraz tworząc dwumiesięcznik „Chrześcijanin w Świecie".

Tak znaczne koncesje mógł Zabłocki osiągnąć tylko dzięki poparciu określonych sił w kierownictwie partii; tych sił, którym była wygodna jego koncepcja. A koncepcja Zabłockiego była prosta: polegała na wbiciu klina pomiędzy opozycyjną inteligencję a kościelną hierarchię i na porozumieniu "nacjonalistycznego" skrzydła w partii z Episkopatem. Bazą tego porozumienia, w ujęciu Zabłockiego, miały być nacjonalistyczne frazesy „partyzantów", bowiem trudno mówić poważnie o autentyczności nacjonalizmu Moczara i jego kolegów, ściśle związanych przecież instrukcjami radzieckich mocodawców.

W czerwcu 1969 roku w referacie wygłoszonym podczas posiedzenia Rady Programowej ODISS-u Zabłocki dobitnie sformułował swój punkt widzenia:

„Naszym szczególnym zadaniem (...) - powiedział m.in. redaktor „Chrześcijanina w Świecie" - jest praca nad tym, aby w miejsce dotychczasowych konfliktów rozszerzała się i utrwalała sfera (...) współdziałania między Kościołem i państwem. Powinniśmy w ten sposób tworzyć warunki dla porozumienia między rządem i Episkopatem oraz w przyszłości między PRL a Stolicą Apostolską. (...) Z drugiej strony jednak Kościół powinien unikać wiązania się z jakimikolwiek siłami politycznymi o charakterze opozycji. A pamiętać trzeba, że nie szczędził mu nigdy i nadal nie szczędzi takich ofert polityczny antykomunizm, nie tylko ten klasyczny, zmierzający do cofnięcia historii do dawnych form ustrojowych, ale również ten nowszy, subtelniejszy. Sprawa wolności nie może być dla Kościoła obojętna. Ale służy jej w sposób sobie właściwy, to jest przez wychowywanie człowieka do wolności. Nie jest zaś jego zadaniem włączanie się w grę polityczną ani zawieranie politycznych sojuszy.

Toteż trzeba pozytywnie ocenić mądre i odpowiedzialne stanowisko, jakie potrafił zająć Episkopat Polski wobec bieżących wydarzeń ubiegłego roku"[1].

O stanowisku Episkopatu wobec wydarzeń marcowych pisałem wyżej. Na temat reszty wywodu Zabłockiego wypada wspomnieć, co następuje: nie ulega wątpliwości dla nikogo - także dla ludzi lewicy laickiej - że Kościół nie jest powołany do udziału w grze politycznej i że nie na tym polega jego misja. Wszelako pryncypialna obrona prześladowanych i bitych nie oznacza żadnej gry politycznej, zaś „wychowywanie ludzi do wolności" staje się iluzją i pustą deklaracją, jeśli towarzyszy mu milczenie w obliczu faktów brutalnego deptania tej wolności. Konflikt Kościoła z państwem jest w polskich warunkach konfliktem wyznaniowym. Musi wzbudzać określone emocje.

Nikomu bardziej nie zależy przeto na likwidacji konfliktów tego typu niż nam, ludziom lewicy laickiej. Nikt dramatyczniej od nas nie dostrzega w każdym z tych konfliktów zarzewia przyszłej nietolerancji religijnej. Wszelako prowokujący te konflikty brak wolności sumienia i wyznania jest fragmentem i pochodną zarazem zjawiska daleko szerszego: całkowitego braku wolności obywatelskich w państwie. Dlatego naszym zdaniem jedyną drogą do likwidacji konfliktów i napięć wyznaniowych jest walka o prawa człowieka; nie jest taką drogą natomiast dążenie do ugody Kościoła z antynarodowym i totalitarnym reżimem. W wyniku takiej ugody Kościół może wprawdzie uzyskać większe prawa instytucjonalne, ale będzie zmuszony sprzeniewierzać się na każdym kroku głoszonym naukom Ewangelii.

Sformułowany przez Zabłockiego problem należy do centralnych punktów sporu o rolę Kościoła. W kontekście wydarzeń 1968 roku podniósł go w kazaniu poświęconym m.in. losowi ks. arcybiskupa Felińskiego ks. kardynał Wyszyński. Zdaniem ks. Prymasa arcybiskup Szczęsny Feliński „ustanowił wzór dla pasterzy. Pokazał, jak trzeba pracować w nowej rzeczywistości, aby uszanować prawa narodu (...). Dał przykład, jak nie wolno sprzeniewierzyć się obowiązkom biskupa, które są trudne, bo wymagają męstwa i postawy jednoznacznej. Nie dają się pogodzić z kunktatorstwem, politycyzmem, zamazanymi chwytami mogącymi dać satysfakcję diabłu i Panu Bogu świeczkę. Tak nie można! Tak nie wolno! Naród patrzy na biskupa i biskup musi być w swej postawie - wyrazisty".

---

[1] *Nasza rola w odnowie soborowej w Polsce*, „Chrześcijanin w Świecie" nr 2/1969.

Arcybiskup Feliński wybrał wygnanie, ale nie ugiął się przed naciskiem władz. „Dlatego też i dziś, po 100 latach - kontynuował ks. Prymas - program Arcybiskupa-Wygnańca obowiązuje w Warszawie, w Archidiecezji, w Metropolii, w całej Polsce! (...) Biskup-Wygnaniec pozostawia program, ale pozostawia też i znaki realizmu, jak należy w trudnych chwilach narazić siebie, aby przypomnieć tym, od których to zależy - prawa narodu. (...) Czy to polityka? (...) Nie, to nie polityka! To jest obowiązek biskupa - zwracać się do władców tego świata w czasie wielkich nieszczęść i klęsk publicznych, aby przypominać tym, co mają władzę, że niecała władza nad narodami do nich należy, że trzeba też uszanować prawa Boże!"[1].

Tak mówił polski biskup. Niemiecki biskup, ks. kardynał Joseph Höffher, ujmował to zagadnienie od nieco innej strony:

„Traktowanie Ewangelii Chrystusowej - pisał ks. kardynał Höffner w 1972 roku - jedynie jako wezwania skierowanego do poszczególnych dusz i jako indywidualnej próby pocieszenia byłoby z pewnością niepokojącym uproszczeniem. Na taki całkowicie błędny naturalistyczny pogląd należy odpowiedzieć, że istnieje pewien porządek współżycia ludzkiego, którego pragnął Bóg, a który stanowił motywację działalności społecznej człowieka (...). Bóg nie pozostawił na pastwę jego przeciwników upadłego Eona tego świata. Przeciwstawienia »Kościół i świat«, »Kościół i państwo« (...) nie są pozbawione znaczenia, lecz nie należy ich rozumieć w ten sposób, że Kościół istnieje poza światem. Kościół jest obowiązany krzyczeć i protestować, gdy w społeczeństwie i w państwie gwałci się podstawowe prawa człowieka, takie jak prawo do życia, do wolności, do nietykalności cielesnej"[2].

Zabłocki świadom jest prawd pomieszczonych w wystąpieniach obu biskupów. Głos kardynała Höffnera opublikowany został nawet w organie ODISS-u. Zabłocki musi więc doskonale wiedzieć, że polityczny protest Kościoła jest nieodzownym warunkiem „wychowywania do wolności". Toteż nie o wolność troszczył się dyrektor ODISS-u w cytowanym referacie. Przedmiotem i celem jego rozważań było sformułowanie warunków porozumienia hierarchii kościelnej i kierownictwa partyjno-państwowego. Wynikiem tej ugody miało być, z jednej strony, zlojalizowanie hierarchii kościelnej, z drugiej zaś - poszerzenie bazy politycznej Przodującego Ustroju poprzez dopuszczenie do udziału w rządach przedstawicieli partii wyznaniowej, której podstawą miało być środowisko ODISS-u. Katolicy mieli zostać dopuszczeni do

---

[1] Stefan kardynał Wyszyński *W sercu stolicy*, s. 110-114.
[2] Kard. Joseph Höffner *Nędza i nadzieja Czwartego Świata*, „Chrześcijanin w Świecie" nr 2/1974.

władzy w takim oto sensie, że jeśli - cytuję tu myśl artykułu „Opozycja polityczna w Polsce"[1] - ordynator w szpitalu, dyrektor zjednoczenia, ambasador czy szef wojewódzkiej milicji chrzcili dotąd swoje dzieci po kryjomu, to odtąd mieli uzyskać prawo czynienia tego jawnie. Program Zabłockiego był zatem zmodernizowaną wersją PAX-owskiej wizji przyszłości Polski.

„Moczarowskiemu" skrzydłu partii przedstawiał się Zabłocki jako „rzetelny patriota państwa ludowego" (w odróżnieniu od antynarodowych opozycjonistów), jako realista (w odróżnieniu od politycznych awanturników), jako ten, który potrafi spacyfikować opór biskupów. Z kolei Episkopatowi prezentował się dyrektor ODISS-u jako kontynuator katolickiej nauki społecznej (w odróżnieniu od „bezbożników" w rodzaju Słonimskiego i Kołakowskiego i od swoich, przeżartych laickim liberalizmem, kolegów ze „Znaku"), jako zwolennik umiaru w posoborowej odnowie (w odróżnieniu od awanturniczych reformatorów z „Więzi"...), jako autentyczny katolik (w przeciwieństwie do działających z podejrzanej inspiracji „nowinkarzy" w rodzaju Turowicza czy Mazowieckiego). Obu stronom deklarował Zabłocki swój „prawdziwy patriotyzm" Polaka-katolika - w przeciwieństwie do zrywających z narodową tradycją kosmopolitów i „syjonistów". W oparciu o te przymioty swojej ideologii i postawy planował Zabłocki - i planów tych do dziś nie zarzucił - otrzymać od obu stron mandat na utworzenie chrześcijańskiej partii wyznaniowej. Tym projektom podporządkowana była ODISS-owa koncepcja dialogu. Byłby to dialog z władzą i z rządzącą ideologią, byłby to dialog integrystycznego katolicyzmu z urzędowo skodyfikowanym „marksizmem-leninizmem", dialog dwóch sztywnych doktryn, dwóch zamkniętych światopoglądów, prowadzony przez dwa zorganizowane obozy ideowo-polityczne.

Te dalekosiężne plany Zabłockiego i grupy ODISS-u skłonny jestem uważać za całkowicie nierealne. Nic nie wskazuje na to, by rządząca partia komunistyczna chciała podzielić się władzą z partnerem najbardziej nawet posłusznym i lojalnym. Wszelako ten znowelizowany wariant sojuszu ołtarza z tronem może być społecznie niebezpieczny. Nie dlatego, by mógł utorować Zabłockiemu drogę do czegokolwiek poza wątpliwym zaszczytem częstego ściskania dłoni Kazimierza Kąkola czy innego szefa Urzędu do spraw Wyznań, ale dlatego, że może władzy komunistycznej utorować drogę do całkowitego zniszczenia religii i do takiego podporządkowania Kościoła państwu, jak to ma miejsce w ZSRR czy Czechosłowacji.

---

[1] „Kultura" paryska nr 11/1974.

W języku rządzących komunistów nie istnieje pojęcie kompromisu. Każde ustępstwo partnera traktowane jest jako okazja do kolejnej eskalacji nacisków i coraz dalej idących żądań. Widać to na przykładzie polityki władz wobec środowiska literackiego i naukowego, wskazuje na to również historia stosunków między państwem a Kościołem. Jedyną skuteczną metodą postępowania z rządzącymi komunistami jest twardy opór i nieustępliwa obrona własnych zasad. Temu właśnie, takiej postawie polskich biskupów, zawdzięcza polski Kościół katolicki swoją trwałość i swój autorytet w społeczeństwie. Model postępowania proponowany przez Zabłockiego mógłby się okazać - w razie aprobaty przez hierarchię kościelną - równią pochyłą prowadzącą do upadku Kościoła i jego klęski moralnej.

Można mnie zapytać: a cóż ludziom lewicy laickiej zależy na obronie religii i na honorze Kościoła katolickiego? Odpowiem na to: ludziom lewicy laickiej zależy, a przynajmniej winno zależeć, na obronie wartości. Tradycyjnie przywykliśmy sądzić, że religijność i Kościół to synonimy wstecznictwa i tępego Ciemnogrodu. Z tej perspektywy wzrost indyferentyzmu religijnego traktowany był przez nas jako naturalny sojusznik umysłowego i moralnego postępu. Pogląd taki - sam byłem jego wyznawcą - uważam za fałszywy. Jakkolwiek Kościół nieraz swoim postępowaniem uzasadniał takie opinie, opierając się na „istniejącej w społeczeństwie sumie tradycyjnego, ciemnego, fanatycznego i tępego katolicyzmu o zasadniczo wiejskim charakterze"[1], to przecież praktyka konfrontacji chrześcijaństwa z hitleryzmem i stalinizmem zmusza do rewizji takiego stereotypu. Wydaje się mianowicie, że z punktu widzenia humanistycznych wartości wyznawanych przez ludzi lewicy laickiej, indyferentyzacja religijna jest zjawiskiem obojętnym. Może sprzyjać upowszechnieniu postaw humanistycznych i tolerancyjnych, lecz równie dobrze może wyzwalać postawy totalitarne. A przecież właśnie praktyczne postawy są istotne, nie zaś ich światopoglądowe inspiracje. Indyferentyzm religijny żadnej postawy praktycznej nie determinuje. Dlatego niewiara nie jest żadną wartością dla nikogo poza fanatycznym ateistą. Jest faktem egzystencjalnym, którego społeczne skutki mogą być rozmaite.

Podobnie jest z religijnością. Twierdzę, że z punktu widzenia lewicy laickiej sam akt wiary w Boga osobowego jest równie obojętny jak akt niewiary. „Antywartością" są jedynie określone formy religijności: te, które wiodą do fanatyzmu i nietolerancji, podobnie jak złem oczywistym jest fanatyczna nietolerancja urzędowych ateistów. Religijność może w praktyce wyzwalać

---

[1] Leszek Kołakowski *Notatki o współczesnej kontrreformacji*, Warszawa 1962, s. 53.

postawy i zachowania rozmaite. Jedni w imię swej wiary płonęli na stosach, drudzy palili innych. Różnie bywało. Wszelako jedną oczywistość powinni sobie ludzie lewicy laickiej dokładnie uświadomić: chociaż wiara nie zawsze prowadzi do dobra, to prześladowanie wiary zawsze wiedzie ku złu. Kiedy przemocą niszczy się religie, wtedy z pewnością użyje się tej przemocy do tępienia wszystkich inaczej myślących. Swoboda wyznawania Boga jest najbardziej widzialnym znakiem rzeczywistego funkcjonowania praw obywatelskich. Zamach władzy państwowej na tę swobodę jest zawsze symptomem totalizacji życia umysłowego. Od tej reguły nie ma wyjątku, albowiem tylko władza totalitarna nie może zaakceptować deklaracji Piotra i apostołów o tym, że „trzeba bardziej słuchać Boga niż ludzi" (Dz. 5, 29). W języku lewicy laickiej oznacza to, że człowiek posiada z tytułu swego człowieczeństwa prawa, których żadnej władzy nie wolno unieważniać. Oto powody, dla których ludziom lewicy laickiej winno zależeć na obronie praw religii.

Ludziom lewicy laickiej - raz jeszcze to powtórzmy - powinno również zależeć na obronie Kościoła. „Antyklerykalizm określony przez dawne związki Kościoła z klasami uprzywilejowanymi w znacznym stopniu utracił rację bytu (...). Kościół - zanotował kilkanaście lat temu Leszek Kołakowski - nie jest wielkim posiadaczem feudalnym, teoretycy katoliccy nie zajmują się uzasadnianiem potrzeby hierarchii klasowej w społeczeństwie"[1]. Powiedzmy więcej: od wielu lat Kościół katolicki w Polsce nie uzasadnia żadnych racji możnych tego świata, stojąc uporczywie po stronie prześladowanych i bitych. Rzeczywistym wrogiem lewicy laickiej nie jest Kościół, lecz totalitaryzm, centralnym zaś problemem jest konflikt pomiędzy totalitarną władzą a całym, wyzutym z praw polskim społeczeństwem. Kościół odgrywa w walce z totalizmem rolę, której doniosłości niepodobna przecenić. Śledząc te wieloletnie zmagania łatwo dostrzec, że - wedle celnego sformułowania polskich biskupów - „gdy dobrze układały się warunki życiowe narodu, wówczas i Kościół cieszył się wolnością; i odwrotnie - gdy Kościół był uciskany, wówczas i naród nie korzystał z takiej sprawiedliwości i wolności, na jaką zasługiwał"[2]. Ilekroć ludzie lewicy laickiej tej zbieżności nie dostrzegali, tylekroć ulegali pożałowania godnemu zaślepieniu.

Można mnie znowu zapytać: czyż nie ma w polskim Kościele tendencji do odzyskania dawnych przywilejów i dążeń do totalnego zwierzchnictwa nad życiem publicznym? Odpowiem na to: jeśli takie tendencje istnieją, co jest zresztą wysoce prawdopodobne, to nie stanowią one żadnego realnego zagrożenia

[1] *ibid.*, s. 53.
[2] *Listy pasterskie Episkopatu...*, s. 709.

dla dążeń lewicy laickiej. W konkretnej polskiej sytuacji nie istnieje żadne niebezpieczeństwo teokracji. Lewica laicka musi obdarzać całą sympatią katolicyzm „otwarty" (choć nie na ugodę...) i tolerancyjny (choć nie wobec totalizmu...). Ale w Polsce nawet wewnątrzkościelny konserwatyzm skazany jest
na konflikt z władzą komunistyczną, a tym samym skazany jest na walkę o poszerzenie sfery swobód demokratycznych. Niebezpieczny dla dążeń lewicy
laickiej jest tylko Kościół, który - w myśl recepty Janusza Zabłockiego - wyrzeknie się oporu i ducha Ewangelii, który będzie prowadził życzliwy dialog
z rządem, który z ambon będzie nauczał, że trzeba słuchać i służyć władzy
nawet komunistycznej, bo wszelka władza od Boga pochodzi. Dopiero wtedy
postawa antyklerykalna (choć nie antyreligijna!) ponownie będzie miała
realne uzasadnienie.

***

Analizując koncepcję polityczną Janusza Zabłockiego, trudno nie odnotować,
że jego rozejście się z zespołem „Więzi" było tej koncepcji logiczną konsekwencją. Pod słowo „dialog" redaktorzy „Więzi" podkładali zgoła inne treści. Dla nich
- inaczej niż dla Zabłockiego - dialog miał być spotkaniem nie doktryn, lecz ludzi. Redaktor naczelny „Więzi" Tadeusz Mazowiecki sformułował ten program
w następujących słowach:

„W dialogu występują trzy komponenty: ludzie, środki wzajemnego komuni-
kowania oraz wartości. Rozmowa może być tylko informacją, dyskusja jedynie
sporem toczącym się między odmiennymi stanowiskami; współpraca praktyczna może z kolei stanowić tylko czynność na wskroś pragmatyczną. W odróżnieniu od tego dialog polega na przekazywaniu sobie wartości. Każda z tych form
kontaktu i kooperacji między ludźmi przekształca się więc w dialog o tyle, o ile
występuje w niej obieg wartości, wzajemne ich świadczenie. Dialog ma zatem
miejsce wtedy, kiedy zakłada - wprost lub pośrednio - gotowość do wniknięcia
w odmienne racje i w odmienną perspektywę myślenia; to znaczy, kiedy zakłada otwartość na tkwiące w odmiennych stanowiskach wartości. (...) Dialog nie
jest kompromisem; nie zmniejsza napięcia sprzeczności, lecz stanowi wysiłek
odkrycia jakby innego wymiaru spraw, w którym można się spotkać. (...) Jest metodą współżycia torującą sobie drogę w społeczeństwach światopoglądowo zróż-
nicowanych. Stanowi metodę takiego współżycia, w którym przezwycięża się
sfery izolacji i zakłada nieustanne wzajemne oddziaływanie"[1].

---

[1] *Rozdroża i wartości*, s. 82-83 i 96.

Sformułowana przez Mazowieckiego koncepcja dialogu jest koncepcją trudną i często niewdzięczną. Rzetelność nakazuje przyznać, że zespół "Więzi" dochował wierności tej formule przez blisko 20 lat istnienia pisma. Mazowiecki i niektórzy inni redaktorzy „Więzi" (np. Juliusz Eska, Wojciech Wieczorek, Stefan Bakinowski i in.) rozpoczynali swe biografie polityczne w szeregach PAX-u. Oznacza to, że zaakceptowali hasła socjalistyczne z pobudek ideowych, a nie np. geopolitycznych (jak zespół „Tygodnika Powszechnego").

„Nasze podejście do socjalizmu - pisał Mazowiecki - brało za punkt pierwotny motyw moralny, tradycję buntu społecznego tkwiącą w nim, czy mówiąc inaczej kwestię socjalną przetworzoną w ideę przebudowy społeczeństwa. Przyjmowało ono też, że drogi socjalizmu mogą się tak rozwijać, by otwierał się on na wartości osobowe. Ten właśnie punkt widzenia stanowił dla nas zarówno przesłankę zaangażowania, jak i miernik oceny zachodzących zjawisk"[1].

Te motywacje sprowadziły przyszłych redaktorów „Więzi" do PAX-u i te same motywacje podyktowały im opuszczenie tej organizacji. W 1956 roku, w trakcie odwilży, Tadeusz Mazowiecki i inni „frondyści" z PAX-u publicznie zaatakowali prostalinowską orientację PAX-owskiej polityki i zadeklarowali solidarność z „demokratyzacyjnymi" siłami w łonie partii. Dla anty-PAX-owskich deklaracji udzielił katolickim publicystom swych łamów tygodnik laickiej i lewicowej inteligencji „Po prostu". Ważny to precedens. Niezależnie od tego bowiem, jak potoczyły się później losy redaktorów „Po prostu" - a większość z nich sparszywiała, niestety - historia tego tygodnika jest do dzisiaj legendą opozycyjnej laickiej inteligencji. Gościna Mazowieckiego i innych na szpaltach „Po prostu" była widomym znakiem istnienia rzeczywistej wspólnoty między ludźmi wyznającymi podobne, choć różnie motywowane wartości polityczne.

Przypomnieć należy w tym miejscu, że również inne pisma laickiej inteligencji otworzyły na jesieni 1956 roku swe łamy dla katolickich publicystów. W „Nowej Kulturze" publikowane były artykuły Jacka Woźniakowskiego i Stefana Kisielewskiego, „Przegląd Kulturalny" opublikował artykuł Stanisława Stommy.

Sytuacja „Więzi" była od samego początku trudna i skomplikowana. Atak na tradycyjnie pojmowane utożsamienie „Polak-katolik" - przypomnieć tu wypada doskonały artykuł Juliusza Eski[2] - czynił pismo podejrzane w wielu środowiskach katolickich. Śmiały program reformy wewnątrzkościelnej

---

[1] *ibid.*, s. 195.
[2] Juliusz Eska *Kościół otwarty*, Kraków 1963, s. 152-160.

- antycypujący często idee Vaticanum II - narażał na przejściowe konflikty z hierarchią kościelną. Nie ułatwiało to sytuacji miesięcznikowi katolickiemu. Nie ułatwiała jej również ewolucja sytuacji politycznej w kraju. Ludzie „Więzi" udzielili - wraz z całym polskim społeczeństwem - poparcia „październikowemu" kierownictwu partii, z Władysławem Gomułką na czele. Lewicowi intelektualiści katoliccy widzieli w Gomułce przywódcę socjalistycznej odnowy i rzecznika konsekwentnej demokratyzacji systemu. Idea dialogu - taki był jej wymiar polityczny - miała służyć „wartościotwórczej" komunikacji z odnowicielskimi siłami w partii. Pismo stało się fragmentem tzw. ruchu „Znakowego". Mazowiecki był od roku 1961 posłem na Sejm i członkiem Koła „Znak". I w Sejmie, i na łamach pisma próbowano konsekwetnie wcielać w życie dialog z oświeconymi siłami w partii. Wkrótce jednak trzeba było na nowo zdefiniować, o jakie siły i jakich ludzi tu chodzi. Wraz z narastaniem konfliktu pomiędzy Gomułką a środowiskami „rewizjonistycznymi" dylemat ten stawał się coraz bardziej wyrazisty. Stosunek „Więzi" do polityki gomułkowskiego kierownictwa zmieniał się wraz z ewolucją kierunku tej polityki. Stawał się coraz bardziej krytyczny, wraz z narastaniem konfliktu z Kościołem z jednej, a z inteligencją twórczą z drugiej strony. Wprawdzie środowisko „Znaku" - poza Stefanem Kisielewskim - nie ujawniało swego krytycyzmu wobec polityki władz tak demonstracyjnie jak ludzie lewicy laickiej (Dąbrowska, Słonimski, Kołakowski, Brus etc.), ale nigdy też nie wykonało jednego gestu przeciw opozycyjnym akcjom i wystąpieniom laickich intelektualistów.

W chwili przełomowej zaś, w marcu 1968 roku, całe środowisko „Znaku" zademonstrowało solidarność godną podziwu i szacunku. Na łamach „Więzi" pojawiły się artykuły ludzi publicznie „wyklętych", m.in. Krzysztofa Pomiana i Wiktora Woroszylskiego. Dialog i wspólnota z Gomułką i jego zwolennikami przeobraziły się w dialog i wspólnotę z ich bitymi przeciwnikami. Wszelako ogólna formuła dialogu nie uległa zmianie. Nadal był to dialog żywych ludzi z innymi żywymi ludźmi, a nie reprezentantów jednej doktryny filozoficzno-politycznej z przedstawicielami drugiej. Jednakże ogólna formuła nabrała nowego politycznego sensu. W trakcie dyskusji nad książką Mazowieckiego *Rozdroża i wartości* jeden z redaktorów „Więzi", Zdzisław Szpakowski, zauważył, że „podział społeczeństwa polskiego na katolików i marksistów z punktu widzenia polityczno-społecznego (...) jest podziałem pozornym i dawno zanikłym. (...) Widzę inny podział w tym społeczeństwie, podział, który przebiega w poprzek formacji uważających się za marksistowskie lub katolickie. (...) Pojmując dialog jako szukanie i realizację pewnych wartości społecznych czy wspólnotę tych wartości, będziemy widzieć to różnie, ale nie w podziale katolicy-marksiści, lecz raczej w podziale prawica-lewica"[1].

Przykładem tych podziałów jest dla Zdzisława Szpakowskiego spór wokół problematyki egalitaryzmu, który przebiegał właśnie „w poprzek" obozu katolickiego i marksistowskiego.

Podzielając zasadniczą intencję wywodu redaktora „Więzi", sformułować należy parę zastrzeżeń. Po pierwsze: określenie „obóz marksistowski" w obecnej polskiej sytuacji nic już nie znaczy. Jedyna sensowna definicja tego pojęcia byłaby tautologią: „marksistą jest ten, kto się za marksistę uważa". Otóż coraz więcej ludzi nie będzie chciało się do tego miana przyznać, bowiem niewiele słów zostało równie skutecznie skompromitowanych przez oficjalną propagandę. Wiadomo również, że katolicyzm będący religią dotyczy innej sfery osobowości ludzkiej i nie musi kłócić się ze stosowaniem metody marksistowskiej w naukowej analizie zjawisk historycznych. Dla piszącego te słowa jest zresztą sprawą dyskusyjną, czy na terenie współczesnej nauki historycznej można taką metodę precyzyjnie wyodrębnić. Istnieje więc niebezpieczeństwo, że pojęcie „marksizm" stanie się workiem nazbyt już pojemnym, jeśli pomieści jednocześnie Kazimierza Kąkola i Leszka Kołakowskiego, Seweryna Żurawickiego i Włodzimierza Brusa, Wojciecha Pomykałę i Karola Modzelewskiego, Andrzeja Werblana i Jana Strzeleckiego.

Znacznie bardziej sensowne jest stosowanie zróżnicowania na prawicę i lewicę, jakkolwiek i ten podział należy stosować bardzo precyzyjnie i ostrożnie. Łatwo bowiem o absurd. Ilustruje to znakomicie podany przez Szpakowskiego przykład sporu o egalitaryzm. Spór ten toczył się w dwóch płaszczyznach, które były nieustannie mieszane. Po pierwsze tyczył samej idei egalitaryzmu. Po wtóre: tyczył określonej polityki - zwanej egalitarną - stosowanej przez totalitarną władzę. Nie będę w tym miejscu rozwijał swego poglądu na te złożone i powikłane sprawy, ale odnotuję, że w totalitarnym państwie hasła egalitarne mogą pełnić funkcje niszczycielskie i demagogiczne. Nieprzypadkowo pod tymi hasłami skupili się ludzie atakujący względny liberalizm przedmarcowej władzy, ludzie atakujący idee reform gospodarczych (np. Wiesław Myslek, Jan Danecki i inni). Jeśli można mówić o „lewicowości" tych ludzi, to tylko w tych kategoriach, co o „lewicowej" frakcji w NSDAP (Röhm i inni). Ci wszyscy zaś, którzy dostrzegają w tej formacji realnego sojusznika postępowych dążeń, są - zacytujmy tu celny aforyzm Włodzimierza Lenina - „na lewo od zdrowego rozsądku". Albowiem central-

---

[1] „Więź" nr 1/1972.

nym elementem myśli lewicowej w totalitarnym państwie musi być antytotalitaryzm. W tym oto sensie nieaktualne są stare podziały uformowane w warunkach demokracji mieszczańskiej. W odmiennej po 1945 roku sytuacji politycznej walka o idee lewicowe jest przede wszystkim walką o wolność i prawa człowieka. Bez tego wszystkiego projekty społecznych reform są pięknoduchowską utopią lub maską totalitarnej przemocy. Przy wszystkich tych zastrzeżeniach intencje Szpakowskiego są tyleż zrozumiałe, co sympatyczne. Są one zbieżne w swej istocie z cytowanymi wyżej wypowiedziami PAX--owskich publicystów, którzy podkreślali, że nie ze wszystkimi marksistami szczególnie chcą prowadzić dialog. Otóż redaktora „Więzi" również nie interesuje dialog ze wszystkimi marksistami, a już z pewnością nie interesuje go dialog z marksistami z „Wychowania". Za to PAX-owców nie pociąga dialog z nikim poza redaktorami „Wychowania". Może dlatego, że nikt inny i tak by nie chciał rozmawiać z PAX-em.

***

Przy wszystkich błądzeniach i zaślepieniach w tym właśnie przedmiocie należy oddać ludziom lewicy laickiej sprawiedliwość: nigdy nie mieli złudzeń co do rzeczywistego sensu PAX-owskiej ideologii i praktyki. Na jesieni 1956 roku Jan Kott napisał, że o ile dla Turowicza i zespołu „Tygodnika Powszechnego" redaktorzy „Kuźnicy" zawsze odczuwali - niezależnie od fundamentalnych różnic - szacunek, o tyle dla Bolesława Piaseckiego i PAX-u mieli jedynie uczucie pogardy. Myślę, że Kott napisał prawdę. Wszystkim ludziom lewicy laickiej, w równej mierze „pryszczatym", co „Kuźnicy" czy antykomunistycznej opozycji (np. Marii i Stanisławowi Ossowskim), PAX musiał się kojarzyć z tym, co najbardziej mroczne w polskiej tradycji. Szacunek Kotta i jego redakcyjnych kolegów dla zespołu „Tygodnika Powszechnego" nie oznaczał jednak gotowości do dialogu z chrześcijaństwem. Ani Kotta, ani innych ludzi lewicy laickiej.

Oficjalna publicystyka komunistyczna popularyzowała tezę wprost przeciwną. Częstokroć podkreślano w oficjalnych czy półoficjalnych publikacjach, że partie rewolucyjne przedkładały jedność w walce z uciskiem społecznym nad antyreligijny pryncypializm. Jest to oczywiście prawda, wszelako studiując opinie Marksa i Engelsa - nie mówiąc już o Leninie - na temat religii, niepodobna znaleźć w nich nic, co by miało cokolwiek wspólnego z duchem dialogu. To prawda: radykalny ateizm lewicy bywał miarkowany wymogami taktyki politycznej. Ostentacyjną wrogość i brutalne ataki na Kościół zastępowano czasem - ponieważ wydawały się nietaktyczne - eufemizmami i krótkotrwałym kompromisem politycznym. Niezmiennie jednak ludzie lewicy laickiej uważali Kościół za rezerwuar sił Ciemnogrodu i wstecznictwa, religię za przesąd, a wszystkich jej wyznawców za nie do końca wyleczonych z przesądu. Religia była traktowana jako kłopotliwy spadek po feudalizmie i kapitalizmie, jako zjawisko zdecydowanie schyłkowe. W wizji przyszłego społeczeństwa nie było miejsca dla takich reliktów przeszłości. Takie stanowisko uniemożliwiało oczywiście autentyczny dialog. Każdy kontakt był formą politycznej i światopoglądowej indoktrynacji. Komuniści u władzy zdolni byli do taktycznego sojuszu (np. w 1956 roku w Polsce), nigdy jednak - starałem się to wyżej wykazać - nie był to rzeczywisty, uczciwy i partnerski dialog. Innych ludzi lewicy sprawy te nie bardzo interesowały. Jedynymi partnerami w dialogu z „Więzią" byli redaktorzy tygodnika „Argumenty", zawodowi ateiści i profesjonalni religioznawcy. Dlatego też lektura wczesnych (lata 1958-1968) dyskusji między chrześcijanami a marksistami jest lekturą smutną. Uczciwym i rzetelnym wypowiedziom „więziowców" odpowiadali ludzie, którzy deklarując swój głęboko humanistyczny światopogląd, swoją łączność z ideałami wolności, braterstwa i tolerancji, zdawali się całkiem nie przyjmować do wiadomości, że żyją w kraju totalitarnym, że Kościół jest prześladowany, że partia opiera swą władzę jedynie na przemocy, niekoniecznie polskiej... Oczywiście nie mam tu na myśli ludzi w rodzaju Jana Strzeleckiego czy Leszka Kołakowskiego. O Strzeleckim pisałem wyżej - to był chwalebny wyjątek, biały kruk, rzadki okaz głębi intelektualnej i moralnej. Dotyczą te określenia stosunku autora Kontynuacji do religii, a nie do polityki. Koncepcje i postawy polityczne Strzeleckiego na przestrzeni ostatnich 20 lat okazały się drogą donikąd i moralnym ślepym zaułkiem.

Kołakowskiego droga była zupełnie inna. Zaczynał - w okresie stalinowskim - jako skrajny ateista i „osobisty wróg Pana Boga". Podejmowana przezeń krytyka religii i Kościoła była krytyką totalną. Odrzucając konsekwentnie stalinizm, nie zrewidował zrazu swych skrajnie antyreligijnych przekonań. Jeszcze w 1956 roku, w okresie odwilży i Października, głosił poglądy, które poprzednio nazwaliśmy antyreligijnym obskurantyzmem. Kołakowski - jak się zdaje - niemal jednakie kryteria przykładał do wiary w Boga i wiary w stalinowskie fetysze. Krytyka jednego zjawiska była zarazem krytyką drugiego. W znakomitym i niezwykle ważnym eseju o Kapłanie i błaźnie (1958 rok) wystąpił Kołakowski jako zwolennik cnót „błazeńskich": permanentnego krytycyzmu i nieufnego relatywizmu wobec wszelkich kapłańskich ideologii, wobec wszelkich, łącznie z chrześcijaństwem, skodyfikowanych wizji ludzkiego świata. Był zatem również wrogiem tępego i fanatycznego ateizmu, czemu dał wyraz w ciekawym artykule *Małe tezy de sacro et profano* (1959 rok). Pisał: „Z punktu widzenia świeckiego humanizmu socjalistycznego w Polsce wzrost indyferentyzmu religijnego jest, oczywiście, pożądany (...). Z tego samego punktu widzenia pożądane są jednak również postępy, jakie katolicyzm otwarty czyni kosztem katolicyzmu fanatycznego i konserwatywnego, pomimo że działalność jego nie zmierza w kierunku indyferentyzacji religijnej, ale religijności pogłębionej i zmodernizowanej"[1].

W dalszej części wywodu wyszydza Kołakowski infantylny ateizm „demaskatorski", którego „odbiór kończy się na przekonanych ateistach". Kolejnym etapem ewolucji autora *Kultury i fetyszy* był piękny esej *Jezus Chrystus - prorok i reformator* (1965 rok). Ponowił tam swoje ataki na fanatyczny katolicyzm i prostacki ateizm, powtórzył nadzieje wiązane z otwartym katolicyzmem, ale zarazem - co najważniejsze - złożył wielki hołd naukom moralnym Jezusa Chrystusa i fundamentalnym wartościom chrześcijaństwa. Zasadniczy ton tego eseju odnaleźć można także w *Obecności mitu*[2], a w późniejszej publicystyce, pisanej już po 1968 roku w Anglii i Stanach Zjednoczonych, Kołakowski uznał religię za jeden z niewielu gwarantów trwałości kultury i norm międzyludzkich.

Tego po dziennikarsku powierzchownego streszczenia ewolucji stosunku Kołakowskiego do religii nie weźmie mi za złe - mam nadzieję - nikt z duchowych uczniów Kołakowskiego. Wszyscy ludzie z mego pokolenia są w jakiejś mierze jego uczniami. Zbuntowanymi, niewiernymi, krytykującymi - ale zawsze przezeń uwarunkowanymi. Leszek Kołakowski był dla mojego pokolenia - wyłączam oczywiście katolików - wzorem odwagi obywatelskiej, czystości moralnej i intelektualnej rzetelności. Nasze myślenie o religii chrześcijańskiej i Kościele było często uwarunkowane jego publicystyką i postawą. Nie jest to, rzecz prosta, usprawiedliwienie własnych uchybień, tylko wytłumaczenie korzeni pewnej drogi ideowej; krętej, powikłanej, ale chyba jakoś uczciwej drogi do dialogu z chrześcijaństwem.

***

Ten dialog - podkreślmy to wyraźnie - jest zupełnie czymś innym od rozmów redakcji „Argumentów" z redakcją „Więzi". W warstwie intelektualnej

---

[1] Cyt za: *Notatki...*, s. 57.
[2] Biblioteka „Kultury", Paryż 1972.

chodzi tu raczej o ten typ dialogu z chrześcijaństwem, który zaprezentował w cytowanym artykule o Chrystusie Leszek Kołakowski.

Jest to zatem formuła również całkowicie odmienna od zasady spotkań zachodnioeuropejskich chrześcijan z przedstawicielami włoskiej czy francuskiej partii komunistycznej. Naszej drogi do dialogu nie inspirowali ludzie, którzy wspólnie wyrzekali na okropności systemu kapitalistycznego i mieszczańskiego parlamentaryzmu, dla których kryterium postępu był pozytywny stosunek do ZSRR i innych krajów tzw. demokracji ludowej. Odczytanie niniejszych rozważań jako swoistej polskiej odmiany czy szczególnego wariantu konceptów w rodzaju Paulus-Gesellschaft byłoby całkowitym nieporozumieniem. Uczestniczący w tych spotkaniach katoliccy zwolennicy postępu i socjalizmu nie tłumaczą, niestety, co to znaczy być postępowym katolikiem, gdy jest się Polakiem, Rosjaninem czy - nie daj Boże - Litwinem. Dopóki na to pytanie nie uzyskam klarownej odpowiedzi, zmuszony będę uważać przydatność przemyśleń obcych „postępowych" katolików (nie mam tu na myśli np. grupy „Esprit") za nader ograniczoną dla Europy Wschodniej. Co prawda wysoko cenię niektórych z chrześcijańskich uczestników tamtych spotkań, np. Johanna Baptista Metza czy Jürgena Moltmanna, ale nie mogę, niestety, powiedzieć tego samego o ich komunistycznych interlokutorach. Nie mogę wierzyć ludziom, którzy wyzysk, ucisk i krzywdę widzą tylko pod ściśle określonymi szerokościami geograficznymi, którzy długo rozprawiają o historycznych nadużyciach chrześcijaństwa i Kościoła katolickiego, a dyskretnym milczeniem bądź eufemizmami zbywają praktykę polityczną komunistów w ZSRR. Dopóki nie zaczną jawnie i jednoznacznie zwalczać sowieckiego totalitaryzmu, dopóty będę ich podejrzewał o wyznawanie tej oto maksymy Montalemberta: „Kiedy jestem słabszy, domagam się od was wolności, bo to wasza zasada, ale kiedy jestem mocniejszy, odbieram wam wolność, bo to moja zasada"[1]. Przyznać jednak wypada, iż ewolucja niektórych partii komunistycznych - zwłaszcza włoskiej i hiszpańskiej - zdaje się wieść ku polityce autentycznie antytotalitarnej.

Jako socjalista jestem przeciwnikiem kapitalizmu. Ale jako socjalista uważam za największy koszmar naszych czasów, za największego wroga postępu, demokracji i socjalizmu nie system kapitalistyczny bynajmniej, lecz reżimy totalitarne. Wszystkie: kapitalistyczne i komunistyczne, Chile i ZSRR, Chiny i wszystkie kraje, gdzie deptane są elementarne ludzkie prawa, gdzie w imię wyższych ideałów - religijnych lub świeckich - ludzie są krzywdzeni i poniżani.

---

[1] Cyt za: Jacek Woźniakowski Laik w Rzymie i w Bombaju, Kraków 1965, s. 90.

Kiedy mówię „dialog z chrześcijaństwem", to nie mam na myśli intelektualnej szermierki czy taktycznej rozgrywki o władzę - chodzi mi o elementarz ludzkich wartości. Bowiem genezą polskiego dialogu ludzi lewicy laickiej z chrześcijaństwem jest spotkanie w antytotalitarnym oporze. Spotkanie to ma trzy wymiary. A więc: spotkanie z Bogiem, spotkanie z Kościołem-instytucją, spotkanie z chrześcijańskim systemem wartości. Z katolickiej perspektywy niewątpliwie najistotniejsze jest - prowadzące nierzadko do otwartej konwersji - spotkanie wielu wczorajszych ateistów z Bogiem. Trudne to sprawy, osobiste, intymne. Nie czuję się na siłach o tym pisać. Nie potrafię tych zjawisk zinterpretować. Wszelako całkowite pominięcie tego wymiaru byłoby zubożeniem i zafałszowaniem problematyki, o której mowa.

Najogólniej mówiąc: w ostatnich latach dostrzegalny jest wzrost zainteresowań religijnych i zwrot ku religii wielu ludzi do niedawna całkowicie niewierzących. Zjawisko, o którym piszę, nie jest rodzajem taktyki czy też próbą podporządkowania religii i Kościoła dla określonych politycznie poczynań. O takiej tendencji napiszę niżej. W tym momencie charakteryzuję ludzi szukających w transcendencji wewnętrznego ładu moralnego, ludzi, którym spotkanie z Bogiem wyznaczyło na nowo sens życia.

Moich laickich przyjaciół bardzo proszę w tym miejscu o dobrą wolę. Wiem, że dotykam spraw, które są dla człowieka niewierzącego niemal niemożliwe do wyobrażenia czy ogarnięcia. „Gdyby jakaś wyspa - pisała na ten temat Simone Weil - zupełnie odcięta od reszty świata była zamieszkana tylko przez ślepców, światło byłoby dla nich tym, czym dla nas jest pierwiastek nadprzyrodzony. Jest się skłonnym przypuścić, że światło byłoby dla nich niczym, że tworząc na ich użytek fizykę, w której nie byłoby miejsca na teorię światła, dostarczono by im całkowitego wytłumaczenia ich świata. Bo światło nie uderza, nie popycha, nie waży, nie jest do zjedzenia. Dla nich jest po prostu nieobecne. A jednak nie da się go wyłączyć z rachunku. Tylko dzięki niemu drzewa i rośliny wzbijają się ku niebu mimo ciążenia. Tylko dzięki niemu dojrzewają ziarna, owoce i wszystko, co się je". „To, co wymyka się zdolnościom ludzkim - konstatowała autorka Zakorzenienia - nie może być z założenia ani sprawdzone, ani obalone"[1].

Podobne odczucia zanotowała znana poetka Anna Kamieńska. Kilka lat temu, w sierpniu 1970 roku, zapisała w swoim notatniku:

„Rodzaj gorączki umysłowej, jakiej doświadcza się chyba tylko w młodości,

---

[1] Simone Weil *Wybór*, s. 330-331.

kiedy nagle odkrywa się wielką literaturę i filozofię. Przypomina to przebudzenie. Bardzo bym się zdziwiła, gdyby ktoś powiedział mi jeszcze niedawno, że mogę przeżyć to na powrót. Sądziłam, że przełomy myślowe to przywilej tylko bohaterów literackich. Świat zalśnił jak po potopie. To wezwanie brzmiało mniej więcej tak: Nie możemy być miarą rzeczy. Rozum nas ogranicza. Nie możemy się odciąć od rozumu, ale musimy go przekroczyć w tym miejscu, gdzie przestaje on służyć poznaniu, a staje się przeszkodą poznania. Zresztą ta myśl mogła brzmieć inaczej. Nie ona była ważna, ale sam charakter tej myśli domagającej się czegoś ode mnie. Czy możliwe, by jedna myśl, która uderzyła mnie w czasie bezsennej nocy, mogła przeobrazić wszystko i we mnie, i naokoło? Musiała więc już dawno we mnie tkwić w formie możliwości lub nawet niemożliwości!

Może te długie lata zamknięcia się na sprawy metafizyczne były potrzebne, abym mogła przeżyć jeszcze to olśnienie, to wielkie obudzenie i otwarcie się uczucia i umysłu? Schyliłam się, aby zaczerpnąć coś ze swej odrzuconej dziecięcej wiary. Więc ona istniała we mnie gdzieś głęboko, skoro natychmiast odnalazłam w sobie jej źródło. (...)

Interesuje mnie moment przełomu. Jak w ogóle możliwe są radykalne duchowe przemiany? Dlaczego są tak nagłe i gwałtowne? Mamy wiele relacji tzw. nawróceń. Lecz w gruncie rzeczy są one nieprzekazywalne. Dla kogoś z zewnątrz nie są one nigdy dostatecznie umotywowane i przygotowane. Jest w nich czegoś za dużo i czegoś za mało. Wydaje się, że skutek nie odpowiada sile przyczyny. *Gustavus obiit. Conradus natus est.* Analiza psychologiczna wyróżniłaby zapewne wiele czynników racjonalnych i emocjonalnych przyczyniających się do powstania takiej wewnętrznej śmierci i wewnętrznych narodzin. Obawiam się jednak, że zawsze zasadniczy element nie zostanie ujawniony, będzie jednak zawieszony w próżni i niewytłumaczalny"[1].

Anna Kamieńska mówi o sprawach niezrozumiałych, o doznaniach niepojętych dla ludzi niewierzących. „Na pewno - zapisała w swym notatniku - niewiara jest łatwiejsza do uzasadnienia niż wiara". Powinniśmy wierzyć w prawdę tego świadectwa. Powinniśmy - w imię dobrze pojętego dialogu - wykazać maksimum dobrej woli i wysiłku, by pojąć tyle, ile potrafimy, temu zaś, czego pojąć nie jesteśmy władni - np. konwersji - winniśmy oddać szacunek przynależny każdemu autentycznemu poszukiwaniu prawdy. Rozumiem przez to coś więcej niż po prostu tolerancję dla cudzej odmienności. Wyobrażam to sobie raczej jako uznanie za rzeczywistą pewnej sfery

---

[1] Anna Kamieńska *Notatnik*, „W drodze" nr 9/1975.

odczuć i motywacji, dla mnie osobiście niepojętej, ale wartościotwórczej i wzbogacającej życie innych ludzi.

Wymaga to głębokiej autorewizji intelektualnej. Przywykliśmy bowiem sądzić, że wiara w Boga automatycznie niejako zubaża osobowość, że jest ograniczeniem autentycznego człowieczeństwa i jego poniżeniem. Tymczasem z potocznego doświadczenia wiadomo, jak często wiara wzbogaca, sprzyja postawom heroicznym, „przenosi góry".

Przywykliśmy również sądzić - za klasykami myśli racjonalistycznej i rewolucyjnej, za Wolterem, Feuerbachem i Marksem - że religia jest zawsze jakąś formą protezy psychologicznej, wyrazem słabości duchowej i niewiary w człowieka, rodzajem ucieczki od odpowiedzialności za świat. Niejeden chrześcijański rozmówca dopomógł nam wydatnie w utrwaleniu takiego właśnie poglądu na religię. Jednakże pobieżna nawet lektura pism teologów chrześcijańskich (choćby Bonhoeffera) ujawnia, jak bardzo płytki i fałszywy jest taki obraz.

„Sobór Watykański II - pisze ks. Roman Rogowski - podkreśla bardzo mocno, że »w genezie ateizmu niemały udział mogą mieć wierzący« (KDK 19), chociażby przez ukazywanie fałszywego obrazu Boga. Katolik jest zatem obowiązany ciągle i bez przerwy rewidować pojęcie, jakie wytworzył sobie o Bogu, oraz oczyszczać obraz Boga z wszelkich przesadnych antropomorfizmów i geomorfizmów. Jest to zadanie na całe życie i dla każdego wierzącego, gdyż - jak mawiał Eckhart - »tylko dłoń, która zmazuje, jest w stanie napisać rzecz prawdziwą«.

Istnieje konieczność permanentnego uświadamiania sobie i innym, że (...) Bóg nie tyle »robi« rzeczy, ile »sprawia«, że się robią, i że wiara nie jest asekuracją, ale wezwaniem. Bóg to nie ktoś, kto jest swoistym panaceum na wszelkiego rodzaju niedostatki doczesnej egzystencji ludzkiej i kto rozwiązuje wszystkie problemy, ale przede wszystkim ktoś, kto będąc Miłością i Prawdą, wzywa człowieka do Wielkiej Przygody i stawia przed nim zadania, domagając się odpowiedzialności. »Religia, która nie jest niepokojem i dążeniem, szukaniem i pragnieniem ideału, doskonałości, absolutu, która nie jest w pewnym stopniu tragiczna, nie jest religią« - pisze Mohamed Talbi, a Charles Péguy dodaje pod adresem wierzących: Ponieważ brak im odwagi podjęcia doczesności, sądzą, że podejmują sprawy Boże. Ponieważ nie mają odwagi być częścią ludzkości, myślą, że są cząstką Boga. Ponieważ nie kochają nikogo, łudzą się, że kochają Boga«. Ogólnie można więc powiedzieć, że fenomen współczesnej niewiary (...) jest wezwaniem ludzi wierzących, zwłaszcza chrześcijan, do rachunku sumienia"[1].

---

[1] *Wiara i niewiara*, „Więź" nr 11/1975.

Odpowiedzieć na to wypada, że wiara współczesnych chrześcijan i jej konsekwencje to wezwanie ludzi niewierzących, zwłaszcza ludzi lewicy laickiej, do rachunku sumienia. Próbą takiego rachunku są niniejsze rozważania. Chrześcijańska zasada zwyciężania poprzez miłość jest dla ludzi lewicy aickiej wezwaniem i wyzwaniem, jest najistotniejszą kontrolą ich rzeczywistych planów i zamierzeń. Obecność tej zasady w życiu społecznym wskazuje namacalnie, jak bardzo jałowe byłoby nasze bytowanie zubożone o wymiar nadprzyrodzony, o ileż mniej byłoby w takim życiu dobra i szlachetności. Unieważnienie tej zasady i zrodzonych z niej postaw oznacza afirmację prawa pięści.

Patrząc z zewnątrz, mam wrażenie, że postawa autentycznie chrześcijańska nie jest postawą łatwą.

„Chrystianizm - pisał Bruckberger - nie jest harmonijnym i kompletnym rynsztunkiem złożonym z gotowych odpowiedzi, jest ciągłym niepokojem wywołanym przez pytania tkwiące głęboko w naturze człowieka. To prawda, że krzyż każdego z nas przybiera formę pytania. Nie żąda się może od nas znalezienia odpowiedzi, lecz wymaga się, byśmy z honorem znosili to pytanie aż do ostatniego naszego tchu. Odpowiedź bowiem znajduje się poza tym światem"[1].

Opisany przez Bruckbergera dramat ludzki jest identyczny z dramatem bohaterów Camusa i Malraux, a opis Bruckbergera ujawnia, że budowana przez myśl laicką alternatywa „Bóg albo człowiek" jest alternatywą fałszywą. Dla chrześcijan jest oczywiste, że miłość do Boga realizować się musi w świecie ludzkim i w stosunkach międzyludzkich. „Jeśliby kto mówił:»Miłuję Boga«- czytamy w 1. Liście św. Jana - a brata swego nienawidził, jest kłamcą, albowiem kto nie miłuje brata swego, którego widzi, nie może miłować Boga, którego nie widzi. Takie zaś mamy od Niego przykazanie, aby ten, kto miłuje Boga, miłował też i brata swego" (1J. 4, 20-21). W innym zaś miejscu tego listu możemy przeczytać: „Jeżeli wiecie, że jest sprawiedliwy, to uznajcie również, że każdy, kto postępuje sprawiedliwie, pochodzi od Niego" (1J. 2, 29). Cytowane teksty można zrozumieć w taki oto sposób, że warunkiem koniecznym wiary w Boga jest wierność ewangelicznym zasadom, że nie ma innej drogi do Boga jak poprzez drugiego człowieka oraz że dla chrześcijanina każdy postępujący sprawiedliwie żyje w zgodzie z Bogiem. Gdzie tu miejsce na alternatywę „Bóg czy człowiek"?

Nie ma na nią miejsca również w myśleniu laickim, oczywiście pod warunkiem całkowitej wolności aktu wiary. Dla człowieka niewierzącego w Boga

[1] *Dzieje Jezusa Chrystusa*, s. 353.

dylemat taki może być jedynie wytworem przewrotnej spekulacji, to znaczy tylko drogą przewrotnej spekulacji może niewierzący odkryć w Bogu chrześcijan zagrożenie swojej wolności i godności człowieczej. Tę spekulację rodzi bezradność wobec Tajemnicy wiary. Człowiek niewierzący nie potrafi podłożyć pod to pojęcie żadnej konkretnej treści ani doświadczenia wewnętrznego i stąd pokusa, by zredukować tę problematykę do spraw sobie wiadomych. Jest to jednak niemożliwe. I jakkolwiek byłoby to trudne i skomplikowane, powinniśmy, miast przybierać postawę wyższości, uznać jakieś własne ograniczenie w tej materii. Z kolei możemy od chrześcijan oczekiwać uznania, że nasza perspektywa niewiary także wzbogaca ludzi o jakiś wymiar życiowego doświadczenia. Ten wymiar nowej sytuacji jest dla chrześcijan najważniejszy, dla laików - najtrudniejszy. Łatwiej uznać obecność widzialnego Kościoła niż sfery zjawisk niewidzialnych i niepojętych. Wszelako bez uznania tego drugiego rzeczywisty pluralizm jest niemożliwy. Inaczej chrześcijanin będzie w niewierzącym widział kalekę lub cynicznego łajdaka, niewierzący zaś w chrześcijaninie szarlatana lub ubogiego umysłem prostaczka. Getta wyznaniowe i światopoglądowe będą nadal istnieć. Zubożymy nasze życie duchowe o to wszystko, co może być owocem ideowej konfrontacji ludzi różnie myślących, ludzi podążających różnymi drogami ku podobnym celom: ku humanizmowi i prawdzie.

*＊＊

Drugi wymiar nowej sytuacji, historyczne perypetie spotkania lewicy laickiej z Kościołem-instytucją, były tematem obszernych wywodów we wcześniejszej części tych uwag. Rozważając, czego ludzie lewicy laickiej oczekują - czy też czego powinni oczekiwać - od Kościoła katolickiego, trzeba najpierw określić, czego oczekiwać nie powinni.

Reorientacji wobec Kościoła i odrzucenia politycznego ateizmu nie należy mylić z postawą totalnej apostazji. Człowiek lewicy laickiej nie jest renegatem, który odrzucił cały zespół wartości wczoraj wyznawanych. Renegat taki - a nie brakuje ich w środowiskach inteligenckich - przerzuca się z jednej skrajności w drugą, rzuca klątwę na wszystko, co lewicowe, i afirmuje klasyczne schematy myślenia konserwatywnego. Wczorajszy członek PZPR, dziś głosiciel pochwały średniowiecza, w nienawiści do komunizmu posuwa się do akceptacji systemu pańszczyźnianego, zastępuje - jak to celnie napisano - „głupstwo wczorajsze głupstwem przedwczorajszym". Jest bardziej papieski od papieża i bardziej katolicki od Prymasa Polski. Wszelako zarazem jawnie demonstruje swą niechęć do publicznych wystąpień w obronie praw obywatelskich i starannie takich wystąpień unika.

Nie kwestionuję osobistej uczciwości niektórych przedstawicieli tej tendencji, ale sam prezentuję zupełnie inną. W ostentacyjnym antykomunizmie i filokatolicyzmie wczorajszych członków PZPR skłonny jestem dopatrywać się rozlicznych niebezpieczeństw. Myślę, że ich antykomunizm nie jest synonimem postawy antytotalitarnej: jest raczej maską dla postaw wrogich demokratycznym zasadom życia zbiorowego i równości obywateli w imię konserwatywnego paternalizmu w życiu publicznym. Taka konstrukcja myślowa znakomicie ułatwia zespolenie codziennego konformizmu z patriotyczną frazeologią. W tym ujęciu Kościół katolicki ma być jedyną opoką chroniącą naród przed sowietyzacją, naród zaś winien swój opór zredukować do udziału w praktykach religijnych. Sądzę, że jest to dość niebezpieczne zredukowanie religii do jej funkcji pozareligijnych i dość niebezpieczne zwalnianie samych siebie z odpowiedzialności za los własnego narodu. Bowiem nie jest prawdą, że misja Kościoła może zastąpić aktywność polityczną i obywatelską społeczeństwa, natomiast jest prawdą, że dążenie do tego wskazuje na całkowicie utylitarny stosunek do religii i Kościoła.

Wspomnieć należy w tym momencie Charlesa Maurrasa, twórcę „Action Française", francuskiego konserwatystę i nacjonalistę. Maurras był niewierzący. Chrześcijaństwo nazywał „dziełem czterech ciemnych Żydów" (tzn. ewangelistów) i uważał za doktrynę „rozkładową", „wiodącą społeczeństwa ku anarchii", a to z powodu chrześcijańskiej idei niezbywalnych praw osoby ludzkiej i zasady miłosierdzia. Zarazem jako konsekwentny konserwatysta Maurras wysoko cenił Kościół katolicki za jego dążność do ładu, do restauracji monarchii, do przywrócenia *ancien régime'u*. „Jestem katolikiem-ateistą" - mawiał o sobie. Rozróżnienie pomiędzy „chrześcijaństwem" a „katolicyzmem" sprowadzało się mniej więcej do tego oto: Maurras uznawał w życiu publicznym zasadę egoizmu narodowego i państwowego, ewangeliczne zaś nauki uważał za szkodliwe bajdurzenie. Deifikował narodowe państwo i jego tradycjonalnie konserwatywną strukturę wewnętrzną. Katolicyzm był w tym ujęciu istotnym składnikiem tej struktury i instrumentem w ręku „narodowo-egoistycznej" władzy państwowej.

Innymi słowy: Kościół katolicki o tyle był godzien aprobaty dla Maurrasa, o ile był instytucją czysto polityczną i nie realizował zasad Ewangelii. Nie twierdzę, że obserwujemy obecnie zjawisko całkowicie analogiczne, ale obawiam się, że jakiś cień maurrasizmu unosi się nad polskim życiem umysłowym.

Reorientacja lewicy laickiej może prowadzić do maurrasizmu *à rebours*. Przez długie lata Kościół katolicki był dla tych ludzi, dla nas, politycznym przeciwnikiem, był czymś na kształt wrogiego obozu politycznego. Obecna zmiana nastawienia nie powinna oznaczać, że zaczniemy traktować Kościół jako politycznego sojusznika. Kościół nie jest politycznym stronnictwem i wszelkie rachuby na to, by postępował jak stronnictwo, wydają się tyleż nierealistyczne, co szkodliwe. I to niezależnie od tego, czy byłoby to stronnictwo prorządowe, prawicowe czy lewicowe, konserwatywne czy rewolucyjne. Zadaniem Kościoła jest głoszenie nauk Ewangelii, z których nie da się bez nadużycia wyprowadzić jednoznacznego programu politycznego. Przeciwny punkt widzenia prowadzić musi do nadużywania instytucji religijnych i samej religii. Nauki Ewangelii są czymś innym, czymś większym i węższym zarazem od ideologii politycznej, nie są ani prawicowe, ani lewicowe. Istnieje określony kierunek myśli prawicowej, który odwołuje się do tych nauk i chce być wierny ich zasadom, istnieją również takie tendencje w obozie lewicy. Zasady Ewangelii były wypisywane na sztandarach prawicy i lewicy, ale były też przez rządy prawicowe i lewicowe deptane. Ewangelia nie jest niczyją własnością. Dla chrześcijan jest słowem objawionym, dla niewierzących winna być kodeksem nienaruszalnych zasad moralnych. Jeśli zatem lewica laicka będzie wierna naukom Ewangelii, to Ewangelia będzie po stronie lewicy. W tym sensie można mówić o zasadniczej wspólnocie w fundamentalnych wartościach ludzkich między Kościołem a lewicą laicką, ale ta wspólnota bynajmniej nie jest identyczna z sojuszem politycznym i źle byłoby, gdyby ktokolwiek ją w ten sposób pojmował. Byłoby to dążeniem do identyfikacji religii z polityką, do podporządkowania ponadczasowych funkcji Kościoła katolickiego doczesnym planom i politycznym interesom obozu lewicy. Z przeszłości wiadomo, że takie dążenia nigdy nie przynosiły nic dobrego ani religii, ani polityce. Postulaty lewicowego maurrasizmu byłyby zaprzeczeniem całej tradycji europejskiej lewicy.

Zresztą, powiedzmy to otwarcie, tradycji nie zawsze chwalebnej i nie zawsze zasługującej na kontynuację. Zwalczając sojusz ołtarza z tronem i pomieszanie „boskiego" z „cesarskim", obóz lewicy wysunął tezę, że - w odróżnieniu od spraw publicznych - „religia jest sprawą prywatną". Tezę tę skwapliwie podjął i wyeksponował rządzący komunistyczny totalitaryzm. „Prywatność" religii - według propagandy komunistycznej - polegać ma na całkowitym odizolowaniu wartości religijnych od realiów politycznych, na całkowitej rezygnacji Kościoła z ingerencji w sferę polityki. Ten stan rzeczy nazywa się nieraz rozdziałem Kościoła od państwa.

Na takim „rozdziale" Kościoła od państwa i na tak pojmowanej „prywatności" religii nie powinno lewicy laickiej zależeć. Byłby to w istocie rzeczy rozdział Kościoła od świata, od rzeczywistości, byłoby to zepchnięcie Kościoła do zakrystii. Teza mówiąca, że „religia jest sprawą prywatną", ma sens tylko o tyle, o ile oznacza, że władza państwowa nikogo nie może do wyznawania religii przymuszać i nikomu nie może wyznawania religii zabraniać. Nie prowadzi to bynajmniej do wniosku, że religia ma inspirować jedynie „prywatną" sferę ludzkiego życia, że Kościół ma milczeć, kiedy w życiu publicznym gwałcone są zasady Ewangelii. Tak pojmowana „prywatyzacja" religii prowadzić musi do powszechnego „dwójmyślenia" i zaniku norm moralnych w stosunkach politycznych. W naszych warunkach oznacza to nieuchronną sowietyzację Kościoła, w czym jest zainteresowana jedynie totalitarna władza.

Czegóż zatem ludzie lewicy laickiej powinni oczekiwać od Kościoła? Przede wszystkim sami muszą uznać jego specyficzną, ponadpolityczną i ponaddoczesną, misję apostolską. Nie jest to wczwanie do konwersji, lecz do zaakceptowania realiów. Jak długo ludzie lewicy laickiej będą uważać apostolską misję Kościoła za szarlatanerię, tak długo nie znajdą zrozumienia wśród ludzi Kościoła. Ale jak długo Kościół będzie osądzał ludzi jedynie na podstawie ich uczestnictwa w praktykach religijnych, tak długo będzie miał w lewicy laickiej pryncypialnego przeciwnika. To jest nieuchronne. By tego uniknąć, obie strony muszą zaakceptować pluralizm jako trwały składnik polskiej rzeczywistości. Ludzie lewicy laickiej muszą wreszcie pojąć, że religia i Kościół to nie przeżytki, to nie zjawiska przejściowe i gasnące, lecz nieusuwalny fragment społecznej, moralnej i intelektualnej rzeczywistości Polaków.

Z kolei „Kościół i chrześcijanie - pisze niemiecki teolog katolicki Heinrich Fries - nie mogą odpowiadać wyzwaniu rzuconemu przez pluralizm, stosując defensywną taktykę okopów i wojny pozycyjnej. Nie mogą zatykać wszystkich otworów, by uczynić z Kościoła fortecę. Kościół, który żyje wiarą, musi wyruszyć na otwarte pole, wypłynąć na pełne morze, narażając się na burze i fale, wiedząc, że *fluctuat, non mergitur*. Nie może więc wobec każdej krytycznej uwagi opierać się na apologetyce i bronić za wszelką cenę rzeczy, sytuacji lub wydarzeń minionych i obecnych. Taka bowiem postawa pozbawi go wszelkiego kredytu zaufania. (...) Kościół nie może żyć pragnieniem odbudowy przeszłości i tęsknotami anachronicznymi. Nie powinien dążyć do odtworzenia rzekomej dawnej wspaniałości zjednoczonego *imperium Christianum*. Nawet tam, gdzie mogą powstać takie możliwości zewnętrzne, nie będzie usiłował urzeczywistniać ich lokalnie w formie religii państwowej.

Nie znaczy to bynajmniej, że Kościół nie powinien mieć swych organizacji, grup, związków, instytucji, nie mogą one jednak (...) narzucać siebie bez oglądania się na drugich. To, co jest jasne i oczywiste dla chrześcijan, niekoniecznie musi być takie dla innych i tego innym nie można narzucić. (...) W istniejącym pluralizmie Kościół nie może już odrywać się od świata, uciekać od niego, prowadzić odrębnego życia religijnego i kulturalnego. Raczej wymaga się od niego, by się zwrócił ku światu wyposażony w wiarę, nadzieję i miłość (...). Oczekujemy od Kościoła zaangażowania na rzecz ludzi, pragnienia powszechnej solidarności, gotowości do współpracy nad tym, by świat ludzi stał się światem ludzkim, by sprawiedliwość i pokój zapanowały na ziemi"[1].

Wywód Friesa doskonale odpowiada na pytanie: czego ludzie lewicy laickiej powinni oczekiwać od Kościoła? Powinni oczekiwać aktywnej obecności. Precyzyjnie uzupełnia ten postulat inny niemiecki teolog katolicki Johann Baptist Metz: „Krytyczno-społeczna postawa Kościoła - zdaniem Metza - nie może polegać na proklamowaniu w naszym pluralistycznym społeczeństwie jakiegoś ustalonego porządku społecznego jako normy. Może polegać jedynie na tym, że Kościół w tym społeczeństwie i w stosunku do niego działa skutecznie przez wyzwalającą krytykę. Zadaniem Kościoła nie jest stworzenie nauki społecznej ujętej w pewien system, lecz krytyka społeczna. Jako partykularna instytucja społeczna Kościół tylko wtedy może bez żadnego zabarwienia ideologicznego wyrażać wobec społeczeństwa swe uniwersalne wymagania, jeżeli je przedstawia jako skuteczną krytykę. Z tej zasadniczej postawy krytycznej wobec społeczeństwa wynikają dwa punkty widzenia: po pierwsze, dzięki niej okaże się, dlaczego Kościół jako instytucja społeczno--krytyczna nie staje się jednak w końcu ideologią polityczną. Żadna bowiem partia polityczna nie może opierać swego istnienia jedynie na krytyce; z drugiej strony, żadna partia polityczna nie może uczynić treścią swej działalności politycznej tego, co stanowi zakres krytyki społeczeństwa ze strony Kościoła, mianowicie całości dziejów, z zachowaniem »eschatologicznego zastrzeżenia« Bożego. Musiałaby się bowiem wtedy stać romantyczna lub totalitarna. Po wtóre, właśnie z tej krytycznej roli Kościoła w stosunku do społeczeństwa wynika możliwość współpracy z innymi, niechrześcijańskimi instytutami lub ugrupowaniami. Podstawą takiej współpracy między chrześcijanami i niechrześcijanami, między jednostkami i ugrupowaniami najrozmaitszych kierunków ideologicznych nie może być pozytywne ujęcie procesu rozwoju społecznego ani też pewne określone wyobrażenie o przyszłym

---

[1] Heinrich Fries *Wiara zakwestionowana*, Warszawa 1975, s. 163-164.

wolnym społeczeństwie ludzkim. Zawsze będą różnice w ocenie tego, co mianowicie jest pozytywne, zawsze istnieć będzie pluralizm. W warunkach dziejowych ów pluralizm dotyczący pozytywnych perspektyw społeczeństwa nigdy nie ustanie, chyba że ich urzeczywistnianie w wolności ustąpi miejsca totalitarnemu kierowaniu. Dlatego, gdy mowa o współpracy, narzuca się tu przede wszystkim pewna krytyczna i negatywna postawa oraz doświadczenie: doświadczenie zagrożonego człowieczeństwa, doświadczenie zagrożenia wolności, sprawiedliwości i pokoju. Nie powinniśmy nie doceniać tego ujemnego doświadczenia, bo w nim tkwi wielka dodatnia siła pośrednicząca. Nawet gdy nie możemy się wprost i bezpośrednio porozumieć co do szczegółowej oceny, czym w rzeczywistości jest wolność, pokój i sprawiedliwość, to mamy jednak długie wspólne doświadczenie tego, czym jest niewola, brak pokoju i niesprawiedliwość. To smutne doświadczenie może być podstawą porozumienia - nie tyle w pozytywnym określeniu wolności i sprawiedliwości, których szukamy, ile w krytycznym oporze wobec groźby i niebezpieczeństwa niewoli i niesprawiedliwości. Solidarność wynikającą z tego doświadczenia, a więc możliwość wspólnego protestu, trzeba dojrzeć i wykorzystać. (...) Zbyt wyraźne są czynniki irracjonalne w naszym życiu społecznym i politycznym. Nie została zupełnie odparta możliwość »zbiorowego zaślepienia«. Niebezpieczeństwo (...) niewoli i niesprawiedliwości jest zbyt wielkie, aby obojętność wobec niego nie musiała stać się zbrodnią"[1].

Precyzując krytyczne i wyzwalające funkcje Kościoła, Metz wyróżnił przykładowo trzy typy zadań, które określił jako: „ochronę osobowości", „krytykę totalitaryzmu", „miłość jako zasadę krytyczno-rewolucyjną".

„Dzięki swemu zastrzeżeniu eschatologicznemu - pisze Metz - w stosunku do każdej abstrakcyjnej koncepcji postępu i humanitaryzmu Kościół strzeże każdego poszczególnego człowieka żyjącego w danym momencie przed potraktowaniem go jako tworzywa i środka do zbudowania technologicznie zracjonalizowanej przyszłości".

Odnosi się to również do utopii rewolucyjnych i wielkich ruchów społecznych:

„Tu Kościół dzięki swemu zastrzeżeniu eschatologicznemu i poprzez zinstytucjonalizowaną krytykę społeczną powinien wziąć w obronę jednostkę, której wartości nie można definiować poprzez jej rolę w postępie ludzkości".

---

[1] Johann Baptist Metz *Problem teologii politycznej a Kościół jako instytucja reprezentująca wolność krytyki społecznej*, w: „Concilium", 1968, s. 295-296.

„Kościół musi właśnie dzisiaj - wyjaśnia dalej Metz - w stosunku do ustrojów politycznych wciąż na nowo podkreślać (...) że historia jako całość stoi pod znakiem eschatologicznego zastrzeżenia Bożego. Musi żądać uznania prawdy, że historia jako całość nie może być nigdy pojęciem tylko politycznym w zawężonym znaczeniu tego słowa i dlatego jako całość nie może się utożsamić z treścią jakiegoś poszczególnego działania politycznego. Nie istnieje bowiem w świecie nic takiego, co można by uznać za podmiot całej historii. Tam więc, gdzie jakaś partia, grupa społeczna, naród czy klasa chce stać się takim podmiotem i tym samym uczynić całość historii polem swego politycznego działania, tam z konieczności powstaje totalitaryzm ideologiczny".

Odnośnie do trzeciego przykładu Metz tłumaczy, że „dziś bardziej niż kiedykolwiek musi Kościół zmobilizować tę potencjalną siłę krytyczną, która zawarta jest w najgłębszych jego tradycjach związanych z miłością chrześcijańską. Miłości tej nie może przecież ograniczać do dziedziny stosunków wzajemnych między osobami, między Ja i Ty. Nie wolno jej także rozumieć w znaczeniu pewnego rodzaju charytatywnej pomocy sąsiedzkiej. Trzeba ją pojmować w wymiarze społecznym i wprowadzać w czyn, to jednak znaczy, że należy rozumieć miłość jako bezwarunkowe zdecydowanie się na sprawiedliwość, wolność i pokój - dla innych. (...) Miłość domaga się zdecydowanej krytyki czystej przemocy. Nie pozwala myśleć według schematu przyjaciel - wróg, ponieważ przybierając postać »miłości nieprzyjaciół« domaga się włączenia nawet przeciwnika w obręb własnej powszechnej nadziei. Wiarygodność i skuteczność tej krytyki będzie oczywiście w dużym stopniu zależna od tego, czy Kościół uważający się za Kościół miłości, sam nie będzie budził wrażenia, jakoby jego religia oparta była na sile. Kościół nie może i nie powinien wykonywać swych zadań w oparciu o jakąś potęgę polityczną. Ostatecznie nie jest jego zadaniem zdobycie odpowiedniej pozycji dla siebie, ale historyczne potwierdzenie zbawienia dla wszystkich. (...) Skłania to Kościół do namiętnej krytyki wszelkiej przemocy i stawia także jego samego w stan krytyki, gdy - jak to nierzadko w dziejach bywało - zbyt cicho lub zbyt późno wypowiada swe krytyczne słowo w stosunku do możnych tego świata albo jeżeli z nadmiernym ociąganiem się staje - bez względu na osoby - w obronie wszystkich zagrożonych ludzi, jeżeli nie walczy żarliwie z każdą postacią pogardy. (...)

Gdy miłość chrześcijańska przybiera postać społeczną jako bezwarunkowa wola zapewnienia innym sprawiedliwości i wolności, może się zdarzyć, że w pewnych warunkach będzie się ona domagała użycia siły rewolucyjnej. Tam, gdzie *status quo* w życiu społecznym ma w sobie nie mniej niesprawiedliwości, aniżeli powstać może ewentualnie przy jego rewolucyjnym obaleniu, tam rewolucja w imię sprawiedliwości i wolności dla »braci mniejszych«, właśnie w imię miłości, nie może być zakazana. Tym cięższy jest wobec tego zarzut (...) że nigdy jeszcze nie widziano Kościoła, który by przystąpił do rewolucji jedynie dlatego, że uznał ją za sprawiedliwą"[1].

Do tych mądrych i wnikliwych refleksji dwóch katolickich teologów niewiele może dorzucić człowiek lewicy laickiej. Może tyle tylko, że pragnąłby, aby Kościół katolicki był taki właśnie, jakim go projektują Heinrich Fries i Johann Baptist Metz. Z takim Kościołem lewica laicka odczuwać będzie głęboką więź i solidarność, z takim Kościołem łączyć się będzie w imię obrony wszystkich prześladowanych, w imię obrony prawdy, wolności i tolerancji. Nie będzie to sojusz polityczny, lecz wspólnota w humanistycznych wartościach, których konsekwentnym nosicielem stanie się wierny duchowi Ewangelii Kościół katolicki.

Powtórzmy: warunkiem koniecznym takiej wspólnoty jest odrzucenie politycznego ateizmu i zrozumienie specyfiki zadań religijnych, do których Kościół czuje się powołany. Te same są warunki harmonijnej koegzystencji lewicy laickiej z lewicą katolicką.

***

W przededniu wydarzeń marcowych 1968 roku Tomasz Burek, krytyk literacki młodego pokolenia, reprezentant laickiej i lewicowej filozofii społecznej, zanotował w szkicu pod charakterystycznym tytułem *Na ostrzu noża:*

„...być może zakłamaliśmy się już tak doszczętnie, wykrygowali aż do mdłości, zwłaszcza my, młodzi, którzyśmy ani jednej myśli nie przeżyli dotąd na własny rachunek i do samego końca - do końca, mówię, tam, gdzie problemy jak węzły drapieżne zaciskają się w mózgu i nie pozwalają żyć dalej bez ich zadowalającego rozwiązania - że cokolwiek teraz powiemy, uczenie, patetycznie, pokrętnie, strzeliście, odsyła nas to ironicznie i nieuchronnie do spraw podstawowych, do oczywistości gorszących zaawansowany intelekt. Czy my w ogóle mamy prawo głosu, my, którzy nie sformułowaliśmy dotąd

[1] *ibid*, s. 292-293.

racji własnego istnienia? (...) Mówimy, piszemy, rośniemy, starzejemy się, lecz kto z nas wie, co ma zrobić ze swoim życiem? Przeczuwam, widzę to jasno, że skończymy źle, kapitulacją moralną i klęską intelektu, tym dotkliwszą, że w intelektualnym rozwoju najlepsi z nas zdawali się pokładać wszystkie swe nadzieje, jeśli nie zdobędziemy się na przemyślenie od podstaw prawdy dwudziestu czterech godzin jakiegokolwiek życia przeżytego w pewien nie dający się zafałszować sposób.

Sąd ostateczny odbywa się bowiem codziennie, taka jest pierwsza i naczelna konsekwencja laickiego myślenia. Skoro nie ma nadziei na bosko sprawiedliwe wyrównanie wszystkich rachunków po wypełnieniu się dziejów, to wnioski, jakie stąd wypływają, mówią, że z tego życia, które posiadamy raz jeden i na zawsze, czy chcemy tego, czy nie, czynimy życie jedyne i ostateczne, że nie ma w historii chwil i czynów obojętnych, że dzieje wypełniają się w każdym momencie, rozstrzygają w każdym czynie każdego indywidualnego życia. Świadomość, że żyjemy ostatecznościami, definitywnie, na ostrzu noża, całkowicie i bezwzględnie, gdyż wszystko w nas jest zawsze wyborem człowieka, skokiem człowieka w człowieka, to nie jest teleologia i historycystyczny finalizm, ale podejście realistyczne, liczące się z faktem, że człowiek nie może siebie samego przeczekać, odsunąć na odległość, zmediatyzować, nie może schować się przed własnym przeznaczeniem za niczyimi plecami, nawet za plecami historii, ponieważ historia, jak mówi nasz wielki wychowawca, »to nic innego jak tylko działalność dążącego do swoich celów człowieka«. Tu każdy okruch życia uznaje się za bezcenny, tu każdą stratę opłakuje się jako coś niepowrotnego, wiedząc zarazem, że nie ma innego sposobu tworzenia samego siebie, swoich wartości, swojej historii zapewniającej tym wartościom trwanie, niż ten, który nazywa się pracą i który jest wykuwaniem własnego losu kosztem własnego życia"[1].

Wydrukowany w elitarnej „Twórczości" esej Burka odegrał niebłahą rolę w życiu duchowym mojej generacji. Był brutalnym oskarżeniem i radykalnym wezwaniem do życia na własny rachunek, do podjęcia odpowiedzialności, do życia w prawdzie. Jestem przekonany, że w ciągu dziewięciu lat, które upłynęły od momentu opublikowania tego eseju, ludzie mojej generacji stworzyli wiele faktów artystycznych, umysłowych i politycznych niepotwierdzających przepowiedzi i proroctw cytowanego szkicu. Tych faktów żadną miarą nie da się określić jako „kapitulacji moralnej i klęski intelektu". Wszelako niejeden z tych faktów zawdzięcza swą inspirację, swą tendencję, swój kształt finalny właśnie eseistyce Burka.

---

[1] Tomasz Burek *Zamiast powieści*, Warszawa 1971, s. 313-314.

Przewodnia myśl cytowanego eseju - będąca dla wielu z nas wyznaniem wiary - uderza w zestawieniu z innym tekstem. Z tekstem przyswojonym polskiemu czytelnikowi kilka lat temu przez Annę Morawską i Bibliotekę Więzi. Z tekstem Dietricha Bonhoeffera:

„Byliśmy milczącymi świadkami - pisał Bonhoeffer - czynów złych, jedliśmy chleb z niejednego pieca, nauczyliśmy się sztuki maskowania i wieloznacznej mowy; doświadczenia uczyniły nas podejrzliwymi i nierzadko musieliśmy skąpić ludziom należnej im prawdy i wolnego słowa, wśród konfliktów nie do zniesienia staliśmy się zepsuci, być może cyniczni - czy możemy się jeszcze przydać? Nie geniusze ani cynicy, mizantropi czy wyrafinowani taktycy, ale prości, zwykli, szczerzy ludzie będą jutro potrzebni. Czy nasz opór wewnętrzny przeciw temu, co zostało nam narzucone, będzie dość silny, a prawość nasza wobec nas samych dość bezwzględna, aby móc ponownie odnaleźć drogę do prostoty i szczerości?"[1].

„Nie możemy być uczciwi - pisał tenże Bonhoeffer w innym miejscu - nie uznając, że żyć nam przyszło w świecie *etsi Deus non daretur*. Właśnie to uznajemy pod wzrokiem Boga - to On nas do tego zmusza. Tak więc fakt, że staliśmy się dorośli, prowadzi nas do wyznania przed Bogiem, zgodnie z prawdą, jaka jest nasza sytuacja. Bóg daje nam przez to do zrozumienia, że mamy żyć jak ludzie, którzy dają sobie w życiu radę bez Niego. Ten sam Bóg, który jest z nami, to przecież Bóg, który nas opuszcza. *(Eloi, Eloi lema sabachthani...)*. Ten sam Bóg, co nam każe żyć w świecie bez »hipotezy Boga«, jest Tym, przed którego obliczem stoimy zawsze. To z Nim, to pod Jego wzrokiem żyjemy, żyjąc bez Boga. Nasz Bóg daje się wypchnąć ze świata aż na krzyż, jest w świecie bezsilny i słaby, i tak właśnie, tylko tak jest z nami i nam pomaga"[2].

Bonhoeffer, chrześcijański teolog, zdaje się powiadać w cytowanym tekście, że powinnością chrześcijanina jest żyć tak, „jakby Boga nie było", jakby to sam człowiek ponosił całkowitą odpowiedzialność za kształt ludzkiego świata. Lewicowy, przyznający się do związków z marksizmem krytyk twierdzi, że powinnością moralną jest żyć w świecie bez Boga w taki sposób, jakby Bóg istniał i osądzał nas codziennie. Jakież to z pozoru paradoksalne zestawienie! Powiadam „z pozoru", bowiem oba te głosy są żarliwymi protestami przeciw dwóm postawom eskapizmu, dwóm drogom ucieczki od wolności i odpowiedzialności. Bonhoeffer odrzuca ten kształt moralności chrześcijańskiej, który zezwala na redukcję chrześcijańskiego oporu przeciw złu do modlitwy; odrzuca tak

---

[1] Bonhoeffer, *op. cit.*, s. 227.
[2] *ibid.*, s. 265.

częste wśród chrześcijan cedowanie odpowiedzialności za „postać tego świata" na Boga; odrzuca obyczaj szukania w skardze do Boga jedynego ratunku za cenę rezygnacji z indywidualnej praktycznej aktywności. Z kolei Burek protestuje przeciw temu kształtowi moralności ludzkiej, który Anna Morawska celnie nazwała „ateizmem tramwajowym", a który jest laicką wersją wyrzeczenia się odpowiedzialności za los wartości humanistycznych na tym najlepszym ze światów. Jest to także protest przeciw specyficznemu wariantowi marksistowskiej historiozofii, który pozwala cedować jednostkowe decyzje moralne na Prawa Historii. Nie ma takich praw historii, które unieważniają etykę indywidualnej powinności i odpowiedzialności - zdaje się mówić Burek.

Zestawiam tu teksty różnej wagi, spisane w hitlerowskim piekle refleksje niemieckiego teologa z opublikowanym w literackim miesięczniku esejem młodego krytyka. Zasadność tej konfrontacji upatruję w polskim kontekście umysłowym ostatnich lat. Opublikowane przed kilku laty (w 1970 roku) pisma Bonhoeffera nadały nowy istotny wymiar formacji „otwartego" katolicyzmu w Polsce. Eseistyka literacka Burka odegrała bardzo ważną rolę w uformowaniu świadomości moralnej młodej literatury. Konfrontacja tych tekstów ukazuje przejrzyście punkt przecięcia, miejsce spotkania dwóch - różniących się genetycznie, lecz jakże zbieżnych - idei odpowiedzialności. Idea odpowiedzialności jest polem dialogu lewicy laickiej z chrześcijaństwem. Na tym polu odnaleźć można najcenniejsze dokonania polskiej literatury ostatnich 30 lat. Jest tu więc miejsce na wiersze Herberta, Miłosza i Słonimskiego, na *Normy moralne* Ossowskiej i *Rozważania o Conradzie* Dąbrowskiej, na *Przed nieznanym trybunałem* Jana Józefa Szczepańskiego i *Nierzeczywistość* Kazimierza Brandysa, na *Inny świat* Herlinga-Grudzińskiego i opowiadania obozowe Borowskiego, na *Sir Tomasz More odmawia* Malewskiej i *Sny pod śniegiem* Woroszylskiego, na *Kalendarz i klepsydrę* Konwickiego i *Pomiędzy manną a plewą* Zawieyskiego. W tym polu mieszczą się filozoficzne eseje Kołakowskiego, *Kontynuacje* Strzeleckiego, *Rozważania o historii* Kuli, publicystyka Mazowieckiego i Anny Morawskiej, *Laik w Rzymie i w Bombaju* Woźniakowskiego, a także twórczość pisarzy młodej generacji: Barańczaka, Krynickiego, Zagajewskiego. W tym polu mieszczą się także Bohdana Cywińskiego *Rodowody niepokornych*.

Przywołałem tu rozmaite nazwiska ludzi i tytuły książek, które uczą trudnej sztuki uczciwego myślenia i godnego życia. Do ostatniego z tytułów przywiązuję w kontekście niniejszych rozważań wagę szczególną, bowiem *Rodowody niepokornych* Cywińskiego były ich pierwszą inspiracją. W barwnym i doskonale skonstruowanym fresku historycznym Bohdan Cywiński nakreślił historyczne zaplecze spotkania „niepokornych" z lewicy laickiej z „niepokornymi" chrześcijanami. Przeprowadzając ostrą krytykę przeszłości Kościoła, Cywiński podjął wnikliwą i rzetelną próbę wytłumaczenia wartości lewicy laickiej chrześcijanom i wartości chrześcijaństwa - ludziom lewicy laickiej. W konkluzji *Rodowodów*... czytamy, że „w refleksji nad stale nowym ethosem społecznym warto powracać do tych wartości tradycyjnych, jakie przyświecały polskiej inteligencji w niezwykle trudnej epoce odradzania się narodu z niewoli (...). W tym historycznym dorobku zaś stale aktualne wydają się te ideały, które nieodmiennie wypisywał na swych sztandarach niepokorny radykał, wiążący w swej intuicji etycznej sprawę rzeczywistego postępu społecznego z wartościami, takimi jak obowiązek zaangażowania społecznego, jak szacunek dla człowieka i wolności jego poglądów, jak demokracja, która nigdy nie jest stanem, a zawsze procesem zmagania się świadomości społecznej z bezwładem ideowym, jak umiejętność twórczej analizy własnych poglądów i uczciwego ich korygowania, jak wreszcie szlachetny nonkonformizm, nieodzownie warunkujący poczucie odpowiedzialności moralnej za losy społeczeństwa.

Najgorętszym zaś pragnieniem myślącego o tych sprawach katolika będzie to, by w głoszeniu i obronie tych wartości każdy ich wyznawca mógł napotkać najgłębszą inspirację chrześcijańską i sprzymierzeńca w Kościele polskim. (...) Chcemy być Kościołem wiernym swojemu posłannictwu, a więc wolnym od pokusy jakiegokolwiek neokonstantynizmu i stojącym na straży godności i wolności osoby ludzkiej, Kościołem ludzi, którzy potrafią świadczyć i którzy wiedzą, że świadectwo bywa czasem trudne, a czasem wymaga płacenia wysokich cen za Prawdę, w którą się wierzy. Jednocześnie chcemy być Kościołem otwartym na wszystkie autentyczne wartości ludzkie, także i na te, które spotykamy poza Kościołem.

Dlatego właśnie w przetwarzaniu naszych pragnień w konkretne postawy etyczne nie wahajmy się korzystać także i z tych tradycji, które wyrosły poza kręgiem bezpośredniej inspiracji chrześcijańskiej, ale które w swych wartościach trwałych i prawdziwie istotnych są tak bardzo bliskie duchowi chrześcijańskiemu (...). Wartości te w jakiejś mierze możemy odnaleźć w każdym rzeczywistym humanizmie - wydaje się jednak, że humanistyczna etyka zaangażowania społecznego, jaką wyznawali i realizowali polscy niepokorni, powinna nam być - mimo swej laickości - szczególnie bliska, bo wyrosła ze wspólnych z naszymi doświadczeń dziejowych.

Uświadomienie sobie istnienia tej tradycji ideowo-moralnej, uznanie jej rzeczywistych wartości etycznych, szacunek dla pamięci ludzi, którzy im dawali świadectwo, musi znaleźć miejsce w całości naszej refleksji nad naszymi - współczesnymi i chrześcijańskimi - postawami służby i naszą etyką działania społecznego. Wyrazi się w tym istotny i potrzebny krok w uczciwym dialogu między wierzącymi a niewierzącymi w Polsce. Krok zmierzający ku zasypywaniu odziedziczonych po ubiegłym stuleciu, a dziś już tak bardzo nieaktualnych i mylących rowów granicznych między znacznym i cennym odłamem polskiej niepokornej inteligencji a Kościołem"[1].

Tak brzmi wyznanie Cywińskiego. Po przeczytaniu tej książki uświadomiłem sobie, że nie potrafię temu nic przeciwstawić, że nie znam ani jednej pracy, ani jednego artykułu, gdzie lewicowy intelektualista pisałby o Kościele i chrześcijaństwie z uczciwością, rzetelnością i dobrą wolą równą tej, którą odnajdywałem w pomieszczonych w *Rodowodach*... rozważaniach o niepokornych i bezbożnych radykałach. Nie świadczy to dobrze o ludziach lewicy laickiej i nakłada na nich szczególny obowiązek. Obowiązek dania świadectwa. Fragmentaryczne i szkicowe niniejsze uwagi nie spełniają oczywiście tej funkcji, ale ze świadomości tego obowiązku zostały poczęte. Trzeba więc powiedzieć, że ci rozsiani, skłóceni, poszukujący prawdy i poszukujący siebie nawzajem ludzie lewicy laickiej winni pojąć raz na zawsze, że chrześcijaństwo nie jest ich wrogiem, że chrześcijaństwo staje się ich wrogiem dopiero wtedy, gdy środki przekładają nad cele, gdy gwałcą prawdę i wolność, gdy składają hołdy Cezarowi. Słowem, gdy przestają być lewicą.

Lewica laicka jest w Polsce w sytuacji wyjątkowo trudnej. Musi bronić swych socjalistycznych ideałów przed szermującą socjalistycznymi frazesami antynarodową władzą totalitarną. Wszelako wydaje się, że właśnie dlatego ta obrona musi być twarda, konsekwentna i bezkompromisowa. Musi być wolna od sekciarstwa, od fanatyzmu, od przestarzałych schematów. Myśl lewicowa musi być otwarta na wszystkie idee niepodległościowe i antytotalitarne, musi być przeto otwarta na chrześcijaństwo i całe bogactwo chrześcijańskiej religii. Ludzie lewicy laickiej winni pragnąć zbratania ze wszystkimi ludźmi dobrej woli, winni pragnąć zbratania z chrześcijanami nie mimo ich wiary, ale dzięki ich wierze; winni pragnąć, by każdy prześladowany chrześcijanin widział w nich właśnie, wyznawcach laickiego humanizmu, najbliższych i najuczciwszych przyjaciół. Tylko wtedy staną się godni swych wspaniałych antenatów z początków naszego stulecia, tylko wtedy dochowają wierności swym zasadom, tylko wtedy odrodzi się w Polsce autentyczna myśl socjalistyczna. Socjalizm, który pojmuję jako ruch umysłowy i moralny, odrodzić się może w Polsce nie w wyniku mętnych sojuszów i dwuznacznych

[1] *Rodowody*..., s. 518-519.

kompromisów z wewnątrzpartyjnymi koteriami, ale drogą bezkompromisowej walki o wolność i godność człowieka, drogą wnikliwego i uczciwego przewartościowania własnej drogi. Dlatego studium o chrześcijańskich niepokornych w państwach totalitarnych czeka na laickiego lewicowego dziejopisa. Takie studium wywoła z pewnością spory, ale jakież spory wywołały *Rodowody niepokornych!*

W burzliwych polemikach wokół książki Cywińskiego podziały ideowe - rzecz charakterystyczna - całkowicie odbiegały od wyznaniowych. Atakującymi książkę, często agresywnie - byli zarówno partyjni urzędnicy (Stefan Pełczyński, redaktor „Nowych Dróg", i Janusz Wilhelmi), jak i katoliccy wolontariusze z PAX-u: wspomniany już prof. Mieczysław Żywczyński i redaktor tygodnika „Kierunki" Maciej Wrzeszcz. Istotny sens sporu wokół *Rodowodów...* ujawnił właśnie Maciej Wrzeszcz w artykule pomieszczonym na łamach PAX-owskiego miesięcznika „Życie i Myśl".

Książka Cywińskiego, zdaniem Wrzeszcza, jest „posunięciem interesującym, bo charakteryzującym poszukiwanie dróg wyjścia i płaszczyzny sojuszów przez grupę intelektualistów katolickich skupionych wokół KIK-u i»Więzi«, od lat poszukujących»trzeciej drogi« pomiędzy propozycją ideologicznego zaangażowania w socjalizm z inspiracji światopoglądu katolickiego a neopozytywizmem starszego pokolenia działaczy»Znaku« i» Tygodnika Powszechnego«. Różnice zresztą w praktyce nie są tak wielkie - »Tygodnik Powszechny« także od pewnego czasu wkroczył na drogę gromadzenia na swych łamach»niepokornych katechumenów« z kręgu byłych laickich liberałów".

„Podstawowa koncepcja Cywińskiego - kontynuował Wrzeszcz - eksponująca»ethos« w oderwaniu od oceny programów ideowo-politycznych, których wartość uznaje on za drugorzędną, nie jest wynalazkiem autora. Jest to nowa wersja tez głoszonych przez grupę»Więzi« już przed laty kilkunastu - po roku 1957. Wówczas koncepcję zastąpienia jasnego wyboru ideowo-politycznego przez eksponowanie jedynie postawy moralno-światopoglądowej prezentowano pod hasłem»dialogu personalizmów«. W tej formie, odrzucając naturalną hierarchię, w której wartości światopoglądowe skonfrontowane z oceną aktualnej rzeczywistości mogą realizować się w życiu społecznym poprzez dokonywany na własną odpowiedzialność wybór optymalnych rozwiązań ideowo-politycznych, publicyści»Więzi« zastępowali program sztandarem personalizmu pojmowanego jako pomost do wybranych intelektualistów świata marksistowskiego. (...) Dziś myśl ta wraca po latach w formie koncepcji»sojuszu niepokornych« i tych z lewicy, i tych z prawicy wbrew »sztucznym podziałom« ideologicznym. Cel też pozostał ten sam: stworzenie sojuszu na bazie innych imponderabiliów niż patriotyzm i socjalizm, rzekomo bardziej uniwersalnych i nowoczesnych. (...) Propozycja zastąpienia oddającego realny układ sił społecznych współdziałania i dialogu komunistów z postępowymi katolikami przez platformę pozaideologicznego spotkania w »ethosie« »niepokornych« obu obozów przypomina (...) jaskrawo te zachodnie koncepcje dialogowe, które kierowały się w przeszłości jedynie do wybranych »dobrych« marksistów, co w praktyce zazwyczaj oznaczało wybór rewizjonistyczny"[1]. PAX-owskiemu publicyście wydawało się zapewne, że w swym drukowanym donosie na Cywińskiego i innych, laickich i katolickich, niepokornych publicystów komunikuje władzom kulisy nowej gry politycznej rewizjonistów. Co oznaczał w polskich realiach cały wywód Wrzeszcza, a zwłaszcza przymiotnik „rewizjonistyczny", nie trzeba przypominać... Aliści spieszący z donosem PAX-owiec pomylił się tym razem i to pomylił się grubo. *Rodowody niepokornych* i spór wokół tej książki były niezwykle ważnym etapem w procesie przekraczania „kredowych kół" wyznaniowych, w procesie zasadniczej reorientacji intelektualnej polskiej inteligencji. Tu nie szło o żadne politykierskie rozgrywki, ale o dobitne i klarowne ujawnienie, że istotniejsze od formalnych podziałów wyznaniowych są konflikty ideowe nowego typu. Te konflikty nie pokrywają się zgoła z podziałem na wierzących i niewierzących.

Spory wokół *Rodowodów...* uwidoczniły nowy wymiar spotkania chrześcijan z lewicą laicką. Dla ludzi lewicy laickiej winno stać się jasne, iż religia inspirująca autora *Rodowodów...* i bliskich mu katolików nie jest żadnym „opium dla ludu", lecz stanowi źródło postaw humanistycznych i postępowych. Dla nas, dla lewicy laickiej, spotkanie z chrześcijaństwem wokół takich wartości, jak wolność, tolerancja, sprawiedliwość, godność osoby ludzkiej i dążenie do prawdy jest zarazem perspektywą spotkania niekoniunkturalnego, perspektywą wspólnoty ideowej w nowym wymiarze, ważnym dla sformułowania kierunku walki o demokratyczny socjalizm. Polskie doświadczenia w tej materii, polska umiejętność współżycia - we wzajemnym szacunku, solidarności i wspólnocie - lewicy laickiej, wolnej od tępego ateizmu, z chrześcijanami, wolnymi od nietolerancji religijnej, mogą być przydatne także dla innych antytotalitarnych ruchów lewicowych w innych krajach i w innych częściach świata.

---

[1] Maciej Wrzeszcz, *Niepokorni katechumeni i pokorni recenzenci*, „Życie i Myśl" nr 6/1972.

***

„My, niewierzący - napisał Albert Camus - czujemy nienawiść tylko do nienawiści i jak długo choć tchnienie wolności ostanie się we Francji, nie sprzymierzymy się z tymi, co krzyczą i obrażają; pozostaniemy z tymi, którzy, kimkolwiek są, dają świadectwo prawdzie"[1].

Przepisuję te słowa wielkiego francuskiego pisarza z poczuciem głębokiej solidarności. Wyznanie Camusa winno stać się wyznaniem wszystkich ludzi lewicy laickiej w Polsce, wszystkich, „dla których słowa: prawda, miłość, wiara, nadzieja, patriotyzm i postęp jeszcze nie umarły ani też nie przekształciły się w ciężki głaz" (Jerzy Andrzejewski); wszystkich, którzy wciąż stawiają sobie najbardziej istotne i najbardziej trywialne pytanie naszych czasów i naszej polskiej sytuacji: „jak żyć? „. Jest to pytanie skierowane do każdego z nas i każdy z nas, indywidualnie i samodzielnie, uczciwie i mozolnie musi rozpocząć trudną drogę do pytań najprostszych i odpowiedzi najbardziej elementarnych, trudną drogę moralnych i intelektualnych przewartościowań.

W środowiskach polskiej inteligencji częste jest narzekanie na ograniczenie swobód, na brak wolności, na cenzurę. Najdalszy jestem od lekceważenia tych składników naszej sytuacji, ale za kształt polskiego życia umysłowego i moralnego nie tylko władza ponosi odpowiedzialność. Ponosimy tę odpowiedzialność wszyscy. Władza może ramy wolnej wypowiedzi poszerzać lub zawężać, ale władza nie może uczynić nas ludźmi wolnymi. Nasza wolność zaczyna się od nas samych, a nie od władzy. Jeśli nie krążą w maszynopisach nasze książki, jeśli nie publikujemy w niecenzurowanych wydawnictwach emigracyjnych, jeśli milczymy w obliczu prześladowań, łamania prawa i kłamstw oficjalnej propagandy, to nie władza jest za to odpowiedzialna, ale my sami. To my jesteśmy małoduszni, to my dajemy przyzwolenie na totalitarne zło. Czynimy tak, choć przecież dzisiaj ryzykujemy niewiele: nie grożą nam łagry, tortury i tajne egzekucje. Obawiam się zaś, że jutro będzie za późno. Płonącego domu niepodobna będzie ugasić atramentem: pozostanie popiół naszych idei.

Żyjemy uwięzieni w schematach i mitach; godzimy się na oficjalny układ odniesienia i wartościowania. Żyjemy co dzień okłamywani wśród innych co dzień okłamywanych i coraz trudniej jest nam spoglądać sobie w oczy. Z rozpaczy i bezsilności oskarżamy się nawzajem, a jeśli ktokolwiek z nas próbuje zrzucić ciężar konformizmu i rozerwać pajęczynę kłamstw, temu zaraz wytykamy, że ma zabrudzoną przeszłość (któż jest

[1] *Eseje*, Warszawa 1971, s. 251.

bez winy...), albo też kwestionujemy czystość jego intencji, powiadając, iż szuka opozycyjnej sławy, łatwej popularności czy taniego rozgłosu. Jakże często zapominamy, że ceną takiej sławy jest zakratowane okno w więziennej celi... Nie mamy nawet odwagi rzetelnie pokłócić się pomiędzy sobą, gdyż każda polemika jest ocenzurowana, każdy spór obrasta w nowe, niezamierzone przez nas sensy, każdy głos krytyczny może stać się czystą wodą podaną w brudnym naczyniu.

Jesteśmy skazani na niemoc.

„Czy istnieli kiedykolwiek w historii ludzie - pisał Bonhoeffer - mający równie nikły grunt pod nogami, dla których wszystkie alternatywy leżące w obrębie teraźniejszych możliwości były równie nieznośne, obce życiu, bezsensowne, którzy źródła swej siły poszukiwali tak całkowicie poza (...) teraźniejszością (...)? Lub raczej: czy pokolenia wielkich przełomów historycznych, kiedy właśnie coś rzeczywiście nowego powstawało, nie miały zawsze wrażenia, jak my dzisiaj, że w alternatywach teraźniejszości nic nie kiełkuje? (...) Któż się ostoi? Tylko ten, dla którego własny rozum, zasada, sumienie, wolność, cnota nie są miarą ostateczną, kto gotów wszystko to poświęcić, będąc w wierze i wyłącznym związku z Bogiem, powołanym do czynu posłusznego i odpowiedzialnego: odpowiedzialny, którego życie nie będzie niczym więcej, jak odpowiedzią na pytanie i wezwanie Boga"[1].

Oczekujemy „powodzenia swej sprawy z ufnością i spokojem" - dodaje Bonhoeffer. Zazdroszczę wszystkim chrześcijanom tej ufności i tego spokoju. Moja ufność i mój spokój nie mają tak głębokiego zakorzenienia, nie mają sankcji nadprzyrodzonej. Mają jednak sankcję, którą skłonny jestem uznać za absolutną. Tą sankcją jest podstawowy kanon wartości kultury europejskiej w jej szczególnym polskim wcieleniu. Jest to więc sankcja ludzka i ponadludzka zarazem. Ludzka, gdyż ten kanon stworzyli ludzie, ale ponadludzka, gdyż zniesienie tego kanonu będzie unicestwieniem tych wszystkich treści człowieczej egzystencji, dla których warto żyć i cierpieć. „Bo skoro sfera ładu absolutnego - pisze Jan Józef Szczepański - pozostaje niedostępna naszemu poznaniu, musimy przynajmniej okazać się godni tego ładu, który nas ukształtował, którego dziedzictwo uznajemy z dumą za własne i którego prawom winni jesteśmy wierność.

Dochowanie owej wierności ma być naszym celem i naszą nagrodą"[2].

W tym oto sensie moja droga jest także jakąś odpowiedzią na pytanie i wezwanie. Odpowiedzią, której udzielam niekonsekwentnie, często tchórzliwie,

[1] Dietrich Bonhoeffer, op. cit., s. 214-216.
[2] *Przed nieznanym trybunałem*, Warszawa 1975, s. 27-28.

często z niechęcią i rozdrażnieniem, ale której nie mogę nie udzielić, jeśli chcę bez wstydu oglądać własne oblicze w lustrze. Czuję bowiem - pięknie to napisał, parafrazując Kanta, Antoni Słonimski - że prawo moralne jest nie tylko we mnie, ale i nade mną. Dlatego odpowiedź na pytanie i wezwanie jest moim obowiązkiem. Tej odpowiedzi nikt za mnie nie udzieli, z tej odpowiedzialności nikt mnie nie zwolni. Droga, którą wybieram i którą chcę podążać, lękając się na przemian policji, złych języków i własnego sumienia, jest drogą, na której - pisał mój nauczyciel - „nie ma ostatecznych zwycięstw, ale nie ma też ostatecznych porażek". Tę drogę wytyczyły postawy i pisma rozmaitych ludzi, którym wspólne było uporczywe pragnienie życia w prawdzie. Na tej drodze ludzie lewicy laickiej spotykają chrześcijan i wraz z nimi odmawiają Herbertowską modlitwę ludzi wolnych[1].

Idź dokąd poszli tamci do ciemnego kresu
po złote runo nicości twoją ostatnią nagrodę

idź wyprostowany wśród tych co na kolanach
wśród odwróconych plecami i obalonych w proch

ocalałeś nie po to aby żyć
masz mało czasu trzeba dać świadectwo

bądź odważny gdy rozum zawodzi bądź odważny
w ostatecznym rachunku jedynie to się liczy

a Gniew twój bezsilny niech będzie jak morze
ilekroć usłyszysz głos prześladowanych i bitych

niech nie opuszcza ciebie twoja siostra Pogarda
dla szpiclów katów tchórzy - oni wygrają
pójdą na twój pogrzeb i z ulgą rzucą grudę
a kornik napisze twój uładzony życiorys

---

[2] Zbigniew Herbert *Przesłanie Pana Cogito*, wiersz zamykający tom *Pan Cogito*, Warszawa 1974.

i nie przebaczaj zaiste nie w twojej mocy
przebaczać w imieniu tych których zdradzono o świcie

strzeż się jednak dumy niepotrzebnej
oglądaj w lustrze swą błazeńską twarz
powtarzaj: zostałem powołany - czyż nie było lepszych

strzeż się oschłości serca kochaj źródło zaranne
ptaka o nieznanym imieniu dąb zimowy
światło na murze splendor nieba
one nie potrzebują twego ciepłego oddechu
są po to aby mówić: nikt cię nie pocieszy

czuwaj - kiedy światło na górach daje znak - wstań i idź
dopóki krew obraca w piersi twoją ciemną gwiazdę

powtarzaj stare zaklęcia ludzkości bajki i legendy
bo tak zdobędziesz dobro którego nie zdobędziesz
powtarzaj wielkie słowa powtarzaj je z uporem
jak ci co szli przez pustynię i ginęli w piasku

a nagrodzą cię za to tym co mają pod ręką
chłostą śmiechu zabójstwem na śmietniku

idź bo tylko tak będziesz przyjęty do grona zimnych czaszek
do grona twoich przodków: Gilgamesza Hektora Rolanda
obrońców królestwa bez kresu i miasta popiołów

Bądź wierny Idź.

Warszawa, lipiec 1976

Posłowie do wydania I

Od czasu ukończenia tej książki upłynęło kilka miesięcy; miesięcy obfitujących w fakty bardzo ważne dla naszego narodu; być może miesięcy przełomowych.

Zdarzenia, które miały miejsce, nie skłoniły mnie do rewizji moich tez. Nadesłane z Polski i opublikowane przez moich przyjaciół z pisma „Aneks" (nr 12) artykuły na temat „socjalizmu, polityki i chrześcijaństwa" w pełni odpowiadają moim przemyśleniom. Każdy z nas - dyskutujących - myśli inaczej, ale najistotniejszy jest sam fakt istnienia autentycznego dialogu. Szczególnie raduje mnie, że całkowicie mogę się podpisać pod zamieszczonymi w tymże numerze „Aneksu" refleksjami mojego nauczyciela i przyjaciela - prof. Leszka Kołakowskiego.

Ostatnie miesiące polskiego życia publicznego upłynęły pod znakiem tzw. kwestii robotniczej. Raz jeszcze stało się oczywiste, iż podziały polityczne nie mają nic wspólnego z podziałami wyznaniowymi. Po jednej stronie znalazła się przytłaczająca większość polskiej inteligencji - laickiej i katolickiej - po drugiej zaś apologeci polityki władz, przyznający się zarówno do katolicyzmu (PAX, ODISS), jak i do światopoglądu laickiego (cała prasa partyjna).

Na szczególne podkreślenie zasługuje w tym kontekście akcja Komitetu Obrony Robotników. W skład tego Komitetu, którego członkowie zapisali swoją działalnością najpiękniejsze karty polskiej historii, wchodzą ludzie różnych tradycji i orientacji, ludzie jawnie deklarujący swój katolicyzm i ludzie niewierzący.

Pod licznymi apelami w obronie prześladowanych robotników widnieją podpisy - pod wspólnym tekstem - wybitnych intelektualistów katolickich i laickich. Żądanie sprawiedliwości dla uwięzionych, a także potępienie stosowanej w śledztwie przemocy można bez trudu odnaleźć w oświadczeniach Episkopatu, w kazaniach Prymasa Polski i innych biskupów. Pozostając w ramach swych duszpasterskich obowiązków i nie angażując się w akcje polityczne, biskupi polscy w sposób jasny i jednoznaczny - dochowując wierności naukom Ewangelii - napiętnowali naruszanie norm ludzkich w naszym kraju. Postawę taką należy uznać za logiczną konsekwencję długoletniej - choć często nierozumianej - postawy Kościoła katolickiego w Polsce.

Z kolei postępowanie grupy PAX-u i ODISS-u wobec ostatnich wydarzeń całkowicie uzasadnia mój krytyczny osąd. Skłonny jestem - co najwyżej - uznać niektóre z własnych sformułowań za nazbyt łagodne. Tym większy szacunek pragnę oddać wszystkim ludziom związanym z tymi środowiskami, którzy potrafili zachować własny osąd rzeczywistości i zająć stanowisko niezależne. Myślę tu zwłaszcza o Ance Kowalskiej.

Pełna uczciwości i odwagi postawa środowiska „Znaku" w ostatnich miesiącach (a zwłaszcza Tadeusza Mazowieckiego i Stanisława Stommy) w pełni uzasadnia szacunek, którym cieszą się ci ludzie w polskim społeczeństwie i który odnotowałem w swoich rozważaniach.

Pierwszą wersję niniejszej książki pokazałem kilku przyjaciołom: katolikom i niewierzącym. Wszyscy mieli zasadnicze zastrzeżenia. Nie myślę, aby to było źle. Pojmuję bowiem tę książkę jako początek rozmowy, która jest dla nas wszystkich ważna.

Niech mi wolno będzie w tym miejscu podziękować wszystkim bliskim, którzy zechcieli zapoznać się z maszynopisem i przekazali mi swoje uwagi, przez co wpłynęli na końcowy kształt książki. Za całość pomieszczonych tu myśli odpowiedzialność ponoszę oczywiście tylko ja sam.

Paryż, luty 1977

Aneks 1983

Z geografii politycznej PRL

Autor postawił sobie zadanie karkołomnie ambitne, bowiem pisanie o najnowszej historii, o ludziach żyjących i działających, związane jest zawsze z poważnym ryzykiem. Ryzyko jest tym większe, że sam autor należy do aktorów opisywanego spektaklu. Tym razem owo ryzyko jest również udziałem recenzenta, o czym pragnie on czytelnika lojalnie uprzedzić: niepodobna być obiektywnym sędzią we własnej sprawie.

Andrzej Micewski, autor szkiców historycznych o piłsudczykach, o Dmowskim, o kierunkach politycznych II Rzeczypospolitej - sięgnął tym razem po czasy najnowsze, po historię PAX-u i „Znaku", czyli po temat-samograj[1]. Zaprezentował się jako autor kompetentny i wnikliwy, a także jako autor odważny. Samo podjęcie tego tematu wymagało odwagi cywilnej i intelektualnej. Niewątpliwą zaletą książki jest to, że odpowiada ona na zapotrzebowanie społeczne i próbuje wypełnić dojmujące luki w polskiej świadomości historycznej. Podczas wykładów, jakie prowadziłem w ramach Towarzystwa Kursów Naukowych, zauważyłem ze zdumieniem, że wiedza opozycjonistów najmłodszej generacji o ostatnich 35 latach historii Polski jest dokładnie taka, jakby czytali oni wyłącznie roczniki „Trybuny Ludu", w dodatku przyrządzone po orwellowsku, tzn. poprawiane wstecz. Historia zatrzymuje się na roku 1945, po czym następuje „biała plama" w myśl obowiązującej „terapii ciszy" (określenie Stefana Kisielewskiego).

Tymczasem ciszy nigdy nie było. Przez cały czas rozmaici ludzie i rozmaite środowiska szukały sposobów, by w zmienionej sytuacji istnieć i ocalać jakieś wartości. Społeczeństwo nie dzieliło się na patriotów i zdrajców: linie podziału były znacznie bardziej złożone, choć problem granicy między kompromisem a zdradą i zaprzaństwem był nieustannie na porządku dziennym. Książka Micewskiego, podejmując ten właśnie zespół problemów, jest

---

[1] Andrzej Micewski, *Współrządzić czy nie kłamać? PAX i „Znak" w Polsce 1945-1976*, Libella, Paryż 1978, ss. 269.

stotnym przyczynkiem do dziejów politycznych PRL; jest to książka pionierska, bardzo zresztą niejednolita w swym gatunku. Autor jest publicystą politycznym, choć stara się zachować chłód historyka; wciąż jednak obiektywny narrator przeobraża się w namiętnego uczestnika wydarzeń. Dość wspomnieć opis „secesji" PAX-u z jesieni 1956 roku czy też charakterystykę sporu w łonie „Więzi".

Ta książka o grupach katolickich w PRL jest zarazem książką o władzy i o Kościele; jest ilustracją fenomenu współistnienia niezależnej hierarchii z totalitarnym systemem. Micewski pokazuje ciągłość polskiej historii i jej dramatyczne meandry. Czyni to w sposób niekonwencjonalny.

Książkę swą opublikował w wydawnictwie Libella, w ramach nowej serii „Historia i teraźniejszość", której patronuje Towarzystwo Historyczno-Literackie w Paryżu i pięcioosobowy komitet wydawniczy - Czesław Miłosz, Piotr Wandycz, Henryk Wereszycki, Jacek Woźniakowski i Czesław Zgorzelski. Pierwsze egzemplarze zaczęły krążyć po Warszawie w pierwszych dniach stycznia 1979 roku, wkrótce po śmierci Bolesława Piaseckiego. Dla czytelników były więc czymś w rodzaju *post mortem*. Wiadomo: śmierć przynosi dystans, po śmierci opadają emocje. Uwagi o Piaseckim - przyznać trzeba autorowi sprawiedliwie - czyta się tak, jakby pisane były już po jego śmierci. Nie ma w nich żółci i pamfletowego jadu - jest refleksja pełna spokojnego krytycyzmu. Pierwszy to autor, który - kreśląc wizerunek PAX-u i Piaseckiego - wyszedł poza klasyczne schematy: PAX-owsko-apologetyczny (Milewski, Wójcik, w mniejszym stopniu Rostworowski) oraz - niemal powszechnie funkcjonujący - spiskowo-agenturalny.

Micewski nie neguje powiązań Piaseckiego z czynnikami radzieckimi (gen. Sierowem), ujawnia również bliskie związki PAX-u z Ministerstwem Bezpieczeństwa Publicznego. Spoza tych powiązań wyłania się określona koncepcja polityczna i dość konsekwentna jej realizacja. Koncepcja, której bliskie kontakty z policją polityczną są fragmentem, a nie istotą. Jej istotą było zbudowanie - w oparciu o środowiska katolickie - siły politycznej zdolnej do współrządzenia państwem. Wobec partii komunistycznej i wobec Kremla podstawowym atutem PAX-u w rozgrywce o udział we władzy miał być wpływ na polityczną neutralizację - a z czasem na wasalizację - hierarchii kościelnej. Ceną zaś płaconą za udział w tej rozgrywce była bezwzględna solidarność z polityką władz radzieckich. Piasecki przegrał. Jego koncepcja nie znalazła uznania w oczach władz i doczekała się pełnej kompromitacji w społeczeństwie. Komuniści z nikim nie chcieli dzielić się władzą, a opinia publiczna dostrzegała w PAX-owskich poczynaniach li tylko serwilizm i agenturalność. Piasecki był zafascynowany władzą. Całkowicie ignorował zdławiony głos opinii publicznej, systematycznie naruszał imponderabilia. Nazywał to „uprawianiem taktyki politycznej". Obronę tej taktyki odnaleźć można w pracy Józefa Wójcika opublikowanej niedawno jako wewnętrzny materiał szkoleniowy PAX-u. Praca ta liczy ponad tysiąc stron i zawiera nader szczegółowy rejestr PAX-owskich argumentów. Podstawowe z nich streszcza rzetelnie Micewski.

Zatem: działalność kulturalna. Micewski podkreśla rozmach działalności wydawniczej PAX-u. W okresie stalinowskim - a i później także - Instytut Wydawniczy „PAX" opublikował wiele książek, które - niezależnie od intencji PAX-owskich bossów - wzbogaciły polskie życie umysłowe. Nakładem PAX-u ukazały się książki ludzi spoza tego środowiska: Hanny Malewskiej *Sir Tomasz More odmawia*, Antoniego Gołubiewa *Bolesław Chrobry*, Stefana Kisielewskiego *Rzeczy małe*. Publikowano również znakomite przekłady: Bernanosa i Mauriaca, Ricoeura i Gilsona, Grahama Greene'a i Christophera Dawsona. Wartość tych wydawnictw była na tyle bezsporna, że sprowokowało to Stefana Kisielewskiego do następującej przepowiedni: „Bolesław Piasecki przejdzie do historii jako Gebethner i Wolff Polski Ludowej".

Ze szczególną gwałtownością i skrupulatnością polemizują PAX-owscy publicyści z zarzutem współudziału Piaseckiego w uwięzieniu Prymasa Polski. Z książki Micewskiego wynika, że istotnie trudno jest Piaseckiemu taki zarzut stawiać, że - istotnie - uwięzienie Prymasa było dla PAX-u polityczną katastrofą, że PAX-owcy wielokrotnie dawali swemu stanowisku wyraz w rozmowach z członkami kierownictwa partii, a Dominik Horodyński domagał się z trybuny sejmowej uwolnienia Prymasa wiosną 1956 roku.

Aliści, spoglądając z lotu ptaka na całą tę argumentację, niepodobna oprzeć się wrażeniu, że mamy tu w gruncie rzeczy do czynienia z ideologią radziwiłłowskiego „postawu czerwonego sukna", tak celnie przywołaną ostatnio przez Jana Walca w polemice z Ryszardem Wojną i Romanem Bratnym („Krytyka" nr 2). Jakże inaczej bowiem zakwalifikować podjętą przez Piaseckiego latem 1956 roku próbę szukania samodzielnych kontaktów z radzieckim bezpieczeństwem?

Opis tego incydentu należy do najbardziej przejmujących fragmentów bogato udokumentowanej książki Micewskiego.

Mimo tak obfitej dokumentacji powstaje u czytelnika uczucie niedosytu. Opisując epokę stalinizmu, Micewski stanowczo zbyt mało miejsca poświęca próbie zrekonstruowania ówczesnej wizji rzeczywistości bohaterów swej książki. Jak sobie radzili intelektualnie z ówczesnymi zagrożeniami? Na to pytanie zabrakło mi odpowiedzi. Charakteryzując różnice stanowisk w łonie PAX-u, określa autor punkt widzenia przeciwników Piaseckiego (tzw. frondy) jako personalistyczny. Na tym określeniu poprzestaje. Tymczasem ów spór był - jak sądzę - sporem dwóch różnych orientacji ideowych. Był to spór ludzi, którzy - jako eksfalangiści - widzieli w hasłach komunistycznych zmodernizowany wariant swych własnych przedwojennych konceptów, z ludźmi, którzy pragnęli zespolić swój katolicyzm z programem społecznych reform i uniwersalistycznymi wartościami, a także widzieli potrzebę modernizacji polskiego katolicyzmu. Związek tych drugich z tymi pierwszymi był incydentalny, ale ten związek wyznacza miarę dramatu polskiej lewicy katolickiej. Ci ludzie, którzy po wielekroć udokumentowali swą odwagę i swą uczciwość, w tamtych latach, w imię Mouniera i personalizmu, akceptowali rządy Bieruta i totalitarnego komunizmu. Jest to - myślę - problem zgoła innego rzędu niż taktyczne meandry Piaseckiego. Dwoistość PAX-u w latach pięćdziesiątych, dwoistość powodująca, że mogli przy jednym stole zasiadać późniejszy autor *Instynktu państwowego* z późniejszym autorem *Rozdroży i wartości,* ta dwoistość nie została w książce Micewskiego dostatecznie uwypuklona. Przeciwnie: głębokie spory ideowe i różnice formacyjne jawią się czytelnikowi jako personalne rozgrywki, co zresztą nie było zapewne intencją autora.

Z dziejów PAX-u - Micewski słusznie to podkreśla - wyłaniają się pewne ogólniejsze wnioski dla ludzi angażujących się w działalność polityczną w systemie totalitarnym. Da się je streścić tak oto: nie wolno lekceważyć imponderabiliów i odczuć społeczeństwa, tylko bowiem mandat społecznego zaufania daje tytuł do podjęcia politycznej działalności w takim systemie.

Koncepcja Piaseckiego i PAX-u to doprowadzona do skrajności koncepcja uczestnictwa w politycznej rzeczywistości wąskiej, ale realnie egzystującej części polskiej inteligencji. Droga PAX-owskich liderów to droga „krytycznej kontynuacji" tych wszystkich wątków, które w tradycji polskiej lat trzydziestych, w tradycji tzw. obozu narodowego, były najciemniejsze i najbardziej wsteczne. Geopolityka i realizm polskiej myśli politycznej zostały tu przetworzone w ideologiczną identyfikację z zaborcą i jego militarną siłą. Nakaz udziału w rzeczywistości przekształcony został w nakaz bezwzględnej solidarności z władzą. Patriotyzm przeobrażono w ksenofobię wobec słabych i serwilizm wobec silnych. Krytyka „polskiej anarchii" uzasadniać poczęła totalitarny model społeczeństwa. Uznanie wagi chrześcijaństwa i Kościoła katolickiego w polskiej kulturze przeobraziło się w instrumentalne wykorzystywanie religii i Kościoła dla antychrześcijańskiej i antykościelnej polityki.

***

Druga część książki poświęcona jest dziejom ruchu „Znak". Zachowam się jak zły recenzent i powiem, czego mi w tej części zabrakło. Zabrakło mi barwności, kontekstu, anegdoty. Zabrakło mi niepowtarzalnego klimatu kapitalnych polemik „Tygodnika Powszechnego" z „Kuźnicą", jakiegoś śladu mięsistych artykułów Jasienicy, błyskotliwej publicystyki Kisielewskiego, wnikliwych esejów Gołubiewa, Malewskiej czy Woźniakowskiego. Micewski cytuje dość obficie polityczno-programowe artykuły Turowicza i Stommy. Dla mnie program Stommy precyzyjniej się wyłania z jego artykułów, np. o powstaniu styczniowym. Linię „Tygodnika Powszechnego" odczytywać trzeba chyba inaczej - nie z programowych wstępniaków, ale z układu treści, z publikacji na tematy historyczne, filozoficzne, kulturalne... Na tym przecież polegała niezwykła siła tego pisma - na prezentowaniu alternatywnej wizji kultury, na oporze przeciw ogłupianiu polskiej inteligencji „diamatem".

„Tygodnik Powszechny" był azylem dla czytelnika pragnącego uchronić się od bełkotu obowiązującej nowomowy. Proponował swym czytelnikom formułę na godziwe bytowanie, proponował program nazywany wprawdzie minimalizmem, ale będący faktycznie maksymalizmem. Była to bowiem próba skonstruowania strategii nadziei dla tych, którzy nie chcieli emigrować, ale i nie chcieli utożsamiać się z Nowym Ładem. Było to trudne. Grupie krakowskich redaktorów udała się sztuka niemała: konsekwentnie odrzucając ideologiczne pokusy stalinizmu (co wcale nie było wtedy łatwe...), uchronili się zarazem przed unicestwieniem jako środowisko. Wielkie to - i jakże nieczęste w naszej tradycji - świadectwo heroicznej odwagi zespolonej ze zdolnością do kompromisu.

Wybory moralne tamtego czasu nasycone były wyjątkowym dramatyzmem. Redaktorzy „Tygodnika" znajdowali się nierzadko w kleszczach oskarżeń nader rozmaitego autoramentu. Prasa oficjalna i władze oskarżały ich o reakcyjność, zewnętrzni i wewnętrzni emigranci: o konformizm i kolaboranctwo. Niszczycielska cenzura stawiała pod znakiem zapytania całą ich pracę.

Wiersz Zbigniewa Herberta *Akropol* - zadedykowany Jerzemu Turowiczowi - kończył się słowami: „i łaska, łaska dla kłamiących". Jakże to osobliwie koresponduje z formułą Micewskiego: „Tygodnik Powszechny" nie chciał kłamać. Pewno, że nie chciał. Ale redakcja „Tygodnika" musiała mieć nieraz poczucie, że kroczy po samej krawędzi. Nie publikując żadnych kłamstw, ale milcząc, z konieczności, o sprawach najbardziej zasadniczych i bolesnych dla polskiej społeczności, ryzykowali ci ludzie, że staną się przysłowiowym kwiatkiem do kożucha polskiej prasy, mimowolnymi dostarczycielami alibi, fragmentem Wielkiego Kłamstwa, jakim było polskie życie umysłowe w epoce stalinowskiej. Z drugiej zaś strony jakże prawdopodobne było, że redaktorzy „Tygodnika Powszechnego" podzielą los redaktorów „Tygodnika Warszawskiego", że zostaną uwięzieni.

Losy „Tygodnika Powszechnego" - pisma zasługującego zresztą na osobną monografię - są dla mnie przykładem, jak wielkie znaczenie ma - choćby okupiona kompromisem - obecność niezależnych środowisk na polskiej mapie kulturalnej. O ileż uboższe byłoby nasze życie umysłowe bez tych, staromodnie nieco łamanych, płacht „Tygodnika". Ale losy tego pisma są również świadectwem, że czasem warto wyrzec się tej obecności, warto wybrać unicestwienie, by nie przekroczyć granicy dzielącej kompromis od zdrady. Granica ta, niemożliwa do ścisłego zdefiniowania w trakcie intelektualnej dysputy, jasna się staje dla każdego z nas w chwili, gdy zostanie przekroczona.

Zespół „Tygodnika" nigdy jej nie przekroczył, a *non possumus* wyrzeczone przezeń wiosną 1953 roku precyzyjnie współbrzmiało z *non possumus* wypowiedzianym w maju tegoż roku przez Prymasa Polski.

***

Jesienią 1956 roku cnota została wynagrodzona. Fortuna uśmiechnęła się do tych wszystkich, którzy uszanowali imponderabilia i własną godność. I odwróciła się od ich adwersarzy. Prymas Polski został uwolniony i objął z powrotem swój urząd, opromieniony autorytetem niezłomnego obrońcy praw narodu i Kościoła. Redakcja „Tygodnika Powszechnego" odzyskała swe pismo. Frondyści z PAX-u, którzy w 1955 roku podnieśli otwarty bunt przeciw autokratyzmowi Piaseckiego, uzyskali w wyniku zmian październikowych koncesję na miesięcznik „Więź".

Piasecki wraz z PAX-em znaleźli się pod ostrym ostrzałem opinii publicznej. W nich właśnie - dzięki artykułowi *Instynkt państwowy* - widziano głównego rzecznika sił neostalinowskich i prosowieckich. Publicyści PAX-u zwracają uwagę, że kampania prasowa przeciw PAX-owi na przełomie lat 1956/57 miała charakter zastępczy. Myślę, że wiele w tym prawdy. Piasecki - niezależnie od własnych dokonań - zbierał cięgi za całokształt polityki stalinowskiej w Polsce. Naraził się niemal całej opinii publicznej. Hierarchii - za zabijanie Kościoła, inteligencji katolickiej - za przejęcie „Tygodnika", środowiskom lewicy - za sojusz z prosowieckim i antysemickim „Natolinem", a wszystkim naraz za *Instynkt państwowy,* który został zrozumiany jako groźba sowieckiej interwencji.

Micewski bardzo ciekawie, ujawniając wiele nowych faktów, opisuje, w jaki sposób Piasecki wyszedł z kryzysu i ocalił PAX oraz swą pozycję w PAX-ie. Było to jednak ocalenie pozorne. Piasecki miał nader zaszarganą przeszłość przedwojenną, pamiętano mu wyczyny ONR-Falangi, ale znaleźli się przecież po 1945 roku ludzie cieszący się powszechnym szacunkiem (np. Stefan Kisielewski), którzy publicznie wyrazili mu wotum zaufania. Po 1956 roku nikt taki się już nie znalazł.

Micewski opisuje szczegółowo kadrowy i instytucjonalny wzrost PAX-u w następnych latach. PAX stał się swoistym państwem w państwie, koncernem prasowym i przemysłowym, żywo partycypującym we wszystkich walkach koteryjnych. Był jednak - słusznie Micewski zauważa - dla wszystkich partnerów (łącznie z moczarowcami) sojusznikiem nader kompromitującym. Zawsze pachniał policją i obcą inspiracją.

***

Losy ruchu „Znakowego" po Październiku opisuje Micewski z drobiazgową szczegółowością. Ciekawe to bardzo, ale i mylące zarazem. Ogromnej liczby informacji personalnych nie równoważy, niestety, informacja o kontekście sytuacyjnym, w którym „Znakowi" przyszło działać[1]. Brakuje mi w książce np. progomułkowskiego epizodu w publicystycznych szarżach Kisiela i innych publicystów z kręgu „Znaku". Szczegółowo natomiast i rzetelnie przedstawione zostały spory o sens zmian soborowych. Nader ciekawie wypadło również podsumowanie historii Koła Poselskiego „Znak", tego dość wyjątkowego fenomenu w historii komunistycznego parlamentaryzmu. Właśnie tutaj personalne szczegóły są najbardziej na miejscu, ujawniają bowiem kulisy polityczne wyborów do Sejmu PRL i demaskują mechanizmy funkcjonowania władzy. Micewski nie ograniczył jednak tej metodologii do opisu manipulowania przez władze mandatami poselskimi. Dominuje ona i później w opisie działań całego środowiska. Dotyczy to zwłaszcza warszawskiego Klubu Inteligencji Katolickiej i „Więzi". Czytelnik zdobywa moc drobiazgowych informacji o tym, co, kiedy i komu mówili Zabłocki czy Łubieński, natomiast nie dowiaduje się, na czym polegała

---

[1] Własny pogląd na temat popaździernikowej ewolucji środowiska „Znak" sformułowałem w artykule *Nowy ewolucjonizm* („Aneks" nr 13-14). Micewski przywołuje polemicznie ten artykuł. Powtarzając – mniej więcej wiernie – moją charakterystykę rewizjonizmu i neopozytywizmu w okresie popaździernikowym, powiada Micewski dalej, że „zestawienie obu tendencji nie było zbyt trafne". Nie bardzo rozumiem, o co memu adwersarzowi chodzi: odnotowałem po prostu, że rewizjonizm i neopozytywizm (tak nazwałem linię polityczną „Znaku") były dwoma różnymi nurtami ideowymi polskiej inteligencji pragnącymi demokratycznej ewolucji systemu. Czyżby Micewski to kwestionował?

osobliwość tych pism w polskim życiu umysłowym, jaki model edukacji i kultury narodowej był na tych łamach propagowany. Istotą działania tych środowisk były artykuły i książki, a nie walka o poselskie mandaty... Chociaż wysoko oceniam dorobek sejmowy niektórych posłów „Znaku", to przecież istotniejsza była ich rola jako organizatorów i twórców kultury. Micewski słusznie podkreśla rolę książki Bohdana Cywińskiego *Rodowody niepokornych*, celnie zwraca uwagę, jak ważna była to pozycja dla całego pokolenia i wielu środowisk polskiej inteligencji. Ale książka Cywińskiego jest fragmentem większego gmachu zbudowanego długoletnim i cierpliwym wysiłkiem redaktorów „Więzi". Na ten gmach składają się tomy szkiców Tadeusza Mazowieckiego, Anny Morawskiej, Juliana Eski, świetne *Szkice z prowincji* Wojciecha Wieczorka, szkice literackie Jacka Łukasiewicza, szkice historyczne samego Micewskiego i innych autorów. A obok tego przekłady! Mounier, Morin, Simone Weil, Bonhoeffer. Dopiero spojrzenie na całość tego dorobku pozwala odczytać jego istotny sens, który polegał na udzieleniu chrześcijańskiej odpowiedzi na wyzwanie nowych czasów.

To samo wrażenie odniosłem, czytając rozważania Micewskiego o środowisku krakowskim. Micewski słusznie podkreśla zasadnicze linie taktyki politycznej „Tygodnika", ale gubi chyba coś istotnego, pomijając jego niezwykłą rolę kulturotwórczą: Kisiel i Zawieyski, Malewska i Gołubiew, Woźniakowski i Turowicz, Stomma i Swieżawski - każdy z tych ludzi na swój sposób tworzył solidny i trwały fundament narodowej kultury. Im więcej mija czasu, tym trwalszy się on wydaje...

Wprowadzenie Elzenberga i Micińskiego w krwiobieg kultury polskiej, podejmowanie problematyki religijnej w sposób wolny od tak częstego w naszej historii zacietrzewienia i obskurantyzmu - to wielkie, niekwestionowane zasługi „Tygodnika", „Znaku" i „Więzi".

Nasuwa mi się zresztą pewne spostrzeżenie bardziej ogólne. W epoce, gdy na politykę partii i stronnictw nie było miejsca w polskim życiu umysłowym, wzrosła rola pism społeczno-kulturalnych. Zarówno w Polsce, jak i na emigracji. Jakże inaczej objaśnić fakt, że rolę większą niż wszystkie partie i komitety polityczne na emigracji odegrała nieliczna redakcja paryskiej „Kultury"? Przyszłego dziejopisa „Kultury" chcę przestrzec przed bezkrytycznym zapożyczaniem metodologii od Micewskiego. Sądzę mianowicie, że mniej istotne dla roli tego kręgu było zaangażowanie w rozmaite przedsięwzięcia organizacyjne, bardziej zaś - samo pismo i wydawnictwo. Tej perspektywy również nieco mi w książce Micewskiego zbrakło: zestawienia realizmu Stommy z realizmem np. Mieroszewskiego. Byłoby to nader instruktywne dla zrozumienia horyzontu polskiej myśli politycznej i jej wewnętrznych napięć.

***

Środowisko „Tygodnika" i środowisko „Więzi" podejmowały problematykę myśli katolickiej i posoborowych zmian w Kościele. Różnice w tych ujęciach były oczywiste: „Więź" była nieporównanie bardziej radykalna w swych krytykach i reformatorskich postulatach. Całościowa ocena wkładu „Tygodnika" czy „Więzi" w proces przeobrażeń polskiego katolicyzmu z pewnością byłaby przedwczesna, a autor niniejszych rozważań zgoła nie czuje się do niej powołany. Natomiast bezsporne wydaje się, że głos tych środowisk był głosem dla polskiego życia umysłowego ważnym i potrzebnym, choć wzbudzał istotne zastrzeżenia Episkopatu. Przedmiotem takich - oględnie rzecz nazywając - zastrzeżeń była na przykład cytowana przez Micewskiego dyskusja o księżach („Więź", 1968 rok). Nie negując „szczerości i słuszności intencji", Micewski uważa zorganizowanie tej dyskusji za błąd taktyczny, narażać bowiem miało redakcję na konflikt z Episkopatem.

Trudno mi się zgodzić z takim ujęciem. Taktykę jestem skłonny podporządkowywać systemowi wartości i strategii - a nie odwrotnie. Co więcej: twierdzę, że ta właśnie „Więziowa" dyskusja dowodzi, jak bardzo serio traktował zespół redakcyjny swój udział w życiu publicznym i jak serio, nieinstrumentalnie traktował swój związek z Kościołem. Nie wiem, czy poszczególni dyskutanci mieli merytoryczną słuszność, czy ich krytyki stanu katolickiego kleru i ich krytyki - nader dyplomatyczne zresztą - Episkopatu były słuszne, wiem natomiast, że jeśli były słuszne w ich własnym sumieniu, to winny zostać wypowiedziane. Opis relacji pomiędzy „Znakiem" a Episkopatem należy do najtrudniejszych tematów książki. Autor - podejmując ten wielce skomplikowany problem - musiał czuć się skrępowany realiami bieżącej sytuacji. Bez wątpienia słuszne są jego uwagi o trudnej sytuacji biskupów, którzy musieli bronić Kościoła i jego wewnętrznej spoistości. Słusznie również na tym tle podkreśla dalekowzroczność i odwagę zespoloną z realistycznym umiarem w działaniach Prymasa Polski. Jednego aspektu wszelako nie wydobywa: konflikty między katolicką hierarchią a katolicką inteligencją z kręgu „Znaku" były elementem zjawiska szerszego, owo napięcie charakterystyczne być musiało dla każdej instytucji i dla każdej społeczności, która broni swego istnienia przed zagrożeniem z zewnątrz, ale w której dojrzewa zarazem poczucie niezbędności wewnętrznych przeobrażeń. W tym sporze rację miały obie strony, bowiem napięcie pomiędzy troską o tradycję i ciągłość a dążeniem do modernizacji jest świadectwem, że społeczność żyje i broni się przed wewnętrznym skostnieniem.

W polskich realiach sytuacja ludzi o orientacji np. „Więziowej" była bardzo skomplikowana. Dążenia ich nie były rozumiane bądź rozumiano je fałszywie. Powodowało to, że pokusa solidarności z Episkopatem, solidarności za wszelką cenę, była olbrzymia. Jeśli środowiska „Znakowe" nie zawsze tej pokusie ulegały, jeśli wierność zasadom przedkładano tam nad taktycznie wygodną wierność Episkopatowi, to zasługuje taka postawa na szacunek tym większy. Sądzę bowiem - skłonnym tak sądzić również w odniesieniu do dnia dzisiejszego i do przyszłości - że szacunek i podziw dla dokonań Episkopatu nie muszą i nie powinny prowadzić do bezkrytycznej afirmacji wszystkiego, co biskupi powiedzą i uczynią. Oczywiście - wystrzegać się należy dwuznaczności i pozoru nawet antykościelnych aliansów z władzami państwowymi. Nie należy jednak nigdy - dla pozoru choćby czy taktyki - wyrzekać się krytycznej refleksji, także wtedy, gdy tyczyć może katolickich biskupów.

Albowiem każda instytucja, każda społeczność, każdy człowiek wreszcie, wyłączeni spod krytyki swego postępowania, skazani wyłącznie na chwalby, muszą mieć wypaczony obraz własnych dokonań. Rezygnacja z krytycyzmu zatem, taktycznie może i praktyczniejsza, popadać musi w kolizję z głoszonym przez środowiska „Znaku" systemem wartości personalistycznych.

***

Głównym, choć nieco ukrytym bohaterem książki Micewskiego jest ks. kardynał Stefan Wyszyński, Prymas Polski. Jakże niebanalne jawi się jego postępowanie w świetle przypomnianych w książce faktów! Kiedyś - po porozumieniu w 1950 roku - oskarżano Prymasa o kapitulację przed komunistycznym totalitaryzmem. Później czyniono zeń symbol antykomunistycznego obrońcy „okopów Świętej Trójcy". Jeszcze później stał się obiektem umizgów ze strony aparatu władzy jako rzetelny ponoć patriota. Całą oryginalność linii postępowania Prymasa widać przez zestawienie jej z losem kardynała Mindszentyego i dzisiejszą sytuacją katolików w Czechosłowacji. Mieści się w tej linii heroizm i kompromis, presja i umiar. Wspólnym mianownikiem tych zachowań jest odpowiedzialność. Odpowiedzialność za Kościół i odpowiedzialność za społeczeństwo.

Jaką tradycję reprezentuje Prymas: romantyczną czy organicznikowską? Nie istnieje na to pytanie prosta odpowiedź. Ks. kardynał Wyszyński reprezentował - w zależności od sytuacji - jedną i drugą postawę. Jedno i drugie bywało środkiem obrony tego, co dlań najważniejsze.

W postawach polskiej inteligencji synteza taka jest czymś nader rzadkim.

Organicznicy zbyt łatwo popadają w nadmierną ostrożność i konformizm, romantycy są stanowczo zbyt podatni na nietolerancję i fanatyzm. Analiza dróg postępowania Prymasa zasługuje na głęboki namysł, do którego omawiana książka dodatkowo skłania. Jest to bowiem lekcja wiedzy o tym, jak można uniknąć skrajności konformizmu z jednej, a naiwnego maksymalizmu z drugiej strony; jak można pozostać sobą i rejestrować zarazem zmiany w otaczającej rzeczywistości. A także o tym, jak można z tych zmian wyciągnąć wnioski, rzeczywistość tę zaś przekształcać.

***

Micewski zawadza o ten problem w końcowej partii swoich rozważań. Polemizując z moją książką *Kościół, lewica, dialog,* którą określa jako „wielkoduszną propozycję dialogu i współdziałania", broni „legalnej" koncepcji działania Kościoła i środowisk inteligencji katolickiej. Broni jej jakby przede mną, przed moimi zarzutami. Najwyraźniej musiałem zostać źle zrozumiany, bowiem problemem tym wcale się w mojej książce nie zajmowałem. Interesowało mnie przekraczanie „kredowych kół" dzielących polską inteligencję, a nie nawiązywanie politycznych sojuszy ze „Znakiem" czy wręcz Episkopatem (!), co byłoby jako żywo śmieszną megalomanią.

Chyba nigdy nikomu - a już z pewnością nigdy „Tygodnikowi" czy „Więzi" - nie czyniłem zarzutu z działania w „legalnych" ramach. Rzecz w tym jednak, że ramy te nie są dane raz na zawsze, że nie są niezmienne. Działając w ramach „legalności" - w każdym ramach zresztą - należy mieć świadomość, że sytuacja się przeobraża, ewoluuje również pod wpływem naszych działań i zachowań. I tak np. inną funkcję spełniały wydawnictwa i pisma ruchu „Znak" w okresie stalinowskim, inną po Październiku, gdy zaczęły docierać do Polski wydawnictwa emigracyjne (zwłaszcza „Kultura"), inną zaś dziś, gdy pojawiły się krajowe wydawnictwa poza zasięgiem cenzury. Te okoliczności zmieniają problematykę, horyzont intelektualny, sposób myślenia. Nakazują, by szukać nowych formuł, nowego języka.

Myślę zresztą, że te banały Micewski świetnie rozumie. Inaczej nie byłby opublikował swej książki w Paryżu. Książki, z którą się często nie zgadzam, ale która jest najpoważniejszą ze znanych mi publikacji na temat najnowszej historii Polski.

2 lutego 1979

Lekcja godności

Papież odjechał. Rząd odetchnął z ulgą. Konsekwencje tej dziewięciodniowej wizyty są i długo jeszcze pozostaną niemożliwe do ogarnięcia. Uporczywie przychodzi na myśl określenie Juliana Stryjkowskiego: „Drugi chrzest Polski". W istocie bowiem stało się coś dziwnego. Ci sami ludzie, na co dzień sfrustrowani i agresywni w kolejce za sprawunkami, przeobrazili się w zbiorowość pogodną i rozradowaną, stali się pełnymi godności obywatelami. Tę godność odnaleźli w sobie, a wraz z nią świadomość swej podmiotowości i siły. Milicja zniknęła z głównych ulic Warszawy i zapanował na nich wzorowy porządek. Ubezwłasnowolnione przez tyle lat społeczeństwo odzyskało nagle zdolność stanowienia o sobie. Tak najkrócej można scharakteryzować społeczne konsekwencje wizyty-pielgrzymki Jana Pawła II w Polsce.

Była ta wizyta wielkim, z niczym nieporównywalnym triumfem 30-letniej linii postępowania Episkopatu, linii, której głównym architektem był Prymas Polski ks. kardynał Stefan Wyszyński. Wszyscy obserwatorzy sceny powitania na lotnisku mogli uświadomić sobie ogrom drogi przebytej przez Prymasa: od uwięzienia w Komańczy po ową symboliczną scenę. Postawa Kościoła przezeń kształtowana, nacechowana twardym oporem przeciwko próbom sowietyzacji, ale i realistycznym wyczuciem sytuacji; postawa, w której było miejsce na heroizm i niezłomność, ale i na rozumny kompromis, ta postawa pozwoliła doprowadzić do sytuacji, w której Kościół katolicki w Polsce mógł ukazać światu swe autentyczne oblicze. Tradycyjny wizerunek tego Kościoła, nasycony ciemnotą i fanatyzmem, został radykalnie podważony. Co więcej: stało się dla wszystkich oczywiste, że Kościół jest siłą, wbrew której nie można w Polsce sprawować władzy.

Dla niektórych jest to powód do obaw, czy nie prowadzi to do jakiegoś nowego wariantu sojuszu ołtarza z tronem. Nie podzielam tych niepokojów. Nie ma żadnych sensownych przesłanek, by mniemać, że Kościół zaniechał swej linii oscylowania między „dyplomacją" a „świadectwem" na rzecz dyplomacji i ugody. Zwłaszcza dziś, gdy doskonałość świadectwa została tak bardzo uwydatniona.

Pielgrzymka Jana Pawła II do Polski nadała nowy sens watykańskiej *Ostpolitik*. By go pojąć, znów przypomnieć wypada linię postępowania Prymasa Polski. Gdy w 1950 roku doszła do Stolicy Apostolskiej wiadomość o porozumieniu między rządem a Episkopatem, ktoś z odpowiedzialnych za politykę watykańską miał wykrzyknąć: „Jestem zrozpaczony!". Uważał to porozumienie za błędne ustępstwo w warunkach otwartego i totalnego konfliktu. Kiedy po latach nastąpiło watykańskie „otwarcie na Wschód", linia Prymasa i polskiego Episkopatu wydała się z kolei zbyt twarda watykańskim dyplomatom. Tymczasem linia ta - choć pełna niuansów i przeobrażeń - pozostała w istocie niezmienna: konsekwentnie bronić zasad Ewangelii i nie tracąc kontaktu z rzeczywistością - wydzierać należne sobie prawa, wymuszając zasadę dialogu i cząstkowych kompromisów w stosunkach między Kościołem i państwem, przeobrażać realia poprzez stwarzanie faktów dokonanych.

W tym kontekście całość linii postępowania Papieża i pewne jego gesty pod adresem władz stają się zrozumiałe i całkowicie klarowne.

Władze wykazały tym razem względny rozsądek. Jakkolwiek sprawozdania telewizyjne z mszy były wręcz skandaliczne (wedle opinii mego znajomego, francuskiego dziennikarza, przypominały transmisję z meczu futbolowego, gdzie na ekranie pokazuje się wszystko poza piłką); jakkolwiek bieżących sprawozdań radiowych z Częstochowy czy Gniezna musieli warszawiacy słuchać *via* Watykan lub Monachium, to jednak jakaś informacja była (dwie msze transmitowała telewizja ogólnopolska, inne - telewizje lokalne), prasa drukowała teksty papieskie z minimalnymi ingerencjami cenzury; jakkolwiek stosowano tu i ówdzie bezsensowne ograniczenia, to jednak - przyznajmy - milicja i służba bezpieczeństwa nie zachowywały się prowokująco; jakkolwiek Jacek Kuroń znajdował się praktycznie w areszcie domowym (miał kilkakroć liczniejszą obstawę niż sam Papież), to jednak darowano sobie tym razem akcję szerokich zatrzymań prewencyjnych ludzi z kręgu demokratycznej opozycji.

Najlepsze, co władze mogły zrobić - i co zrobiły - to dobrą minę do złej gry. Udawały mianowicie, że te miliony ludzi o rozjaśnionych twarzach cisnące się do Jana Pawła II nie są dowodem kompletnego fiaska ich 35-letnich rządów, nie są świadectwem utraty ich legitymacji moralnej do sprawowania władzy.

Faktem jest jednak, że do żadnych poważnych zaburzeń nie doszło, na czym każdemu, z różnych względów, zależało. Niektórzy dbali o to chyba przesadnie, jak np. Radio Wolna Europa. Ta rozgłośnia przestała po prostu nadawać informacje o zatrzymaniach uczestników demokratycznej opozycji, co wzbudziło w tych kręgach zrozumiały niesmak[1].

Środowiska demokratycznej opozycji w pełni uszanowały religijny charakter wizyty Papieża i nie próbowały jej wyzyskać dla żadnych politycznych działań. Nie znaczy to - rzecz prosta - że ta wizyta-pielgrzymka nie miała i takiego wymiaru. W okresie poprzedzającym prasa zachodnioeuropejska porównywała nieraz pielgrzymkę Papieża z powrotem Chomeiniego do Iranu i jego walki z szachem. Ta analogia miała symbolizować konflikt między dyktatorską władzą o tendencjach modernistycznych a ruchem protestu społeczeństwa artykułującym się w języku anachronicznych idei i retrospektywnych utopii. Trudno o większe nieporozumienie. Zespół wartości i postaw sformułowany w papieskich homiliach i przemówieniach nie ma nic wspólnego z duchem integryzmu, z klimatem powrotu do epoki, gdy Kościół dysponował „środkami bogatymi" i głównie nimi się posługiwał. Wyraźnie zostało powiedziane, że „nie ma imperializmu Kościoła. Jest tylko służba". Wyraźnie też powiedziano, że Kościół pragnie dążyć do swoich celów środkami innymi niż polityczne.

W odczuciu potocznym pielgrzymka Papieża była dla Polaków szansą zaświadczenia swych rzeczywistych aspiracji i dążeń. Była narodowym plebiscytem. Nie polegał on jednak po prostu na opcji: katolicyzm *versus* ateizm. Widziałem katolików, którzy zgrzytali zębami, słuchając Papieża. Widziałem ateistów przejętych najgłębiej papieskimi słowami. Za czym jesteś? - zapytano każdego z nas. Za konformistyczną zgodą na totalitarną przemoc czy też za niepodważalnymi - w porządku Bożym i człowieczym - prawami osoby ludzkiej do życia w wolności i godności? Przytłaczająca większość Polaków wybrała to drugie.

***

Słowa Jana Pawła II zabrzmiały przejmująco i dobitnie. Każda ich rekonstrukcja ideowa skażona jest ryzykiem spłycenia i wypaczenia sensu. Zwłaszcza kiedy tę próbę podejmuje człowiek, który katolikiem nie jest i nigdy nie był. Pewno więc to nie ja powinienem o tym pisać. A jeśli - pełen onieśmielenia - podejmuję tę próbę, to kieruje mną poczucie, że papież Jan Paweł II mówił do wszystkich i do każdego z nas z osobna. Przeto i do mnie. Spróbuję więc opowiedzieć, co usłyszałem, co zrozumiałem, co odniosłem do siebie.

Zatem polskie doświadczenie historyczne jest doświadczeniem szczególnym, szczególne jest również doświadczenie polskiego katolicyzmu.

„Kiedy zabrakło własnych, ojczystych struktur państwowych - mówił Jan Paweł II - społeczeństwo w ogromnej większości katolickie znajdowało oparcie w hierarchicznym ustroju Kościoła. I to pomagało mu przetrwać czasy rozbiorów i okupacji, to pomagało utrzymać, a nawet pogłębić świadomość swej tożsamości. (...) Episkopat Polski współczesnej jest w szczególny sposób spadkobiercą i wyrazicielem tej prawdy". Albowiem również po 1945 roku „ustrój hierarchiczny Kościoła stał się nie tylko ośrodkiem jego własnej misji pasterskiej, ale także bardzo wyraźnym oparciem dla całego życia społeczeństwa, dla świadomego swych praw bytu narodu, który jako naród w ogromnej swej większości katolicki w strukturach hierarchicznych Kościoła szuka również tego oparcia".

Stosunek Kościół - społeczeństwo ma charakter nadrzędny wobec stosunków Kościół - państwo. Normalizacja tych drugich musi być oparta na „podstawowych prawach człowieka, wśród których prawo wolności religijnej posiada swoje niepowątpiewalne, a pod pewnym względem podstawowe i centralne znaczenie. Normalizacja stosunków pomiędzy Państwem a Kościołem jest dowodem praktycznego poszanowania tego prawa i wszystkich jego konsekwencji w życiu wspólnoty politycznej"[1].

W tym kontekście należy rozumieć kult św. Stanisława, który jest dla polskich biskupów „wzorem niezłomnej i nieustraszonej odwagi w przekazywaniu i obronie świętego depozytu wiary", to również dowód, jak głęboko jest wpisane chrześcijaństwo w polskie losy. „Tego, co Naród polski wniósł w rozwój człowieka i człowieczeństwa, co w ten rozwój również dzisiaj wnosi, nie sposób zrozumieć i ocenić bez Chrystusa. (...) Nie sposób zrozumieć tego Narodu, który miał przeszłość tak wspaniałą, ale zarazem tak straszliwie trudną - bez Chrystusa".

Cóż znaczą te słowa dla mnie, człowieka stojącego poza Kościołem?

Myślę tak oto: objaśniając historię poprzez rozmaite - społeczne, ekonomiczne etc. - uwarunkowania ludzkich losów, pamiętajmy, że żadna z tych determinant nie wskaże nam odpowiedzi na pytanie, dlaczego wybrał śmierć ojciec Maksymilian Kolbe, dlaczego wybrał śmierć Janusz Korczak, dlaczego ich zachowanie otaczamy dziś tak głęboką czcią?

Dwaj XIX-wieczni insurekcjoniści, Jarosław Dąbrowski i Romuald Traugutt, różniący się zasadniczo opcjami ideowymi i politycznymi, w jednym byli zgodni: w tej gotowości do zaświadczenia najważniejszych wartości narodowych i ludzkich - własną krwią. Owa gotowość ukonstytuowała w polskiej tradycji szczególny etos, etos ofiary, etos, w imię którego nasi dziadowie i ojcowie nieprzerwanie od wielu pokoleń walczyli o narodową godność i ludzką godność. Ten etos jest niezrozumiały bez uwzględnienia trwałej obecności chrześcijaństwa w polskim życiu duchowym.

Nie koniec na tym: w kulturze polskiej stale obecny jest etos wielonarodowościowej Rzeczypospolitej, zbudowanej na równości narodów i tolerancji. I choć nie zawsze owa równość i tolerancja faktycznie funkcjonowały, to zawsze były marzeniem najlepszych synów tej ziemi. Kierując ciepłe słowa do chrześcijan innych wyznań w Polsce, Papież nawiązywał - myślę - do tego właśnie etosu polskiej tolerancji.

Tak pojmuję również uwagi Jana Pawła II o specyficznym doświadczeniu całej Europy Wschodniej, doświadczeniu tyleż dramatycznym, co pouczającym dla wszystkich krajów tego kontynentu, doświadczeniu stanowiącym niczym niepodważalny wkład we wspólne dziedzictwo kulturowe, w „duchową jedność chrześcijańskiej Europy, na którą składają się dwie wielkie tradycje: Zachodu i Wschodu".

Wiele można by mówić o sensie i istocie tego doświadczenia historycznego. Tutaj wspomnijmy jeden tylko aspekt: te społeczeństwa poddane zostały eksperymentom „modernizacji" w warunkach totalitarnej przemocy. Szybkie uprzemysłowienie - przez wiele lat argument koronny na rzecz panującego tu systemu - dokonywało się przy jednoczesnym podeptaniu elementarnych praw ludzi pracy, podeptaniu ich godności i godności samej pracy. Zostało to przypomniane podczas kazania w Częstochowie oraz - ze szczególną mocą - w homilii wygłoszonej w Mogile. Przypominając dzieje Nowej Huty, dzieje walki o krzyż w Nowej Hucie, powiedział Jan Paweł II, że „dzieje Nowej Huty są także napisane przez krzyż" - symbol Dobrej Nowiny, ale także symbol cierpienia.

Robotnicza walka o krzyż, o kościół w Nowej Hucie, była walką o godność i tożsamość, była świadectwem, że „nie samym chlebem człowiek żyje", nawet wtedy, gdy tego chleba ledwie wystarcza. Albowiem „współczesna problematyka ludzkiej pracy (...) ostatecznie sprowadza się (...) nie do techniki (...) i nawet nie do ekonomii, ale do jednej podstawowej kategorii: jest to kategoria godności pracy - czyli godności człowieka". „Chrystus - powiedział Jan Paweł II - nie zgodzi się nigdy z tym, aby człowiek był uznawany - albo aby siebie samego uznawał - tylko za narzędzie produkcji. Żeby tylko według tego był oceniany, mierzony, wartościowany. (...) Dlatego położył się na tym swoim krzyżu (...) ażeby sprzeciwić się jakiejkolwiek degradacji człowieka.

Również degradacji przez pracę. (...) I o tym musi pamiętać i pracownik, i pracodawca, i ustrój pracy, i system płac, i państwo, i naród, i Kościół".

Zważmy: jeśli problem wyzwolenia pracy stoi dziś w centrum sporów w Europie Zachodniej, to w te właśnie spory Papież ze Wschodu wnosi wkład szczególny, wnosi wiedzę o doświadczeniu, które wyrzeźbiło rysy tej „drugiej twarzy Europy", by przytoczyć świetne określenie Tadeusza Mazowieckiego. I zważmy również: Papież „przychodzi wobec całego Kościoła, Europy i świata mówić o tych często zapomnianych narodach i ludach. Przychodzi wołać wołaniem wielkim". Cóż to oznacza? Oznacza to - śmiem domniemywać - że wizja Europy okaleczonej i przepołowionej, Europy, której amputowano Warszawę i Kraków, Budapeszt i Pragę, a także Wilno i Lwów; ta wizja uformowana przez możnych tego świata na konferencji jałtańskiej jako wynik rachunku sił militarnych została dziś zakwestionowana. Została zakwestionowana z całą mocą przez człowieka wyrzekającego się przemocy w imię nauki Tego, który dla jednych jest Bogiem, dla drugich - symbolem najistotniejszych wartości kultury europejskiej, dla jednych i drugich wszakże: źródłem norm moralnych i światłem nadziei.

I myślę tak oto: nie sposób zrozumieć tego doświadczenia Polski będącego doświadczeniem Europy, tego doświadczenia zbudowanego na egzystencji w roli podludzi i w roli nawozu historii, zbudowanego na zdradzie sojuszników oraz na wyzuciu z wszelkich praw i wszelkich sił materialnych; tego doświadczenia, na które składa się walka o narodową i ludzką godność prowadzona w osamotnieniu tak dojmującym, że jedynym rezerwuarem sił pozostaje ludzkie sumienie - nie sposób zrozumieć tego bez Chrystusa.

Zatem jeśli ktokolwiek powtórzy dziś pytanie jednego z architektów postjałtańskiego układu - Józefa Stalina: „ileż papież ma dywizji?„, to niechaj pamięta, że takie pytanie jest świadectwem aprobaty porządku opartego na „zaprzeczeniu wiary - wiary w Boga i wiary w człowieka i na radykalnym podeptaniu już nie tylko miłości, ale wszelkich oznak człowieczeństwa, ludzkości", porządku opartego na „nienawiści i na pogardzie człowieka w imię obłąkanej ideologii".

Przypominając tragedię powstańczej Warszawy opuszczonej przez aliantów, powiadając, że „nie może być Europy sprawiedliwej bez Polski niepodległej na jej mapie", odrzuca Jan Paweł zasadność myślenia w kategoriach „egoizmu narodowego" i redukcję polityki do rachunku sił. Wprowadza tym samym do polityki czynnik etyczny, bez którego niejedno państwo mogło stać się mocarstwem, ale bez którego każdy naród musi skarleć, na co obecne stulecie nie szczędziło nam dowodów.

Słowa wypowiedziane przez Papieża w Oświęcimiu nad tablicami w języku hebrajskim i rosyjskim - to zrozumiałe konsekwencje uniwersalistycznego porządku wartości, to przesłanie do własnych rodaków. „Nigdy jeden naród nie może rozwijać się kosztem drugiego, nie może rozwijać się za cenę drugiego, za cenę jego (...) zniewolenia, za cenę jego eksploatacji i za cenę jego śmierci". Tę myśl Jana XXIII i Pawła VI wypowiedział na nowo Jan Paweł II, ich następca i „równocześnie syn Narodu, który doznał w swoich dziejach dalszych i bliższych wielorakiej udręki od drugich. Pozwólcie jednak - kontynuował Papież - że nie wymienię tych drugich po imieniu. (...) Stoimy na miejscu, na którym o każdym narodzie i o każdym człowieku pragniemy myśleć jako o bracie".

Na miejscu „Golgoty naszych czasów", na miejscu, które przywoływało w sposób naturalny wspomnienie o ofiarach systemów pogardy, o najbliższych zagazowanych w oświęcimskich krematoriach i zastygłych w szkło w syberyjskich łagrach, zostaliśmy wezwani do braterstwa i pojednania przeciw - uzasadnionej choćby - nienawiści i zemście. Usłyszeliśmy: „Mówię w imieniu wszystkich, których prawa gdziekolwiek na świecie są zapoznawane i gwałcone. Mówię, bo obowiązuje mnie, obowiązuje nas wszystkich - prawda".

* * *

Ta niepełna i nieudolna rekonstrukcja kilku wątków papieskich homilii i przemówień wypowiedziana była w jedynym dostępnym mi języku: języku laickim. W tymże języku wypowiem i swoje pytania: czy kult św. Stanisława nie bywał nigdy nadużywany do celów niewiele mających wspólnego z obroną depozytu wiary, a wiele ze świeckimi aspiracjami Kościoła? Czy strukturze hierarchicznej Kościoła w Polsce nie zagrażają niebezpieczeństwa wynikłe z jej szczególnej roli w życiu narodu? Czy Stolica Apostolska zawsze równie klarownie wypowiadała swój osąd systemów politycznych, które stworzyły obozy koncentracyjne śmierci i pracy niewolniczej?

Zadaję te pytania, gdyż wiem, iż zadają je i inni, przejęci do głębi słowami Jana Pawła II.

* * *

Najbardziej przejmujące - i najtrudniejsze do nazwania - wydało mi się w papieskich homiliach to wszystko, co było najbardziej osobiście adresowane do każdego ze słuchaczy. Jeśli bowiem przyjąć, że „Polska stała się w naszych czasach ziemią szczególnie odpowiedzialnego świadectwa", to trudno nie powtórzyć pytania, czy do tych „ogromnych zadań i zobowiązań" naprawdę dorastamy? Ściślej: czy ja dorastam?

Powiedziano do mnie: „Człowiek (...) jest istotą rozumną i wolną, jest świadomym i odpowiedzialnym podmiotem. Może i powinien osobistym wysiłkiem myśli docierać do prawdy. Może i powinien wybierać (...). Ten historyczny proces świadomości i wyborów człowieka jakże bardzo związany jest z żywą tradycją jego własnego narodu, w której przez całe pokolenia odzywają się żywym echem słowa Chrystusa, świadectwo Ewangelii, kultura chrześcijańska, obyczaj zrodzony z wiary, nadziei i miłości. (...) Czy można odepchnąć to wszystko? Czy można powiedzieć »nie«? Czy można odrzucić Chrystusa i wszystko to, co On wniósł w dzieje człowieka? Oczywiście można. Człowiek jest wolny. Człowiek (...) może powiedzieć Chrystusowi: »nie«. Ale pytanie zasadnicze - czy wolno? I: w imię czego »wolno«? Jaki argument rozumu, jaką wartość woli i serca można przedłożyć sobie samemu i bliźnim, i rodakom, i narodowi (...) ażeby powiedzieć »nie« temu, czym wszyscy żyliśmy przez tysiąc lat? „. Zatem: czy wolno mi odrzucić kulturę opartą na chrześcijańskich wartościach, na wierze, miłości i nadziei?

W każdej odpowiedzi na to z najważniejszych pytań ludzkiego życia zabrzmieć może fałszywy ton. Każdy winien odpowiedzieć na nie sam sobie. Bowiem - myślę - odrzucają ten system wartości tylko ci, którzy z tytułu swoich urzędów gwałcą niezbywalne prawa człowieka. I nie tylko ci, którzy im na to milcząco pozwalają, powtarzając gest Piłata. Odrzucają te fundamentalne wartości również ci, którzy deklarując z nim swą solidarność, bronią ich przy użyciu sposobów niegodnych.

Nie będę tych sposobów wyliczał. Powiem tylko, że słuchając homilii Jana Pawła II na krakowskich Błoniach - czułem się dziwnie. Miałem poczucie, że gdy Papież prosił wiernych katolików, „abyście od Niego nigdy nie odstąpili", mówił to również do mnie: poganina.

Prosił mnie, bym owych niegodnych sposobów unikał.

Czerwiec 1979

Zamiast posłowia

Książkę *Kościół, lewica, dialog* skończyłem pisać równo pięć lat temu. Propozycję jej wznowienia przyjąłem tyleż z radością, co i z niepewnością. Z radością - bo sięgnie po nią czytelnik młody, bogaty w doświadczenia odmienne. Ale i z niepokojem, czy ta książka może się dziś jeszcze na cokolwiek przydać? Czy nie jest już całkowitym anachronizmem? Anachronizmem bowiem stała się niemal natychmiast. Rozwijający się w ostatnich latach ruch demokratyczny przełamał rychło dawne podziały na tych, którzy uczyli się politycznej kontestacji w duszpasterstwach akademickich czy Klubach Inteligencji Katolickiej, i tych, którzy inspiracji szukali na potajemnych kompletach, gdzie czytano pisma Marksa, Abramowskiego i Ossowskiego, postrzępione roczniki „Po prostu", zaczytane książki Kołakowskiego i Brusa, przemycone z Zachodu numery „Kultury" paryskiej z tekstami Gombrowicza i Miłosza, Herlinga-Grudzińskiego i Mieroszewskiego. Na moich oczach powstawała nowa formacja ideowa, której nie potrafię tu szczegółowo opisać, ale którą - w głównych zarysach - łatwo odnaleźć w literaturze „pokolenia 68", w kinie „moralnego niepokoju", w „młodym teatrze", w publicystyce i plastyce, wreszcie w politycznym dziele demokratycznej opozycji lat 1976-1980. Rozmaite podziały będziemy jeszcze oglądać w polskim życiu publicznym, ale - wydaje się - nigdy już ich istotą nie będzie stosunek do religii chrześcijańskiej. Dowodzi tego klimat ideowy w środowiskach demokratycznej opozycji, dowodzi tego wizyta Papieża w Polsce, dowodzi tego przebieg polskiego Sierpnia. Skłonny jestem zatem mniemać - zarozumiale - że w swych zasadniczych diagnozach i przewidywaniach moja książka okazała się trafna.

Z pewnością wiele stronic napisałbym dziś inaczej, byłbym ostrożniejszy w niektórych osądach ludzi i instytucji, byłbym precyzyjniejszy w niektórych formułach. Nie jest jednak dobrym obyczajem pisanie własnej biografii wstecz. Niechaj więc pozostanie ta książka w swym pierwotnym kształcie.

W jednej tylko sprawie chciałbym prosić czytelnika o dobrą wolę: by przyjął moje wyjaśnienia terminologiczne. Posługiwałem się formułą „lewicy laickiej", co bywało odczytywane w sposób niezgodny z moimi intencjami. Dla mnie ta formuła - sam ją wymyśliłem - była próbą nazwania prądu

ADAM MICHNIK

ideowego, a nie konkretnej formacji politycznej. Prąd polityczny o takiej nazwie nigdy nie istniał, a i ja nie próbowałem do życia go powoływać. Stąd utożsamianie „lewicy laickiej" z PPS, eksstalinowcami czy KOR-em jest zwyczajnym nadużyciem. W moim pojęciu była to formacja *umysłowa* (a nie *polityczna)*, której wspólny był gwałtowny antyklerykalizm i negatywny stosunek do religii. Zaliczałem tu zarówno ludzi prześladowanych i tępionych przez stalinizm (Ciołkosz, Cohn, Ossowscy, Pajdak, Pragier, Pużak, Zaremba, Hostowiec, Herling-Grudziński, Jeleński etc.), jak i tych, którzy w pewnym okresie ulegli „heglowskiemu ukąszeniu", by później konsekwentnie bronić wolności demokratycznych i praw człowieka. Z tradycyjnym myśleniem tych *wszystkich* ludzi o religii i Kościele próbowałem polemizować.

Posługiwałem się również terminem „socjalizm demokratyczny". Dziś używam tych słów ostrożnie i z wielkim ociąganiem. Nie dlatego, bym zmienił swoją opcję ideową, lecz dlatego, że w polskim życiu politycznym te słowa prawie już nic nie znaczą.

***

Wielu przyjaciół pyta mnie: Czy nie żałujesz swojej książki? Nie, nie żałuję. Najistotniejszą jej propozycją dla ludzi spoza Kościoła było nowe spojrzenie na sam fenomen religii i próba nowego odczytania najnowszej historii Kościoła. Jeśli nawet przesadziłem i nakreśliłem obraz Kościoła zbyt rozjaśniony, to niechaj usprawiedliwi mnie kompletny brak obiektywnych opracowań na ten temat. Dzisiaj, po bogato udokumentowanych książkach Andrzeja Micewskiego i Petera Rainy, widzę obraz bardziej zróżnicowany. Ale pytanie to ma również sens bardziej aktualny: czy nie zmieniłem swojej oceny Kościoła katolickiego w świetle wydarzeń ostatniego roku? Nie, nie zmieniłem. Sądzę natomiast, że bardziej pogłębionej i zniuansowanej oceny domaga się strategia Kościoła w ostatnich latach, strategia oparta na dialektyce oporu i udziału w oficjalnym życiu publicznym. Taka strategia zawsze składa się z działań i gestów cząstkowych. Stąd bywa niezrozumiana. Dlatego też należy oceniać ją z dłuższej perspektywy. Wedle mojej oceny bilans strategii Kościoła z lat 1976-1980 wypada zdecydowanie dodatnio. Nie aspirując do wyczerpania tematu, wspomnę tu tylko o zdecydowanej obronie przez Episkopat więzionych robotników Radomia i Ursusa, o obronie prześladowanych i więzionych działaczy opozycji demokratycznej, o pięknym liście Prymasa Polski w sprawie „uniwersytetu latającego"...

Prawdziwym symbolem triumfu tej strategii była wizyta Papieża w Polsce i wielki krzyż na placu Zwycięstwa w Warszawie. Dla ludzi Kościoła są to wszystko banały i oczywistości. I dla nich wszakże może być interesujące zobaczenie własnych dziejów cudzym okiem. Piszę te słowa wkrótce po śmierci ks. kardynała Stefana Wyszyńskiego, Prymasa Polski. Wraz z nim skończyła się pewna epoka w historii Kościoła i historii naszego narodu. Był człowiekiem niezwykłego formatu, wielkiej odwagi i rozwagi. I był człowiekiem żywym, pełnym ludzkich cech, kontrowersyjnych nieraz decyzji. Za wcześnie jeszcze na całościowy obraz jego roli i dokonań. Źle byłoby wszakże, gdyby podziw dla dokonań Prymasa uniemożliwił rzeczową refleksję nad najnowszymi dziejami Kościoła, rzetelne zestawienie blasków i cieni. Że takie zagrożenie jest realne, wskazuje ton prasy katolickiej w ostatnim czasie. Więcej tam apologetyki i hagiografii niż rzeczywistego obrazu pełnej dramatyzmu historii Kościoła; niknie gdzieś skomplikowany problem ugody 1950 roku, trudny do oceny zakręt w postawie Episkopatu po uwięzieniu Prymasa, tragiczne dzieje księży-męczenników i smutna karta „księży-patriotów".

Również późniejsze losy polskiego katolicyzmu obfitowały w napięcia i dylematy. Po 1956 roku nie był to już „Kościół milczenia", choć nieraz na księży spadały dokuczliwe represje, a Episkopat bywał obiektem brutalnych ataków. Istniały również różnice zdań wewnątrz Kościoła: dotyczyły zmian soborowych, eksponowania kultu maryjnego, recepcji wpływów katolicyzmu zachodniego, np. holenderskiego, roli laikatu. Ten czas czeka na swojego dziejopisa.

Ostatnie dziesięciolecie - znaczone rządami Edwarda Gierka - położyło kres frontalnym atakom na Kościół. Władza z wolna rezygnowała z polityki nękania i poczęła zabiegać o względy Prymasa i Episkopatu. Obiektywna sytuacja Kościoła zaczynała być inna. Chociaż na zewnątrz nic się nie zmieniło, to Episkopat, kler i cała społeczność katolicka zaczęły stawać wobec nowych sytuacji i nowych pytań. Te pytania zrodziło pojawienie się na scenie demokratycznej opozycji i tzw. niezależnych instytucji. Działalność mająca na celu samoorganizację społeczną, tworzenie więzi niezależnych od państwa, miała i Kościołowi wiele do zawdzięczenia. Nie tylko faktyczny „parasol bezpieczeństwa", który limitował represje, ale również określony wzór „obywatelskiego nieposłuszeństwa", wypróbowany najskuteczniej przez biskupa przemyskiego ks. Ignacego Tokarczuka, który w taki właśnie sposób realizował program budownictwa sakralnego w swojej diecezji.

ADAM MICHNIK

Generalny punkt widzenia Kościoła formułowały komunikaty Episkopatu, ale szczegółowe odpowiedzi były różne: od biskupa ks. Tokarczuka po pewnego biskupa demonstracyjnie biorącego udział w wyborach do Sejmu; od ks. kardynała Wojtyły broniącego studentów krakowskich, uczestników ulicznej procesji po śmierci Stanisława Pyjasa, po pewnego biskupa oskarżającego uczestników głodówki o „cyniczne wtargnięcie do kościoła". Powtórzmy, paleta postaw była bogata. Od ks. Kantorskiego, kapelana głodujących w Podkowie Leśnej, po pewnego księdza-dyrektora, którego negatywne wypowiedzi o KOR-ze i KPN-ie cytowała z aprobatą prasa radziecka.

Nie chciałbym tu lekkomyślnie nikomu wystawiać cenzurek, ale tę złożoność obrazu trzeba widzieć, jeśli się chce zrozumieć dzisiejsze dylematy Kościoła. Od czasu istnienia NSZZ „Solidarność" są one jeszcze bardziej skomplikowane. Już choćby problem relacji Kościół - „Solidarność" daleki jest od jednoznacznych rozstrzygnięć. Czy związki zawodowe mają być chrześcijańskie z ducha, czy katolickie z litery? Jak odniesie się kler do tej nowej siły społecznej? Jakimi metodami będzie na nią oddziaływał? Jak będzie reagował na tendencje klerykalne w łonie związku, na pojawiający się tu i ówdzie fanatyzm i nietolerancję? Czy w praktyce społecznej górę weźmie duch papieskich homilii, czy też całkiem inny duch, serwowany przez ulotki „Grunwaldu"? Pewien wybitny działacz związkowy miał powiedzieć o niewierzących związkowcach: „Za mną stoi moja wiara katolicka, a co stoi za nimi? Chyba tylko obce pieniądze...". Ilu księży przyklaśnie takiemu rozumowaniu, a ilu uzna je za niebezpieczną głupotę? Nie czuję się na siłach na te pytania odpowiedzieć. Czuję się jednak w obowiązku je sformułować. I czuję się w obowiązku ostrzec, że nieraz jeszcze będziemy obserwować manipulację religią, Kościołem i wartościami chrześcijańskimi. Warto być na to przygotowanym, by nie dać się zaskoczyć ludziom, którzy będą bronić Kościoła przed „elementami antysocjalistycznymi". Ignacy Krasicki, który na łamach „Trybuny Ludu" broni Episkopatu przed krytyką ze strony „Kultury" paryskiej - oto przykład symboliczny nadchodzącego czasu.

* * *

Jako autor nie mogę się uskarżać na brak reakcji czytelniczej. Zaszczyciło mnie uwagami, recenzjami, polemikami wielu wybitnych znawców przedmiotu, zarówno katolików, jak i laików. Wszystkim chciałbym w tym miejscu podziękować. Jestem ich dłużnikiem. Zawdzięczam im nie tylko daleko bardziej skomplikowany ogląd przeszłości i współczesności Kościoła, ale i bardziej chyba pogłębiony obraz własnej świadomości metafizycznej. W 1981 roku ukazała się książka ks. Józefa Tischnera *Polski kształt dialogu.* Jest to rzadki przykład wypowiedzi bez knebla wybitnego kapłana i intelektualisty. Zaletą pracy jest więc nie tylko opis historii spotkania i konfrontacji katolików z marksistami, ale i autentyczny zapis stanu świadomości, rejestr zespołu fobii i urazów właściwych określonej formacji katolickiego intelektualisty. Widać to w szczególności na przykładzie opisu drogi życiowej i ewolucji umysłowej Leszka Kołakowskiego. Wnikliwej i mądrej analizie myśli Marksa i teorii marksizmu towarzyszy w książce Tischnera typowo urazowy rozrachunek z jednym z najwybitniejszych polskich filozofów doby współczesnej. Kiedy mówię „urazowy", to idzie mi o skazę w myśleniu intelektualisty najwyższej rangi; intelektualisty, którego eseje, a zwłaszcza studium o Wielkim Inkwizytorze Dostojewskiego, zaliczam do swoich najistotniejszych lektur w ostatnich latach. Zarzucam więc Tischnerowi, że w rozważaniach o Kołakowskim i jego rówieśnikach chybił, że nie umiał opisać ich intelektualnego i duchowego doświadczenia, tak jak to potrafił zrobić np. Miłosz w szkicach o Borowskim i Krońskim. Nie chcę na tym miejscu podejmować sporu o doświadczenie stalinizmu, choć u znawcy dziejów inkwizycji i specjalisty od filozofii Heideggera zdumiewać może taka powierzchowność analizy. Podzielając wszystkie moralne osądy Tischnera, jego opis mechanizmu stalinowskiego zniewolenia umysłów przypomina mi okrzyk zdumionej dziewczynki, która widząc żywą żyrafę, powiada: „To niemożliwe, żeby ktoś miał taką długą szyję". Tymczasem mechanizm ideologicznego zniewolenia jest szczególną chorobą naszej epoki i warto uświadomić sobie, że czyhać na nas może codziennie, przybrany w inną frazeologię i ponętny kształt totalitarnej utopii egalitarnej lub elitarnej, narodowej lub uniwersalistycznej, ateistycznej lub wyznaniowej.

Lęk przed totalitarnym zniewoleniem był jedną z istotnych inspiracji mojej książki. W antytotalitarnej wspólnocie dostrzegałem istotny sens spotkania z chrześcijaństwem i Kościołem. Akceptacja bądź sprzeciw wobec ustrojów i ruchów totalitarnych to dla mnie centralne kryterium oceny instytucji, partii politycznych, wreszcie zachowań ludzkich na całym świecie. Jest to dla mnie ważniejsze niż podział na prawicę i lewicę, niż każdy inny podział. Szkoda, że Tischner tego nie dostrzegł.

Skądinąd muszę zresztą przyznać, że zostałem w *Polskim kształcie dialogu* potraktowany wielkodusznie i życzliwie, a z większością uwag krytycznych muszę się zgodzić. Nie bez zastrzeżeń wszakże. Oto one:

1. Obraz katolicyzmu wyłaniający się z książki Tischnera jest tak sielankowy, że wszelkie namowy do katolickiego rachunku sumienia, zwłaszcza dziś, w epoce Papieża Polaka, wydać się mogą nietaktem. Jednak nie wycofuję się ze swoich sformułowań: jak długo ludzie Kościoła nie zrozumieją całej dwuznaczności sojuszu kleru z szowinizmem narodowym w latach II Rzeczypospolitej, jak długo nie przeprowadzą rzetelnego rozrachunku z tą postawą triumfalizmu wiodącego do nietolerancji, tak długo grozić im będzie niebezpieczeństwo tłumaczenia nauk Ewangelii na język politycznego fanatyzmu. Jak długo obowiązywać będzie ludzi Kościoła zasada „oblężonej twierdzy", tak długo Prawda ustępować będzie racjom taktycznym, ze szkodą dla wszystkich Polaków. Powiedzmy szczerze, ileż prywatnych dyskusji katolików na temat sytuacji Kościoła i sytuacji w Kościele jest zatajanych bynajmniej nie ze względu na cenzurę państwową? W iluż katolickich intelektualistach drzemie jeszcze wewnętrzny cenzor?

2. Tischner krytykuje ideę „demokratycznego socjalizmu". „Idea demokracji - pisze - kryje w sobie myśl, że ostatecznym podmiotem władzy jest cały naród - lud, bez względu na różnice klasowe; natomiast idea socjalizmu zawiera myśl, że podmiotem tym jest przede wszystkim »przodująca klasa narodu« - proletariat przemysłowy; pojęcie demokratycznego socjalizmu jest więc z czysto teoretycznego punktu widzenia jak pojęcie kwadratowego koła"[1]. W moim ujęciu przymiotnik „demokratyczny" oznaczał stanowcze przeciwstawienie się wszelkim formom politycznego despotyzmu, wszelkim dyktaturom nazywającym siebie ustrojem socjalistycznym. Z kolei „socjalizm" to dla mnie tyle co trwały ruch upodmiotowienia świata pracy, wyzwolenia świata pracy, ruch oparty na ideach wolności i tolerancji, prawach człowieka i prawach narodu, sprawiedliwym podziale dochodu narodowego i równym starcie życiowym dla wszystkich. Jest to definicja całkowicie arbitralna i niewiele mająca wspólnego z leninowską zasadą „dyktatury proletariatu". Dominacja wielkoprzemysłowego proletariatu polegać by miała na faktycznym miejscu w procesie produkcji i strukturze społecznej, a nie na ograniczaniu praw politycznych innych grup ludności. Trudno mi się dopatrzyć tu kwadratury koła.

3. Tischner zauważa, że pojęcie *socjalizm* „funkcjonuje również w oficjalnym języku tych, z którymi autor jest w konflikcie, w języku partii, aparatu propagandy, w języku ideologów. Rodzi się pytanie: w jakim stopniu pojęcie to znaczy to samo po jednej i drugiej stronie? Czy może tylko słowo jest takie

---

[1] *Polski kształt dialogu*, Paryż 1981, s. 187.

samo, a treści diametralnie przeciwne? Czy może pozostał jakiś wspólny mianownik? Pytania nie są tylko teoretyczne: idzie o to, czy myśl Michnika *mimo wszystko* udziela aprobaty temu, co zaistniało w Polsce po II wojnie światowej, czy też uważa, że wszystko było błądzeniem? Czy A. Michnik wierzy, że *przynajmniej początki* były dobre? Czy w ten sposób, mimo całej krytyki i opozycyjności, udziela on moralnej sankcji zrębom aktualnego systemu? Myślę, że udziela. Nic nie wskazuje na to, żeby było inaczej. Jest to sprawa ogromnej wagi".

„Nie wiem - pisze dalej Tischner - czy istnieje jakaś inna teoria społeczna oprócz marksistowskiej, która by tak dalece stępiała człowiekowi naturalny zmysł rzeczywistości"[1].

Myślę sobie, że teorie funkcjonują poprzez ludzi - wyznawców. I myślę, że niejeden katolik w niejednej sprawie ma równie jak marksista stępiony „naturalny zmysł rzeczywistości". Świadczy o tym powyższy wywód Tischnera, którego doprawdy o złą wolę nie posądzam.

Dobry Boże! Wypowiadałem się na ten temat setki razy, słowem mówionym i pisanym, zbierałem za to cięgi od komunistów i katolików, a także od pozytywnych bezpartyjnych. Prokurator postawił mi formalny zarzut o obrazę państwa, a pewien zacny ksiądz-dyrektor oświadczył, że Kościół z takimi awanturnikami nie miał i nie chce mieć nic wspólnego. A wszystko za to, że zwracałem uwagę na nieautentyczność władzy komunistycznej w Polsce, że przypominałem Jałtę, gdzie sprzedano polskie prawo do samostanowienia i wyrażono faktyczną zgodę wobec Stalina na narzucenie Polakom obcego modelu ładu społecznego, przed którym się od 36 lat bronią. A wszystko po to, by dziś usłyszeć pytanie, czy daję moralną sankcję początkom i zrębom tego ustroju! Którym początkom? 17 września? Katyniowi? Procesowi szesnastu? Sfałszowanemu referendum? Sfałszowanym wyborom? Prześladowaniu żołnierzy AK? Prześladowaniu działaczy PSL? Którym zrębom? Zasadzie rządów partii komunistycznej, która sięgnęła po władzę wbrew polskiemu społeczeństwu i w oparciu o obcą przemoc?

Nie, nie udzielam temu wszystkiemu moralnej sankcji. Uważam, że ten system od początku był w Polsce oparty na przemocy i kłamstwie. Czy wyrażam się dostatecznie jasno?

4. Pisze Tischner: „Michnik zwraca uwagę przede wszystkim na dialog na poziomie władzy, a więc na poziomie: episkopat - rząd, biskup - premier,

[1] *ibid.*, s. 187-188.

Kościół i aparat partyjny. Tymczasem ten poziom dialogu był wtórny, drugorzędny. Istotny dialog i zasadniczy wybór dokonywał się na poziomie narodu. To naród, to tzw. prosty lud wypełniający kościoły i miejsca pielgrzymkowe, bronił się przeciwko procesom socjalizowania"[1].

Przyjmuję zarzut, że posługiwałem się głównie dokumentami Episkopatu i rządu, że brak u mnie refleksji na temat socjologii katolicyzmu w Polsce. Nie jest to wynik fascynacji władzą, lecz efekt braku jakichkolwiek sensownych danych empirycznych. Wszystko, co mogłem na ten temat napisać, byłoby skażone nazbyt wielką dowolnością. I tak miałem poczucie, że kroczę po dziewiczej ziemi. Tak czy owak powinienem był zrobić stosowne zastrzeżenie, co przez nieuwagę przegapiłem.

Tischner dokumentuje swoje tezy cytatami z polemik filozoficznych, jego refleksjom zaś o tzw. prostym ludzie czytelnik musi wierzyć „na słowo honoru". Dopóki Tischner rekonstruuje świadomość swoją i swojego otoczenia - zgoda; kiedy jednak mnie zapewnia, że wie, jak wyglądała świadomość tzw. prostego ludu - to niechaj wybaczy mi, ale zachowam sceptycyzm. Świadomość potoczna w społeczeństwach poddanych totalitarnej presji jest zawsze trudna do odczytania i nazwania. Intelektualiści, którzy wierzą, że ją rozszyfrowali, zwykle biorą własne życzenia za rzeczywistość, uprawiają tzw. chciejstwo. Tyczy to zarówno marksistów, jak i katolików. Tego się nauczyłem, żyjąc w tym ustroju 35 lat, że nigdy nie jest tak źle, jak się obawiamy, i nigdy tak dobrze - jak chcemy wierzyć. Jedną z charakterystycznych cech stalinowskiej dyktatury było rozbicie więzi społecznych i sfałszowanie języka. Kościół z pewnością był opoką dla narodu - o czym zresztą pisałem - ale zakres jego oddziaływania powinien być dopiero przedmiotem badań. Ze wszystkich świadectw o egzystencji w systemie stalinowskiej dyktatury przebija najdotkliwiej doświadczenie samotności i lęku. Pielgrzymki religijne tego doświadczenia nie niwelowały. Książka o życiu codziennym w epoce stalinowskiej jeszcze nie powstała, ale nawet taka książka nie będzie uprawniać do wniosków, kto „żył Polską", a kto tylko w niej mieszkał. Ponieważ kilkakroć słyszałem już od różnych ludzi niezawodne recepty na sprawdzenie, kto „żyje Polską", to przyrzekłem sobie nigdy już tego typu argumentu - wobec nikogo - nie używać. I również dla mnie nie będzie to już nigdy argument przekonywający.

5. Tischner uważa pojęcia „laickość" i „lewica" za skompromitowane. "Nie wyobrażam sobie - pisze - by ktoś występujący kiedyś jako kandydat

[1] *ibid.*, s. 188.

w wolnych wyborach pod hasłem »laickiej lewicy« uzyskał w tym kraju (...) mandat poselski"[1].

O kwestiach terminologicznych pisałem wcześniej - zgadzam się z Tischnerem, że konfuzje językowe są tu trudne do uniknięcia. Sprawa ma jednak wymiar szerszy. Podział lewica - prawica odnosił się do rzeczywistości społeczeństw rządzonych przez system parlamentarnej demokracji. O komunistach mawiano w takich parlamentach, że oni nie są z lewicy, lecz ze Wschodu. W społeczeństwach rządzonych totalitarnie ten podział stracił społeczną doniosłość. Lecz co będzie w społeczeństwach funkcjonujących na gruzach systemu totalitarnego? Doświadczenia Niemiec, Włoch, Portugalii czy Hiszpanii zdają się wskazywać, że te podziały jakoś się rekonstruują. Tyle empirii. Innych doświadczeń tego typu nie mamy. Dysponujemy natomiast doświadczeniem polskim ostatniego roku. Nie wdając się w szczegółowe roztrząsania, trudno nie odnotować, że obok postaw demokratycznych, otwartych, ujawniły się również postawy autorytarne i dogmatyczne. Będą się również z wolna ujawniały różne wizje ładu społecznego. Nie kłócąc się o terminologię, trudno przecież nie odnotować, że ukonstytuuje się ruch społeczny odwołujący się do tradycyjnych wartości prawicy, że również nadal będą organizować się zwolennicy idei politycznych „Grunwaldu", Katowickiego Forum Partyjnego etc. Nie przestaną też istnieć środowiska skupione wokół odmiennych wizji ładu społecznego, wokół idei samorządu i praw człowieka. Moją książkę chciałem uczynić fragmentem takiego ruchu ideowego, który istniał co najmniej od 1968 roku i zdobywał swymi działaniami pewien autorytet w społeczeństwie. Ten ruch - wielonurtowy i wielofunkcyjny - miał niemały wpływ na przebieg polskiego Sierpnia. Ten ruch istnieje nadal. Taka jest treść mego rozumowania - nazewnictwo pozostawiam innym.

I jeszcze jedno. Pisałem swoją książkę z myślą o dotarciu do prawdy, a nie z nadzieją uzyskania mandatu poselskiego. Na tym ostatnim doprawdy mi nie zależy. Nie chciałbym wszakże dożyć czasów, kiedy dla uzyskania takiego mandatu trzeba będzie się deklarować jako katolik. Byłaby to wielka klęska polskiej demokracji i wielka klęska polskiego katolicyzmu. I - jestem przekonany - wielka klęska mojego przyjaciela ks. Józefa Tischnera.

6. Nie przyjmuję zarzutu, że centralnym problemem była dla mnie koegzystencja Kościoła z aparatem władzy komunistycznej. Swoją książkę pisałem po to, by ludzie dobrej woli mogli się ze sobą spotkać. To widać na każdej stronie, słychać w każdym zdaniu. Interesowało mnie spotkanie dwóch typów Polaka: Polaka-katolika i Polaka-radykała. W biografii Polaka-radykała marksizm-leninizm

[1] *ibid.*, s. 189.

był epizodem, daleko mniej istotnym zresztą niż antyklerykalizm. Stosunek do komunizmu był istotnym fragmentem tego spotkania dwóch Polaków; istotnym, ale nie jedynym. W książce Tischnera problem wyczerpuje się w starciu komunizmu z katolicyzmem. Brakuje mi tam rozdziału o ludziach, którzy przed wojną byli wyklinani z ambon, a po wojnie ścigani przez Urząd Bezpieczeństwa; o wychowankach „Wici" i OMTUR-u, o czytelnikach książek Ossowskiego i *Zniewolonego umysłu* Miłosza, o tych wszystkich „niepokornych" dnia dzisiejszego, którzy w żadnej Wielkiej Instytucji przytułku nie znaleźli, bo go nie szukali.

Zawsze interesował mnie typ człowieka dobrze znany z historii polskiej literatury - wyznającego chrześcijański kanon wartości, lecz nieufającego kościelnym realizatorom, wyznającego socjalistyczne marzenie o wolności i sprawiedliwości, lecz nieufającego partiom politycznym wcielającym te ideały w życie. Bez takich ludzi kultura polska naszego stulecia byłaby smutna i jałowa, tacy ludzie przywracali blask naukom Ewangelii i sens humanistycznemu przesłaniu polskiej tradycji demokratycznej. Tacy ludzie - a byli w Kościele i poza nim - to skarb każdej społeczności, to bezcenny kapitał każdego ruchu ideowego. To autentyczny pomost między pokoleniami, obozami ideowymi, środowiskami. Zabrakło mi takich ludzi na kartach świetnej książki Józefa Tischnera.

***

Idziemy ku nowej Polsce. Ku Polsce niepodległej i demokratycznej. Idziemy drogą nieprzetartą, otoczeni wrogością i podziwem cudzoziemców. Nie rozumieją nas. Nie jest łatwo zrozumieć ten niezwykły blok społecznej i narodowej solidarności. Nie jest łatwo zrozumieć mszę świętą w strajkującej Stoczni im. Lenina; nie jest łatwo zrozumieć strajkujących robotników głuchych na apele biskupa o przerwanie strajku. Nie jest łatwo - również nam samym - zrozumieć Polskę dnia dzisiejszego. Każdy chciałby widzieć ją na miarę swoich marzeń. Z wielkiego tygla przemian społecznych, których jesteśmy świadkami, wyłania się nowa mapa ideowa kraju. Myślę, że na tej mapie jest miejsce dla formacji duchowej, która zespoli najcenniejsze wartości Polskiej Partii Socjalistycznej i całej polskiej lewicy demokratycznej z wartościami i dorobkiem polskiego katolicyzmu. Chciałbym, aby temu służyła moja książka.

Lipiec 1981

Aneks 1997

Kłopot i błazen

Raduję się, że intelektualiści, artyści, ludzie kultury znajdują w Kościele przestrzeń wolności, której nieraz brakuje im gdzie indziej. I że dzięki temu odkrywają istotę i rzeczywistość duchową Kościoła, którą przedtem widzieli jakby z zewnątrz. Ufam też, że Kościół polski odpowie w pełni na zaufanie tych ludzi przychodzących nieraz z daleka i znajdzie język, który trafi do ich umysłów i serc.

Jan Paweł II, 13 czerwca 1987, Warszawa

Pytanie: *Jak widzi Pan alians, jaki się w Polsce dokonał między inteligencją, lewicą laicką a Kościołem?*

Odpowiedź: *Jestem bardzo ostrożny. Uważam, że ten sojusz był czymś wspaniałym i potencjalnie jest czymś wspaniałym. Tylko że w Polsce nastąpił niewątpliwy wzrost tendencji nacjonalistycznych, które mnie - znającemu okres międzywojenny - przypominają alians pomiędzy Kościołem katolickim a prawicą polityczną. I wydaje mi się, że jesteśmy w niebezpiecznym momencie. Wśród hierarchii Kościoła katolickiego na pewno jest wielu ludzi, którzy rozumieją to niebezpieczeństwo, ale jest też sporo takich, którzy zupełnie nie widzą, ile Kościół katolicki by stracił, gdyby odeszli od niego intelektualiści, inteligencja. W polskim Kościele wciąż są żywe tendencje, które tłumaczyły rozmaite fermenty społeczne oddziaływaniem trockistów, masonów, agentur zachodnich. Weźmy choćby kościół na Solcu...*

Czesław Miłosz dla „Tygodnika Mazowsze"

styczeń 1988

I

Mam zdać sprawę z historii pewnego spotkania. Że to jest spotkanie ważne w dziejach Kościoła - dowodzą słowa Papieża. Że jest ono ważne w dziejach inteligencji polskiej - dowodzą słowa Czesława Miłosza. Że jest ono ważne w moim własnym życiu, dowodzi moja - opublikowana przed dziesięciu laty - książka, schlastana miłosiernym piórem mego przyjaciela ks. Józefa Tischnera.

Polskie spotkanie laickiej inteligencji z Kościołem bywa niezrozumiałe dla cudzoziemców. Źródeł owego nieporozumienia szukać wypada w długoletniej tradycji konfliktu laickiej inteligencji Europy z katolickim Kościołem. W Hiszpanii i w Rosji, na Węgrzech i we Włoszech, we Francji i w Polsce zmagał się przez lata duch tradycji zakorzenionej w Kościele z duchem liberalnej kontestacji, duchem mieszczańskich rewolucji.

„Dzieje Francji - powiada François Mauriac - to dzieje długiej wojny domowej, którą Henryk IV przerwał zaledwie na półtora wieku. Zginął jednak zamordowany, zaś Ludwik XIV, który odwołuje edykt nantejski, likwiduje Port--Royal, prześladuje kamizardów - walki nie przerywa.

Prawdę mówiąc - kontynuuje Mauriac - i prawica, i lewica to tematy zbyt słabe i dwuznaczne na określenie nienawiści zasadniczej, zakorzenionej od wieków. Już nawet nie sięgając do wzajemnej wrogości Gallów i Franków, możnowładców Północy i Albigensów, mieszkańców Armagnac i Burgundii, hugonotów i katolików, patriotów i emigrantów, przeciwników i obrońców Dreyfusa, przecież kolaboranci i członkowie Ruchu Oporu to kolejne miano wciąż tej samej nienawiści, rozmaicie zabarwianej burzliwym nurtem historii. Obecnym jej przejawem jest wojna algierska"[1].

Słowa te zostały napisane w 1959 roku, a późniejsze lata - choćby zdarzenia z 1968 roku - stanowią ich świetne uzupełnienie.

Podobny - myślę - ciąg historycznych przeciwstawień dałby się zbudować w polskiej historii: od sporu o status różnowierców zakończonego wygnaniem arian aż po dzisiejsze dyskusje na temat postulowanego kształtu polskiej kultury. Charakteryzując ten konflikt, pisał Konstanty Jeleński, że „w przededniu wybuchu wojny różnice pomiędzy lewicą a prawicą były w Polsce bardzo wyraźne, prawdziwa przepaść istniała jednak na planie nie tyle politycznym, ile uczuciowym, oddzielając prawicę nacjonalistyczną, spadkobierczynię Romana Dmowskiego (...) od pozostałych formacji politycz-

---

[1] François Mauriac, *Bloc-notes. Notatki z lat 1953-1970*, Warszawa 1979, s. 136.

nych, czy to z lewicy, czy z prawicy. Ta antysemicka i szowinistyczna prawica, skupiona wokół wielkiej partii narodowo-demokratycznej, miała dwa oblicza: oblicze masowe, a więc »Polaka-katolika«, drobnomieszczańskie wcielenie wiecznego faryzeusza, oraz oblicze drugie, jeszcze bardziej ponure i groźne - faszyzujących band ONR-Falanga, które po wojnie zostały przekształcone przez ich przywódcę Bolesława Piaseckiego i wkomponowane w ustrój komunistyczny, tworząc stowarzyszenie PAX - grupę katolików współpracujących z ustrojem"[1].

Wspólnym mianownikiem drugiego obozu była „wrogość wobec tego składnika polskiej tradycji, jakim jest nacjonalizm". „W końcu XVIII wieku - pisał Czesław Miłosz do Tomasa Venclovy - nastąpił w Polsce rozłam na obóz Reform i obóz sarmacki i ten rozłam, pod różnymi przebraniami, utrzymał się do dziś, choć w warunkach niejawności albo półjawności wymyka się definicjom". Zaś w „naszym stuleciu ostoją mentalności sarmackiej, która zrodziła nowoczesny nacjonalizm, był, przynajmniej do roku 1939, Kościół"[2].

W innym zaś eseju - o ks. Sadziku - notował Miłosz, że „identyfikacja katolicyzmu z polskością odsuwała kler coraz bardziej od świeckich a wrogich religii nowinek. W czasach mojej młodości - wspominał - rozdział Kościoła (...) od intelektualnego środowiska był faktem dokonanym i niemal politycznym, jeśli wyłączyć nieduże kółko Lasek i pismo »Verbum«. Ani mnie, ani nikomu z moich ówczesnych kolegów nie przyszłoby do głowy, że można przyjaźnić się z człowiekiem w sutannie jak z Jasiem czy Stasiem. Po prostu był to inny stan społeczny, a także inny obóz, do którego niewielu spośród literatów, artystów, intelektualistów czuło sympatię, a korzystający z prestiżu przymiotnika »narodowy«"[3].

Z katolickiego punktu widzenia konflikt ten rysował się inaczej. Syndrom zespolenia polskości z katolicyzmem stanowił wyjątkowy i szczególny oręż przeciw rosyjskiej i niemieckiej polityce wynaradawiania, Kościół katolicki zaś był w epoce rozbiorów jedyną instytucją integrującą całe społeczeństwo i kultywującą tożsamość narodową Polaków. Wszelako katolicyzm XIX wieku - przyznają to Jerzy Kłoczowski, Lidia Müllerowa i Jan Skarbek w *Zarysie dziejów Kościoła katolickiego w Polsce* - cechowała psychologia „oblężonej twierdzy". Źródłem zagrożenia była nie tylko polityka zaborców, ale i działania laickiej inteligencji. Konflikt nabrał nowej dynamiki w pierwszych latach niepodległego państwa, a dotyczył laicyzacji instytucji publicznych oraz

[1] Konstanty A. Jeleński, *Zbiegi okoliczności*, Paryż 1982, s. 162.
[2] Czesław Miłosz, Tomas Venclova, *Dialog o Wilnie*, „Kultura" nr 1-2/1979.
[3] *Śmierć Józefa Sadzika*, „Kultura" nr 10/1980.

„konsekwentnego rozdzielenia spraw kościelnych i państwowych". Laicka inteligencja, związana z lewicą, popierała program laicyzacji i to - powiada Kłoczowski - „w duchu wrogim Kościołowi, religii, przynajmniej zaś duchowieństwu". Działania te znajdowały poparcie wśród mniejszości narodowych, które widziały zagrożenie dla siebie w potędze i uprzywilejowanej pozycji Kościoła. Stanowisko przeciwne - prawicy nacjonalistycznej i grup chrześcijańsko-demokratycznych - sprowadzało się do programu „państwa katolickiego jako państwa narodowo-polskiego»Polaków-katolików«, mających w nim pełnię praw".

W atmosferze wzajemnych nienawiści doszło do tragicznego zabójstwa pierwszego demokratycznie wybranego prezydenta RP Gabriela Narutowicza.

Piszą Kłoczowski i Müllerowa: „Groziło (...) niebezpieczeństwo głębokiego i groźnego podziału kraju na dwa wielkie bloki, »katolicko-narodowy« i przeciwny mu".

Jak ludzie Kościoła postrzegali laicką inteligencję? Prymas Hlond pisał, że w tych kręgach „roiło się od błędów dziewiętnastego wieku, od materialistycznego doktrynerstwa, od fałszywych poglądów na wiarę i moralność, od zgubnych zasad społecznych i politycznych". Toteż laicką inteligencję postrzegano jako wylęgarnię zagrożeń dla Kościoła, skądinąd „łatwo utożsamianego z narodem polskim". Ten klimat rodził podatny grunt dla spiskowej teorii dziejów sprowadzającej się do szukania wszędzie „ukrytych sprężyn żydowsko-masońskich czy bolszewickich". Prowadziło to do zmistyfikowanej wizji świata i wyolbrzymiania możliwości przeciwników[1].

Stereotypy laickiej inteligencji były równie prymitywne: religię i Kościół traktowano jako przeżytki niebezpieczne dla postępu i demokracji. Laicka krytyka ignorancka nie rozróżniała w swoich atakach dogmatów wiary od „historycznych i aktualnych uwarunkowań". Tadeusz Boy-Żeleński, pisarz miarodajny dla mentalności laickiej inteligencji, nazwał wpływy duchowieństwa katolickiego „jarzmem nowej okupacji", „polskim Klechistanem", „potęgą ciemnoty".

Konflikt zdawał się nieusuwalny. Dopiero spotkanie z totalitarnym ustrojem miało pokazać - także Boyowi i ludziom jego formacji - czym w rzeczywistości jest „jarzmo nowej okupacji i potęga ciemnoty".

---

[1] Jerzy Kłoczowski, Lidia Müllerowa, Jan Skarbek *Zarys dziejów Kościoła katolickiego w Polsce*, Kraków 1986, rozdział poświęcony rozbiorom oraz s. 333-335.

II

Minęło 40 lat. Ks. biskup Ignacy Tokarczuk, wybitna i niekonwencjonalna osobowość współczesnej Polski, we wrześniu 1978 roku wygłosił na KUL-u odczyt na temat „Perspektyw rozwoju Kościoła". Zajął się wtedy relacją Kościół - inteligencja. Przypomniał lata, gdy świadomość filozoficzna inteligencji zdominowana była przez pozytywizm, społeczna - przez marksizm, a naukowa przez ewolucjonizm. Rodziło to trwałe postawy antyreligijne i antykościelne.

Ale oto - mówił ks. biskup Tokarczuk - „jesteśmy świadkami niesłychanie ważnego zjawiska - przyspieszonej przemiany tych postaw. (...) W skrajnej postaci Kościół tym ludziom przedstawiał się do niedawna jako Ciemnogród (...), jako ktoś, kto ma ciągle charakter skrajnie konserwatywny, nieufny wobec człowieka. Dzisiaj ten Kościół przedstawia się jako zjawisko nowe, właśnie Kościół jest obrońcą kultury, praw człowieka. Kościół jest bardzo szeroki, otwarty. (...) To odkrycie stanowi ogromną szansę dla Kościoła. (...) Kościół w Polsce nie może pozostać obojętny czy nie zauważać tych procesów. Byłaby to wielka szkoda i strata - i dla Kościoła, i dla narodu. Po prostu szansa, która dzisiaj ukazuje się w bardzo szerokiej skali, stoi przed nami. Jak my ją rozwiążemy, od tego będzie zależna dynamika Kościoła. Każdy laik jest wartościowy, każdy człowiek jest cenny, ale człowiek, który ma umysł szeroki, wykształcony i serce szerokie - i dobrą wolę - jest bardziej przygotowany do tego, aby mógł z siebie jak najwięcej dać. I tej szansy nie wolno Kościołowi polskiemu zmarnować. Wychodzić naprzeciw, gdzie są jeszcze uprzedzenia, pokazywać prawdziwe oblicze. Prawdę pokazuje się nie tylko w teorii, choć to bardzo ważne, ale w realizacji, w praktyce. Ci ludzie jeszcze dziesięć lat temu walczyli z Kościołem, byli sojusznikami wojujących ateistów. Ci ludzie przyznają się otwarcie do swego błędu, żałują tamtej postawy"[1].

Tyle ks. biskup Ignacy Tokarczuk. Niezmiernie trudno komentować mi te słowa, bowiem jedną z ich inspiracji była - jak wynika z dalszego wywodu - lektura mojej książki *Kościół, lewica, dialog*. Niechaj tedy osobisty ton nie będzie poczytany mi za nadmiar egocentryzmu...

Pisałem tę książkę z poczuciem winy. Czułem się winny i odpowiedzialny za własne zaślepienie, za obskuranckie i ignoranckie widzenie spraw Kościoła i religii. Jednocześnie nie była ta książka wyznaniem neofity; nie była aktem konwersji. Widziałem w Kościele katolickim jedynie niezależną

---

[1] Maszynopis w posiadaniu autora.

instytucję egzystującą legalnie w totalitarnym państwie: rzecznika polskości w świecie sowietyzacji; rzecznika suwerenności w świecie powszechnego zniewolenia; rzecznika ciągłości historycznej wśród niszczycielskiego nihilizmu praktyk totalitarnej rewolucji. Z takim Kościołem szukałem spotkania. Dostrzegłem w Kościele obrońcę praw człowieka i praw narodu. I dostrzegłem w Kościele - wśród „powszechnego sprzysiężenia przeciw wszelkiego rodzaju życiu wewnętrznemu" (Bernanos) - azyl dla pytań o transcendencję i o metafizykę, o wartości absolutne i prawdy ostateczne, o fundament moralności, która nakazuje niezgodę na status niewolnika.

Niezwykła wartość Kościoła ujawniła się w momencie szczególnym - gdy poddany został próbie totalitarnej opresji. Wiem, że jest w tym jakaś skaza intelektualna, ale dla nas, żyjących tutaj, w sercu totalitarnej Europy, ostateczną miarą ludzi, wartości i instytucji był ich stosunek do pomysłów budowania potęgi państwa na zniewoleniu ludzi i na niewolniczej wierze w pełną plastyczność człowieczej natury.

Miałem poczucie, że mówię nie tylko własnym głosem, że moja książka jest również zapisem rozmów prowadzonych z Jackiem Kuroniem i Stanisławem Barańczakiem, z Janem Lityńskim i Adamem Zagajewskim, z Barbarą Toruńczyk i Ryszardem Krynickim. Miałem zarazem poczucie, że propozycja nowej perspektywy nie oznacza wyrzeczenia się własnej tożsamości. Aliści to właśnie wiodło do pytania: jaki jest kształt tej tożsamości?

Posłużyłem się wtedy sformułowaniem lewica laicka. Na własne i cudze nieszczęście. Sam skonstruowałem termin, który później przez lata służył rozmaitym szalbierzom do denuncjowania moich przyjaciół jako komunistów, ateistów bądź masonów. Szło mi wtedy o nazwanie pewnej formacji intelektualnej przez długie lata niechętnej religii i Kościołowi. Wszelako nazwa zaczęła funkcjonować wtedy, gdy ta formacja przestała istnieć.

Nie istnieje dzisiaj lewica laicka jako dające się wyodrębnić, spójne w wyznawanych wartościach i publicznych zachowaniach środowisko ideowe. Czyż zatem postulat dialogu stracił swój sens?

Nie przypuszczam. Dialog oznacza uznanie różnorodności świata polskiej kultury, aprobatę dla pluralizmu i rozmaitości tradycji wiodących do postaw wartościotwórczych, gotowość do podążania wspólną drogą przy zachowaniu różnic, szacunek dla cudzej podmiotowości i zdolność do krytycznej autorefleksji nad prawdą własnych korzeni.

Z perspektywy misji apostolskiej dla ludzi Kościoła spotkanie z inteligencją laicką jest ciągle rozmową z potencjalnymi konwertytami. To jest oczywiste. Byłoby jednak głęboko zasmucające, gdyby ta perspektywa była jedyną.

Bowiem to spotkanie winno być przecież również codziennym wysiłkiem budowania od wewnątrz zrębów niepodległej Polski, kształtowaniem ram polskiej pluralistycznej demokracji, utrwalaniem elementów społeczeństwa obywatelskiego. Wizja taka wykracza daleko poza myślenie w kategoriach sojuszu politycznego. Zakłada ona, że Kościół katolicki jest niezbywalną wartością dla wszystkich Polaków, niezależnie od ich wyznania. Dlatego też wszyscy Polacy winni stawać w obronie Kościoła, gdy zagraża mu niebezpieczeństwo. Jednoznaczna reakcja całej niezależnej opinii publicznej na kampanię antykościelną zwieńczoną zamordowaniem ks. Jerzego Popiełuszki jest wymowną ilustracją tego sposobu myślenia. Wszelako drugim członem tej wizji jest uznanie pluralizmu za nieusuwalny składnik polskiej duchowości. Dlatego każda wartość zaatakowana przez totalitarny system winna być broniona, niezależnie od tego, czy jej nosiciel jest katolikiem, ewangelikiem czy agnostykiem.

III

Twierdzę, że klasyczny podział „prawica - lewica" utracił w Polsce i innych krajach realnego komunizmu zdolność opisywania rzeczywistości. Kto dziś opisuje sam siebie w tych kategoriach, uprawia maskaradę. Ten podział - zapoczątkowany przez rewolucję francuską, a zakończony przez rewolucję bolszewicką - stał się anachronizmem. Polską opinię dzielą dzisiaj inne spory i inne kryteria. Jednym ze źródeł podziałów jest stosunek do Kościoła i totalitarnego państwa. Wszelako nie jest to podział wyznaniowy. Spór o rolę Kościoła dzieli Polaków niezależnie od ich wyznania. Dzieli też katolickie duchowieństwo. Wypowiadając się w obecnej dyskusji, mam świadomość istnienia tego podziału. Wiem tedy, że mój głos może być bardzo różnie rozumiany. Winienem więc powiedzieć, jaka jest moja formacja; kim jestem i skąd przychodzę. Może jednak powiem najpierw, kim nie jestem.

Nie jestem tedy utajonym komunistą, który chce od wewnątrz rozkładać Kościół i czynić zeń instrument politycznych celów. Nie lubię uczniów Maurrasa, który cenił Kościół katolicki za polityczny konserwatyzm, hierarchiczną strukturę i społeczne wstecznictwo, gardził zaś chrześcijaństwem za zmysł miłosierdzia. Ale też lękam się maurrasistów à rebours, którzy przekształcają obietnicę Dobrej Nowiny w obietnicę komunistycznego raju i - obiecując gruszki na wierzbie - z Ewangelią w ręku agitują na rzecz totalitarnej rewolucji.

Nie jestem ani trockistą, ani masonem, jak mnie nieraz przedstawiano w pismach przyozdabiających się przymiotnikiem „katolicki". I martwi mnie, że te ignoranckie przezwiska padać mogły z ust ludzi najwyraźniej kiepsko poinformowanych o tym, co to jest „trockizm" i kim są dzisiejsi „wolnomularze". Istnieje rodzaj idiotyzmu, który ma żywot niepokojąco długi.

Nie jestem wszelako człowiekiem bez biografii i tożsamości. Przychodzę z daleka. Na moją tożsamość składa się długi szereg spiskowców i buntowników, bluźnierców i racjonalistów, radykałów i socjałów, jakże dalekich od Kościoła, od myśli konserwatywnej, od obozu nacjonalizmu. Na ich tradycję składały się lektury Żeromskiego i Abramowskiego, Piłsudskiego i Brzozowskiego, Conrada i Camusa, Ossowskiego i Dąbrowskiej, Słonimskiego i Miłosza.

Wszelako - mam tego świadomość - ostatnich 45 lat tej tradycji to uporczywe zmaganie się z totalitarnym komunizmem, który odrzucam, rozumiejąc jednak naturę i potęgę pokusy; to Budapeszt '56 i Praga '68, to Sacharow i Sołżenicyn, Havel i Brodski, Hannah Arendt, Orwell i Silone, to Miłosz, Herbert i Kołakowski, „Po prostu" i „Kultura" paryska, to polski Październik '56 i Marzec '68, Grudzień '70 i Czerwiec '76, to KOR i „Solidarność". To także powolne przewartościowanie własnego stosunku do religii i Kościoła, to lektury „Tygodnika Powszechnego" i „Więzi", książek Turowicza i Mazowieckiego, Woźniakowskiego i Cywińskiego, a także Simone Weil, Bonhoeffera, Domenacha. To również spóźniona lektura dokumentów Episkopatu i *Zapisków więziennych* kardynała Wyszyńskiego. To - na koniec - przeżycie wyboru Jana Pawła II i trzech papieskich pielgrzymek oraz lektura papieskich wypowiedzi.

Wszystko to razem składa się na wizerunek raczej pogmatwany, ale może jakoś charakterystyczny dla człowieka tej formacji z tej części Europy. Chętnie powtarzam, że nie jesteśmy z obozu prawicowego ani z obozu lewicowego, lecz z obozu koncentracyjnego. Podstawowy podział społeczny tej części świata jawi się nam - naiwnie - jako podział na bijących i bitych, zaś towarzyszy temu świadomość, że wobec takiego konfliktu nie wolno nam powtórzyć gestu Piłata. Owa odmowa obojętności wobec krzywdy jest dla nas ważniejsza niż jej uzasadnienie: prawem Bożym czy też prawem naturalnym, Kaniowskim imperatywem czy też zwyczajnym ludzkim instynktem sprawiedliwości i miłosierdzia. Wierzymy, że największym nieszczęściem naszego stulecia jest wydzielenie sfery polityki spod osądu moralnego i ta wiara łączy nas z wielką liczbą katolików w Polsce. W tym też sensie czujemy się dziećmi chrześcijańskiego rozumienia świata wartości moralnych. Chrześcijaństwo - jak je pojmujemy - nie jest projektem politycznym takiego czy innego ustroju.

Manifestuje się zawsze jako głos płynący z głębi sumienia, który nakazuje, jak żyć winienem, a jak żyć mi nie przystoi. Chrześcijaństwo jest też przestrogą przed budowaniem „raju na ziemi"; przed wiarą, że jakakolwiek rewolucja czy reforma może usunąć zło i mizerię z natury człowieczej i ze stosunków międzyludzkich. Żywiąc przekonanie, że przyszło nam żyć w świecie nieuchronnie niedoskonałym, wśród projektów nieuchronnie utopijnych, bez wielkiego wpływu na losy świata, wiemy przecież, że naszym obowiązkiem jest tak czynić, jak gdyby od naszych uczynków los świata zależał.

W fundamentalnym konflikcie totalitarnego państwa ze społeczeństwem obywatelskim mamy powinność być po prostu po stronie niezależnych instytucji społecznych, po stronie wolności, a przeciw zniewoleniu; po stronie "Solidarności", a przeciw policji.

Tak, to prawda. Wszelako będąc intelektualistą - obywatelem niezależnego społeczeństwa - mam być nie tylko jego obrońcą, ale i krytykiem, nie tylko defensorem cnót, ale i burzycielem pospólnych mitologii. Mam tedy być błaznem w rozumieniu, które nadał temu słowu przed 30 laty Leszek Kołakowski.

IV

Upraszczam obraz, posługując się skrótami myślowymi. Wszelako dodam jeszcze, że intelektualista, który wyrzeknie się swej błazeńskiej kondycji w spotkaniu z Kościołem, sprzeniewierzy się jakoś swojej profesjonalnej etyce.

Ten wymóg czyni sytuację intelektualisty osobliwie skomplikowaną. Bowiem przychodząc do Kościoła, przynosi jakiś własny wizerunek, skreślony zwykle cudzą ręką. Przynosi się również jakiś wizerunek Kościoła, również cudzą ręką nakreślony.

Zaryzykujmy w tym miejscu wyższy nieco stopień szczerości, niż jest to przyjęte w polskich polemikach. Otóż w oczach pewnej kategorii ludzi Kościoła utrwalony jest wizerunek eksstalinowca, kosmopolity, trockisty, masona, jadowitego bezbożnika, który sączy miazmaty, ma podejrzane powiązania zagraniczne i opanowane do perfekcji techniki manipulacyjne. Swego czasu ten manipulator-bezbożnik opanował struktury „Solidarności"; teraz próbuje wcisnąć się w Kościół, mącić i buntować, judzić i anarchizować, rozkładać od wewnątrz i instrumentalizować dla własnych politycznych celów. Jest niemądry i nieodpowiedzialny. Chce wplątać Kościół w polityczny konflikt z państwem. I chce zdobyć władzę, by potem rozpocząć politykę ateizacji i prześladowań Kościoła nieporównanie bardziej jadowitą niż rządzący dziś komuniści spod znaku Jaruzelskiego.

W ramach takiego stylu myślenia łatwo jest zakwalifikować program "Solidarności" jako „ani narodowy, ani kościelny, ani inspirowany chrześcijaństwem". Łatwo też formułować przestrogi przed „niepolską inspiracją". I łatwo o lekceważącą nieufność wobec wszystkiego, co opozycyjne, a pozbawione kościelnego stempla.

A wtedy zasypia rozum, budzą się upiory i dochodzi do żenujących obliczeń, jaki procent katolików był w prezydium „Solidarności" czy w Komisji Krajowej.

Nie twierdzę, że jest to wizerunek upowszechniany oficjalnie i często, twierdzę jednak, że myślenie takie - produkt endeckich obsesji - funkcjonuje i znajduje swój wyraz w niektórych publikacjach.

Łatwo jest szydzić z takiego myślenia, ale warto zastanowić się nad jego korzeniami, których nie da się przecież sprowadzić do indywidualnych fobii.

Biskup Ignacy Tokarczuk, pisząc o czasie dawno minionym, scharakteryzował zrodzoną w obrębie Kościoła „psychozę zalęknienia i czujnej obronności". „Wytworzyła się - zdaniem biskupa Tokarczuka - strachliwa postawa defensywna, postawa ochrony za wszelką cenę religii i wiernych przed błędami herezji. Defensywa religijna zaczęła posługiwać się kodeksami, indeksami, syllabusami". Było to historycznie wytłumaczalne, ale zrodziło „tragiczne skutki". Kościół popadł w konflikty z najwybitniejszymi umysłami epoki. Życzliwy dialog zastępował „ochronną separacją od skażeń". Ślady tej tradycji wciąż są obecne.

Ten sposób myślenia nie jest - rzecz prosta - powszechny. Sam biskup Tokarczuk rozumuje zupełnie inaczej. „Lękliwe i zachowawcze stanowisko obronne - jego zdaniem - prowadzi zawsze do konfliktu z siłami kulturotwórczymi, ponieważ życie idzie naprzód, wiedza się pogłębia, doświadczenia wzbogacają nieustannie skarbnicę duchowych wartości. Żadne negatywne restrykcje nie uzasadniają prawdziwości jakiegoś systemu prawd, lecz przeciwnie - prowadzą do konfliktów i strat pozycji za pozycją. Duch ludzkości nie mieści się w kaftanie indeksów i cenzur, buntuje się, chociaż, oczywiście, nie zawsze jest wolny od pomyłek i błędów"[1].

Taki właśnie styl myślenia, kontynuujący ducha swobody i dialogu w życiu umysłowym, bezcenny składnik polskiej świadomości demokratycznej, bywa przecież niezauważany przez obserwatorów lub też traktowany jako ro-

[1] Ignacy Tokarczuk, *op. cit.*

dzaj socjotechniki. Bywa przecież - któż z nas nie napotkał tych opinii - że postępowanie Kościoła pojmowane jest w dość osobliwych kategoriach. Każda deklaracja i każdy postępek interpretowane są jako klerykalizm i wyraz tradycyjnych aspiracji Kościoła do totalnego zwierzchnictwa nad życiem publicznym. Jakim jawi się Kościół swym nieżyczliwym krytykom? Triumfalistyczny, lekceważący każdą wartość i inicjatywę zrodzoną poza swoim zasięgiem. Elastyczny wobec ateistycznej i totalitarnej władzy oraz nieżyczliwy wobec laickiej i demokratycznej opozycji. Dążący do zdominowania „Solidarności", gdy była potężna, i pozostawiający ją własnemu losowi, gdy nadszedł trudny czas stanu wojennego. Mówiący o prawach człowieka, ale zatroskany tylko o prawa Kościoła. Niezdolny do szczerego uznania pluralizmu i tolerancji za trwałe wartości życia publicznego. Przeciwstawiający idei Rzeczypospolitej samorządnej, pluralistycznej i demokratycznej wizję katolickiego państwa narodu polskiego oraz tę oto myśl w swych konsekwencjach doskonale totalitarną, że trzeba być Polakiem-katolikiem po to, by nie czuć się w Polsce intruzem.

Należę do ludzi - niechaj nie zabrzmi to jak megalomania - którzy wielokrotnie, słowem mówionym i pisanym, w prasie polskiej i zagranicznej, zwalczali taki obraz Kościoła katolickiego w Polsce. Wiem tedy, jak uparty żywot mają stereotypy. Chętniej karmią się informacjami o kościele przy ul. Zagórnej, gdzie sprzedawano antysemickie broszurki, niż całkiem jednoznacznymi wypowiedziami papieża Jana Pawła II na temat antysemityzmu czy wieloletnią, bezcenną publicystyką „Tygodnika Powszechnego" i „Więzi".

Stereotyp taki - powtórzmy - żywi się ignorancją i obskurantyzmem, właściwymi wieloletnim obsesjom antyreligijnym i antykościelnym kręgów laickiej inteligencji. Kościół - redukowany do funkcji pozareligijnych - traktowany bywa po prostu jako grupa politycznego nacisku i instytucja kierująca się wyłącznie interesem partykularnym. Istota konfliktu tkwi w odmowie uznania faktów: poddany represjom Kościół był w latach Stalina jedynym publicznym miejscem, gdzie język polski nie służył do znęcania się nad prześladowanymi; z kościelnych ambon rozlegały się wtedy odważne słowa prawdy; kościelne mury stanowiły azyl dla organizatorów pomocy uwięzionym i ich rodzin. Te same mury stały się po latach azylem dla niezależnej refleksji, niezależnej więzi pomiędzy ludźmi.

Każdy z nas pamięta te chwile, kiedy czuł się wolny i niepodległy, przekraczając gościnne progi kościoła pod wezwaniem św. Stanisława Kostki w Warszawie czy kościoła pod wezwaniem św. Brygidy w Gdańsku. A takich kościołów jest w Polsce wiele - w każdej diecezji, w każdym mieście. Kto tego nie wie - ten niewiele zrozumiał z natury współczesnej Polski.

V

Zapytajmy teraz, czy oba te stereotypy są wyłącznie wynikiem umysłowego zaćmienia? Nawet wtedy wyobrażenia o rzeczywistości byłyby tej rzeczywistości istotnym składnikiem. Wszelako tutaj, w obu przypadkach, mamy do czynienia z istnieniem postaw, które uzasadniają tak karykaturalne wizerunki. Są wśród laickiej inteligencji ludzie, którzy nie ufają Kościołowi i boją się go. Ci ludzie szczerze nie znoszą totalitarnego komunizmu, ale równie szczerze lękają się faktycznej dyktatury zinstytucjonalizowanego katolicyzmu nad polskim życiem umysłowym. Czują się obco wśród haseł: „Bóg - Honor - Ojczyzna" i nerwowo reagują, gdy słyszą z ambon kazania kwestionujące uczciwość wszystkich niewierzących. Nieufność i nerwowość prowadzą zwykle do sądów niesprawiedliwych i niemądrych. Wszelako kazania takie nie są przecież wymysłem opozycyjnego laickiego inteligenta ani komunistycznej propagandy. Należy jednak rozumieć ich kontekst. Bowiem chwilami wydaje się, jakby w polskim katolicyzmie spierały się ze sobą dwa duchy, dwa style przeżywania i głoszenia wiary, dwie wizje obecności Kościoła w Polsce. Manifestują się one również jako dwa pojmowania totalitarnego zagrożenia. Dla jednych istota zła tkwi w ateizmie; dla drugich - w totalitarnym zamyśle zniewolenia człowieka.

Powtórzmy raz jeszcze klasyczną formułę Leszka Kołakowskiego z 1978 roku: „Despotyczne formy rządzenia i w szczególności prześladowania religijne w tym ustroju nie pochodzą stąd, że komunizm jest ateistyczny, ale stąd, że jest totalitarny, że zatem jest jak gdyby konstrukcyjnie napędzany dążeniem do zniszczenia wszystkich form życia zbiorowego i wszystkich krystalizacji kultury nie narzuconych przez państwo. (...) Totalitaryzm, bez względu na kostium ideologiczny - rasistowski, komunistyczny czy religijny - jest w tej chwili najbardziej złowrogą groźbą dla kultury i dla wartości chrześcijańskich". Byłby on równie odrażający, „gdyby jego forma dogmatyczna określała się za pomocą *Credo* nicejskiego zamiast *Dzieł zebranych* Lenina". Toteż „chrześcijanie, którzy walczą o prawo do życia w sytuacji totalitarnej, stawialiby siebie w niezręcznej pozycji, jeśliby nie opierali swoich roszczeń na wyraźnej akceptacji pluralistycznych zasad życia społecznego, to znaczy na radykalnym odrzuceniu totalitaryzmu, niezależnie od jego ideologicznych treści, które mogą być ateistyczne, ale mogą być także religijne"[1].

Wydaje się, że problem ten wciąż jest przedmiotem utajonego sporu w obrębie polskiego katolicyzmu. Wciąż zaznaczają swą obecność środowiska

[1] Leszek Kołakowski *Pomyślne proroctwa i pobożne życzenia*, cyt. za: *idem, Czy diabeł może być zbawiony i 27 innych kazań*, Londyn 1984, s. 196-197.

i ludzie, którzy posługując się katolicką symboliką i retoryką, planują budowę ruchów politycznych autoryzowanych przez Episkopat i korzystających z kościelnego autorytetu. Na tej fali powraca tradycyjna endecka argumentacja o potrzebie sojuszu katolicyzmu z politycznym nacjonalizmem w obliczu zagrożenia ze strony wszechobecnego i zorganizowanego bezbożnictwa. Inną konsekwencją tego rozumowania są próby tworzenia katolickiego ruchu politycznego w ramach oficjalnych struktur o wyraźnie kolaboranckiej tendencji i jawnie „antysolidarnościowym" ostrzu. Jakie stanowisko wobec tych tendencji zajmuje Kościół?

Biskup Ignacy Tokarczuk precyzyjnie skonstatował, że „gdy angażuje się religię bezpośrednio w politykę, wówczas prędzej czy później grozi niebezpieczeństwo kompromitacji". Brak jasnych rozgraniczeń polityki i religii powodował zawsze „bolesne i tragiczne konsekwencje", a to, „co wyglądało na doraźny pożytek i triumf religii" - na przykład sojusz ołtarza z tronem - „okazywało się w dalszej perspektywie kompromitujące i szkodliwe". W nowszych czasach fatalne skutki pociągnęła za sobą „ugodowość kardynała Innitzera, który łudził się, że ustępstwa złagodzą sytuację po zaborze Austrii"[1].

Uwagi biskupa Tokarczuka nabierają szczególnego znaczenia w sytuacji polskiej ostatnich lat. Jej osobliwość polega na tym, że ruch demokratycznej opozycji lat siedemdziesiątych, a potem „Solidarność" przekreśliły kryteria ideowe epoki, która zezwalała na identyfikację deklaracji wyznaniowej z polityczną. „Solidarność" jest ruchem polskiej demokracji. Związek tego ruchu z chrześcijańską tożsamością i Kościołem katolickim jest powszechnie znany. A jednak zawsze ten ruch deklarował swój pluralistyczny, a nie wyznaniowy charakter. W „Solidarności" nikt nikogo nie pytał o wyznanie i myślę, że nie jest to tytuł do wstydu.

Nie jest moją intencją idealizacja „Solidarności" - ruchu, z którym się identyfikuję - ani też laickich intelektualistów w ten ruch zaangażowanych. "Solidarność" popełniała błędy. Takim błędem był nadmiar oczekiwań wobec Kościoła po wprowadzeniu stanu wojennego. Krytycyzm, zwykle przesadny i niesprawiedliwy, brał się z fałszywych przypuszczeń, że po 13 grudnia Kościół mógłby zająć stanowisko identyczne z „Solidarnością". Nie było to ani możliwe, ani potrzebne. Prawdopodobnie Kościół zrobił maksimum tego, co mógł, a z pewnością więcej niż jakikolwiek Kościół poddany totalitarnej presji. Wspominając niezręczności obecne w wypowiedziach kościelnych dostojników, nie godzi się zapominać o dobrodziejstwach

---

[1] Ignacy Tokarczuk, *op. cit.*

Kościoła wobec ludzi „Solidarności". I pamiętać też należy, że to kościelne mury - w ramach duszpasterstw, tygodni kultury chrześcijańskiej, czasopism katolickich - przygarnęły intelektualistów zepchniętych w niebyt przez wprowadzenie stanu wojennego.

Wszelako nie uchyla to żadnego z papieskich pytań. Czy Kościół odpowiada w pełni na zaufanie tych ludzi? Czy znalazł język, który trafi do ich umysłów i serc?

Zapewne każdy z ludzi Kościoła powinien osobiście odpowiedzieć na te pytania. Wszelako laicki intelektualista winien również odpowiedzieć i na inne pytanie: czy zasłużyłem na zaufanie ludzi Kościoła? Na tak postawione pytanie nie znajduje on jednak klarownej odpowiedzi w wypowiedziach Kościoła. Bywał zapraszany na spotkania do najbardziej znanych duszpasterstw. Pisywał w najbardziej prominentnych katolickich pismach. A jednocześnie wciąż gdzieś dawano mu do zrozumienia, jak bardzo mętne są jego intencje i przekonania.

A może nie istnieje jedna odpowiedź Kościoła na to pytanie?

Dotykamy spraw delikatnych. W Polsce nie rozmawia się publicznie o Kościele. Kościół wyjęty jest spod normalnej krytycznej refleksji. Ma to swoje historyczne i polityczne uzasadnienie, ale ma i negatywne konsekwencje. Spór bywa zastąpiony pomówieniem, a refleksja - plotką.

A przecież podstawowym warunkiem wspólnoty zbudowanej na pluralizmie i dialogu - a tak pojmujemy istotę wspólnoty kulturowej Europy - jest zdolność do krytycznego oglądu własnej przeszłości i teraźniejszości. Taki jest warunek zaufania, rozmowy prowadzonej w zrozumiałym języku, organizowania przestrzeni wolności. Myślę, że budowę takiej przestrzeni wszyscy mamy jeszcze przed sobą. I to nie dlatego, że zdarzył się fenomen kościoła przy ul. Zagórnej czy też ZP „Grunwald", lecz dlatego, że ciągle nie potrafimy o tych fenomenach rozmawiać w spokoju i bez kompleksów; że wciąż nie umiemy poddać tych zjawisk patologicznych rzeczowej i chłodnej analizie. Nie umiemy również spokojnie analizować źródeł wzajemnej nieufności, a jak bez tego budować obszary wolności i zaufania?

VI

Pisał Czesław Miłosz w *Traktacie poetyckim:*

> Sięgnijmy głębiej. Był czas wielkiej schizmy.
> „Bóg i Ojczyzna" już nęcić przestało.
> I nienawidził poeta ułana
> Mocniej niż niegdyś bohema filistra.
> Drwił ze sztandarów, gardził amarantem
> I spluwał, kiedy wrzeszcząc, rój młodzieży
> Gonił z laskami za kupcem w chałacie.

Ten sugestywny obraz wypada stale mieć przed oczyma, by zrozumieć krytyczny dystans laickiego inteligenta wobec syndromu „Bóg - Honor - Ojczyzna".

Wszelako warto też pamiętać o innych obrazach, tych z ostatnich lat, kiedy „Bóg i Ojczyzna" znów nęcić zaczęło. To o tym czasie i o nas pisała Julia Hartwig:

> Lekkomyślni dziedzice powagi
> nie wyświęceni krzewiciele nadziei
> spadkobiercy ojczystej retoryki
> w której mieścimy się jak ulał
> choć jeszcze wczoraj
> wydawała się nam jakby przyciasna.
>
> *(Jesteśmy dla ciebie)*

Coś się zmieniło. Na naszych oczach nabrały nowego sensu dawne gesty narodowego rytuału, tylekroć ośmieszane przez niesmaczny patos oficjalnych akademii i doszczętnie już wyszydzone przez polskich satyryków. Te gesty zaczęły znaczyć: człowiek - godność - solidarność. Bowiem „Bóg - Honor - Ojczyzna" zostały ściągnięte z wysokich trybun i uroczystych obchodów, zostały oplute i zepchnięte do podziemi, ścigane, internowane, więzione i mordowane. Przestały być potężne mocą urzędowej sankcji, ale i przestały być śmieszne. Przestały być symbolem anachronizmu i prowincji, stały się specyficzną drogą do pytań nowoczesnych i uniwersalnych. Tradycyjny Zbaraż przekształcił się w Oran z *Dżumy* Alberta Camusa.

Te symbole stały się siłą bezsilnych, bronią bezbronnych, nadzieją zniewolonych. Utraciły swój ton triumfalistyczny i wymiar partykularny. Przestały być gestem odtrącenia odmiennych - stały się zaproszeniem do wspólnoty odtrąconych i prześladowanych. Oby takie pozostały na zawsze.

Bowiem dla laickiego intelektualisty wtedy tylko, w słabości i podeptaniu, „Bóg - Honor - Ojczyzna" przestają być akcesem do zbiorowego konformizmu, stają się formułą moralnej i intelektualnej solidarności ze światem skrzywdzonych i poniżonych. Bowiem laicki intelektualista - powtórzmy - musi strzec swego błazeńskiego statusu, co znaczy, że musi zachować zdolność do szyderstwa z powszechnie obowiązujących mitologii i zmysł krytyki prawd uchodzących za niewzruszone.

Atoli postawa błazna nie jest postawą spektatora. Nasz błazen - jeśli ma być błaznem, a nie pajacem - musi mieć także pasję proroka. Zaś być prorokiem - powiadał Martin Buber - to tyle, co nie mając władzy, „stawiać czoło możnym i przypominać im o ich odpowiedzialności (...). Bezbronne stanięcie przed władzą, od której żąda się rozrachunku - oto część losu proroka". A „kiedy prorok poczuje się jak ktoś, kto się ujrzy otoczony przez dzikie bestie, to nie może się wycofać na pozycję milczącego widza"[1]. Musi dalej głosić swoje posłanie. Gdy zaś zażądają odeń kapitulacji, musi ocalić w sobie ten wewnętrzny Herbertowski imperatyw:

> który każe wyjść skrzywić się wycedzić szyderstwo
> choćby za to miał spaść bezcenny kapitel ciała
> głowa.
>
> *(Potęga smaku)*

Ks. Józef Tischner, kończąc swą książkę *Polski kształt dialogu*, zanotował na temat laickiego intelektualisty taką oto refleksję: „Może to jeden z ostatnich już »błędnych rycerzy socjalizmu« odkrywa, że Kościół - ongiś przedmiot ataków jego i jego towarzyszy - to nie żadna »forpoczta imperializmu«, lecz zwyczajny wiatrak mielący mąkę dla tych, co nie samym chlebem żyją? Cokolwiek by się rzekło, kres walki z wiatrakami ma też swoje pozytywne znaczenie"[2].

Dziesięć lat minęło od czasu, gdy słowa te zostały napisane. Można mieć tylko nadzieję, że także ich autor odkrył, iż sekret tego „błędnego rycerstwa"

---

[1] *Platon a Izajasz*, cyt. za „W drodze" nr 1-2/1983.
[2] *Polski kształt...*, *op. cit.*, s. 190.

nie sprowadza się do wojen z Kościołem. To raczej wysiłek wierności Camu-sowskiemu przekonaniu, że gdy za wypowiedzenie oczywistej prawdy trze-ba płacić wysoką cenę, to najważniejsze wtedy nie jest znać tę cenę, ale wie-dzieć, czy rzeczywiście prawda jest prawdą.

Myślę, że tutaj właśnie rozpościera się owa przestrzeń wolności, o której mówił Papież, i owo „przymierze z Kościołem odnalezione na tym właśnie etapie dziejów". Fundamentem tej przestrzeni i przymierza jest zrozumie-nie tego, co Papież nazwał „momentem Westerplatte". „Jakiś wymiar zadań, które trzeba podjąć i wypełnić. Jakaś słuszna sprawa, o którą nie można nie walczyć. Jakiś obowiązek, powinność, od której nie można się uchylić. Nie można »zdezerterować«. Wreszcie - jakiś porządek prawd i wartości, które trzeba »utrzymać« i »obronić«, tak jak to Westerplatte, w sobie i wokół sie-bie. Tak, obronić - dla siebie i dla innych"[1].

O cóż tu idzie? Idzie o ocalenie w sobie tej wrażliwości, by zawsze zło na-zywać złem, kłamstwo - kłamstwem, wynaturzenie - wynaturzeniem; by nie „konstruować teorii dla usprawiedliwienia zła i nazywania zła dobrem".

VII

Mówiąc o „przymierzu" ludzi kultury z Kościołem, wyraził Papież uzna-nie dla „szczególnego przymierza, jakie dokonało się u nas w ostatnich la-tach między twórcami kultury a ludźmi pracy". Znamy imię tego przymie-rza - to „Solidarność". Ta symboliczna scena zakończenia strajku w Stoczni Gdańskiej (maj 1988 roku); to pochód opuszczających stocznię robotników prowadzony przez Lecha Wałęsę, któremu towarzyszyli ks. Henryk Jankow-ski i Tadeusz Mazowiecki. Oto i polskie przymierze: świat pracy - Kościół - lu-dzie kultury.

W papieskich homiliach zawarte było przeczucie tego obrazu, tak jak za-warta jest w nich polska synteza współczesnej filozofii praw człowieka: jako przesłanie i jako zadanie.

Nie umiemy odpowiedzieć, czy jest to zadanie na naszą miarę. Wiemy na-tomiast z całą pewnością, że klucz tkwi w zdolności do połączenia w sobie

---

[1] Z przemówienia wygłoszonego na Westerplatte podczas spotkania z młodzieżą, czerwiec 1987 r., cyt. za „Znakiem" nr 1-2/1988.

„ducha Westerplatte" bez fanatyzmu z duchem porozumień sierpniowych, duchem kompromisu bez konformizmu i tchórzostwa. Od tego zależy los demokratycznego ładu w Polsce. Pragnę, by nasze dzisiejsze spotkanie wniosło coś istotnego w budowę tego ładu. O dwóch poziomach tego ładu niech mi wolno będzie powiedzieć słowami Czesława Miłosza: „Rysuje się teraz nowy sojusz, Kościół w Polsce ogniskuje w sobie wielkie energie postępu, a postęp nie może w tamtym ustroju oznaczać nic innego jak skuteczną obronę człowieka".

Oto poziom pierwszy, elementarny. Spoglądając głębiej, powiedział Miłosz: „Wprowadzając podziały, łatwo prześlepić to, co ludzi łączy, nie dzieli. Jakże często człowiek wierzący znajduje dzisiaj niewierzących pośród osób sobie najbliższych i na odwrót, niewierzący musi odnieść się jakoś do wiary religijnej w swoim bezpośrednim otoczeniu. I myślę, że jedni i drudzy należą do tej samej rodziny umysłów, jeżeli jednoczą się w swoim szacunku dla wielkiej tajemnicy istnienia świata i człowieka, chowając w sercu pokorny podziw dla tego labiryntu sprzeczności, jakim jest nasze życie, wyrabiając w sobie dar uwagi, która, jeżeli osiąga dostateczną intensywność, jest, jak mówi Simone Weil, modlitwą. Jakkolwiek siebie nazywają, wszyscy oni są przyjaciółmi człowieka, bo ich postawa szacunku jest odwrotnością pogardy, z jaką odnoszą się do świata i człowieka zadowoleni z siebie wyznawcy teorii i doktryn na wszystko mających odpowiedź"[1].

Tekst wprowadzenia do dyskusji podczas sympozjum „Niewierzący a Kościół" (drugim referentem był ks. Józef Tischner) zorganizowanego 31 maja 1988 roku przez Komisję Episkopatu ds. Dialogu z Niewierzącymi. Dyskusję prowadził biskup Kazimierz Majdański, brał w niej udział kardynał Paul Poupard, przewodniczący watykańskiego Sekretariatu ds. Dialogu z Niewierzącymi.

[1] Pierwszy, krótszy cytat za: Miłosz, Venclova *Dialog o Vilnie*, op. cit. Drugi pochodzi z przemówienia Miłosza wygłoszonego w auli KUL-u w czerwcu 1981 r. po otrzymaniu doktoratu honoris causa; cyt. za „Tygodnikiem Powszechnym" nr 25/1981.

Rozmowa z integrystą

Nie odpowiada mi styl pisania o Kościele, który zaprezentował Sławomir Mazurek w artykule *Zanim wybuchnie polski bunt obyczajowy* („Gazeta Wyborcza" z 6 października 1992 r.). Nie odpowiada mi ton wyższościowy, agresywny i obyczaj redukowania Kościoła do jego politycznej roli, do aktywności parlamentarnej posłów ZChN czy do niefortunnych wypowiedzi biskupów na temat bieżącej polityki.

Kościół zawsze miał niefortunnych polityków i hierarchów słabo rozumiejących ducha czasu, ale miał też proroków i świętych, którzy przywracali naszej cywilizacji świadomość metafizycznych pytań i moralnych prawd.

Dlatego Kościół jest instytucją szczególną, zasługującą na refleksję innego rodzaju niż publicystyczny pamflet. Potrzebna jest analiza, która potrafi dojrzeć w Kościele nieusuwalny składnik naszego świata.

Wcale nie pragnę Kościoła zmarginalizowanego i zdegradowanego; pragnę Kościoła dobrze i głęboko zakorzenionego w ludzkich sumieniach, który pełni swą nauczycielską i apostolską misję, wyrzekając się środków bogatych, rezygnując z sięgania po administracyjną przemoc i karną represję.

Tymczasem mam wrażenie, że polemika dotycząca miejsca Kościoła w demokratycznym państwie polskim wkroczyła w niebezpieczną fazę. W komunikacie z ostatniej konferencji Episkopatu Polski czytamy:

„Z powagą i troską analizowano kampanię prowadzoną w środkach społecznego przekazu wokół przywróconego nauczania religii w szkołach. Pasterze Kościoła podkreślają, że wola większości rodziców nie może być w tym zakresie pomijana, przemilczana i lekceważona.

Nagłaśnia się wszelkie próby podważania wartości chrześcijańskich, a nawet z pogardą mówi się o krzyżu, modlitwie i podstawowych zasadach moralnych, uznawanych przez ogromną większość społeczeństwa. Rodzą się pytania: Czy najwyższe władze państwowe mogą zachować bierność i obojętność, gdy obraża się uczucia religijne obywateli? Czy niektóre laickie kręgi niechętne kulturze chrześcijańskiej mają prawo zamazywać i ośmieszać wartości chrześcijańskie oraz wartości polskiej kultury narodowej? Kogo reprezentują Posłowie Parlamentu, którzy w kraju o zdecydowanej większości chrześcijan odrzucają wniosek o przestrzeganie, w środkach społecznego przekazu, chrześcijańskiego systemu wartości?

Okres przejściowy, w którym znalazła się nasza Ojczyzna, wymaga wyjątkowej mobilizacji ducha dla przeciwstawienia się zarówno cynizmowi kwestionującemu wartości moralne, jak i próbom ośmieszania tradycji narodowych".

Rodzą się niewesołe pytania: czy biskupi zgromadzeni na 258. Konferencji Episkopatu postulują przywrócenie cenzury? Czy postulują stosowanie represji wobec krytyków katolicyzmu? Czy rzeczywiście rezerwują dla siebie prawo orzekania, co jest, a co nie jest w pluralistycznym społeczeństwie wartością moralną; co przynależy do polskiej kultury? Czy biskupi kwestionują prawo posłów do wydawania ustaw, które są sprzeczne z politycznymi opiniami Episkopatu?

Chcę wierzyć, że są to pytania retoryczne, uzasadnione wyłącznie niefortunnymi sformułowaniami komunikatu konferencji plenarnej Episkopatu. Chcę wierzyć, że polscy biskupi pozostają wierni pamiętnym deklaracjom papieża Jana Pawła II, który mówił, że Kościół domaga się pełni swobód, ale nie pragnie dla siebie żadnych przywilejów. Chcę wierzyć, że duch Soboru Watykańskiego II, który zmaga się wciąż z duchem soboru trydenckiego i *Syllabusa*, wyjdzie z tych zmagań zwycięsko.

Myślałem o tym wszystkim, przygotowując odpowiedź na list biskupa Kazimierza Romaniuka („Gazeta" z 20 października). Biskup Romaniuk ma mi za złe publikację artykułu Sławomira Mazurka. Pisze: „Opublikowanie takiego tekstu jest wyraźnym przekroczeniem pewnej granicy, nie mówiąc już o tym, że stanowi formalną obrazę dla wielu ludzi wierzących, nazywanych zresztą wyłącznie »fundamentalistami«".

Odpowiadam: często odrzucamy teksty ze względu na ich niski poziom, ale nigdy ze względu na ich krytycyzm wobec najbardziej nawet godnych szacunku osób i instytucji. Krytyka - choćby przesadna i nacechowana resentymentem - tendencji „fundamentalistycznych" nie stanowi „formalnej obrazy dla ludzi wierzących". Dlaczegóż krytyka biskupa Lefèbvre'a („fundamentalisty" konserwatywnego) czy „teologii wyzwolenia" („fundamentalistów" rewolucyjnych) ma być obrazą dla wszystkich wyznawców Chrystusa?

Sławomir Mazurek nie przekroczył żadnej dopuszczalnej granicy, wypowiadając opinie dość powszechne w jego pokoleniu. Można z nim polemizować, ale warto uważnie wsłuchać się w ten głos, jeśli nie chce się słuchać tylko samego siebie.

Biskup Romaniuk wie doskonale, że odmowa publikacji krytycznych artykułów prowadzi do zakneblowania ust krytykom. Nigdy nie przyłożę do tego ręki, także i dlatego, że sam bywałem kneblowany przez długie lata.

Sławomir Mazurek ma takie samo prawo do wypowiadania swoich opinii, jak Adam Michnik czy zgoła biskup Kazimierz Romaniuk. Jakiekolwiek pogwałcenie prawa któregokolwiek z obywateli godzi zawsze we wszystkich pozostałych. Wolność jest niepodzielna, jedna dla wszystkich, albo też nie ma jej wcale.

Będę natomiast zawsze dbał, by łamy „Gazety Wyborczej" otwarte były również dla ludzi myślących odmiennie niż kierownictwo redakcji, o czym biskup Kazimierz Romaniuk miał okazję się przekonać.

Biskup Romaniuk pisze: „Redaktor naczelny »Gazety Wyborczej« powiedział niedawno, że nie zwalcza Kościoła i chciałby żyć w stosunkach przyjaznych z katolikami".

Wyjaśniam: nigdy nie wypowiedziałem podobnego nonsensu. Nie dzielę swoich znajomych wedle kryteriów wyznaniowych. Mówiłem natomiast wielokrotnie o swoim przyjaznym stosunku do instytucji Kościoła, pomimo krytycznej opinii o politycznych wypowiedziach niektórych kościelnych dostojników.

Pisze biskup Romaniuk: „Coraz trudniej będzie nam wierzyć w to, że Pan nie zwalcza ludzi wierzących - dokładnie katolików. A jeśli już musi Pan to czynić, to niech Pan chociaż ich szanuje. I niech Pan nie ma im za złe tego, że cenią sobie bardziej »normy z czasów Hlonda« niż wartości prezentowane przez Brigitte Bardot".

Odpowiadam: Ekscelencjo, coraz trudniej prowadzić dialog, gdy pojawia się język zimnej wojny religijnej. Ani kardynał Hlond, ani Brigitte Bardot nie powinni znajdować się poza krytyczną refleksją. Co się zaś tyczy mojej skromnej osoby, to proszę mi nie wierzyć, proszę mnie nie szanować. Spróbuję jakoś żyć z tymi niedogodnościami. Proszę tylko przeczytać to, co piszę, i nie przypisywać mi intencji oraz opinii, których nigdy nie wypowiedziałem. Jeśli, Ekscelencjo, potrzebni są biskupowi dyżurni wrogowie Kościoła, to proszę na mnie nie liczyć. Moje miejsce jest wśród przyjaciół Kazania na Górze.

Natomiast chętnie godzę się być partnerem w dialogu na temat miejsca Kościoła katolickiego w demokratycznym państwie polskim i w pluralistycznym społeczeństwie. Zapraszam serdecznie do takiego dialogu biskupa Kazimierza Romaniuka, prezentując jednocześnie swój punkt widzenia.

***

Kiedy nie było suwerennego państwa i niezależnej opinii publicznej, kiedy strach paraliżował każdy protest, a dyktatura wierzyła w swą wieczystą potęgę - trwał Kościół katolicki. Był w XIX wieku dla Polaków azylem pomiędzy presją germanizatorską protestanckich Prus a polityką rusyfikatorską prawosławnej Rosji. Tak powstał swoisty zrost kulturowy: narodowo-religijna identyfikacja Polaka. To dawało Kościołowi poczucie zakorzenienia i siły.

I to rodziło krytykę Kościoła ze strony różnych niepokornych i zbuntowanych. Kościół był oblężoną twierdzą polskości, w święty węzeł złączoną z katolicyzmem. W oblężonej twierdzy, egzystującej wśród wrogich żywiołów, nie było miejsca na jałowe dysputy i filozoficzne nauki, zachodnie niepokoje i obyczajowe dziwactwa. Dla niepokornych, zbuntowanych, ten klimat warownego obozu, zastygłego w konserwatywnym kulcie przeszłości, oznaczał wszakże po prostu anachronizm i prowincjonalizm, martwotę umysłową i agresywną nietolerancję. Oznaczał także niezdolność Kościoła do dialogu ze współczesnym światem.

W ten sposób powstał w katolickiej Polsce osobliwy układ kulturowy - znaczna część szeroko rozumianych elit odchodziła od Kościoła, tworząc nowy obóz ideowo-kulturalny. W tym obozie istotną rolę odgrywał antyklerykalizm. W ten sposób duch Boya-Żeleńskiego zderzył się z duchem ks. Pirożyńskiego.

Potem nastała epoka hitlerowskiej okupacji. A potem przyszedł komunizm.

Był Kościół katolicki jedyną instytucją, która umiała zachować autonomię w warunkach totalitarnej dyktatury. Strategia Kościoła - dialektyka oporu i przystosowania, heroizmu i kompromisu - była rozumna i konsekwentna. Kościół przetrwał falę represji znaczoną licznymi procesami i uwięzieniem kardynała Wyszyńskiego, Prymasa Polski! Prymas powrócił triumfalnie w październiku 1956 roku, by na długie lata stać się jedną z głównych osobistości polskiego życia publicznego.

Autorytet Kościoła osiągnął swoje apogeum po wyborze kardynała Wojtyły na Stolicę Piotrową. Pierwsza wizyta Papieża Jana Pawła II w Polsce, strajki sierpniowe, rola Kościoła w epoce stanu wojennego - wszystko to złożyło się na niepowtarzalny wizerunek moralnej i materialnej potęgi Kościoła.

Elity intelektualne przez lata przełamywały swój antyklerykalny uraz. Pierwszym miejscem spotkania był prowadzony przez Jerzy Turowicza „Tygodnik Powszechny", gdzie znaleźli miejsce ludzie wrodzy komunistycznej dyktaturze, lecz odlegli od katolickiej ortodoksji, jak Stefan Kisielewski, Jan Józef Szczepański. Potem, wraz z postępującym buntem elit przeciw komunizmowi, na łamy „Tygodnika Powszechnego" trafili niemal wszyscy, którzy coś w polskiej kulturze znaczyli. Podobną rolę odgrywał miesięcznik „Więź" redagowany przez Tadeusza Mazowieckiego.

Spotkanie elit kulturalnych z Kościołem miało różne wymiary: był to sojusz antytotalitarny w imię wartości narodowych i demokratycznych; było to uznanie dla moralnej i duchowej roli Kościoła; był to wreszcie wyraz renesansu zainteresowań religią i metafizyką. Kościół tamtych lat miał twarz przyjaciela i partnera dialogu. Pisma katolickie imponowały bogactwem treści i otwartością spojrzenia. Stereotyp antyklerykalny zdawał się pogrzebany na zawsze.

A potem upadł komunizm. Wspólnym wysiłkiem, z wielkim udziałem Kościoła, sfinalizowane zostały porozumienia Okrągłego Stołu i wybory z czerwca 1989 roku. Powstał rząd Tadeusza Mazowieckiego. I zaczęła się nowa epoka.

W wypowiedziach niektórych biskupów, a zwłaszcza w głosach polityków popieranych przez tych biskupów, pojawił się nowy ton. Nie był to już ton przyjaźni i partnerskiego dialogu. Oto odezwał się Kościół triumfujący po zwycięstwie, który tylko sobie przypisywał zasługę. Inni okazywali się niewdzięcznikami i wrogami Kościoła, religii, Chrystusa, skoro nie odpowiadała im zasada nauczania religii w szkołach, skoro sprzeciwiali się kryminalizacji aborcji, skoro nie odpowiadał im projekt wpisania do ustawy o środkach masowego przekazu i konstytucji obowiązku „poszanowania wartości chrześcijańskich", skoro krytycznie wypowiadali się o aktywnym zaangażowaniu biskupów w kampanię wyborczą i biskupiej powściągliwości w obliczu pogromu antycygańskiego w Mławie oraz ataków na ośrodki dla chorych na AIDS.

Różnice zdań na temat miejsca Kościoła w demokratycznym państwie nie są niczym zaskakującym. Zrozumiały jest przeto spór na temat towarzyszących temu zmianom instytucjonalno-prawnych. Rzecz w tym jednak, że nie było żadnego sporu. Dialog został ucięty.

Episkopat przemówił językiem twardych żądań, a na krytyczne uwagi odpowiedział językiem wojny religijnej, krucjaty. Krytycy żądań Kościoła przyrównani zostali do prześladowców z epoki komunizmu, przeciwnicy karania za aborcję - do obrońców Holocaustu, a cały spór o kształt polskiej demokracji został opisany w języku odwiecznych zmagań dobra ze złem.

Oczywiście powyższy - schematyczny wielce - opis charakteryzować może tylko część polskiego katolicyzmu. W wypowiedziach wielu biskupów widoczny był całkiem inny rozkład akcentów, duch ekumenizmu brał górę nad duchem krucjaty, dominowała otwartość, a nie klimat integryzmu. Jednak głos integryzmu był na tyle obecny, że stał się istotnym składnikiem debaty o przyszłej Polsce.

Wedle katolickiego integrysty dwie siły aspirowały do władzy w Polsce: wsparty na sowieckich bagnetach komunizm i osadzony w polskich sercach katolicyzm. Po klęsce komunistów Polską powinni rządzić katolicy, którzy stanowią przytłaczającą większość narodu, cieszą się poparciem biskupów, głoszą prawdy oczywiste, gdyż zakorzenione w prawie naturalnym i nauce Kościoła. Dla katolickiego integrysty deklaracja „jestem katolikiem" ma sens w politycznej debacie na temat - powiedzmy - udziału w instytucjach europejskich, ale tylko on, integrysta, jest w prawie oceniać jej prawdziwość. Bowiem obok „katolików - prawdziwych Polaków" istnieje jeszcze „katolewica". „Katolewica" to - zdaniem integrysty - formacja, która maskuje swoją lewicową naturę katolicką frazeologią. Natomiast „lewicowość" to dla integrysty niezmywalne piętno: jeśli otarłeś się kiedyś o lewicowość i nie aprobujesz dzisiaj integrystycznej wizji „katolickiego państwa narodu polskiego", jesteś „lewicowcem", choćbyś tysiąc razy deklarował, że jest inaczej. W tym sensie „lewicowcem" jest zarówno członek Biura Politycznego PZPR, jak i działacz „Solidarności", który spędził dziewięć lat w komunistycznym więzieniu. Ten stygmat przestaje jednak działać, gdy dawny PZPR-owiec wstępuje do partii politycznej katolickich integrystów.

Integrysta uważa za swój obowiązek doprowadzić do odzyskania Polski przez „katolików prawdziwych", do wyrwania jej z rąk „lewicowców". Idzie jednak nie tylko o skład personalny elity politycznej. Idzie także o kształt państwa. Akty prawne - w ujęciu integrysty - nie mają być rezultatem kompromisu zawartego przez różne siły pluralistycznej sceny politycznej. Prawo ma być realizacją katolickiej doktryny. To Kościół ma decydować o penalizacji aborcji i karze śmierci, o granicach swobody w debacie i światopoglądowej, i kulturalnej, wreszcie o rezultacie wyborów do parlamentu.

W ten sposób kształtuje się - nigdy jasno niewypowiedziana - wizja Kościoła jako swoistego „nadurzędu", który władny jest decydować praktycznie o wszystkich sferach życia publicznego i indywidualnego.

Co więcej: katolicyzm staje się sposobem integrowania wielkich mas ludzkich, których wspólnota polityczna jest definiowana przez wspólną tożsamość religijną. W ten sposób powstaje obóz ideowy, masowy ruch polityczny, który budowany jest przeciw innowiercom czy heretykom. Przynależąc do tego ruchu, każdy czuje się kimś lepszym, bardziej wartościowym, ponieważ zna sens prawd objawionych skrytych przecież dla ludzi z zewnątrz.

Naturalną konsekwencją tego jest wizja demokracji polegająca na bezkompromisowym przystosowaniu norm państwowych do idei katolickich. Państwo i jego instytucje stają się instrumentem realizacji wartości religijnych.

Odszczepieńcy przestają być partnerem dialogu, stają się litościwie tolerowanym marginesem. Postulat laickiego państwa jest rezultatem zakusów Szatana.

Czym był bowiem komunizm? Integrysta odpowie, że był to ostateczny rezultat procesu sekularyzacji, triumfu laickiego rozumu od renesansowego humanizmu przez oświeceniowy racjonalizm do bezbożnego bolszewizmu. Jeśli tedy bolszewizm przegrał, to wraz z nim przegrała zasada sekularyzacji państwa i duch laickiego rozumu. A zatem: kto postuluje sekularyzm i laicyzm, ten pragnie - choćby o tym nie wiedział - powrotu bezbożnego komunizmu i staje się naturalnym wrogiem ruchu politycznego zorganizowanego pod katolickimi sztandarami.

Rzecz prosta, streściłem tu tylko pewien schemat integrystycznego rozumowania. Jego istotą jest przeświadczenie o „Kościele bez granic". Tymczasem pytanie o kształt obecności Kościoła w demokratycznym państwie i pluralistycznym społeczeństwie jest to pytanie o granice Kościoła.

Kościół - rozdający dobra niewidzialne w świecie widzialnym - nie ma granic w wymiarze transcendencji i musi je mieć w wymiarze instytucjonalnej praktyki. Kiedy katolicki biskup wysuwa roszczenie do narzucenia pluralistycznemu życiu całościowej koncepcji świata, wypowiada integrystyczne *credo*. Nieraz w historii już tak bywało i zawsze to roszczenie napotykało stanowczy sprzeciw. Dzisiejsza Polska nie jest tu żadnym wyjątkiem.

Tak jak i zawsze, trwa dziś w Polsce spór o granice różnych sfer życia obdarzonych własną autonomią. W te sfery Kościół może ingerować na dwa sposoby: jako partner dialogu ze światem ludzi bądź jako instytucja, która w trybie monologu narzuca polityczno-prawny ład światu instytucji życia publicznego. Wybierając to drugie, Kościół sam siebie redukuje do statusu grupy politycznego nacisku, której instrumentem w realizacji dzieła Ewangelii staje się masowy ruch polityczny katolików.

Ale ten proces ma swe drugie oblicze: także Kościół staje się instrumentem w rękach liderów masowego ruchu „narodowych katolików", którzy, dążąc do władzy, zdają się wierzyć nieskromnie, że sam Pan Bóg wyposażył ich w wiedzę o nieuchronnych polskich przeznaczeniach.

Katolicyzm polski jest dziś głęboko podzielony.

Wizji integrystycznej przeciwstawione jest stanowisko akcentujące autonomię sfery stosunków politycznych. W tej perspektywie Kościół „nie ma tytułu do opowiadania się za takim albo innym rozwiązaniem instytucjonalnym czy konstytucyjnym". W tej perspektywie jest również miejsce na przestrogę przed „niebezpieczeństwem fanatyzmu czy fundamentalizmu tych ludzi, którzy w imię ideologii uważającej się za naukową albo religijną czują się uprawnieni do narzucania innym własnej koncepcji prawdy i dobra". „Prawda chrześcijańska - dodają katoliccy krytycy integryzmu - do tej kategorii nie należy. Nie będąc ideologią, wiara chrześcijańska nie sądzi, by mogła ująć w sztywny schemat tak bardzo różną rzeczywistość społeczno-polityczną, i uznaje, że życie ludzkie w historii realizuje się na różne sposoby, które bynajmniej nie są doskonałe"[1].

Innymi słowy, istnieje szeroki wachlarz poglądów na temat relacji pomiędzy Kościołem a polityką, czego dowodzą również cytowane sformułowania z papieskiej encykliki. Spór w ich obrębie ma swoją długą historię i z pewnością będzie kontynuowany.

Wszelako rdzeń dzisiejszej polemiki sprowadza się do różnych interpretacji innego znanego fragmentu papieskiej encykliki. Przypomnijmy: „Dziś zwykło się twierdzić, że filozofią i postawą odpowiadającą demokratycznym formom polityki są agnostycyzm i sceptyczny relatywizm, ci zaś, którzy żywią przekonanie, że znają prawdę, i zdecydowanie za nią idą, nie są, z demokratycznego punktu widzenia, godni zaufania, nie godzą się bowiem z tym, że o prawdzie decyduje większość, czy też, że prawda się zmienia w zależności od zmiennej równowagi politycznej. W związku z tym należy zauważyć, że w sytuacji, w której nie istnieje żadna ostateczna prawda, będąca przewodnikiem dla działalności politycznej i nadająca jej kierunek, łatwo o instrumentalizację idei i przekonań dla celów, jakie stawia sobie władza. Historia uczy, że demokracja bez wartości łatwo się przemienia w jawny bądź zakamuflowany totalitaryzm"[2].

Istnieje z pewnością religijna wykładnia tych rozważań, której nie czuję się kompetentny analizować. Istnieje wszakże również wykładnia polityczna.

Z tego punktu widzenia spoglądając, trzeba powiedzieć: istotnie, żadna większość nie może orzekać, czym jest prawda. I żadne zmienne polityczne koniunktury nie powinny decydować o tym, czym jest prawda. Byłoby to ingerencją w sferę zastrzeżoną dla każdego z ludzkich sumień. Jednak właśnie większość - za pośrednictwem parlamentarnej reprezentacji bądź drogą referendum - winna orzekać o kształcie ustaw państwa. Rzecz w tym, by respektowała przy tym wszystkie wolności i prawa obywatelskie mniejszości.

---

[1] Jan Paweł II, encyklika *Centesimus annus*, rozdz. 47 i 46. Tu i dalej cytuję encykliki za wydaniem: *Encykliki Ojca Świętego Jana Pawła II*, Znak, Kraków 1996.
[2] *Centesimus annus*, 46.

W państwie demokratycznym polityka nie jest sferą realizacji prawdy, lecz obszarem uzgadniania różnych interesów i sposobów ich realizacji. Polityka jest przeto obszarem konfliktów i kompromisów. Przekształcanie polityki w obszar walki prawdy z nieprawdą grozi inwazją różnych fundamentalizmów i destrukcją ładu demokratycznego. Któż bowiem miałby orzekać w sposób definitywny o kształcie „ostatecznej prawdy", tego „przewodnika dla działalności politycznej"? Episkopat? Wskazane przezeń partie katolickie? A w innych krajach, gdzie przeważa protestantyzm bądź prawosławie, islam bądź buddyzm? I jak zabezpieczać tę „prawdę ostateczną"? Cenzurą, policją, kodeksem karnym?

Podzielić wypada lęk przed instrumentalizacją idei przez władzę polityczną. Wszelako któraż z „prawd ostatecznych" jest przed taką instrumentalizacją skutecznie zabezpieczona? Przecież także retoryką prawdy katolickiej posługiwano się dla wsparcia dyktatur (by przywołać choćby epokę frankizmu w Hiszpanii).

Cóż znaczy sformułowanie „demokracja bez wartości"? Przecież system demokratyczny jest z natury swojej instytucjonalizacją relatywizmu i niepewności, jest sztuką współżycia wedle pewnych reguł tego, co różnorodne i konfliktowe: ludzi, narodów, wyznań.

Ta zasada współżycia jest permanentnie atakowana przez ten typ religijności, który własną normę religijną próbuje przeobrazić w normę prawa państwowego. Partie religijne w Izraelu, muzułmański fundamentalizm, katolicki integryzm - wszystko są to przykłady ruchów religijno-politycznych, które najpierw - odwołując się do praw i zasad pluralistycznej demokracji - żądają pełnej tolerancji dla budowy wspólnoty religijnej wedle własnych reguł, by potem - odwołując się do własnych praw i zasad - podjąć próbę narzucenia własnych reguł wszystkim pozostałym.

Tymczasem demokracja jest sztuką samoograniczania się, umiejętnością rezygnacji przez większość z narzucania własnego systemu reguł innym w imię różnorodności i własnego bezpieczeństwa: by i większość - gdy stanie się mniejszością - nie była zagrożona w swoich prawach.

Demokracja nie realizuje przeto żadnych innych wartości poza tymi, które gwarantuje przez sam fakt swego istnienia. Wszystko inne musi być dziełem ludzi lub wspólnot ludzkich, które organizują się po to, by jakieś wartości upowszechniać.

Tak pojmuję podstawowe prawdy demokratycznego kanonu. A jednak słowa papieskiej encykliki o drodze od „demokracji bez wartości" do „jawnego bądź zakamuflowanego totalitaryzmu" dotykają istotnego doświadczenia naszych czasów. Nawet sprawnym i zamożnym państwom demokratycznym zagraża jakieś załamanie zbiorowych norm moralnych.

Słabnie zdolność wspólnoty do demokratycznej samoobrony przed inwazją barbarzyństwa o proweniencji „utopijno-rewolucyjnej" bądź „autorytarno-ksenofobicznej". Ani instytucje demokratyczne państwa prawa - wraz z systemem edukacji - ani zasady gospodarki rynkowej nie potrafią temu zapobiec.

Można jednak wątpić, czy zdoła temu zapobiec prawnie zadekretowana dominacja „prawdy ostatecznej". Bowiem demokracja jest ryzykiem, codziennym plebiscytem umożliwiającym wybór pomiędzy prawdą i fałszem, wolnością i przemocą, kompromisem i wyniszczającą wojną domową. Kto chce to ryzyko usunąć z obrębu ładu demokratycznego, zniszczyć musi ten ład nieuchronnie. Bowiem to ryzyko jest nieusuwalnym elementem nowoczesnej demokracji.

Podejmując krytyczną refleksję nad współczesnymi pułapkami, Leszek Kołakowski z wielkim naciskiem akcentował zanik tabu. Czemuż jednak tabu, obszar zachowań chronionych tradycją niepodatną na racjonalny argument, miałoby być respektowane? Czemu ulegać dziwacznym przepisom koszernego pożywienia wśród Żydów, zakazu picia alkoholu wśród muzułmanów, bezmięsnego piątku u katolików?

„Rozmaite tradycyjne więzi ludzkie - wyjaśnia Kołakowski - które umożliwiają życie zbiorowe i bez których istnienie nasze byłoby regulowane wyłącznie przez strach i chciwość, nie mają wielu szans na przetrwanie bez systemu tabu i może lepiej jest, byśmy wierzyli w prawomocność nawet niemądrych na pozór tabu, niż byśmy mieli pozwolić im wyginąć. O ile racjonalność i racjonalizacja zagrażają samej obecności tabu w naszej kulturze, o tyle osłabiają jej zdolność do przetrwania. Mało jest jednak prawdopodobne, by tabu - a więc bariery wzniesione przez instynkt, a nie przez świadome planowanie - dały się ocalić, czy też scalić selektywnie, za pomocą racjonalnej techniki; w tej sprawie możemy zdać się tylko na niepewną nadzieję, że społeczny popęd samozachowawczy okaże się dość silny, by opierać się ich wyginięciu i że ta reakcja nie przyjdzie w formach barbarzyńskich"[1].

O co się tedy spieramy?

Państwo demokratyczne to państwo prawa. W takim państwie to, co nie jest prawem zakazane, jest dozwolone. Ale „dozwolone" znaczy tyle, że nie jest ścigane policyjnie. Z faktu, że na przykład nie jest ścigane donosicielstwo,

---

[1] *Cywilizacja na ławie oskarżonych*, „Aneks" nr 40/1985.

nie wynika bynajmniej, by nie było moralnie naganne. Istnieją normy moralne i kulturowe, które zakazują donosicielskiego procederu.

Życie codzienne regulowane jest tedy nie tylko przez konstytucję i kodeks karny, lecz także przez system norm pozaprawnych.

Te normy sprawiają, że społeczeństwo nie jest tylko zbiorowiskiem obcych i wrogich sobie osobników, lecz jest wspólnotą zamieszkującą „wspólny dom", posługującą się systemem znaków, obyczajów i wartości. Świadomość tej wspólnoty reguł życia - choćby pełnej konfliktów - pomaga każdemu z nas czuć się „u siebie"; pozwala też czuć się osobą obdarzoną naturalną godnością, a nie ssakiem dbającym tylko o pożywienie i fizyczne bezpieczeństwo.

W Polsce religia katolicka jest takim właśnie składnikiem „zadomowienia". Chrześcijański system wartości i wyrosła zeń mentalność, kultura i etyka to nieusuwalne składniki polskiego domu.

Wszelako nie jest to dom cały.

Składnikiem tego domu jest także idea „państwa bez stosów", państwa tolerancyjnego, które traktuje pluralizm religijny i kulturowy jako rys wewnętrznego bogactwa. I składnikiem tego domu jest również zmysł buntu, gotowość do protestu w obronie Galileusza, piętnowanego przez katolickich inkwizytorów. Bowiem polski „niepokorny" bronił Galileusza, nie czekając na rehabilitacyjny wyrok Stolicy Apostolskiej. Jednak występując przeciw wyrokowi inkwizytorów, „polski niepokorny" nie pragnął i nie próbował zdegradować Kościoła katolickiego, bowiem ewangeliczne przesłanie Kościoła uważał za duchową własność całej wspólnoty.

Każda próba instytucjonalizacji norm katolickich w system rygorów prawnych regulujących obyczajowość „wspólnego domu" godzi w zasady społeczeństwa otwartego; jest politycznym fundamentalizmem i prowadzi do dyktatury.

Wszelako redukcja wspólnoty do norm prawnych prowadzi do nihilizmu i samozatrucia społeczeństwa otwartego: „wspólny dom" przeobraża się w ruinę bez drzwi i dachu, a jego okna mają wybite szyby.

Tyle tylko da się powiedzieć z całą pewnością. Reszta jest upartym wysiłkiem obrony wartości wspólnoty w świecie ryzyka, które przynosi wolność.

7 listopada 1992

Dlaczego potrzebujemy Kościoła?

I

Papież Jan Paweł II zawsze mówił Polakom rzeczy ważne. Wszystkim Polakom. I tym świętym - bądź tym, którzy za świętych sami siebie uważają - i tym grzesznym, którzy swych grzechów są mniej lub bardziej świadomi. Jan Paweł II mówił do każdego z nas niejako osobiście; każdego z nas zmuszał do namysłu nad sobą, nad światem, nad własnym miejscem w świecie. Trafiał w sedno. Był w czasach zniewolenia głosem polskiej wolności, suwerenności polskiego ducha, tożsamości narodowej i tradycji kulturalnej. Był też najważniejszym ambasadorem sprawy polskiej w świecie.

Mówił do nas i mówił za nas. Był zawsze tym, który oświecał i wyzwalał, jednoczył i nauczał, przypominał i krzepił. Był tym, który miłował.

Nie umiem uniknąć tych słów, może nazbyt patetycznych, dlatego że nie potrafię wyrzucić z pamięci tej chwili, kiedy gruchnęła wieść, że ks. arcybiskup (??? w 1967 r. Karol Wojtyła był kardynałem - t.k.) Karol Wojtyła, metropolita krakowski, został wybrany na papieża. Osłupienie, radość, łzy szczęścia...

A przecież nigdy nam nie schlebiał. Mówił do nas mową twardą i trudną; uświadamiał nam naszą odpowiedzialność za wartości, za Polskę, za samych siebie. Mówił jednak w taki sposób, by wyzwalać w nas to, co najlepsze: jak mądry przyjaciel, a nie jak bezduszny prokurator.

Teraz znowu do nas przyjeżdża. Co nam powie?

II

Przyjeżdża do kraju skłóconego na wiele różnych sposobów. Do kraju, który zaakceptował nową konstytucję niewielką większością głosów przy wielkiej absencji obywateli. Ta nowa konstytucja przesądziła dwa istotne fakty: Polska będzie państwem o tożsamości demokratycznej, a nie antykomunistycznej; Polska będzie państwem raczej świeckim, respektującym autonomię Kościoła i polityki, a nie państwem wyznaniowym. Co powie Jan Paweł II temu krajowi?

III

Uczył nas patriotyzmu. To niemodne dziś słowo po papieskim nauczaniu odzyskiwało blask szczególny. Uczyliśmy się na nowo kochać naszą ojczyznę z wiernością, ale bez złudzeń. Słowa Jana Pawła II zawsze przywodziły mi na myśl słowa Josepha Conrada o kraju, „który od synów swych większej żąda miłości niż jakikolwiek inny kraj na świecie; miłości pełnej żałoby, jaką się kocha umarłych, a niezapomnianych; niewygasającego płomienia beznadziejnego uczucia, jakie tylko żywy, ciepły ideał obudzić w nas może, na dumę naszą, na umęczenie, na triumf i zagładę. Jest coś potwornego w samej myśli o takim żądaniu, aż stanie ono przed nami pod postacią najwyższego oddania, bez bojaźni i bez żalu"[1]. Wszak mówił do nas Jan Paweł II o „momencie Westerplatte", czyli o takiej chwili, kiedy trzeba dochować wierności jakiejś słusznej sprawie, o którą nie można nie walczyć, nawet jeśli ta sprawa dziś przegrywa.

Wszyscy wiedzieliśmy wtedy, o czym mówił Papież. Dziś rozumiemy te słowa na wiele odmiennych sposobów. Pewno także w sposób sprzeczny z intencjami Jana Pawła II. I zastanawiamy się pewno jeszcze, czemu dochować wierności. Czy temu, co wydaje się nam głosem tak wielu z polskich biskupów? Czy temu, co wydaje się nam głosem własnego sumienia?

IV

Jan Paweł II mówił o wolności: „Gdzie organizacja społeczeństwa ogranicza czy wręcz eliminuje sferę wolności przysługującej obywatelom, tam życie społeczne ulega stopniowemu rozkładowi i zamiera". I dalej: „W ustrojach totalitarnych i autokratycznych została doprowadzona do ostateczności zasada pierwszeństwa siły przed rozsądkiem. Zmuszono człowieka do poddania się światopoglądowi narzuconemu siłą, a nie wypracowanemu przez wysiłek własnego rozumu i korzystanie z własnej wolności. Należy tę zasadę odwrócić i uznać w całości prawa ludzkiego sumienia, związanego tylko prawdą, czy to naturalną, czy też objawioną"[2].

O sprawiedliwości i miłosierdziu: „Trudno (...) nie zauważyć, iż bardzo często programy, które biorą początek w idei sprawiedliwości, które mają służyć jej urzeczywistnieniu we współżyciu ludzi, ludzkich grup

---

[1] *Książę Roman*, w: Conrad *Dzieła wybrane*, t. 8, Warszawa 1987, s. 474.
[2] *Centesimus annus*, 25 i 29.

i społeczeństw, ulegają w praktyce wypaczeniu. Chociaż więc w dalszym ciągu na tę samą ideę sprawiedliwości się powołują, doświadczenie wskazuje na to, że nad sprawiedliwością wzięły górę inne, negatywne siły, takie jak zawziętość, nienawiść czy nawet okrucieństwo. Wówczas chęć zniszczenia przeciwnika, narzucenia mu całkowitej zależności, ograniczenia jego wolności staje się istotnym motywem działania; jest to sprzeczne z istotą sprawiedliwości, która sama z siebie zmierza do ustalenia równości i prawidłowego podziału pomiędzy partnerami sporu. Ten rodzaj nadużycia samej idei sprawiedliwości oraz praktycznego jej wypaczenia świadczy o tym, jak dalekie od sprawiedliwości może stać się działanie ludzkie, nawet jeśli podjęte jest w imię sprawiedliwości. Nie na próżno Chrystus wytykał swoim słuchaczom, wiernym nauce Starego Testamentu, ową postawę, która wyrażała się w słowach: »Oko za oko i ząb za ząb«. Była to ówczesna forma wypaczenia sprawiedliwości. Formy współczesne kształtują się na jej przedłużeniu. Wiadomo przecież, że w imię motywów rzekomej sprawiedliwości (np. dziejowej czy klasowej) niejednokrotnie niszczy się drugich, zabija, pozbawia wolności, wyzuwa z elementarnych ludzkich praw. Doświadczenie przeszłości i współczesności wskazuje na to, że sprawiedliwość sama nie wystarcza, że - co więcej - może doprowadzić do zaprzeczenia i zniweczenia siebie samej, jeśli nie dopuści się do kształtowania życia ludzkiego w różnych jego wymiarach owej głębszej mocy, jaką jest miłość. To przecież doświadczenie dziejowe pozwoliło, między innymi, na sformułowanie twierdzenia: *summum ius - summa iniuria.* Twierdzenie to nie deprecjonuje sprawiedliwości, nie pomniejsza znaczenia porządku na niej budowanego, wskazuje tylko w innym aspekcie na tę samą potrzebę sięgania do głębszych jeszcze sił ducha, które warunkują porządek sprawiedliwości"[1].

O przebaczeniu: „Ów ludzki świat może stawać się »bardziej ludzkim« tylko wówczas, gdy we wzajemne stosunki, które kształtują jego moralne oblicze, wprowadzimy moment przebaczenia, tak istotny dla Ewangelii. Przebaczenie świadczy o tym, że w świecie jest obecna miłość potężniejsza niż grzech. Przebaczenie też stanowi podstawowy warunek pojednania - nie tylko w stosunku Boga do człowieka, ale także w stosunkach wzajemnych pomiędzy ludźmi. Świat, z którego wyeliminujemy przebaczenie, może być tylko światem zimnej, bezwzględnej sprawiedliwości, w imię której każdy będzie dochodził swych praw w stosunku do drugiego, a drzemiące w człowieku egoizmy różnego gatunku mogą albo zamienić życie i współżycie ludzi w sys-

---

[1] *Dives in misericordia*, 12.

tem ucisku słabszych przez silniejszych, albo też w arenę nieustannej walki jednych przeciw drugim"[1].

O wydarzeniach 1989 roku: to przykład „zwycięstwa woli dialogu i ducha ewangelicznego w zmaganiach z przeciwnikiem, który nie czuje się związany zasadami moralnymi: są zatem przestrogą dla tych, którzy w imię realizmu politycznego chcą usunąć z areny politycznej prawo i moralność. Nie ulega wątpliwości, że walka, która doprowadziła do przemian roku 1989, wymagała wielkiej przytomności umysłu, umiarkowania, cierpień i ofiar"[2].

O fundamentalizmie: „Kościół nie zamyka bynajmniej oczu na niebezpieczeństwo fanatyzmu czy fundamentalizmu tych ludzi, którzy w imię ideologii uważającej się za naukową albo religijną czują się uprawnieni do narzucania innym własnej koncepcji prawdy i dobra"[3].

Jan Paweł II pisał: „Kościół respektuje słuszną autonomię porządku demokratycznego i nie ma tytułu do opowiadania się za takim albo innym rozwiązaniem instytucjonalnym czy konstytucyjnym". I mówił: „Liczne niesprawiedliwości indywidualne i społeczne, obejmujące regiony i narody, popełnione zostały w latach, kiedy panował komunizm, a także wcześniej; nagromadziło się wiele nienawiści i uraz. Istnieje realne niebezpieczeństwo, że po upadku dyktatury wybuchną one na nowo, powodując poważne konflikty i rozlew krwi, jeśli zabraknie postawy moralnej i świadomego wysiłku, by dawać świadectwo prawdzie, jak to miało miejsce w czasach minionych. Należy życzyć sobie, by nienawiść i przemoc nie zatriumfowały w sercach tych zwłaszcza, którzy walczą o sprawiedliwość, i aby wszystkich przenikał duch pokoju i przebaczenia"[4].

W tych słowach ludzie mojej formacji odnajdują siebie i swoje lęki, swoje prawdy i swoje nadzieje. A przecież byłbym manipulatorem, gdybym na tych cytatach poprzestał.

Jan Paweł II mówił także o innych zagrożeniach: „Autentyczna demokracja możliwa jest tylko w państwie prawnym i w oparciu o poprawną koncepcję osoby ludzkiej. Wymaga ona spełnienia koniecznych warunków, jakich wymaga promocja zarówno poszczególnych osób, przez wychowanie i formację w duchu prawdziwych ideałów, jak i »podmiotowości« społeczeństwa, przez tworzenie struktur uczestnictwa i współodpowiedzialności. Dziś zwykło się twierdzić, że filozofią i postawą odpowiadającą demokratycznym

---

[1] *ibid.*, 14.
[2] *Centesimus annus*, 25.
[3] *ibid.*, 46.
[4] *ibid.*, 47 i 27.

formom polityki są agnostycyzm i sceptyczny relatywizm, ci zaś, którzy żywią przekonanie, że znają prawdę i zdecydowanie za nią idą, nie są, z demokratycznego punktu widzenia, godni zaufania, nie godzą się bowiem z tym, że o prawdzie decyduje większość, czy też, że prawda się zmienia w zależności od zmiennej równowagi politycznej. W związku z tym należy zauważyć, że w sytuacji, w której nie istnieje żadna ostateczna prawda będąca przewodnikiem dla działalności politycznej i nadająca jej kierunek, łatwo o instrumentalizację idei i przekonań dla celów, jakie stawia sobie władza. Historia uczy, że demokracja bez wartości łatwo się przemienia w jawny lub zakamuflowany totalitaryzm"[1].

V

W 1978 roku u progu pontyfikatu Jana Pawła II pisał Leszek Kołakowski: „Dla tradycjonalistów, postrzegających świat przez kategorie odziedziczone z epoki szoku po rewolucji francuskiej i nieznacznie tylko skorygowane, zło komunizmu i jego niszczycielska siła wywodzą się stąd, że jest on ateistyczny. Jest to wszakże mylący sposób percepcji. Kościół nie cierpi prześladowań ani ograniczeń w demokratycznych ustrojach rządzonych przez ateistów lub ludzi religijnie obojętnych. Z drugiej strony, jeśli dopuścimy fantazyjne przypuszczenie, że któregoś dnia narada partii komunistycznych ogłosi, iż właśnie istnienie Boga zostało naukowo udowodnione, przy czym, zbyteczne dodawać, Bóg wyraża swoją nieomylną wolę ustami Biura Politycznego, łatwo przewidzieć, że ani opresywny i antykulturalny charakter komunizmu, ani sytuacja religii i Kościoła na opanowanych przezeń obszarach nie uległyby przez to żadnej zmianie.

Despotyczne formy rządzenia i w szczególności prześladowania religijne w tym ustroju nie pochodzą stąd, że komunizm jest ateistyczny, ale stąd, że jest totalitarny, że zatem jest jak gdyby konstrukcyjnie napędzany dążeniem do zniszczenia wszystkich form życia zbiorowego i wszystkich krystalizacji kultury nie narzuconych przez państwo. Znamienna dla integryzmu katolickiego koncentracja krytyki na sprawie ateizmu, to znaczy na błędach doktrynalnych komunizmu, jest z kilku powodów myląca i nieskuteczna. Nade wszystko, nie pozwala ta postawa wypracować pojęć oddzielających indyferentyzm religijny liberalnej demokracji od państwa ideologicznego sowieckiego typu, przeszkadza zatem w uwolnieniu Kościoła od tradycji, która w liberalizmie widziała wroga *par excellence;* co więcej, atakując komunizm za błędną teorię teolo-

---

[1]ibid., 46.

giczną czy antyteologiczną, utrudnia krytykę totalitaryzmu jako takiego, niezależnie od jego doktrynalnej podbudowy. Tymczasem totalitaryzm, bez względu na kostium ideologiczny - rasistowski, komunistyczny czy religijny - jest w tej chwili najbardziej złowrogą groźbą dla kultury i dla wartości chrześcijańskich. Jest niezawodnie prawdą, że totalitarna strona tradycji chrześcijańskiej nie jest w tej chwili żadnym niebezpieczeństwem realnym, niemniej chrześcijanie, którzy walczą o prawo do życia w sytuacji totalitarnej, stawialiby siebie w niezręcznej pozycji, jeśliby nie opierali swoich roszczeń na wyraźnej akceptacji pluralistycznych zasad życia społecznego, to znaczy na radykalnym odrzuceniu totalitaryzmu, niezależnie od jego ideologicznych treści, które mogą być ateistyczne, ale mogą być także religijne (istnieje nadal potężny potencjał totalitarny w islamie). Ponadto, przy założeniu, że jądrem zła w komunizmie jest ateizm, sprawa konfrontacji chrześcijaństwa z komunizmem zostaje umiejscowiona w ramach walki idei, co jest wszelako wadliwą interpretacją sytuacji, przynajmniej w krajach wepchniętych w klatkę sowietyzmu: idea komunistyczna nie ma tam bowiem żadnej siły własnej, nie jest praktycznie wyznawana i stanowi tylko legitymizację przemocy sprawowanej nad społeczeństwem. Integryzm osłabia przeto skuteczność antytotalitarnego oporu, dając jakby do zrozumienia, a przynajmniej nie wykluczając wyraźnie możliwości, że totalitaryzm nie byłby naganny, gdyby jego forma dogmatyczna określała się za pomocą *Credo* nicejskiego zamiast *Dzieł zebranych* Lenina. Pod tym względem integryzm w osobliwy sposób zbiega się z tą formą katolickiego »progresizmu«, która w komunizmie nie widzi niczego złego poza tym, iż błądzi on w sprawach teologicznych"[1].

Jakby w odpowiedzi na te słowa czytam w encyklice *Centesimus annus:* „Jeśli zapytamy dalej, skąd bierze się ta błędna koncepcja natury osoby i »podmiotowości« społeczeństwa, musimy odpowiedzieć, że pierwszym jej źródłem jest ateizm"[2].

VI

I oto jesteśmy w centrum debaty, której końca nie widać; debaty o relacji pomiędzy prawdą a wolnością.

Z wolności korzystać mogą wszyscy: zarówno święci, jak i jawnogrzesznicy. Wolność oznacza równouprawnienie ludzi grzechu i cnoty, mądrości i głupoty, prawdy i oszustwa, miłości i nienawiści. Jedynym limitem formal-

---

[1] *Pomyślne proroctwa...*, w: *Czy diabeł...*, s. 196-197.
[2] Rozdz. 13.

nym jest prawo: konstytucja i kodeks karny. Kościół - nosiciel cnoty, mądrości, prawdy i, nade wszystko, miłości - nie może przystać na to równouprawnienie, ale też i nie może nie przystać. Nie może na to przystać szczególnie w chwili wielkiego wstrząsu, gdy świat wartości zakolebał się niebezpiecznie. Ale też nie może i nie przystać w chwili, gdy ład demokratyczny jest bezustannie atakowany.

Pisał Jan Paweł II: „Istnieją też inne siły społeczne i nurty ideowe, które przeciwstawiają się marksizmowi, tworząc systemy»bezpieczeństwa narodowego« zmierzające do drobiazgowej kontroli całego społeczeństwa dla uniemożliwienia infiltracji marksistowskiej. Stawiając bardzo wysoko i zwiększając siłę państwa, mają one ustrzec społeczności przed komunizmem, jednak czyniąc tak, narażają się na poważne ryzyko zniszczenia tej wolności i tych wartości osoby ludzkiej, w imię których należy mu się przeciwstawiać"[1].

Tak więc Jan Paweł II przestrzega całkiem wyraźnie nie tylko przed kryzysem tradycyjnych norm moralnych w państwach demokracji i dobrobytu, ale również przed filozofią „antykomunizmu z bolszewicką twarzą".

Jednocześnie cała myśl Papieża - co oczywiste - skupiona jest na trosce o prawdę objawioną. Jan Paweł II jest przekonany, że tylko Kościół potrafi przeprowadzić człowieka przez kręty labirynt grzechów, niedoli i pokus naszego świata; że tylko Kościół katolicki potrafi odróżnić dobro od zła, prawdę od kłamstwa, poczciwość od draństwa, że tylko Kościół katolicki potrafi głośno wypowiedzieć sens tego odróżnienia.

VII

Jan Paweł II jest niezwykłym świadkiem naszego czasu: czasu faszyzmu i klęski faszyzmu; czasu komunizmu i klęski komunizmu. Dlatego w myśl filozoficzną Jana Pawła II wpisane jest bezustanne doświadczenie oporu antytotalitarnego. Ten opór łączył w sobie harmonijnie dwie cechy: wierność i niepokorność; wierność wobec wartości, niepokorność wobec sytuacji. Obie te cechy postawy antytotalitarnej były poddawane krytyce jako wartości formalne: Leszek Kołakowski krytykował cnotę wierności, pytając: „wierność", ale komu i czemu? Ks. Józef Tischner krytykował niepokorność, pytając: „niepokorność", ale wobec kogo i czego? Wszelako obaj ci wielcy mistrzowie pol-

[1] *Centesimus annus*, 19.

skiego myślenia według wartości byli zapewne zgodni w jednym: ostateczną miarą jest świadectwo. Pisał Leszek Kołakowski: „Jednakowoż tradycja religijna, przynajmniej w kręgu naszej kultury, domaga się czegoś więcej niż rezygnacji z nienawiści: mamy ponadto dobro świadczyć naszym prześladowcom, modlić się za wrogów naszych. Czy i to żądanie, gwałt naturze czyniące, może uchodzić za powszechną po winność? Na to tylko najbanalniejsza odpowiedź się nasuwa: można być pewnym, że jest i zawsze będzie bardzo niewielu takich, którzy prawdziwie do tego wymagania dorośli; ale na barkach tych nielicznych wspiera się gmach naszej cywilizacji i to niewiele, do czego my jesteśmy zdolni, im zawdzięczamy"[1]. Zaś ks. Józef Tischner zauważał: „Między niepokornością a nihilizmem istnieje zasadnicza różnica. A przecież bardzo łatwo udawać niepokorność, gdy naprawdę jest się tylko nihilistą. Różnicę wytwarza wartość zwana heroizmem. Niepokorni byli każdy na swój sposób heroiczni. Polegało to ostatecznie na doświadczeniu i na świadomości wolności. Bo im chodziło nie tylko o wolność dla chłopa, robotnika, dla narodu i jego myśli, lecz chodziło im także, a może przede wszystkim, o wypracowanie w samych sobie tej niewątpliwie najtrudniejszej z wolności - wolności dysponowania samym sobą w sytuacji granicznej"[2].

VIII

Miejmy świadomość, że istotą dzisiejszego polskiego rozdarcia jest spór o to, co jest większym zagrożeniem: karykaturalna postać wierności przeobrażonej w fanatyczną nienawiść integrystów czy też karykaturalna postać niepokorności przeobrażonej w immoralizm nihilistów.

Nihilizm jest przeświadczeniem, że wszystko jest błotem, a dobro, prawda i świętość nie istnieją; że nie istnieje też żaden kanon moralny, pogląd zaś odmienny to jedynie rezultat naiwnej głupoty bądź zakłamania i hipokryzji.

Integryzm jest przekonaniem, że skoro toniemy w błocie nihilizmu, to świat uporządkowany wokół dobra, prawdy i świętości należy przywracać, sięgając po wszelkie możliwe sposoby; także po zło, kłamstwo i nienawiść: święty cel ma usprawiedliwić nikczemne środki.

Wydaje się, że odpowiedź Jana Pawła II jest oczywista: największym zagrożeniem jest nihilizm.

---

[1] *Wychowanie do nienawiści, wychowanie do godności*, w: *Czy diabeł...*, s. 145.
[2] *Myślenie według wartości*, Kraków 1982, s. 190-191.

Nie chcę wybierać „mniejszego zła". Powiedzieć jednakowoż muszę otwarcie: jeśli jednak jestem do takiego wyboru przymuszany, to w Polsce, naszej wspólnej ojczyźnie, bardziej lękam się nienawistnego, fanatycznego integryzmu. Cyniczny nihilizm godzi w jakość demokratycznej Polski, integryzm godzi w istotę polskiej demokracji.

Przez długie lata myślałem, że Jan Paweł II jest twórcą nowej polskiej syntezy: Polski wiernej z Polską niepokorną; Polski, w której nie ma zwycięzców i nie ma zwyciężonych; Polski wspólnej - ojczyzny wszystkich obywateli Rzeczypospolitej. Dziś staję bezradny wobec bilansu mej wiary, miłości i nadziei. Nie wiem. Naprawdę nie wiem. Kiedy w obecności Prymasa Polski można moich najbliższych przyjaciół nazwać „różowymi hienami", kiedy można nas przyrównać do targowiczan, którzy Polskę sprzedawali obcemu mocarstwu, kiedy można nas zestawić z nawałą bolszewicką z 1920 roku - nic już nie wiem.

Jeśli jednak pytam własnego sumienia, ono nakazuje mi powiedzieć: Ojcze Święty - wiele grzechów jest naszym udziałem, ale to nie jest prawda. Nie jesteśmy zdrajcami ani targowiczanami, ani bolszewicką nawałą. Ale wybaczamy im to kłamstwo niegodne, bowiem oni nie wiedzą, co czynią. I prosimy w tym ważnym dniu: odpuść nam nasze winy, jako i my odpuszczamy naszym winowajcom.

IX

Czy można przezwyciężyć ten stan „zimnej wojny domowej"? Pisał ks. Tischner: „Dojrzewanie człowieka do bezkompromisowości w tym, co dobre, kryje pewien paradoks. Okazuje się, że tylko dzięki bezkompromisowości w tym, co dobre, może dojść do sytuacji harmonijnego współżycia międzyludzkiego, którą często nazywamy »mądrym kompromisem«. Oto paradoks: »mądry kompromis« ma być wynikiem »bezkompromisowości«, a »bezkompromisowość« odpowiednikiem »mądrego kompromisu«. Lecz nie ma w tym żadnej sprzeczności! Bezkompromisowość w dobrem jest wszak warunkiem tego, by człowiek mógł dojść z drugim człowiekiem do mądrego kompromisu na płaszczyźnie wartości niższych niż najwyższe. Trzeba bezkompromisowo chcieć sprawiedliwości, by się nie pozabijać przy rozdziale chleba"[1].

Pisał Leszek Kołakowski: „Duch koncyliatorski i gotowość do kompromisu bez tchórzostwa i bez konformizmu, zdolność do usuwania nadmiaru wro-

[1] *Myślenie według wartości*, s. 396.

gości bez czynienia ustępstw w tym, co się uważa za jądro sprawy, jest to sztuka, która z pewnością nikomu bez trudu nie przychodzi jako dar naturalny. Od naszej umiejętności przyswajania sobie tej sztuki zależy wszelako los demokratycznego ładu na świecie"[2].

X

Polskiej demokracji potrzebny jest Kościół, bowiem polska demokracja potrzebuje głosu sumienia.

Polskiej demokracji potrzebny jest Kościół, który mówi językiem Ewangelii, a nie językiem krucjaty; Kościół, który jest i pozostanie znakiem sprzeciwu, a nie znakiem przymusu. Kościół, który przywróci nam wiarę, że można zło dobrem zwyciężać.

31 maja 1997

---

[2] *Wychowanie do nienawiści...*, w: *Czy diabeł..*, s. 144.

Zło dobrem zwyciężaj

I

„Nikomu nie odpłacajcie złem za złe; przeciwnie, wszystkim ludziom dobrze czyńcie. Dokładajcie wszelkich starań, aby, o ile to od was zależy, z wszystkimi żyć w zgodzie. Najmilsi, nie dopuszczajcie się żadnej zemsty; niech Bóg sam okaże swoje zagniewanie zgodnie z tym, co napisane: Do Mnie należy dokonywanie pomsty, Ja będę udzielał zapłaty - mówi Pan. Jeżeli nieprzyjaciel twój jest głodny, daj mu jeść; jeżeli jest spragniony, daj mu pić. Postępując w ten sposób, będziesz gromadził rozżarzone węgle na głowie twego nieprzyjaciela.
Nie daj się pokonać złu, lecz sam dobrem zwyciężaj zło"
(List św. Pawła do Rzymian, 12, 17-21).

II

Przez te wszystkie niezwyczajne dni pielgrzymki Jana Pawła II do Polski kołatały się w mojej głowie słowa św. Pawła. Słuchaliśmy Papieża uważnie i cierpliwie, bowiem wykładał nam prawdy trudne, niebanalne, choć jakoś oczywiste. W jego słowach było ukryte zaproszenie do dialogu. Ten Najwyższy Namiestnik Kościoła zwracał się do nas jak partner i przyjaciel, a nie jak belfer czy mentor. Jego słowa były prośbą i modlitwą, a nie oskarżeniem. Czasem karcił nas, ale nigdy nikogo nie wyklinał.

III

Ten Wielki Nauczyciel zaprosił nas do wspólnego myślenia.
Konstytucja Soboru Watykańskiego II *Gaudium et spes* powiada: „Kościół na mocy swego posłannictwa, nakazującego mu oświecać Nowiną ewangeliczną cały świat i zespolić wszystkich ludzi jakiegokolwiek narodu, plemienia czy kultury w jedności Ducha, staje się znakiem owego braterstwa, które pozwala na szczery dialog i taki dialog utrwala.
To zaś wymaga, byśmy przede wszystkim w samym Kościele dbali o wzajemny szacunek, poważanie i zgodę, dopuszczając każdą uzasadnioną różni-

cę, by tym owocniejsza była wymiana poglądów między wszystkimi, którzy tworzą jeden Lud Boży, zarówno pasterze, jak i ogół wiernych. Silniejsze jest bowiem to, co wiernych łączy, niż to, co dzieli: Niech w rzeczach koniecznych będzie jedność, w wątpliwych wolność, a we wszystkich miłość"[1].

IV

Jedność. Słowa Jana Pawła II o dramatycznej przeszłości naszego narodu, o totalitarnych dyktaturach, o cierpieniu Kościoła i o jego wyzwolicielskiej roli - te słowa są znakiem jedności. Tutaj spotykamy się razem i wspólnie dziękujemy Kościołowi, że pomógł Polsce przetrwać w trudnym czasie opresji. Myślę, że zbyt rzadko o tym pamiętamy: bez Kościoła, bez mądrej strategii Prymasa Polski kardynała Stefana Wyszyńskiego, tej osobliwej polskiej mieszaniny świadectwa moralnego z roztropną dyplomacją, nie byłoby polskiej wolności. Nie byłoby dzisiaj tej Polski, którą prezydent Stanów Zjednoczonych postawił niedawno za wzór całemu światu.

Papież Jan Paweł II jednoznacznie potępił epokę dyktatury: czas kłamstwa wspieranego przemocą. Jan Paweł II wyraził aprobatę dla polskiej wolności.

Każda wolność, nawet grzeszna i okaleczona, jest lepsza od dyktatury niezależnie od jej barw ideologicznych. Tylko demokratyczne państwo pozwala ludziom być obywatelami; tylko demokratyczne państwo powoduje, że Polacy są na trwałe narodem, a nie ludnością; tylko demokratyczne państwo ochrania nasze naturalne prawo do życia w zgodzie z własnym sumieniem.

V

Jan Paweł II wypowiedział wiele gorzkich słów pod adresem liberalnej demokracji (inna dziś zresztą nie istnieje). Z całą otwartością skrytykował relatywizm etyczny, który towarzyszy porządkowi demokratycznemu.

W tej krytyce jest zawarte wezwanie do rachunku sumienia. W jaki sposób budować państwo demokratyczne, w którym prawa będą liberalne, a obyczaje surowe? W jaki sposób bronić moralnych wartości chrześcijaństwa w państwie demokratycznym? Czy poprzez wpisywanie ich do konstytucji? Czy poprzez gwarantowanie ich przepisami ustaw i kodeksu karnego? Czy może rację ma Leszek Kołakowski, gdy pisze:

[1] Rozdz. 92, cyt. za: *Dokumenty nauki społecznej Kościoła*, cz. l, Rzym-Lublin 1987.

„Czy Kościół, wedle własnych założeń dogmatycznych, musi takie roszczenia wnosić? Niekoniecznie. Nie ma powodu twierdzić, że prawo państwowe ma wyręczać Kościół w upowszechnianiu moralności i że ludzie powinni być dobrzy i szlachetni pod batem. Nie znam też argumentów dobrych na rzecz mniemania, iż najlepszy sposób na utrwalanie moralności chrześcijańskiej polega na tym, by było coraz więcej szpiegów i donosicieli, coraz więcej policji, coraz więcej więzień. Jeśli Kościół nie potrafi przez nauczanie swoje i wpływ duchowy, bez przemocy, ograniczać grzechów (mowa o tych grzechach, które wcale nie muszą być karalne pod grozą rozpadu społeczeństwa, chaosu i prawa dżungli), jeśli więc posłanie jego jest mało skuteczne albo nie tak, jakby chciał, skuteczne, to raczej sam siebie winić powinien, niż żądać świeckiego ramienia"[1].

VI

Wolność. Polsce nie zagraża dzisiaj przymusowa ateizacja. Polsce zagraża bez wątpienia postnowoczesny nihilizm, kryzys życia i myślenia według wartości, triumf wulgarności i pustki duchowej. Na ten temat Jan Paweł II mówił dobitnie i przejmująco. Jednak Polsce zagraża również religijny fanatyzm, integrystyczna ideologizacja religii, która nie cofa się przed kłamstwem i nienawiścią. I o tym Jan Paweł II publicznie nie mówił. Dlaczego? Wydaje się, że Papież nie widzi tutaj istotnego niebezpieczeństwa; nie sądzi, by z tej strony płynęło zagrożenie dla porządku demokratycznego.

Niestety, czuję się zobowiązany powiedzieć otwarcie, że jestem innego zdania. Sądzę, że nie wolno zapominać o - cytując Jana Pawła II - „niebezpieczeństwie fanatyzmu czy fundamentalizmu tych ludzi, którzy w imię ideologii uważającej się za naukową albo religijną czują się uprawnieni do narzucania innym własnej koncepcji prawdy i dobra"[2].

Podczas pielgrzymki Jana Pawła II usłyszeliśmy z ust arcybiskupa Michalika wywód o spisku masońskim, który zagraża światu. Tych absurdów nie wypowiedział żaden egzotyczny polityk ani żaden egzotyczny kapłan katolicki w rodzaju ks. Rydzyka. Tę nienawistną brednię, zatruwającą polskie umysły, wypowiedział katolicki arcybiskup.

Nie umiem tego zlekceważyć ani też przejść nad tym do porządku. Ten rodzaj ogłupienia zagraża polskiej demokracji. I może okazać się dla niej niszczycielski.

---

[1] *Krótka rozprawa o teokracji*, „Gazeta Wyborcza" z 24 sierpnia 1991.
[2] *Centesimus annus*, 46.

VII

Jan Paweł II, popierając idee integracji europejskiej - przypomniał w Gnieźnie o chrześcijańskich korzeniach Europy. Wolno jednak zapytać: czy są to jedyne korzenie? Europa to przecież także filozofia starożytnych Greków, prawo rzymskie, islam i judaizm, tradycje laickiego humanizmu. Czy nie są to równie trwałe składniki europejskiej tożsamości jak chrześcijaństwo? Czy pomijanie takich nieusuwalnych fragmentów europejskiej refleksji, jak dzieło Prousta, Malraux, Camusa, Franza Kafki czy Andrieja Sacharowa, jest właściwą pedagogiką na nasze trudne czasy? Czy Europa będzie kontynentem monologu katolickiego, czy też dialogu pluralistycznego świata kultur, wiar i systemów wartości?

Chrześcijaństwo jest niezbywalnym - sądzę, że wręcz konstytutywnym - elementem kultury europejskiej; nie jest jednak składnikiem jedynym. To pewnie najpiękniejszy pęk kwiatów w bukiecie, ale bukiet składa się z różnych kwiatów.

I wreszcie: czym jest wolność? Czy jest stanem swobody od przymusu, czy też swobody od grzechu? Wedle mojego rozumienia swobodą od grzechu jest świętość. Wolność jest zawsze zabezpieczeniem od przymusu, swobodą wyboru - także wyboru grzechu. W soborowej *Deklaracji o wolności religijnej* czytamy, że należy „wobec ludzi, którzy trwają w błędzie albo w niewiedzy co do spraw wiary, postępować z miłością, roztropnością i cierpliwością"[1]. Do tego - sądzę - namawia Jan Paweł II, a nie do obrony cnoty przez policjanta, prokuratora i donosiciela, w co zdają się wierzyć niektórzy politycy.

VIII

Miłość. Jan Paweł II promieniował miłością. W nasz świat zgiełkliwego skłócenia wniósł inny styl, inny język - jakże inny od sformułowań w rodzaju „szczekające kundelki", „Żydzi i masoni", „targowica", „nawała bolszewicka" czy, z drugiej strony, „czarni" lub „Breżniew Watykanu". Mówił o grzechu i o miłosierdziu, o poświęceniu i o cierpieniu, o Golgocie życia i o umieraniu. Mówił nam o ojczyźnie - i te słowa powinniśmy sobie wpisać trwale do naszych sumień.

---

[1] *Dignitatis humanae*, 14, w. *Dokumenty nauki.*

Jan Paweł II kolejny raz odmienił oblicze. Naszej, polskiej, świętej i jawno-grzesznej ziemi. Dzięki Papieżowi jesteśmy wciąż ci sami, ale chyba nie do końca tacy sami. Jan Paweł II nie mówił o przebaczeniu i pojednaniu między Polakami. Ale przecież jakoś przebaczał nam wszystkim i jakoś jednał się z nami wszystkimi.

Zważmy bowiem! Jan Paweł II nikogo nie wyklinał. Jan Paweł II wszystkich nawracał. I myślę, że każdego z nas jakoś nawrócił - choćby troszeczkę.

I tak czyniąc, gromadził rozżarzone węgle na głowach nieprzyjaciół swoich.

14 czerwca 1997

W pułapce
czystego sumienia

Kościół katolicki ma kłopot z polską demokracją. Demokracja ma problem z polskim Kościołem katolickim. Jak to się stało - ma prawo zastanawiać się katolicki kapłan - że Kościół, który tyle uczynił dla polskiej wolności, dzisiaj jest przez tę wolność krytykowany? Jak to się stało - zastanawia się zwyczajny mieszkaniec polskiego miasta - że demokracja, która przywróciła Kościołowi pełnię praw, jest dzisiaj piętnowana w słowach bardziej surowych niż niegdyś totalitarno-komunistyczna dyktatura? Czemu słowo „tolerancja" stało się słowem podejrzanym?

I

Arcybiskup Józef Michalik powiada: „Laicyzm, który narzucano nam przez całe lata, dzisiaj przybiera nazwę liberalizmu i kapitalizmu. Dawniej Wschód, a dziś i Zachód będzie domagał się, by Polska zaakceptowała pełny liberalizm społeczny, polityczny, a także ideowy, religijny. Stajemy oto wobec nowej formy totalitaryzmu". Od znanego kapłana-filozofa katolickiego z KUL-u słyszymy w kontekście sporu o ustawę antyaborcyjną, że „widmo totalitaryzmu znów krąży po Europie"; mowa tu o „nowej postaci totalitaryzmu pod maską wolności i demokratycznej zasady większości". Wreszcie w oficjalnym dokumencie ogłoszonym przez polskich biskupów czytamy: „zarówno w praktyce systemów totalitarnych, jak i w teoriach propagowanych przez skrajny liberalizm usiłuje się zacierać różnice między dobrem a złem oraz traktować doraźne osiągnięcia jako ostateczne kryterium moralności".

Tym diagnozom uniwersalnym towarzyszą obserwacje całkiem konkretne. Interpretatorzy myśli biskupów posuwają się jeszcze dalej: „Dziś niektóre środki masowego przekazu i niektórzy politycy robią wszystko, aby pod konarami narodowego dębu znalazł schronienie jedynie komunista i ateista, nihilista, liberalny gracz kartami przykazań Bożych czy tzw. Europejczyk. Zdaje się, że nie ma tam miejsca dla Polaka, który przyznaje się do Kościoła katolickiego". „Nie chcemy, by Polska była królestwem szatana, Polska jest i będzie królestwem Maryi". „Rzeczywiście, jesteśmy dziś świadkami konfrontacji dwu wizji człowieka. Z jednej strony jest to wizja, wedle której wielkość i godność człowieka polega na tym, że dana mu została zdolność do odkrywania obiektywnej prawdy. (...) Z drugiej strony jest to wizja człowieka, który przyznaje sobie prawo do decydowania o prawdzie". Tak mówi kapłan Kościoła katolickiego. Skąd się bierze ten manicheizm?

II

W epoce komunistycznej dyktatury Kościół był nauczycielem wartości trwałych i nieziszczalnych, sumieniem zniewolonego społeczeństwa. Dlatego nie potrafię dzisiaj odnaleźć się w świecie zimnej religijnej wojny, demagogii, gdy jedni, jak na przykład tygodnik „Nie", chcą usunąć Kościół katolicki z życia publicznego, a drudzy potrzebują Kościoła jako nowej siły kierowniczej i jedynego posiadacza jedynej prawdy. W osłupienie wprawiają mnie biskupi, którzy przemawiają językiem krucjaty i anatemy, głosem oblężonej twierdzy, tonem nienawiści nasyconej obsesją dyskryminacji. I w przerażenie wprawia mnie zoologiczny antyklerykalizm, który nie respektuje żadnych świętości, żadnych symboli polskiej zbiorowej pamięci, który opluwa i wyszydza to wszystko, co było i pozostanie „istotą polskiej świętej wiary katolickiej".

Trudno rozmawiać dzisiaj o tym konflikcie. Trudno o tym rozmawiać, bowiem jedni mają poczucie zagrożenia przez polityczne aspiracje hierarchii, a drudzy żyją w świecie, gdzie pamięci o wczorajszych represjach towarzyszy przeświadczenie o własnej bezgrzeszności. Dlaczego ludzie Kościoła, „świętej wszetecznicy", nagle uwierzyli we własną bezgrzeszność?

III

Bohdan Cywiński odwołał publicznie swoje dawne refleksje na temat Kościoła konstantyńskiego i juliańskiego. Jednak dla mnie wciąż jest to prorocza analiza paradoksów polskiego katolicyzmu. Pisał Cywiński w *Rodowodach niepokornych*:

„Cechą Kościoła w Polsce pod zaborami był nie konstantynizm, ale właśnie »julianizm«. Julianizm - jako model sytuacji politycznej jest przeciwieństwem konstantynizmu. Zamiast współdziałania obu władz: świeckiej i duchownej, cechuje go ich konflikt. Kościół znajduje się w opozycji. Pozbawiony jest władzy politycznej, dysponuje natomiast autorytetem moralnym - i w tym leży jego siła. Jest to być może nawet ogólna prawidłowość określająca sytuację społeczną Kościoła w państwie: jego autorytet moralny w społeczeństwie jest odwrotnie proporcjonalny do jego udziału we władzy politycznej. Prawidłowość ta sprawdza się w każdym razie w Polsce, gdzie konflikt między społeczeństwem a władzą zaborczą był oczywiście szczególnie silny, a towarzyszyło mu, wyrosłe z odwiecznej tradycji, przywiązanie do Kościoła. Autorytet moralny Kościoła juliańskiego jest jego podstawową cechą, podobnie jak potęga polityczna charakteryzuje Kościół konstantyński. (...)

Jednocześnie julianizm jest w pewien sposób związany z konstantynizmem, mają cechy wspólne, uderzające zwłaszcza w mentalności ludzi Kościoła. Łatwo zauważyć, że obie formacje są powiązane następstwem czasu. Julian nie musiałby być apostatą, gdyby przed nim w historii nie było Konstantyna. Julianizm nie wynika sam z siebie; jest konstantynizmem zakwestionowanym, rodzi się tam, gdzie władza państwowa odstąpi od poprzedniej idei współdziałania z Kościołem. Mylne jest twierdzenie, że Kościół juliański nie ma nic wspólnego z władzą polityczną: jest to Kościół od udziału w tej władzy przemocą odepchnięty. (...) Za Juliana Apostaty wspominano zapewne czasy Konstantyna jako wzór prawidłowego układu społecznego. Czekano na moment, kiedy będzie można powrócić do tego dawnego wzoru. Ani na chwilę nie uznawano legalności systemu wprowadzonego przez cesarza-odstępcę, usiłowano przetrwać czas trudności, by po ich ustąpieniu odzyskać dawne miejsce w systemie społecznym. Nie wyrzeczono się sojuszu z władzą raz na zawsze, czekano jedynie na władzę taką, która dla tego sojuszu okaże się odpowiednia. (...)

Dlatego też Kościół juliański przy całej swej duchowej potędze nigdy nie jest w pełni solidarny ze społeczeństwem i nigdy się z nim w pełni nie identyfikuje. (...) Pozbawiony mocy politycznej walczy o zachowanie duchowego przywództwa nad narodem. Nie przyjmuje zatem do wiadomości istnienia innych ośrodków duchowej czy ideowej integracji społeczeństwa ani innych formuł opozycji wobec władzy świeckiej niż te, które sam pobudza i kontroluje. Jeśli obecność tej opozycji staje się ewidentna i stwarza społeczeństwu jakąkolwiek alternatywę ideologiczną, umożliwiającą mu gromadzenie się niekoniecznie pod sztandarami hierarchii, wtedy Kościół juliański opozycję tę potępia lub co najmniej lekceważy i dezawuuje w opinii publicznej. (...) W swoim konflikcie z władzą świecką występować chce sam, bez partnerów, wobec których nie poczuwa się do żadnej solidarności. (...)

Zrodzony w specyficznej sytuacji polskiej, Kościół juliański dysponował wielkim autorytetem moralnym i mimo swej trudnej sytuacji politycznej - a właściwie dzięki niej - mógł proponować zniewolonemu społeczeństwu własną ideologię opozycyjną. Kościół polski epoki zaborów skutecznie szansę tę wykorzystał, tworząc formację powszechną, głęboko w narodzie zakorzenioną i nad podziw trwałą. Formację Polaka-katolika"[1].

Był to katolicyzm świadectwa i heroizmu, katolicyzm oblężonej twierdzy, który był zarazem nieusuwalnym składnikiem i znakiem tożsamości narodowej.

Ten katolicyzm źle reagował na pluralizm wyznaniowy i narodowościowy II Rzeczypospolitej; źle się czuł w świecie demokratycznych reguł gry. Stąd bliskie związki Kościoła z siłami nacjonalistycznej prawicy. Potem nastał czas okupacji hitlerowskiej, a jeszcze potem - komunistycznej dyktatury. Była to kolejna próba heroizmu; kolejne utrwalenie wzoru Kościoła juliańskiego; kolejny niebywały wzrost autorytetu moralnego Kościoła. Wybór Papieża Polaka utrwalił przekonanie o wyjątkowości polskiego Kościoła. Aż nadszedł rok 1989. Partia komunistyczna oddała władzę.

IV

Byłoby jednak fatalnym uproszczeniem szukać źródeł konfliktu Kościoła z demokracją jedynie w polskiej tradycji historycznej. Ten konflikt ma swe korzenie w całej historii Kościoła powszechnego, a także w samej naturze relacji pomiędzy Kościołem a władzą świecką.

Dzieje Europy wypełnione są konfliktami Kościoła z władzą świecką; z monarchią, z republiką, z demokracją, z reformacją i rewolucją. Kościół był strażnikiem prawd niezmiennych i ostatecznych, co dawało mu tytuł do prymatu nad władzą świecką. Co więcej - dawało również tytuł do monopolu w zakresie orzekania o naturze świata i człowieka. Każda próba równouprawnienia innych idei, miar, światopoglądów była domaganiem się praw dla błędu i grzechu; była rozmywaniem czytelnych granic pomiędzy prawdą a fałszem.

Jacques Bossuet, francuski biskup, pisarz i teolog katolicki XVII wieku miał jasność. Był zdania - pisze historyk Paul Hazard, że „prawda pochodząca od Boga jest nade wszystko doskonała - na tej maksymie opiera się jego niezłomna wiara. Istnieje prawda, którą Bóg ludziom objawił, która zapisana jest w Ewangelii, a poświadczona przez cuda i która - jako boska - jest doskonała, a przeto niewzruszona: gdyby się bowiem zmieniała, nie mogłaby być prawdą. Zadaniem Kościoła jest stać na straży tej prawdy.»Kościół Jezusa Chrystusa, troskliwy strażnik dogmatów, które zostały mu powierzone, nigdy nic

[1] Bohdan Cywiński Rodowody niepokornych, Warszawa 1971, s. 262-264.

w nich nie zmienia (...). Cały jego trud polega na wygładzeniu tego, co zostało mu dawniej dane, na potwierdzeniu tego, co zostało dostatecznie wyjaśnione i na zachowywaniu tego, co zostało potwierdzone i określone...«. Jednostka winna podporządkować się owej jedynej, niewzruszonej prawdzie, gdyby bowiem każdy chciał mieć swoją własną prawdę, doszłoby do chaosu, do nielogiczności, bo oczywiste jest, że na ten sam temat nie może być milionów prawd ani też tysiąca, stu, dziesięciu czy dwóch prawd - lecz tylko jedna. »Pozwala to zrozumieć prawdziwe źródła postaw katolika i heretyka. Heretyk to ten, kto ma jakiś pogląd - i takie jest właśnie znaczenie tego słowa. Co to znaczy: mieć jakiś pogląd? Znaczy to: iść za swoją własną myślą i własnym przeświadczeniem. Natomiast katolik jest katolicki, a to znaczy: uniwersalny; nie ma swojego jednostkowego przekonania, lecz bez wahania idzie za przekonaniem Kościoła...«"[1].

Nie dziwmy się Bossuetowi. Każdy z nas wierzy w pewne oczywistości, które pozwalają mu poruszać się w mrokach i komplikacjach świata. Rzecz w tym, że Bossuet był przeświadczony, że jego oczywistości mają obowiązywać wszystkich ludzi. Dlatego spoglądał z przerażeniem na swój XVII--wieczny świat zagrożony kartezjańską destrukcją. Obserwował „chorobę i pokusę naszych czasów" zrodzoną z „nieumiarkowania umysłu". Pisał: „Rozum, który wzięli za przewodnika, przedstawia ich umysłom jedynie przypuszczenia i powikłania; niedorzeczności, do jakich dochodzą, przecząc religii, stają się bardziej nieznośne niż prawdy, których wzniosłość ich zdumiewa; nie chcąc wierzyć w niepojęte tajemnice, wpadają raz po raz w niepojęte błędy. Czymże jest w końcu ich nieszczęsna niewiara, jeśli nie bezkresnym błędem, zuchwałością, która waży się na wszystko, rozmyślną głuchotą - słowem pychą, która nie może ścierpieć przeciwdziałającego lekarstwa, to znaczy nie może ścierpieć prawowitego autorytetu? (...) Oto pełny pychy człowiek mniema, iż wznosi się ponad wszystko i ponad siebie, skoro wzniósł się, jak mu się wydaje, ponad religię, którą tak długo szanował. Zalicza siebie do tych, którzy pozbyli się złudzeń; urąga w swoim sercu słabym umysłom, które idą tylko za innymi, nie umiejąc nic znaleźć same; a ponieważ został jedynym przedmiotem swojej kontemplacji, sam siebie czyni swoim bogiem"[2].

---

[1] *Kryzys świadomości europejskiej 1680-1715*, Warszawa 1974, s. 179-180.
[2] Cyt. za Hazardem, *ibid.*, s. 191-192.

V

Integrystyczne skrzydło Kościoła katolickiego przemawia od kilku wieków językiem Bossueta. Dopiero na tle tej tradycji językowej rozpoznać potrafimy rewolucyjny sens nauk Vaticanum II: o wolności religijnej i o autonomii sfery polityki. Przypomnijmy kilka myśli z konstytucji *Gaudium et spes:* „Jednostki, rodziny i zrzeszenia, które składają się na wspólnotę obywatelską, mają świadomość własnej niewystarczalności dla urządzenia prawdziwie ludzkiego życia i uświadamiają sobie konieczność szerszej wspólnoty, w której wszyscy współpracowaliby codziennie dla coraz lepszego rozwoju dobra wspólnego. Z tej przyczyny tworzą różnego rodzaju wspólnoty polityczne. (...) Liczni i różni ludzie zbierają się we wspólnocie politycznej i mogą różnić się w poglądach. Aby na skutek upierania się każdego przy swoim zdaniu nie rozpadła się wspólnota polityczna, konieczna jest władza, która by kierowała siły wszystkich obywateli ku dobru wspólnemu i to nie w sposób mechaniczny lub tyrański, ale przede wszystkim jako siła moralna, oparta na wolności i świadoma ciężaru przyjętego obowiązku.

Jest więc jasne, że wspólnota polityczna i władza publiczna opierają się na naturze ludzkiej i należą do porządku określonego przez Boga, jakkolwiek forma ustroju i wybór władz pozostawione są wolnej woli obywateli.

Stąd też wynika, że wykonywanie władzy politycznej, czy to we wspólnocie jako takiej, czy to w instytucjach reprezentujących państwo, winno się zawsze odbywać w granicach porządku moralnego dla dobra wspólnego - i to dobra pojętego dynamicznie - według norm porządku prawnego, legalnie już ustanowionego, lub też tego, który winien być ustanowiony. Wówczas obywatele zobowiązani są w sumieniu do posłuszeństwa władzy. Z tego zaś jasno wynika odpowiedzialność, godność i znaczenie ludzi sprawujących rządy. Tam zaś, gdzie władza państwowa, przekraczając swoje uprawnienia, uciska obywateli, niech ci nie odmawiają jej świadczeń, których obiektywnie domaga się dobro wspólne. Niech zaś wolno im będzie bronić praw swoich i współobywateli przed nadużyciami władzy, w granicach nakreślonych przez prawo naturalne i ewangeliczne".

Powyższe sformułowania są otwartą akceptacją porządku demokratycznego i akceptacją prawa obywateli do walki o demokrację oraz do jej obrony; są też akceptacją autonomii sfery politycznej czy też „słusznej autonomii rzeczy ziemskich". W *Gaudium et spes* czytamy:

„Jest sprawą doniosłą, żeby zwłaszcza w społeczeństwach pluralistycznych doceniano właściwy stosunek między wspólnotą polityczną a Kościołem, i by jasno rozróżniano to, co czynią wierni jako jednostki, czy też stowarzyszenia we własnym imieniu, jako obywatele kierujący się głosem sumienia chrześcijańskiego, od tego, co czynią wraz ze swymi pasterzami w imieniu Kościoła.

Kościół, który z racji swego zadania i kompetencji w żaden sposób nie utożsamia się ze wspólnotą polityczną ani nie wiąże się z żadnym systemem politycznym, jest zarazem znakiem i zabezpieczeniem transcendentnego charakteru osoby ludzkiej. Wspólnota polityczna i Kościół są w swoich dziedzinach od siebie niezależne i autonomiczne. Obydwie jednak wspólnoty, choć z różnego tytułu, służą powołaniu jednostkowemu i społecznemu tych samych ludzi. Tym skuteczniej będą wykonywać tę służbę dla dobra wszystkich, im lepiej będą rozwijać między sobą zdrową współpracę, uwzględniając przy niej okoliczności miejsca i czasu. (...) Kościół (...) nie pokłada (...) swoich nadziei w przywilejach ofiarowanych przez władzę państwową; co więcej, wyrzeknie się korzystania z pewnych praw legalnie nabytych, skoro się okaże, że korzystanie z nich podważa szczerość jego świadectwa albo że nowe warunki życia domagają się innego układu stosunków. Kościół winien mieć jednak zawsze i wszędzie prawdziwą swobodę w głoszeniu wiary, w uczeniu swojej nauki społecznej, w spełnianiu nieskrępowanie wśród ludzi swego obowiązku, a także w wydawaniu oceny moralnej nawet w kwestiach dotyczących spraw politycznych, kiedy domagają się tego podstawowe prawa osoby lub zbawienie dusz (...)"[1].

W *Deklaracji o wolności religijnej (Dignitatis humanae)* czytamy: „Z racji godności swojej wszyscy ludzie, ponieważ są osobami, czyli istotami wyposażonymi w rozum i wolną wolę, a tym samym w osobistą odpowiedzialność, nagleni są własną swą naturą, a także obowiązani moralnie do szukania prawdy, przede wszystkim w dziedzinie religii. Obowiązani są też trwać przy poznanej prawdzie i całe swoje życie układać według wymagań prawdy. Tego zaś zobowiązania nie zdołają ludzie wypełnić w sposób zgodny z własną swą naturą, jeżeli nie mogą korzystać zarówno z wolności psychologicznej, jak i wolności od zewnętrznego przymusu. A więc prawo do wolności religijnej ma fundament nie w subiektywnym nastawieniu osoby, ale w samej jej naturze. Dlatego prawo do owej wolności przysługuje trwale również tym, którzy nie wypełniają obowiązku szukania prawdy i trwania przy niej; korzystanie zaś z tego prawa nie może napotykać przeszkód, jeśli tylko zachowywany jest sprawiedliwy ład publiczny"[2]. W tejże deklaracji „wolność"

[1] *Gaudium et spes*, rozdz. 74 i 76, cytuję za: *Dokumenty nauki społecznej Kościoła*.
[2] *Dignitatis humanae*, 2, cytuję za: *Dokumenty...*

definiowana jest jako „zabezpieczenie od przymusu". Pomiędzy rozpaczą Bossueta, która ciągnie się trwałą linią poprzez dzieje Kościoła, a nadzieją obecną w dokumentach Vaticanum II rozpościera się przestrzeń debaty o relacjach pomiędzy Kościołem a porządkiem demokratycznym.

VI

Czasem sądzę, że Kościół katolicki w Polsce przebył drogę odwrotną do Kościoła katolickiego w Hiszpanii. Kościół hiszpański ewoluował od oficjalnej religii państwowej w epoce frankizmu do aprobaty porządku demokratycznego. Polski Kościół natomiast po skutecznej walce o wolność, którą wspierał swym autorytetem, przeszedł - zdominowany przez retorykę integrystów - do języka krucjaty antyliberalnej i upartego kwestionowania reguł porządku demokratycznego. Wbrew filozofii Soboru Watykańskiego II, wedle której Kościół „nie utożsamia się ze wspólnotą polityczną ani nie wiąże się z żadnym systemem politycznym", integryści wytworzyli wrażenie, że Kościół polski stał się stroną w konflikcie politycznym, udzielając wyrazistego wsparcia formacjom klerykalnym, szowinistycznym, antyliberalnym. Ze znaku nadziei, który promieniował szacunkiem, tolerancją i miłosierdziem, Kościół stał się dla znacznej części opinii publicznej znakiem oblężonej twierdzy, której obrońcy wszędzie wyszukują wrogów i ciskają na nich gromy.

Wielu ludzi Kościoła polskiego ma swój ogromny wkład w zwycięstwo demokracji w Polsce, ale potem jakby stracili dla niej serce. Pisał Jan Paweł II: „Po upadku w wielu krajach ideologii, które wiązały politykę z totalitarną wizją świata - przede wszystkim marksizmu - pojawia się dzisiaj nie mniej poważna groźba zanegowania podstawowych praw osoby ludzkiej i ponownego wchłonięcia przez politykę nawet potrzeb religijnych zakorzenionych w sercu każdej ludzkiej istoty: jest to groźba sprzymierzenia się demokracji z relatywizmem etycznym, który pozbawia życie społeczności cywilnej trwałego moralnego punktu odniesienia, odbierając mu, w sposób radykalny, zdolność rozpoznawania prawdy. Jeśli bowiem »nie istnieje żadna ostateczna prawda będąca przewodnikiem dla działalności politycznej i nadająca jej kierunek, łatwo o instrumentalizację idei i przekonań dla celów, jakie stawia sobie władza. Historia uczy, że demokracja bez wartości łatwo się przemienia w jawny lub zakamuflowany totalitaryzm«"[1].

---
[1] *Veritatis splendor*, 101. Papież cytuje tu własną encyklikę *Centesimus annus*, 46.

Refleksja Jana Pawła II wywołała różne - sprzeczne - interpretacje. Na tę różnorodność recepcji składały się: nostalgia za „starymi, dobrymi czasami", lęk przed „nieszczęsnym darem wolności" u ludzi nawykłych do życia w świecie dyktatury, krytyczny namysł nad procesem „samozatrucia społeczeństwa otwartego".

VII

Nie po raz pierwszy Kościół odpowiadał na wielkie wstrząsy historyczne odmową uznania faktów dokonanych. Roger Aubert, katolicki historyk Kościoła, przypomina reakcję Piusa IX na zjednoczenie Włoch, które wiodło do likwidacji państwa kościelnego: „Realistom usiłującym przekonać go, że wcześniej czy później niezbędne jest rozpoczęcie negocjacji, przeciwstawiał mistyczną ufność pokładaną w Opatrzności, opartą na przekonaniu, iż wstrząsy polityczne, w jakie został wplątany, są jedynie epizodem w wielkiej wojnie między Bogiem a szatanem, która oczywiście może się zakończyć tylko zwycięstwem Boga. Konflikt między liberalnymi Włochami a dążeniem do utrzymania władzy doczesnej papieży przerodził się w jego przekonaniu w wojnę religijną, w której opór wobec tego, co coraz chętniej nazywał »rewolucją« nie był już tylko sprawą równowagi sił dyplomatycznych lub politycznych, lecz sprawą modlitwy i ufności pokładanej w Bogu. (...) Zachęcony wąską, sekciarską postawą ludzi odpowiedzialnych za kierunek polityki włoskiej - starzejący się papież w coraz większym stopniu dołącza do swych żądań duchowej wolności dla Stolicy Świętej radykalną krytykę zasad liberalizmu. W ten sposób okazuje się niezdolny do rozróżnienia pomiędzy tym, co w zawiłych aspiracjach jego czasów miało wartość pozytywną, a tym, co było niestosownym ustępstwem na rzecz przemijającej mody lub też stanowiło niekiedy mniej lub bardziej świadomy kompromis z ideologiami mającymi niewiele wspólnego z duchem chrześcijańskim". Dopiero Leon XIII „nie tylko (...) zachęcał katolików do pragmatycznego korzystania z konstytucyjnych wolności dla dobra sprawy, lecz dokonał wielkiego wysiłku w dziedzinie teorii w celu włączenia instytucji liberalnych w katolicką koncepcję państwa i społeczeństwa. Oczywiście nie mogło to nie spowodować kryzysów sumienia u ludzi, którzy na skutek często rzucanych anatem Piusa IX na nowoczesne społeczeństwo nabrali przekonania, iż wiara nakłada na nich obowiązek jak najpełniejszego powrotu do form minionych. Kryzys ów był tak ostry, że w niektórych klasztorach modlono się o to, by Bóg jak najrychlej uwolnił Kościół od tego »papieża-masona«". Belgijski biskup Aloïs Simon komentował tę ewolucję: „Leon XIII nie był bardziej przenikliwy niż Pius IX. To fakty stały się bardziej oczywiste"[1]. Czemu w Polsce fakty stały się mniej oczywiste?

VIII

Mówiąc najprościej: przez ostatnie 20 lat komunistycznej dyktatury środowiska opozycji demokratycznej oczekiwały od Kościoła raczej świadectwa niż dyplomacji, raczej stanowczego głosu w kwestiach polityki niż milczenia. Co więcej: zniewolone społeczeństwo widziało w Kościele naturalnego reprezentanta swych podstawowych nadziei i aspiracji. Czemu odmówiło biskupom tego prawa po 1989 roku?

Z drugiej strony myśl wolnościowa zakorzeniona w tradycji liberalnej bądź lewicowej była dla Kościoła naturalnym sprzymierzeńcem w walce z komunistyczną opresją. Pomiędzy Kościołem a liberalną inteligencją toczył się owocny dialog nasycony życzliwością i dobrą wolą współpracy.

Kres komunizmu okazał się kresem tego dialogu. Co więcej: w Kościele górę wzięła tendencja integrystyczna, jawnie antyliberalna, sięgająca po język wojny religijnej. W kręgach dawnej opozycji liberalnej i lewicowej pojawił się - niespotykany wcześniej - radykalny antyklerykalizm. Kościół przyjął postawę nieufności wobec demokracji; demokracja przyjęła postawę głębokiej nieufności wobec Kościoła.

IX

Przenikliwy opowiadacz polskich losów, ks. Józef Tischner, powiadał, że totalitarny komunizm chciał zastąpić religię - był jej parodią w dążeniu do ustanawiania prawd absolutnych. Tischner dostrzegał w totalitaryzmie „istotną próbę wiary". Komunizm oczyszczał wiarę, nadając jej rys heroiczny. Zaś kres komunizmu? Przypominał Tischner: „Patrząc w zamierzchłą przeszłość, odkrywamy napięcie między dwoma dążeniami: jedno można nazwać próbą »upolitycznienia« chrześcijaństwa, drugie próbą »chrystianizacji« polityki. Upolitycznienie chrześcijaństwa oznacza dopuszczenie przemocy do dzieła ewangelizacji, oznacza pierwszeństwo interesu politycznego przed troską duszpasterską, a w konsekwencji dążenie do państwa wyznaniowe-

---

[1] *Historia Kościoła, t. 5, 1848 do czasów współczesnych*, Warszawa 1985, s. 32-35.

go, czy to w postaci »świętego cesarstwa«, czy raczej - obecnie - jakiejś »uświęconej demokracji«. Chrystianizacja polityki oznacza dążenie do ograniczenia samowoli państwa, wykluczenie przemocy z dzieła ewangelizacji, wyniesienie rozumu duszpasterskiego ponad rozum polityczny, ale bez przekreślania autonomii sfery politycznej. Napięcie między obydwoma dążeniami jest niemal tak stare jak dzieje chrześcijaństwa". Upolitycznienie chrześcijaństwa prowadzi do religii politycznej. „Religia polityczna rodzi się wtedy, gdy przeciwnik polityczny zostaje określony za pomocą treści religijnych. Religia polityczna, która stąd się wyłania, ma podobny charakter, co wzmiankowane »religie totalitaryzmu«. Totalitaryzm proponuje własną ideę absolutu, natomiast religia polityczna w początkowej fazie powstawania wyzyskuje panującą w religii ideę Boga do celów politycznych. »Wyzysk« ów nie byłby jednak możliwy bez zafałszowania idei Boga, choć »zafałszowanie« nie musi być tak wyraźne jak w przypadku totalitaryzmu.

Religia polityczna zmienia znaczenie wiary. Wiara, która stała się narzędziem polityki, traci swój ściśle religijny wymiar. Ale i polityka musi poddać się przemianie. Mówi się, że polityka jest troską około dobra wspólnego, do którego mają doprowadzić rządy prawa. W religii politycznej nie chodzi o rządy prawa, lecz o władzę władcy. »Wyzysk« religii ma na celu rządy absolutne. Władza świecka splata się z władzą religijną. Polityka identyfikuje się z dążeniem do zbawienia. Przeciwnik króla staje się tym, kto zawarł pakt z demonem. Czy można z kimś takim rozmawiać? Czy można z nim współpracować? Nawet pokazanie się w miejscu publicznym jest godne potępienia"[1].

Skąd się to bierze? Jeśli pozostawić na boku koniunkturalizm i cynicznie robiony użytek z religii, to korzeni szukać trzeba w kształcie polskiej religijności. Pisze Tischner: „Kluczem jest sprawa świadectwa. Cnota świadectwa! Trzeba dać świadectwo! Wyszliśmy z komunizmu jako świadkowie wiary. Jako świadkowie wiary braliśmy kiedyś tłumny udział w nabożeństwach milenijnych. Jako świadkowie szaleliśmy w dniu wyboru polskiego Papieża. Jako świadkowie witaliśmy Jana Pawła II w Ojczyźnie. Jako świadkowie ryzykowaliśmy życie w czasie strajków, budowaliśmy kościoły,uczyli dzieci katechizmu, uczęszczali na nabożeństwa za Ojczyznę. Byliśmy jednym wielkim świadectwem. Ale świadcząc, świadczyliśmy zawsze przeciwko komuś. Z takiego świadczenia wyrastał nasz polski Kościół.

---

[1] *Nieszczęsny dar wolności*, Kraków 1996, s. 175-177.

Dziś sytuacja jest inna. Samo świadectwo nie wystarczy, lecz do świadectwa musi się dołączyć »coś jeszcze«. Nie wystarczy odnajdywać się w nurcie milenijnej historii narodu, lecz trzeba jeszcze umieć spojrzeć na tę historię w sposób krytyczny. Nie wystarczy witać Jana Pawła II, ale trzeba jeszcze znać i rozumieć Jego myśl. Nie wystarczy ryzykować strajkami, ale trzeba jeszcze umieć rozwikłać łamigłówki polskiego kryzysu pracy i polskiej reformy. Nie wystarczy katechizować, ale trzeba jeszcze pokazać, że w katechizmie kryje się dobra, a nie zła nowina. (...) Ale w ogóle najbardziej zasadnicze jest coś innego: trzeba umieć być bardziej »dla kogoś« niż »przeciw komuś«. A »być dla kogoś« to znaczy także: umieć przekonać - »trafić do przekonania«.

Nie można powiedzieć, że religia polityczna nie jest religią świadectwa. Jest to jednak takie świadectwo, które włącza w swe świadczenie wielką jak apokalipsa obrazę na świat. Świadectwo obrażonych. Obrazili się i... świadczą. I cierpią. I jest im źle. Nawet bardzo źle. I ja to rozumiem. I dlatego mówię: nie tędy nasza droga"[1].

X

Którędy zaś wiedzie droga? Na to pytanie udzielił klasycznej już odpowiedzi Ernst-Wolfgang Böckenförde, znany niemiecki filozof nowożytnej demokracji. Pisał: „W przypadku Kościołów działanie zmierzające do dobra wspólnego polega na tym, że nie działają one podobnie do grup społecznych posiadających konkretne interesy polityczne, ale stosownie do swej misji - którą jest głoszenie chrześcijańskiej nowiny - występują w roli partnera całości państwowego porządku. Na gruncie zagwarantowanej wolności religijnej, która istnieje w demokracji wolnościowej, mają one ku temu możliwość i sposobność. Byłoby natomiast sprzeczne z dobrem wspólnym, gdyby Kościoły czyniły ze swoich wiernych straż przednią dla przeforsowania kościelno-kulturowo-politycznych priorytetów i interesów i gdyby próbowały tego dokonać dzięki wpływowi urzędu pasterskiego Kościoła na decyzje wyborcze. Przeciwko takiemu postępowaniu przemawiają dwie racje: po pierwsze, w ten sposób polityczne działanie wiernych jako obywateli zostaje zredukowane do jednego lub tylko kilku aspektów dobra wspólnego, mających zastąpić jego całość; po drugie, Kościół staje się wówczas niewiarygodny, ponieważ w procesie demokratyczno-politycznym (...) nie może wykorzystywać demokracji dopóty, dopóki ma większość, gdy zaś jej nie posiada, powoływać się na

---

[1] *ibid.*, s. 184-185.

swoją wyjątkową pozycję, której nie może dotyczyć reguła większości. Wkład Kościoła w budowanie dobra wspólnego polega natomiast na stanowczym głoszeniu przesłania wiary (...). Ponieważ jest to także przesłanie dla człowieka i o człowieku, o jego powołaniu i jego prawie, jest to więc zarazem napomnienie i zachęta dla wiernych do uświadomienia sobie odpowiedzialności obywatelskiej za osiągnięcie *bonum commune*, jak też apel i krytyka pod adresem tych, którzy są w państwie i społeczeństwie oficjalnie za to odpowiedzialni. To właśnie jest zasada niepolitycznie-politycznego działania: orędzie to, w punkcie wyjścia niepolityczne, kierujące się tylko wolą głoszenia przesłania chrześcijańskiego, jest w skutkach w istocie polityczne, ponieważ swą treścią powoduje polityczne skutki"[1].

Inaczej mówiąc: nie ma nic dziwnego w tym, że biskupi katoliccy nazywają po imieniu zło aborcji i jasno precyzują, jakie zachowania ludzkie zasługują na aprobatę, a jakie na krytyczny osąd. Jednak czynią to drogą kształtowania sumień, a nie poprzez uczestnictwo w walce politycznej, gdyż wtedy degradują autorytet polityki, autorytet swój własny, wreszcie autorytet religii.

XI

Diagnoza Böckenfördego, bliska konkluzjom Józefa Tischnera, nakazuje rozważyć sytuacje, w których ludzie Kościoła obierali odmienne rozwiązania. Ks. Tischner bada dwa przypadki: postawę biskupów katolickich wobec narodowego socjalizmu i schizmę arcybiskupa Lefèbvre'a. W obu tych przypadkach dostrzega porażkę antyliberalnego integryzmu.

Niemiecki katolicyzm - wbrew pozorom - nie był fenomenem radykalnie odmiennym od katolicyzmu w innych krajach. Niemiecki katolik uważał, że jego państwo albo będzie katolickie, albo katolik będzie czuł się w nim obco. O tę obcość obwiniał ducha laickiego liberalizmu. Państwo, w którym żył - pisał Böckenförde - nie było jego domem; także społeczeństwo przesycone wartościami liberalnymi postrzegał jako zagrożenie. Wybrał wewnętrzną emigrację i tworzył państwo w państwie, społeczeństwo w społeczeństwie. W jego państwie i w jego społeczeństwie obowiązywać miały normy katolickie i prawno-naturalne. Demokracja była o tyle przydatna, że pozwalała tworzyć takie państwo w państwie, ale była też śmiertelnym zagrożeniem, gdyż zakładała równość obywateli.

---

[1] *Wolność – państwo – Kościół*, Kraków 1994, s. 261-262.

Demokracja nie rozstrzyga - pisze Tischner - „który z obywateli»ma«, a który»nie ma« prawdy, lecz przyznaje każdemu określone pole wolności. Ale takie pojęcie»obywatela« i taki pomost do spraw państwa był dla katolików nie do przyjęcia. Ich racje były racjami moralnymi. Nie można na tym samym poziomie stawiać»posiadaczy prawdy« i»posiadaczy fałszu«. Jeśli jednak nie zgadzamy się na pojęcie obywatela, to co pozostaje? Pozostaje pojęcie»poddanego« - poddanego cesarza, króla, katolickiego rządu. Dziwnym zbiegiem okoliczności narodowy socjalizm miał poglądy podobne"[1].

Tak więc: konsekwentne odrzucenie „bezbożnego liberalizmu" i „demokracji bez wartości" doprowadziło niemieckich katolików do - na szczęście krótkotrwałej - aprobaty hitlerowskiego reżimu.

Innym wariantem tej samej postawy była schizma arcybiskupa Marcela Lefèbvre'a. Arcybiskup Lefèbvre oskarżał Sobór Watykański II o detronizację Chrystusa-Króla, o aprobatę dla „zgubnych idei liberalnych" obecną w Deklaracji o wolności religijnej. Pisał: „Tym, co najgorsze, są następstwa wolności religijnej Vaticanum II - zniszczenie publicznych praw Kościoła, śmierć władzy społecznej Pana naszego Jezusa Chrystusa, a w końcu obojętność religijna jednostek. Kościół mógłby jeszcze korzystać de facto ze specjalnego uznania ze strony państwa, ale nie ma naturalnego i przyrodzonego prawa do tego uznania i to nawet w kraju o katolickiej większości. Tak oto dochodzi do swego kresu zasada państwa katolickiego, które było szczęściem narodów pozostających jeszcze katolickimi. Najbardziej jasną realizacją Soboru było zniesienie państw katolickich, ich laicyzacja oparta na zasadach Vaticanum II dokonana na żądanie Watykanu. Wszystkie katolickie narody (Hiszpania, Kolumbia itd.) zostały - w wyniku aplikacji Soboru - zdradzone przez samą Stolicę Świętą! Przy okazji reformy konkordatu włoskiego Jan Paweł II i kardynał Casaroli wychwalali rozdział Kościoła od państwa, widząc w tym»idealny reżym«. (...) Niektórzy mówią jednak, że Leon XIII prosił francuskich katolików, by»przyłączyli się« do reżymu republikańskiego (co, nawiasem mówiąc, doprowadziło do katastrofy religijnej i politycznej). Inni krytykują to posunięcie Leona XIII, określając je, jak i jego autora, liberalnym. Nie sądzę, by Leon XIII był liberałem, a tym bardziej demokratą. Nie, on miał tylko nadzieję, że w ten sposób przyczyni się do powstania dobrego układu politycznego, korzystnego dla Francji. Jasne jest jednak, że zapomniał o początkach i o konstytucji republiki francuskiej, nieuleczalnie liberalnej, masońskiej i o antykościelnej demokracji francuskiej. (...) Lubię powtarzać przy każdej okazji,

---

[1] Wstęp do książki Böckenfördego Wolność – państwo..., s. 10.

stając w obliczu tego demokratyzmu, który poprzez kolegialność przenika dziś w głąb Kościoła, że prawda nie jest ustanawiana przez większość; a czy można zbudować coś trwałego poza prawdą i poza prawdziwą sprawiedliwością wobec Boga?"¹.

Komentując te myśli, pisał Tischner: „Zapytajmy: kto jest integrystą? Integrystą jest ten, kto - myśląc o wierze - nie jest w stanie wyzwolić się od modelu władzy i poddania; integrystą jest ten, kto nie jest zdolny do dialogu; integrystą jest ten, kto sakralizuje państwo i upaństwawia religię; integrystą jest ten, kto nie widzi etycznego wymiaru religii; integrystą jest ten, dla kogo godność człowieka opiera się na wyznawanej przez człowieka»prawdzie«. I co jeszcze? Najlepiej poznać integrystę po jego wrogach: powiedz mi, kto jest twoim wrogiem, a ja ci powiem, kim jesteś. Integrystą jest ten, kto od krytyki liberalizmu przechodzi natychmiast do ataku na wolność. Dla integrysty nie ma większego skandalu niż wolny człowiek - ten, kto ma władzę nad każdą władzą i kto rozbija obręcze zniewolonego lękiem myślenia. Tak więc różnice nie dają się zatrzeć: dla jednego wiara jest wyrazem potrzeby poddania, dla drugiego wyrazem pragnienia wolności. Inna wiara, inna wolność, inny człowiek"².

XII

Stosunek do innego człowieka zdaje się kryterium zasadniczym. Kim winien być dla Kościoła ten inny, inaczej myślący, inaczej postępujący? Grzesznikiem godnym nawrócenia? Wrogiem godnym ukarania? Partnerem dialogu godnym szacunku? Nieusuwalnym składnikiem postawy integrystycznej jest świadomość własnej bezgrzeszności. Integrysta poznał już prawdę. Jeśli czymś grzeszy, to tylko niedostatkiem gorliwości w upowszechnianiu Prawdy.

Część polskiego Kościoła - jak i duża część polskiego społeczeństwa - wyszła z komunizmu w 1989 roku w poczuciu własnej bezgrzeszności wyznawanej przez posiadaczy prawdy. Ta bezgrzeszność miała dwie twarze: twarz absolutysty moralnego szukającego absolutnej sprawiedliwości i twarz buntownika, który obalił komunizm, a teraz oczekiwał na udział we władzy. Obie te twarze miały wszakże swoisty rys człowieka poprzedniej epoki: epoki sowieckiego komunizmu.

---

¹ Marcel Lefèbvre *Oni pozbawili Go korony*, cyt. za: Józef Tischner *W krainie schorowanej wyobraźni*, Kraków 1997, s. 182-183.
² *W krainie...*, s. 188.

W epoce sowieckiej partia komunistyczna obiecywała swym członkom udział w prawdzie absolutnej i w drodze do sprawiedliwości absolutnej: komunizm miał być tego zwieńczeniem. Komunizm był z jednej strony ucieleśnieniem dobra absolutnego; świata ludzi wolnych, równych, sprawiedliwych, zorganizowanego do wojny ze światem zła absolutnego, wyzysku, zniewolenia, rażących nierówności. Z drugiej zaś strony komunizm ogłosił się odkrywcą sekretu konieczności historycznych i nieomylnym przepowiadaczem przyszłości. Bezklasowy raj komunistyczny był zatem nie tylko rajem wymarzonym, ale i rajem nieuchronnym. Przeciw komunizmowi, który stwarzał iluzję pracy mądrze zorganizowanej, udziału we władzy i poczucia godności, mógł protestować tylko głupiec i podlec. Dlatego sowiecki komunizm nie był po prostu - choć był również - policyjną dyktaturą. Ten system zdobywał poparcie ludzi, ofiarowując im iluzje. „Zawdzięczając je komunizmowi, *Homo sovieticus* uzależniał się od komunizmu; co jednak nie znaczy, by w pewnym momencie nie przyczynił się do jego obalenia. Gdy komunizm przestał zaspokajać jego nadzieje i potrzeby, *Homo sovieticus* wziął udział w buncie". Zaś teraz: „Jest on jak niewolnik, który po wyzwoleniu z jednej niewoli czym prędzej szuka sobie drugiej". Bowiem buntując się przeciw komunizmowi, wielu przyjęło logikę manichejską. Jeśli komunizm ogłaszał się absolutnym dobrem, to jego adwersarz ogłaszał komunizm absolutnym złem. Diabolizując komunizm, angelizował samego siebie. Jeśli komunizm głosił, że „cała władza w ręce ludu", to zbuntowany lud chciał teraz - wezwany zresztą przez Lecha Wałęsę i „Solidarność" - „wziąć sprawy we własne ręce". Powracał wyniesiony z retoryki komunistów stereotyp: „ten, kto pochodzi z »ludu«, znaczy więcej niż inni i jest przeznaczony do odegrania szczególnej roli w historii". I jeszcze drugi stereotyp: cierpienie ucisku i wyzysku gwarantuje bezgrzeszność („nie ma już grzechu, są tylko głodni").

W ten sposób powstawał nowy konflikt buntownika z młodym demokratycznym państwem. Bowiem - przypomina Tischner - „cierpienie nie uniewinnia. Zdarza się, że człowiek sam ponosi winę za swe cierpienia. I dlatego trzeba wyraźnie powiedzieć: nawet bardzo cierpiącym nie wszystko wolno. Cierpiący też ponoszą odpowiedzialność i mogą być poddawani krytyce. W końcu nie można ich traktować jak dzieci. Dla niektórych wygląda to jak poniżenie godności, naprawdę jednak oznacza to jej przywrócenie".

Tej logiki jednak zraniony moralista, gorliwy katolik, skrzywdzony działacz „Solidarności" nie może zaakceptować. Co zrobi? - pyta Tischner. I odpowiada: „Wybierze na zasadzie odwetu. W imię doznanej krzywdy, przeżytego poniżenia, utraty miejsca w świecie polityki i zagrożenia utratą pracy powie:

nie! Aktem swym zaneguje dobro wspólne. *Homo sovieticus* nie zna różnicy między swym własnym interesem a dobrem wspólnym. I dlatego może podpalić katedrę, byle sobie przy tym ogniu usmażyć jajecznicę"[1]. I tak właśnie wybiera, wskazuje kolejnych wrogów, wyklinając ich, lżąc i zohydzając.

XIII

Czy możliwy jest katolicki fundamentalizm? Czy też „katolicki fundamentalizm" jest strachem na wróble wymyślonym przez wrogów Kościoła? Wygląda na to, że w Polsce powstaje jakiś rodzaj katolickiego fundamentalizmu, który stosuje strategię charakterystyczną dla wszystkich fundamentalizmów religijnych. Integryzm próbuje budować społeczeństwo w społeczeństwie: osobne katolickie szkoły, stowarzyszenia dziennikarskie i biznesowe, stacje radiowe i telewizyjne, partie polityczne. Czyniąc tak, korzysta z wszelkich udogodnień ładu demokratycznego, łącznie z przywilejami finansowymi. Zarazem wszakże ogłasza, że ten ład demokratyczny jest „bez wartości", przeto próbuje mu swój system wartości narzucić. Oznacza to, że całe - pluralistyczne przecież - społeczeństwo ma żyć wedle norm katolickiego fundamentalizmu. Przecież katolicki fundamentalizm jest dysponentem prawdy objawionej o wartościach, kto więc stawia mu opór, godzi w samego Chrystusa, prześladuje Kościół, dyskryminuje wiernych, spycha w przepaść ojczyznę.

Ze szczególną jadowitością - wedle wzorów Bossueta - katolicki fundamentalizm tropi zarazę liberalną w Kościele. W skrajnej postaci brzmi to jak u arcybiskupa Lefèbvre'a: „Kiedyś związek między Kościołem a Państwem katolickim miał na celu Państwo katolickie, doskonałe urzeczywistnienie Królestwa społecznego Pana naszego Jezusa Chrystusa. Dzisiaj Kościół Vaticanum II, ożeniony z Państwem ateistycznym, rodzi z tego nieprawego związku społeczeństwo pluralistyczne, Babel religii, Państwo indyferentyzmu, przedmiot wszystkich pragnień masonerii"[2]. Ten wątek powraca nieuchronnie: katolicki fundamentalizm wszędzie wietrzy spisek „obcych": masonów, czyli „katolewicy". To oni rozkładają Kościół od wewnątrz, sieją zamęt, relatywizują prawdę. Katolicki fundamentalizm nie jest zdolny do dialogu, ponieważ rzetelny dialog oznacza gotowość do zakwestionowania własnych założeń. A jakże kwestionować prawdę objawioną, której jest się nosicielem?

---

[1] Józef Tischner *Etyka solidarności oraz Homo sovieticus*, Kraków 1992, s. 125-129.
[2] Lefèbvre, *op. cit.*, cyt. za: Tischner *W krainie...*, s. 201.

Jednak katolicki fundamentalizm nie jest po prostu aberracją rozumu zarażonego fanatyzmem, dzieckiem bezradności intelektualnej wobec złożoności świata. Katolicki fundamentalizm jest także znakiem sprzeciwu wobec procesu samozatrucia społeczeństwa otwartego; samozatrucia przez relatywizm. Relatywizacja prawd oczywistych - banalne to stwierdzenie - prowadzi do nowych odkryć, ale prowadzi też do nowych zbrodni: jeśli nic nie jest oczywiste, także siła prawdy, to oczywista staje się tylko prawda siły.

Nic nie wskazuje na to, by europejska demokracja znalazła łatwe rozstrzygnięcie tego dylematu.

Zważmy bowiem: demokracja dopuszcza relatywizację wszystkich absolutów; absolutyzuje tylko demokratyczną procedurę rozstrzygania sporów ideowych i poszukiwania kompromisów wśród skonfliktowanych interesów.

Z drugiej wszakże strony relatywizm etyczny dzisiejszej demokracji nie jest wymysłem religijnych fundamentalistów. Bystrzy obserwatorzy współczesnej cywilizacji amerykańskiej, Daniel Bell i Zbigniew Brzeziński, czynią spostrzeżenia bliskie niepokoju Jana Pawła II.

Odnotowując symptomy kryzysu duchowego Ameryki, Daniel Bell pisze: „Czym jest moralność? Czy powinny istnieć prawne ograniczenia? Czy wszystko ma być dozwolone - obscenia, pornografia, kazirodztwo? W rozprawie *O wolności* John Stuart Mill powiadał, że istnieje skłonność do »rozszerzania niekwestionowanej, uzasadnionej wolności jednostki«. I tej »polityce moralnej« należy się przeciwstawić za wszelką cenę. Wielkie historyczne religie Zachodu mają wspólny pogląd na naturę ludzką: gdzie nie ma ograniczeń, gdzie tylko doświadczenie jest miernikiem tego, co dozwolone, skłonność do eksploracji wszystkiego, poszukiwania wszelkich wrażeń, nawet jeśli usankcjonowane jest ze względów estetycznych, prowadzi do rozpusty, degradacji innych, do zbrodni. Nauka, jaką wszystkie religie z tego wyciągnęły, powiada, iż społeczność, która nie wie, co to wstyd, traci poczucie wszelkich norm moralnych.

A co jest wstydliwe? Ścisłego podziału dokonać oczywiście niepodobna. (...) Daje się jednak zdefiniować inna różnica, mianowicie między tym, co prywatne i publiczne, a obszary te dają się od siebie zdecydowanie odgraniczyć. Istnieć może zakaz publicznego propagowania pornografii, obsceniów i tego wszystkiego, co degraduje ludzką osobowość, ale co robią ludzie w swoich czterech ścianach, to ich sprawa.

Do czego zatem dochodzimy? Do publicznej cnoty i prywatnych grzechów. Inaczej mówiąc, do ofiary, jaką hipokryzja składa na ołtarzu podwójnej natury człowieka. (...)

Społeczno-filozoficzną konsekwencją tych (...) argumentów jest odrzucenie burżuazyjnego hedonizmu z jego utylitarnym naciskiem na ekonomiczny zbytek, a zarazem utrzymanie liberalizmu politycznego z jego troską o wolność osobistą i indywidualne różnice między ludźmi"[1].

Natomiast Zbigniew Brzeziński wyraził otwarcie niepokój wobec procesu „stopniowego rozpadu regulującej funkcji kryteriów moralnych". Oznacza to „erozję wartości moralnych w połączeniu z dowartościowaniem dóbr materialnych", które zastępuje filozofia przyzwolenia na wszystko: „Permisywizm rogu obfitości stanowi niemal biegunowe przeciwieństwo myślenia totalitarnego. Społeczeństwo, zdolne do niemal magicznego zaspokojenia oczekiwań jednostki, nie potrzebuje przymusu. Może być permisywne - w istocie musi być permisywne - ponieważ w systemie rogu obfitości zaspokajane są wszystkie potrzeby, wszystkie są więc równoprawne. Nie jest potrzebny ani przymus, ani poświęcenie. Lecz społeczeństwo, w którym normą stało się pełne zaspokojenie jednostki, traci też wszelkie kryteria ocen moralnych. Każdy czuje się uprawniony do brania tego, na co ma ochotę, czy zasługuje na to, czy nie. Osąd moralny staje się zbędny. Znika potrzeba rozróżniania »dobra« od »zła«. Zamiast tego ważniejsze staje się rozróżnienie tego, co »prawnie dozwolone«, i tego, co »prawnie zakazane« wedle kryterium pragmatycznych wymogów organizacji społecznej. Procedura prawna, zwłaszcza sądownictwo, zastępuje moralność i jej podstawowy wyznacznik - religię. W roli wyznacznika postępowania występuje już nie wewnętrzne kryterium wiary, ale system prawny, który określa zewnętrzne granice tego, co dozwolone - ale nie tego, co moralne. (...) Coraz bardziej permisywna kultura, oparta na zasadzie rozdziału Kościoła od państwa, odsuwa na bok czynnik religijny, ale bynajmniej nie zastępuje go żadnym świeckim »imperatywem kategorycznym«, co nieuchronnie prowadzi do spustoszeń moralnych.

Pustka moralna stanowi zasadniczą treść pojęcia pustki duchowej - pustki, która w obrębie tego, co określa się mianem cywilizacji Zachodu, staje się coraz bardziej pociągająca. Wydaje się uderzającym paradoksem, że teza, iż »Bóg umarł«, wystąpiła wcale nie w krajach marksistowskich, które z przyczyn politycznych propagowały ateizm, ale w zachodnich społeczeństwach liberalnej demokracji, których kultura wywołała apatię moralną. Faktem jest, że religia przestała być na Zachodzie liczącą się siłą społeczną. (...)

Dla zrozumienia tego fenomenu zasadnicze znaczenie mają dwie sprawy: rozumienie wolności i wzorzec dobrego życia. Pierwszy z tych czynników

---

[1] Daniel Bell *Kulturowe sprzeczności kapitalizmu*, Warszawa 1994, s. 313-314.

odnosi się do sfery postaw obywatelskich, a drugi do samej istoty osoby ludz-kiej. W społeczeństwie, którego kultura skupia się na maksymalizacji jednost-kowego zadowolenia i minimalizacji ograniczeń moralnych, swobody oby-watelskie zazwyczaj traktowane są jako zasady pierwsze. Innymi słowy, swo-body obywatelskie oddzielają się od zasad odpowiedzialności obywatelskiej"[1].

Dylemat wyboru pomiędzy pokusą autorytarnych rozwiązań a logiką wolności bez granic będzie najpewniej towarzyszyć trwale cywilizacji de-mokratycznej. Z tym większym namysłem warto przemyśleć przestrogi Ja-na Pawła II, który pisał, że istnieje „coraz silniejsza pokusa eutanazji, czyli zawładnięcia śmiercią poprzez spowodowanie jej przed czasem i »łagod-ne« zakończenie życia własnego lub cudzego. W rzeczywistości to, co mo-głoby wydawać się logiczne i humanitarne, przy głębszej analizie okazuje się absurdalne i nieludzkie". „Stajemy tu - pisze Jan Paweł II - w obliczu jed-nego z najbardziej niepokojących objawów »kultury śmierci«, szerzącej się zwłaszcza w społeczeństwach dobrobytu, charakteryzujących się mental-nością nastawioną na wydajność, według której obecność coraz liczniej-szych ludzi starych i niesprawnych wydaje się zbyt kosztowna i uciążliwa. Ludzie ci bardzo często są izolowani przez rodziny i społeczeństwo kieru-jące się prawie wyłącznie kryteriami wydajności produkcyjnej, wedle któ-rych życie nieodwracalnie upośledzone nie ma już żadnej wartości"[2].

Wszelako tym schorzeniom współczesnej cywilizacji nie da się zapobiec poprzez zmiany w kodeksie karnym. Leszek Kołakowski pisał: „Nie znam (...) argumentów dobrych na rzecz mniemania, iż najlepszy sposób na utrwa-lanie moralności chrześcijańskiej polega na tym, by było coraz więcej szpie-gów i donosicieli, coraz więcej policji, coraz więcej więzień. Jeśli Kościół nie potrafi przez nauczanie swoje i wpływ duchowy, bez przemocy, ogra-niczać grzechów (mowa o tych grzechach, które wcale nie muszą być karal-ne pod grozą rozpadu społeczeństwa, chaosu i prawa dżungli), jeśli więc posłanie jego jest mało skuteczne albo nie tak, jakby chciał, skuteczne, to raczej sam siebie winić powinien, niż żądać świeckiego ramienia"[3].

[1] Zbigniew Brzeziński, *Bezład. Polityka światowa na progu XXI wieku*, Warszawa (po październiku 1993), s. 64-67.
[2] *Evangelium vitae*, 64.
[3] *Krótka rozprawa...*

XIV

Posłuchajmy głosu katolickiego fundamentalisty: „Można wyjść z totalitarnego przekleństwa i nie porzucając chorej mentalności, a nawet nie próbując wobec niej żadnej terapii, porzucić wszystko, dzięki czemu wolność odzyskano i na czym winna być budowana, i wejść w nowe przekleństwo nowego totalitaryzmu - rodzonego brata tego pierwszego. Liberalizm, absolutna wolność, moralny luz, krzykliwy jazgot chorych na duchu, cynizm, nihilizm i obrzucanie błotem tych, którzy odważyli się na sprzeciw wobec totalitarnej władzy, zło nazywając po imieniu, broniąc tożsamości narodu i wprowadzając go w obszary wolności - oto jedyna propozycja uznawana za dojrzałą filozofię" - pisze ks. Marek Kaczmarek[1]. Inny fundamentalista, Jan Maria Jackowski, powiada: „Tolerancja - jest to klasyczne pustosłowie. Tradycyjne zasady moralne wynikające z Dekalogu są jasne i proste: wiadomo, że nie należy zabijać, kraść, cudzołożyć, kłamać. Jeżeli wpoi się je kilkunastoletniemu dziecku, to będzie ono wiedziało, czy postępuje zgodnie z nakazami, czy nie. Demoliberalizm doprowadził tolerancję do akceptacji i pobłażliwości wobec wszystkiego, nawet zła i wypaczenia. Dziś już nikt nie potrafi określić, co znaczy »być tolerancyjnym«. Bo czy matka zgładzająca własne nienarodzone dziecko jest »nietolerancyjna« wobec niego, czy jest zwykłą dzieciobójczynią?

Skąd bierze się ofensywa rzeczników tolerancji? Bo ideolodzy demoliberalizmu chcą zniszczyć tradycyjne pojęcia i religię, a zastąpić je pseudoetyką tolerancji na tyle wieloznaczną i mętną, że owi samozwańczy demiurgowie mogą ją interpretować na swoją korzyść. (...) Współczesne kraje demoliberalne mają tendencję do przekształcania się w teokracje humanizmu laickiego, dla niepoznaki nazywane demokratycznymi państwami prawa. Obowiązuje stawianie prawa ponad etyką. Ustawowo narusza się zasadę nietykalności osoby ludzkiej, gwałci prawo do jej autonomii oraz podporządkowuje się prawu państwowemu ludzkie sumienia, dekretuje się każdą dziedzinę życia. Wypieranie z życia Dekalogu powoduje, że mocą ustawy potrzeba dziś określać prawa i obowiązki zwierząt domowych"[2].

Cóż na to odpowiedzieć? Odpowiadamy najprościej: niechęć do tolerancji nie jest niczym nowym. Gorliwość religijna przeobrażona w fanatyzm ideologiczny zawsze widziała w idei i praktyce państwa tolerancyjnego źródło anarchii i chaosu duchowego. Tolerancja - w tym ujęciu - była rezultatem dwóch

[1] Artykuł z tygodnika „Niedziela", cyt. za: Tischner *W krainie...*,, s. 219-220.
[2] *Bitwa o Polskę*, Warszawa 1993, s. 109-110.

zjawisk: realizmu i pragmatyzmu politycznego obywateli Rzeczypospolitej wielu narodów i wyznań oraz ich płycizny w sprawach wiary i obojętności religijnej. „Ofiarom - odpierał ten zarzut profesor Janusz Tazbir - prześladowań wyznaniowych we Włoszech, Francji czy Niderlandach świadomość tego, że ich przeciwnicy rozpalili stosy, powodowani chwalebną gorliwością religijną, niewiele jednak łagodziła męczarnie towarzyszące nieraz parogodzinnej śmierci w płomieniach".

„Doświadczenia historyczne wszystkich epok uczą - pisał Tazbir - że istotne są jedynie konsekwencje pewnych kroków politycznych, ustępstw czy kompromisów. Natomiast świadomość, że nie były one dobrowolne, lecz podyktowane sytuacją geopolityczną kraju czy przemożnym naciskiem strony przeciwnej, w niczym nie psuje smaku owoców politycznych, religijnych czy kulturalnych wolności, jakie w wyniku tych właśnie ustępstw uzyskano"[1]. Tak więc, bardziej czy mniej udolnie, sięgamy po tradycje Rzeczypospolitej - „państwa bez stosów", gdzie żyli ze sobą zgodnie, choć może bez wzajemnej miłości, wyznawcy wielu religii. Kryzys państwa tolerancyjnego nastąpił w chwili, gdy w Kościele katolickim zatriumfował duch agresywnej rekonkwisty; gdy zaczęto ograniczać prawa obywatelskie niekatolików. W wyniku klęski państwa tolerancyjnego uformował się „katolicyzm czasów saskich", religia, którą przekształcano w ideologię dominacji i megalomanii sarmackiej. Wydaje się, że do dziś ścierają się w Polsce dwie różne idee, dwa różne wyobrażenia kształtu katolicyzmu i jego miejsca w kulturze narodowej.

Jedni powiadają: katolickie państwo narodu polskiego; powiadają, że jedyny „prawdziwy Polak" to „Polak-katolik". I mają na poparcie swych idei spójny system tradycyjnych argumentów historycznych: od Bossueta do arcybiskupa Michalika. Drudzy są skromniejsi: powiadają, że dobrem jest „drugi człowiek", a stosunek doń jest kryterium stosunku do dobra. Powiadają: miłuj bliźniego swego, miłuj nieprzyjacioły swoje, prawda cię wyzwoli. Inaczej mówiąc: drudzy sięgają po Kazanie na Górze, by znaleźć drogowskazy moralne dla swych uczynków. I kluczem ich wiary, miłości i nadziei jest przebaczenie.

Jedni mają poczucie, że Opatrzność powierzyła im misję ścigania i karania grzeszników. Inni szukają grzechu w sobie.

Są to dwa odmienne sposoby przeprowadzania rachunku sumienia. Po epoce dyktatury każdy naród ma potrzebę takiego rachunku sumienia. I każdy naród ma z tym problem. Co więcej, każdy człowiek - Niemiec, Włoch,

---

[1] *Szlaki kultury polskiej*, Warszawa 1986, s. 168.

Polak, Rosjanin, Hiszpan, Chilijczyk - ma z tym własny, szczególny, osobisty problem. I każdy inaczej sobie ze swoim problemem radzi.

Najłatwiej stać się Wymierzającym Sprawiedliwość: prokuratorem, sędzią czy katem w wielkim procesie przeciw dyktaturze i jej ludziom. Ten sposób ma swój urok: jest refleksją nad cudzą winą - nigdy nad własną. Jest głośnym zawołaniem: odpowiedzialni są Inni; skoro sam jestem tropicielem winnych, to ja sam jestem czysty. Co więcej, Naród jest czysty; padł ofiarą obcej przemocy albo garstki zdrajców, których właśnie ścigamy i sądzimy.

Tylko któż może rzetelnie uwierzyć we własną bezgrzeszność? Każda dyktatura ma swoich „bezgrzesznych i sprawiedliwych", emigrantów zewnętrznych i wewnętrznych, więźniów politycznych, działaczy opozycyjnego podziemia. Tacy ludzie zawsze rozbudzają jednocześnie podziw i niechęć: są podziwiani, gdyż artykułują powszechną tęsknotę za wolnością i prawdą; są irytujący, gdyż posiadają najbardziej deficytowy z towarów epoki dyktatury - odwagę. To wzbudza zawiść, gdyż każe innym czuć się gorszymi. Odwaga pozwala im żyć w moralnym komforcie, ale wzmaga codzienny dyskomfort moralny u ludzi odwagi pozbawionych.

Zresztą świat ludzi opozycji, „bezgrzesznych i sprawiedliwych", stwarza swoje własne dylematy moralne. Także i ten świat nie jest wolny od intrygi i zawiści, od korupcji i zakłamania, od fanatyzmu i nietolerancji. Ludzie podziemia czy ludzie wygnania bywali wspaniali i heroiczni, ale bywali też małostkowi i zaślepieni - jak bohaterowie *Biesów* Dostojewskiego. Koniec dyktatury to dobry moment także dla nich, by dokonali rachunku sumienia. Nie jest to wszakże możliwe, gdy człowiek opozycji demokratycznej staje się tropicielem i sędzią wczorajszych wrogów.

A przecież ci „bezgrzeszni i sprawiedliwi" stanowili tylko niewielką mniejszość. Ogromną większość stanowili ci, którzy w epoce dyktatury... po prostu żyli. Nie byli ludźmi władzy i nie byli ludźmi opozycji. Ale to ich postawa zdecydowała, że przez dziesięciolecia dyktatura czuła się bezpiecznie. I to ich postawa zdecydowała w kluczowym momencie o upadku dyktatury. Ci ludzie nie byli winni żadnych zbrodni, ale to dzięki ich konformistycznej bierności i codziennemu racjonalizowaniu własnego oportunizmu dyktatura uzyskiwała faktyczne przyzwolenie dla swoich zbrodni. Dla tej kategorii ludzi nie ma nic prostszego, jak zastąpić rachunek sumienia udziałem w polowaniu na ludzi dawnego reżimu. Wreszcie ludzie dawnego reżimu - ich odpowiedzialność jest najbardziej oczywista. Jednak osądzając ich, należy unikać opinii uproszczonych i zasady odpowiedzialności zbiorowej. Nade wszystko jednak należy pamiętać, że diabolizacja wroga jest prostą drogą do angelizacji samego siebie.

Kościół katolicki był - bez wątpienia - istotnym czynnikiem oporu przeciw komunizmowi, ale bynajmniej nie w całości i nie bez wewnętrznych sporów. W obrębie duchowieństwa byli kapłani odważni i konsekwentnie opozycyjni, ale byli też oportuniści. Dzisiaj z każdej ambony słychać słowa piętnujące komunistyczne rządy; w epoce dyktatury bynajmniej nie było to regułą. Ale ten dzisiejszy rytualny antykomunizm przestał być znakiem prawdy i odwagi - stał się symbolem zakłamanego konformizmu. Liczni katoliccy kapłani nie odczuwają potrzeby rachunku sumienia; dzisiaj diabolizują postkomunistów i „liberałów", by angelizować samych siebie, uwierzyli we własną bezgrzeszność. Dlatego bez wewnętrznego wstydu ciskają w bliźniego kamieniem lub - co najmniej - szukają źdźbła w cudzym oku. Dlatego chętniej sięgają po język krucjaty niż po słowa miłosierdzia, przebaczenia i pojednania.

Co to znaczy: przebaczać? Znaczy to świadomie rezygnować z należnej nam sprawiedliwości w imię miłosierdzia; znaczy to świadomie szukać pojednania z wczorajszym wrogiem, jeśli ten wróg do pojednania jest skłonny; szukać pojednania, nie wyrzekając się własnej tożsamości i nie żądając takiego wyrzeczenia od tego, z kim chcę się pojednać. To jest trudne. To jest trudniejsze, niż być prokuratorem, sędzią, katem bliźniego swego. Łatwiej wierzyć, że jest się głosem sprawiedliwości dziejowej, niż czuć się zobowiązanym do gestu miłosierdzia. Bowiem wybrać miłosierdzie to tyle, co zrezygnować z czegoś, co się nam sprawiedliwie należy; zrezygnować nie wtedy, gdy jest to aktem tchórzostwa i konformizmu, ale wtedy, gdy jest to aktem wielkodusznej wdzięczności wobec widzialnego świata. Joseph Conrad mówił o „wymierzaniu sprawiedliwości widzialnemu światu"; my chcemy temu światu wymierzyć wielkoduszne miłosierdzie.

Wszelako przebaczenie może być tylko aktem decyzji indywidualnej - nie można przebaczać w cudzym imieniu, zwłaszcza w imieniu tych, „których zdradzono o świcie" (Zbigniew Herbert).

Przebaczenie, o którym mowa, nie jest odstępstwem od prawdy. Przebaczać prawdziwie i rzetelnie można tylko wtedy, gdy dochowuje się prawdzie wierności; tej prawdzie, którą posiadłem w swoim sumieniu. Ale jednocześnie trzeba zawsze pamiętać - i to jest punkt trwałego sporu z fundamentalistą - że nie jest się posiadaczem prawdy absolutnej. Nie oznacza to relatywizmu aksjologicznego - oznacza to zwykłą ludzką skromność. Oznacza to mianowicie, że wierna obrona własnej prawdy nie może prowadzić do poniżenia i unicestwienia mego antagonisty, który o zasadności moich racji nie jest przekonany. W świecie ładu demokratycznego i swobodnej publicznej

debaty wierność prawdzie nie może być przyzwoleniem dla nienawiści. Formacje polityczne posługujące się „chrześcijańskim" szyldem chętnie sięgają po język ekskomuniki ze wspólnoty narodowej i anatemy wobec odstępców od polityczno-religijnego konformizmu. Pisze Józef Tischner: „Jeśli
zaś idzie o tzw.»chrześcijańskie« ugrupowania polityczne, to (...) widzę
w nich polską odmianę głęboko antydemokratycznego lefebryzmu. Nie milczę o tym, a nie milczę dlatego, aby mi ktoś kiedyś nie zarzucił tego, co zarzuca się Heideggerowi - że jako filozof milczał, patrząc, jak na jego oczach
obumierała wolność"[1].

Wydaje się, że w tym sporze Jan Paweł II zajmuje pozycję odrębną. W jego nauczaniu znajdą argumenty dla siebie zarówno obrońcy „katolickiego
państwa narodu polskiego", jak i obrońcy „prawdy wybaczającej".

Bowiem ci ostatni wiedzą, że nie ma nic bardziej zgubnego niż przekonanie o własnej bezgrzeszności i czystości własnego sumienia. To jest najprost-
sza droga do fanatyzmu. Natomiast tolerancja rzadko jest dzieckiem wielko-
duszności; zwykle jej źródłem jest zwykła ludzka słabość. Jeśli nie potrafię
uczynić swych racji, o których prawdziwości jestem przekonany, normą dla
drugich, wtedy muszę nauczyć się z tymi drugimi współistnieć w jednym,
wspólnym, demokratycznym państwie. Jesteśmy różni i dlatego musimy nauczyć się żyć, tolerując się wzajemnie. Oznacza to, że państwo tolerancyjne
i demokratyczne jest rezultatem finalnym wojny - gorącej bądź zimnej - w której nikt nie jest dostatecznie silny, by odnieść integralne zwycięstwo.

Od tego, czy po religijnej, zimnej bądź gorącej, wojnie domowej zdołamy
zawrzeć pokój, zależy przyszłość ładu demokratycznego.

Lipiec 1997

---

[1] *Małe prawdy, duże kłamstwo*, „Tygodnik Powszechny" nr 21/1997.

Posłowie

Ks. Józef TISCHNER

Po co Pan Bóg stworzył Michnika?

Język polski nie zna takiej obelgi, jakiej by nie rzucono w twarz Michnikowi, ale też nie zna takiej pochwały, jaką by go nie ozdobiono. Michnika gani się lub chwali, czy oznacza to, że się Michnika rozumie? Jedno z drugim nie zawsze idzie w parze. Nie chcę stawać tu do wyścigów ani po stronie potwarców, ani po stronie pochlebców, chciałbym - na ile to możliwe - zrozumieć. Mówi się, że zrozumieć to znaczy usprawiedliwić. Nie wiem, ale może to i prawda... Jeśli tak jest, jeśli zrozumienie ma być rzeczywiście usprawiedliwieniem, to pójdźmy „na całego" i spróbujmy usprawiedliwić gruntownie. A skoro mamy usprawiedliwiać gruntownie, musimy zapytać eschatologicznie: po co Pan Bóg stworzył Michnika? Jasne, że musiał mieć jakiś cel. Jakby nie było celu, toby nie było Michnika. A Michnik jest. Zdaniem niektórych nawet za bardzo! Więc po co?

Moralność i polityka

Adam Michnik jest z wykształcenia historykiem, z wykonywanego zawodu dziennikarzem, a z powołania tym, kto wiecznie wojuje o „moralność w polityce". Najbardziej rzuca się w oczy „wojowanie". Nie toczy się ono bowiem w niebie abstrakcji, lecz w żywiole konkretu. Gdyby toczyło się w abstrakcji, nie burzyłoby niczyjego spokoju, lecz wzbudzało lub nie wzbudzało uznania specjalistów. Michnik wchodzi między ludzi, wtrąca się w konkretne sytuacje społeczne, gdy zwalcza jakieś idee, to nie oszczędza ludzi, którzy je noszą. Idea bez imienia mało go obchodzi. Podobnie zresztą jak imię bez idei. Takie „wojowanie o moralność" wyzywa, prowokuje i irytuje. Jednym sprawia przyjemność, a innym ból. Włącza bowiem do rozgrywki całą gamę uczuć, jakie człowiek kieruje do innego człowieka - uczuć, których na ogół nie adresuje do idei. Słyszy się niekiedy, że „Michnik daje do myślenia". O wiele częściej jednak mówi się, że „Michnik daje popalić". A skoro on „daje popalić", to i jemu „trzeba dać popalić". Stąd zapewne wynika, że najczęstszym sposobem polemiki z Michnikiem jest „przypiekanie Michnika". Za co się „przypieka" Michnika, czy za poglądy, czy za to, że jest? Michnikowa koncepcja etyki politycznej nie jest żadnym systemem i nigdy systemem nie będzie. Ona tworzy się w duszy wrażliwej na wartości - duszy, która nurza się w historii. Michnik historyk przygląda się wydarzeniom, zwłaszcza tym, które są mu najbliższe, a więc wydarzeniom w naszej części Europy, odkrywa, że są jedyne, niepowtarzalne, zaskakujące prognostów i proroków. Mimo to pragnie wyczytać z nich jakiś mniej lub bardziej uniwersalny sens, aby w ten sposób poddać je osądowi sumienia. Każde wydarzenie jest jak kropla rosy, w której odbija się słońce. Jest wiele kropel, ale jedno słońce. Myślenie historyka, który jest wrażliwy na wartości, tym się charakteryzuje, że przechodzi od wydarzeń do ich sensu. Zazwyczaj moraliści obierają odwrotną drogę: widzą idealny sens, a potem przechodzą do oceny faktów. U Michnika wartości są uwikłane w faktach, jak słońce w kropli rosy, a fakty wiążą się z ludźmi, jak nić z nicią na rozpiętej pajęczynie. Dlatego jego ocenie muszą wcześniej czy później podlegać ludzie.

Jakie wartości wchodzą tutaj w grę?

Najpierw trzeba rzec: Michnik jest „organicznym" wrogiem totalitaryzmu. Oznacza to, że Michnik zajmuje się władzą. Interesuje go jednak nie tyle władza w ogóle, ile władza w jej patologicznej odmianie - władza totalitarna. Ponieważ władza totalitarna dość wcześnie zajęła się Michnikiem, Michnik zajął się władzą totalitarną - komunizmem, faszyzmem i ich europejskim, a zwłaszcza polskim, pokłosiem. Z krytyką totalitaryzmu idą w parze przyjaźnie: Michnik jest „organicznym" przyjacielem demokracji i demokratów. Być wrogiem i być przyjacielem to nie znaczy być wolnym od pokus. Michnik, jak sam wyznaje, zna dobrze pokusy władzy - zwłaszcza tej, która usprawiedliwia przemoc. Zwalczając taką pokusę w sobie, Michnik tym bardziej utożsamia się z ideałami demokracji. To jednak nie znaczy, by w sprawie tych ideałów był całkiem bezkrytyczny. Chętnie powtarza znaną opinię: „demokracja to żaden ideał, ale jak dotąd niczego lepszego nie wymyślono".

Oczywiście, patrzenie na świat poprzez pryzmat idei władzy jest jednostronne. Idzie się na spacer i nie widzi się już kwiatów na łące, ale ma się sprawę z gospodarką rolną, ustrojem gminnym i państwowym, nawozami sztucznymi oraz stronnictwami ludowymi, liberalnymi, a na dodatek jeszcze z Kościołem, albowiem jakaś część kwiatów ma trafić na ołtarz. A gdzie estetyka łąki? A gdzie tajemnica „wiecznie pulsującego życia"? A gdzie cała „metafizyka piękna"?

Czy Michnik mógłby zająć się kiedyś „światem jako takim" bez pytania o władzę? Teoretycznie tak, ale w praktyce nie widzę takiej możliwości. Grozi mu więc niebezpieczeństwo: jak lekarz, który specjalizował się w tyfusie, potrzebuje do życia chorych na tyfus, tak Michnik potrzebuje do życia patologicznego skrzywienia władzy. Czy oznacza to, że swą krytyką władzy totalitarnej przedłuży życie tej władzy? Czy będzie, jak ten słynny partyzant, który 20 lat po wojnie wciąż jeszcze „wysadzał i wysadzał te pociągi"? Chcę tutaj „zrozumieć Michnika". Ale samo to zadanie już „pachnie totalitaryzmem". Czy „zrozumieć" to nie znaczy „odnieść część do całości", zamknąć „w całości", przyporządkować do „systemu" i „mieć go" w systemie, jak w klatce? Nie zdziwiłbym się, gdyby czytający te słowa Michnik poczuł nagle ochotę ucieczki z systemu i sięgając do wypróbowanych metod, posłał mnie do grabienia siana; w końcu z siana mają pożytek krowy, a kto może mieć pożytek z tego, że stworzy sobie złudzenie zrozumienia? Aby uniknąć „obozu pracy", wyznam prawdę: w gruncie rzeczy Michnik jest niezrozumiały. Cholera wie, kim jest Michnik. Michnik to jądro metafizyki. Ani jego byt nie określa jego świadomości, ani jego świadomość nie określa jego bytu. Taki jest „grunt rzeczy".

Powtarzam: „w gruncie rzeczy jest niezrozumiały", bo nie „w gruncie rzeczy", to może jednak jest... Ale aby uchwycić to „nie w gruncie", trzeba spojrzeć na „zjawisko - Michnik" od strony jego przeciwników. Nic lepiej nie ukazuje sensu obecności Michnika w naszym świecie, jak ataki i krytyki kierowane pod jego adresem. Sami nieprzyjaciele Michnika wynoszą Michnika na postument, a potem mają pretensje, że nie może z niego zleźć.

Spory wokół Michnika

Najpierw przypomnijmy początek „zjawiska" - lata, w których wydawało się, że końcem komunizmu może być jedynie trzecia wojna światowa, a jedyną formą opozycji jest „praca w podziemiu". Czym dla takiej „podziemnej opozycji" był wtedy Adam Michnik i kilku innych podobnych do niego? Wraz z Michnikiem - choć niewyłącznie z nim - zaczyna się (przynajmniej w Polsce) „opozycja otwarta". Dochodzi do zerwania z koncepcją „opozycji podziemnej". Koncepcja opozycji jako „pracy w podziemiu" - koncepcja „etosu ludzi podziemnych" - była spadkiem po niemieckiej okupacji; tak walczono kiedyś z okupantem niemieckim, tak usiłowano również zwalczać komunizm - jednak do czasu. Nagle podziemie wychodzi z kryjówek. Dzieje się to gdzieś w okolicach roku 1968 - słynnych „wydarzeń marcowych".

Pamiętam szok wywołany gestem jawności. Sam należę raczej do pokolenia „tych z podziemia", wyćwiczonych w „chodzeniu w przebraniu" i „udawaniu", że się jest kimś innym, niż się naprawdę jest. Ludzie pokroju Michnika nie „konspirują". Co myślą, to mówią. Otwarcie krytykują system. Tak zaczyna się czas *nowej etyki* w naszym polskim, a może nawet całym środkowoeuropejskim życiu politycznym. Nie wiem, czy Michnik i jemu podobni zdawali sobie wtedy sprawę z tego, że swym wystąpieniem atakowali nie tylko system komunistyczny, ale również w jakiejś mierze „etos ludzi podziemnych". Myślę, że odkryli to dopiero wtedy, gdy skądś, nie wiadomo skąd, doszły ich głosy, że są przewrotną „prowokacją" partii skierowaną przeciwko „zdrowej części narodu", który „ryje pod ziemią".

Za taką zmianę etosu trzeba było zapłacić nieoczekiwaną cenę; nie ubyło Michnikowi wrogów, lecz przybyło. Gdy kiedyś Włochy wypowiedziały wojnę Austrii, wojak Szwejk powiedział: „im więcej wrogów, tym więcej honoru". Szansę Michnika na „więcej honoru" gwałtownie wzrosły.

Michnik i jemu podobni stają się podejrzanymi, i to od dwóch stron. Najpierw - co w końcu normalne - komuniści podejrzewają ich o udział w „spisku imperialistyczno-syjonistycznym". Następnie sami „ludzie podziemia" - ściślej: „podziemna część" każdej niemal polskiej duszy - widzi w nich pułapkę zastawioną na siebie. Władza „tylko czeka" na tych, którzy „się wychylą". Los chce, że zarówno Adam Michnik, jak wielu innych zbuntowanych pochodzi z rodzin komunistycznych, a niektórzy nawet z rodzin wysoko postawionych dygnitarzy. Czegóż może chcieć Michnik i jemu podobni? - pyta „dusza podziemna". Tylko jednego: komunizmu, jeszcze „lepszego", jeszcze bardziej „skutecznego" komunizmu. Mówi się prosto, nawet za prosto, ale jakże sugestywnie: „gdy tacy, jak Michnik, dojdą do władzy, dopiero chwycą za mordę!".

Sam w jakimś stopniu ulegam takiej opinii. Jeszcze w 1979 roku, pisząc w *Polskim kształcie dialogu* na temat omawianej niżej pracy Michnika i zasadniczo chwaląc dzieło, staram się „przygwoździć" Michnika pytaniem: „A jaki jest stosunek Szanownego Autora do socjalizmu? „. Pytanie niby niewinne, ale podchwytliwe. Bo co Michnik ma odpowiedzieć? W chwili, gdy zadawałem pytanie, żaden rozsądny opozycjonista nie mówił, że jest wrogiem socjalizmu, lecz co najwyżej, że jest wrogiem „nieludzkiej twarzy" socjalizmu. Zapytany nie mógł powiedzieć: „Jestem przeciw". A skoro nie powiedział, to podejrzliwa „dusza podziemna" mogła zawyrokować: „Michnik? Taki sam towarzysz jak cała reszta".

Kościół - lewica - dialog

W skomplikowanej sytuacji znajduje się Kościół. W okolicach marca 1968 roku kardynał Stefan Wyszyński, katoliccy posłowie grupy „Znak" i wielu innych bronią tych, którzy wyszli z podziemia i protestują jawnie. Adam Michnik odpłaci im za to pięknymi fragmentami w książce pt. *Kościół - lewica - dialog* (rok 1977). Książka wymaga dziś szczególnej uwagi. Czy dziś - po latach - znaczenie jej wzrosło, czy zmalało? Myślę, że nie zmalało. Michnik patrzy na polski katolicyzm ze szczególnego punktu widzenia - takiego, z jakiego wówczas prawie nikt u nas nie patrzył. Pytanie podstawowe brzmi: jak to jest z tym komunizmem i Kościołem? Czy Kościół spiera się z komunizmem tak, jak jeden totalitaryzm spiera się z drugim, aby „posiąść" całego człowieka, czy tak, jak wyzwolony przez Boga człowiek spiera się z tyranem, który chce na powrót człowieka zniewolić? Michnik podejmuje problem Kościoła w przekonaniu, że w gruncie rzeczy ma do czynienia z *inną* odmianą totalitaryzmu. Utwierdza go w tym przekonaniu historia, zwłaszcza historia polskiego nacjonalizmu w okresie między wojnami. W tej skądinąd smętnej historii powstaje jednak wyłom: posłowie grupy „Znak", publicystyka „Więzi" i „Tygodnika Powszechnego", Jerzy Turowicz i Tadeusz Mazowiecki, listy pasterskie kardynała Stefana Wyszyńskiego i - jeśli tak można - „jego" Episkopatu, a przede wszystkim Sobór Watykański II z jego *Deklaracją o wolności religijnej* oraz jego *Gaudium et spes*. Wyłom sprawia, że Michnik różnicuje. Wynikiem różnicowania stanie się spór z własnym obozem i jego przesądami. Wylewacie brudną kąpiel? Uważajcie, co wylewacie, bo w tej kąpieli jest dziecko!

Przedmowę do książki pisze Stefan Kisielewski. Czytamy w niej: „Michnik nie oszczędza tego środowiska, z którego, jak pisze, sam wyrósł, i zdecydowanie odrzuca »polityczny ateizm« oraz »antykościelny obskurantyzm lewicy«. Pozycję wyjściową do ataku daje mu znakomite oczytanie w przedwojennych i powojennych wypowiedziach Kościoła oraz poszczególnych teologów (encyklika *Mit brennender Sorge),* ilustruje też swą polemikę ważkimi cytatami z listów pasterskich Episkopatu Polski zarówno w okresie stalinowskim, jak i w czasach późniejszych - enuncjacje te na pewno mało były znane ówczesnym zawodowym krytykom Kościoła. Jakże na przykład rewelacyjnie i wręcz proroczo wypada dziś *Orędzie biskupów polskich do biskupów niemieckich* z roku 1965 i jak niefortunnie wyglądają obecnie jego ówcześni »opluskwiacze«! Przy okazji czyni Michnik małą samokrytykę

- przyznanie się do błędu i zmiany poglądów, bardzo to ujmujące. Nareszcie człowiek, co niczego nie zapomina, przy okazji zaś kronikarz, obiektywnie oświetlający przeszłość. To samo już by wystarczyło, a to dopiero tło, podbudowa dla problematyki głębszej. Ale już i za to będą go bigoci laickości bili, oj, będą bili".

Ale kiedy patrzę na ówczesną książkę Michnika, dostrzegam w niej coś więcej - coś, co jest aktualne szczególnie dziś. Michnik dał nam obraz ówczesnego polskiego katolicyzmu w jego wielorakim odniesieniu do doczesności, a więc do spraw władzy, polityki, państwa. Punkt widzenia etyki politycznej zaowocował w tekście Michnika nie tylko analizami poglądów kardynała Stefana Wyszyńskiego czy grupy „Znak", ale również analizami doktryny „kolaborantów" - „katolickiego ruchu społecznie postępowego PAX", a także doktryny ugrupowania zwanego Ośrodkiem Dokumentacji i Studiów Społecznych (ODISS), któremu patronował Janusz Zabłocki. Janusz Zabłocki był członkiem Koła Parlamentarnego „Znak"; po wydarzeniach marcowych oddalił się od środowiska „Znaku"; założył własne ugrupowanie. O PAX-ie napisano wiele, przypomnijmy, co pisze Michnik o Zabłockim i jego ruchu: „Naszym szczególnym zadaniem - mówił Zabłocki w 1969 roku - jest praca nad tym, aby w miejsce dotychczasowych konfliktów rozszerzała się i utrwalała sfera (...) współdziałania między Kościołem i państwem. Powinniśmy w ten sposób tworzyć warunki dla porozumienia między rządem a Episkopatem oraz w przyszłości między PRL a Stolicą Apostolską. (...) Z drugiej strony jednak Kościół powinien unikać wiązania się z jakimikolwiek siłami politycznymi o charakterze opozycji".

Obydwa ugrupowania - PAX i Zabłocki - „socjalizowały", na ile tylko było trzeba. Rozumiem to w tym sensie, że przejmowały z doktryny „realnego socjalizmu" całą niemal antyliberalną retorykę i mniej lub bardziej jawną pogardę dla demokracji. Pozwalało im to być „sojusznikiem partii" - „kierowniczej siły narodu". Uzbrojeni w niezawodną teorię, wiedzieli lepiej niż lud, czego ludowi potrzeba, i głębiej niż Episkopat przenikali w „prawdziwe intencje partii". Dlatego mogli być „pośrednikami": mogli „pośredniczyć" w stosunkach Kościoła z państwem i „mas wierzących" z „ideałami socjalizmu". Warto dziś poczytać cytaty z ich tekstów.

Tak się bowiem dziwnie złożyło, że upadek komunizmu wcale nie pociągnął za sobą upadku idei „demokracji sterowanej", nie unicestwił antyliberalnej retoryki ani nie rozbudził zaufania do „ludu". Po upadku komunizmu niejeden zachodził w głowę: skąd w takich czasopismach, jak „Słowo - Dziennik Katolicki" czy „Ład" tyle antydemokratycznej retoryki, skąd taka miłość do „sterowania" demokracją, skąd takie czarnowidztwo w spojrzeniu na polskie przemiany i taka słabość do „neototalitarnych pokus"? Ale kto przeczyta dziś cytaty z tekstów Macieja Wrzeszcza z PAX-u czy Janusza Zabłockiego z ODISS-u, zobaczy: ognisko zgasło, ale dymy są.

Są też u Michnika twarde postulaty pod adresem własnego obozu: „Można mnie zapytać: a cóż ludziom lewicy laickiej zależy na obronie religii i na honorze Kościoła katolickiego? Odpowiem na to: ludziom lewicy laickiej zależy, a przynajmniej winno zależeć, na obronie wartości. Tradycyjnie przywykliśmy sądzić, że religijność i Kościół to synonimy wstecznictwa i tępego Ciemnogrodu. Z tej perspektywy wzrost indyferentyzmu religijnego traktowany był przez nas jako naturalny sojusznik umysłowego i moralnego postępu. Pogląd taki - sam byłem jego wyznawcą - uważam za fałszywy".

Fakt, że Michnik jako historyk unika abstrakcji i trzyma się ziemi, ma jednak również negatywne następstwa. Michnik nie wyjaśnia pojęcia: „lewica laicka". Nie dlatego, że nie chce, ale dlatego, że jako historyk nie może. Pojęcie „lewica laicka" jest każdorazowo wypełniane przez fakty, decyzje, przedsięwzięcia ludzi, którzy odnajdują się jakoś w ideowej perspektywie lewicowości i laickości. Czym jest „lewicowość" w świecie „dzikiego kapitalizmu"? Czym jest w świecie „kapitalizmu państwowego"? Czym jest w „państwie opiekuńczym"? Czym w państwie zdrowo funkcjonującej gospodarki liberalnej? Czym w ustroju totalitarnym? I podobnie z „laickością". Czym jest „laickość" w państwie wyznaniowym? Czym w państwie ateistycznym? Czym w sądzie, w szkole, w urzędzie? Znaczenia obydwu pojęć są relatywne, zależą od czasu i miejsca. Podobnie relatywne są wartości, na które wskazują. Były czasy, gdy chrześcijaństwo dokonywało wielkiej „laicyzacji" pogańskiego świata, walcząc z jego świętościami. Wielka Rewolucja „laicyzowała" świat, walcząc ze świętością chrześcijańską. Były czasy i sytuacje, w których „lewicowość' oznaczała walkę z niesprawiedliwością społeczną. I były sytuacje, w których oznaczała legitymizację niesprawiedliwego systemu. „Laickość" i „lewicowość" raz są powodem do chluby, raz do zawstydzenia. Są też przypadki, w których obydwa pojęcia nic nie znaczą. Wieloznaczność terminów i ambiwalencja ich wartości sprawiły, że spory wokół Michnika i jego koncepcji dialogu były tyleż gorące, co mało twórcze. Zamiast przyczyniać się do rozjaśnienia horyzontu, służyły często budowaniu przepaści i podgrzewaniu niekończących się animozji. Trudno powiedzieć, na ile jest za to odpowiedzialny Michnik - autor, dla którego nie słownik, lecz codzienne użycie decyduje o znaczeniu i wartości słów. Faktem jest jednak, że użyte wówczas przez niego pojęcia służą dziś przede wszystkim jako epitety, które mają nie tyle przekonać, ile „unicestwić" Michnika.

Czym więc stała się książka Michnika dla polskiego katolicyzmu? Czym dla samego Michnika? Dla polskiego katolicyzmu książka stała się - w zasadzie - kamieniem obrazy. Dla Michnika oznaczała jednak pomimo wszystko początek przygody z chrześcijaństwem.

Przygoda z chrześcijaństwem

Michnik jest zafascynowany chrześcijaństwem. Ale nie abstrakcyjnym dogmatem wiary, lecz ludźmi - szczególnie tymi, którzy wcielając wartości chrześcijańskie we własną działalność społeczną, wpływali na jego oczach na dzieje Polski. Są to przede wszystkim: kardynał Stefan Wyszyński, kardynał Karol Wojtyła, ks. Jerzy Popiełuszko. Ludzie ci prowadzą jakąś „politykę". Stają z gołymi rękami wobec przemocy państwa. I co? I wygrywają. Jest jakaś ogromna „siła bezsilnych". Im lepiej wpatrujemy się we wnętrze tej siły, tym bardziej rozumiemy, że właśnie tu tkwi tajemnica chrześcijaństwa. Trzeba tę tajemnicę lepiej zgłębić.

Michnik idzie tym tropem. Z jednej strony spiera się z klerykalizmem, z drugiej coraz głośniej daje wyraz podziwowi dla działania Kościoła w historii. Gdy wielu przy spotkaniu z historią Kościoła traci wiarę, on odnajduje w nim wartość wiary. Michnik krąży wokół Kościoła. Czyta niemal wszystko, co wychodzi z jego wnętrza. Fascynuje się i irytuje. Irytuje go wszystko, co „przyprawia gębę" Kościołowi. Fascynuje tajemnicza moc.

Można sobie wyobrazić reakcje na to zbliżenie. Cokolwiek by się rzekło, opozycja demokratyczna była dzieckiem Oświecenia. Gdy dzieci Oświecenia zaczęły krytykować komunizm, to przede wszystkim za to, że komunizm zdradził ideały Oświecenia. Ale zbliżenie do chrześcijaństwa - a zwłaszcza do Kościoła - oznaczało dla dzieci Oświecenia cofnięcie się w czasy przed Oświeceniem, a więc opowiedzenie się po stronie „państwa wyznaniowego", po stronie „autorytaryzmu", po stronie „specjalnych uprawnień dla Kościoła". Dzieci Oświecenia miały - jak się okazało - poważny kłopot z odróżnieniem wiary religijnej od wiary komunistycznej. Michnik musiał wziąć na siebie ciężar ukazania różnicy i wyjaśnienia, że jego zbliżenie do chrześcijaństwa nie jest zbliżeniem do Ciemnogrodu.

Czy będąc bity za chrześcijaństwo, znalazł zrozumienie u ludzi Kościoła? Jak już wspomniałem, nie znalazł.

Reakcja bronionych okazywała się często jeszcze ostrzejsza niż reakcja krytykowanych. Najpierw zauważmy jedno: katolicka nauka społeczna w Polsce milczała o Michniku. Do dnia dzisiejszego nie mamy pracy, w której poglądy Michnika byłyby wszechstronnie i rzetelnie przedstawione; Bóg nigdy żadnego Michnika nie stworzył, a jeśli stworzył, to nie po to, by ona się nim zajęła. Zamiast tego pojawiły się rozmaite opinie „dobrze poinformowanych", z których można dziś złożyć niemałą „michnikologię". Gdy Michnik został członkiem Komitetu Obrony Robotników, opinia „dobrze poinformowanych" głosiła, że zarówno on, jak inni jemu podobni to po prostu... „trockiści". Gdy minęła moda na „trockistów", pojawili się „masoni"; czy można inaczej tłumaczyć istnienie KOR-u w państwie totalitarnym? W pewnym momencie do „trockistów" i do „masonerii" doszedł epitet „katolewicy", określający grupę katolików (głównie Tadeusza Mazowieckiego i jego zwolenników), którzy tak się przywiązali do swoich prześladowców, że nawet po ich upadku nie mogą bez nich żyć *(vide:* Okrągły Stół). Ale wspólnym mianownikiem wszystkich określeń pozostawał „kryptokomunizm": tak naprawdę to Michnik niczego bardziej nie pragnie jak komunizmu - wyrzuca go drzwiami, by wpuścić oknem.

Oliwy do ognia dolała sprawa przebaczenia. Uwięziony w czasie stanu wojennego Michnik wyznaje, że *trzeba przebaczyć wrogom.* Idea przebaczenia wyrasta z Ewangelii. Michnik raz jeszcze czyta w więzieniu *Pismo Święte.* Czyta dokładnie. Potem przekłada to, co wyczytał, na język polityki. Idea nie żyje już życiem abstrakcji, lecz opada na ziemię i spływa na głowy konkretnych ludzi: generała Jaruzelskiego, generała Kiszczaka i innych autorów stanu wojennego. Wywołuje liczne i potężne „wstrząsy sumień". Reakcją dominującą jest tzw. święte oburzenie. Jak można? To gorszące! A gdzie sprawiedliwość? Czy przebaczenie nie oznacza relatywizmu etycznego? Jeśli będziemy tak postępować, młodzi ludzie zatracą świadomość granicy między dobrem a złem! Wbija się przysłowiowy gwóźdź do trumny Michnika: „Teraz wszystko stało się jasne, czy *swój* może skrzywdzić *swoich?".*

Gdy kilka lat później postkomuniści znów dojdą do władzy, będzie wiadomo: winien jest Michnik i jego „głupie przebaczenia".

Mrowisko i kij

Można wyróżnić trzy reakcje na ideę przebaczenia w polityce. Jedna płynie z kręgów *katolickiego integryzmu,* inna ze środowisk uprawiających coś w rodzaju *poezji politycznej,* jeszcze inna ze *środowisk postkomunistycznych.* Idea przebaczenia nie jest - jak wiadomo - ideą Kościołowi całkowicie obcą. Kościół wzywa do przebaczenia i przebacza. Jeszcze nie tak dawno, w związku z tysiącleciem chrztu Polski, Prymas Wyszyński, a wraz z nim cały Episkopat wezwał do przebaczenia Niemcom; w liście pasterskim wydanym z tej okazji pojawiły się słowa: „przebaczamy i prosimy o przebaczenie". Wydawałoby się zatem, że postawa Adama Michnika znajdzie tam jakie takie uznanie. Nic podobnego! Dlaczego? Prawdę rzekłszy, nie wiadomo. Jesteśmy skazani na domysły. Jedno z możliwych wyjaśnień jest takie: zaszkodził jej sam Michnik. Nie byłoby przecież słuszne, gdyby „trockista", „mason", „kryptokomunista", sztandar „laickiej lewicy" i Bóg wie kto jeszcze, miał pouczać Kościół o naturze chrześcijaństwa. Aby nie stawać ramię w ramię obok Michnika, trzeba było sięgnąć po ideę „sprawiedliwego zadośćuczynienia". Przebaczać? - owszem, ale pod warunkiem wyznania win i publicznej skruchy. Dodajmy na marginesie, że pojęcie „sprawiedliwości" zakorzeniło się głęboko w masowej wyobraźni świata komunistycznego, w końcu także komuniści nie robili nic innego, jak walczyli o sprawiedliwość społeczną. Skoro domagali się sprawiedliwości dla innych, dlaczego nagle mieliśmy ich obdarzać miłosierdziem?

Ale nawoływanie do „wymierzenia sprawiedliwości komunistom" kończyło się na niczym. Na przeszkodzie stanęło nie tylko obowiązujące ustawodawstwo, ale również nieporadność w określeniu jakości winy członków i sympatyków byłej partii komunistycznej. Nie bardzo było wiadomo, czy są zbrodniarzami, czy głupcami. Ewentualni zbrodniarze postarzeli się, a jeśli idzie o głupców, to - jak wiadomo - głupota nie figuruje w rejestrze grzechów. Gdy spadkobiercy byłej partii znów doszli do władzy, pozostało tylko to jedno: czekać, aż sami zbudują sobie reedukacyjne obozy pracy, sami siebie tam zamkną, sami siebie przypilnują i przeegzaminują z liberalizmu, dając tym sposobem świadectwo swego przywiązania do zasad „dziejowej sprawiedliwości".

Ale przy okazji sporu o przebaczenie ujawnił się szczególnie wyraźnie w polskim Kościele klasyczny integryzm. Katolicki integryzm ma wiele treści. Wiąże się częściowo ze sposobem rozumienia słynnej zasady: „poza Kościołem nie ma zbawienia". Gdy teologia uczy, że ktokolwiek osiąga zbawienie, osiąga je dzięki łaskom wysłużonym przez krzyżową śmierć Syna Bożego, to integryzm rozumie tę naukę w tym sensie, że tylko ten na tym świecie może uczynić coś dobrego, kto jest widzialnym członkiem Kościoła katolickiego.

Od „poza Kościołem nie ma zbawienia" przechodzi się do „poza Kościołem nie dzieje się nic dobrego". Zasada pociąga za sobą daleko idące konsekwencje. Integryzm katolicki patrzy z głębokim bólem na „zło tego świata", cierpi z powodu „zła w Kościele", aczkolwiek nie traci przy tym równowagi ducha; tak czy owak „świat musi tonąć w grzechu". Problem zaczyna się dopiero wtedy, gdy się odkrywa, że w świecie jest trochę dobra i że to dobro dzieje się poza widzialnym Kościołem. Dopiero to wytrąca z równowagi. Dopiero to narusza wiarę w Kościół. Rodzą się pytania: jakim prawem? Po co Kościół, skoro ludzie stojący poza Kościołem też mogą być dobrzy? Aby powrócić do stanu równowagi, integrysta musi podjąć heroiczny wysiłek dowiedzenia, że dobro znajdujące się poza Kościołem jest tylko pozorem dobra. Gdzieś u dna musi przecież czaić się demon.

Adam Michnik sam prowokował takie reakcje. Z jednej strony zbliżał się do chrześcijaństwa i do Kościoła, z drugiej strony szczypał, ironizował, krytykował i nie stawał w środku. Czy krążąc po dziedzińcu, miał prawo lepiej widzieć i wiedzieć niż ludzie spod ołtarza? Nie, nie miał. „Cały się w grzechach urodziłeś i nas pouczasz?". Dlatego musiał być nosicielem jakiejś groźnej pokusy, jakiegoś grzechu, jakiegoś zła. Jakiego? Ano tego: grzechem jest być Michnikiem.

Grzech Michnika miał jednak dodatkowe znaczenie: odsłonił problem Kościoła czasów posttotalitarnych - jego stosunek do wolności, a także wylęgłą gdzieś pod posadzkami kościelnych budowli głęboką nieufność do wszystkiego, co poza budowlą wyrosło ponad posadzkę.

Poezja polityczna i komunizm

Drugi konflikt - konflikt z „poezją polityczną" - wydaje się jeszcze głębszy. Jak rozumieć „poezję polityczną"? Jest to przypadek, gdy etyka rozpływa się w estetyce, a moralność staje się wyłącznie „kwestią smaku". Wywodzące się z wiersza Zbigniewa Herberta powiedzenie: „to była tylko kwestia smaku" robi w Polsce wyjątkową karierę. Tak, rzeczywiście, jest coś na rzeczy: cały ten „socjalizm", „komunizm" czy jak go tam nazwać, był po prostu widokowo i słuchowo „niesmaczny". Nie trzeba specjalnie studiować, wystarczy popatrzeć: bezmyślne twarze władz partyjnych, rytualne gesty, puste przemówienia, wciąż jakieś zaklęcia. Czy potrzeba czegoś więcej? Najwyższy czas, aby „to strzepnąć", jak kurz, z czystej twarzy narodu.

Pojęcie „smaku" ma długą historię. Początkowo wiązało się z nim znaczenie moralne, od Kanta nabrało wydźwięku estetycznego. Dziś łączy jedno i drugie, ale w ten sposób, że z samej estetyki czyni moralność. Pisze na ten temat Hans-Georg Gadamer: „Smak jest więc raczej czymś w rodzaju zmysłu. Nie rozporządza on już z góry poznaniem opartym na jakichś podstawach. Jeśli w sprawach smaku wystąpi coś negatywnego, nie potrafi on orzec dlaczego. Doświadcza jednak tego z najwyższą pewnością. Pewność smaku jest więc pewnością wobec tego, co bez smaku. Osobliwe, że na ten negatywny fenomen różnicowania i wyborów dokonywanych przez smak jesteśmy szczególnie uwrażliwieni. Jego pozytywnym odpowiednikiem (...) jest (...) to, co nie gorszy poczucia smaku. (...) Określa go wręcz to, że gorszą go rzeczy pozbawione smaku; unika on ich jak wszystkiego, co grozi zranieniem"[1].

„Dobry smak", przeniesiony w dziedzinę polityki, rządzi jako najwyższy trybunał etyczny. Przeniesienia takie są możliwe zawsze wtedy, gdy ludzie gubią świadomość tego, co specyficznie etyczne. Gdy kłamstwo wyparło prawdomówność, a dobro zostało zamienione na prywatny interes, jedyną wartością, jaka się ostała, wydaje się wartość estetyczna. Stwierdzenie tej wartości nie wymaga żadnych studiów, żmudnych krytyk, ekonomicznych przeliczeń strat i zysków, wystarcza sama „wrażliwość zmysłowości". To ona wydaje wyrok na komunizm. Geniusz zmysłowości jest przeciw! Czy trzeba czegoś więcej? Od tego wyroku nie ma odwołania.

Kto dokonywał przeniesienia „dobrego smaku" w sferę polityczną? Wielu. Wśród nich był także Adam Michnik. Gdy Michnik pisze o „honorze", to czym jest dla niego „honor"? Jest tym, co w życiu „piękne". Także Michnik fascynuje się celnym sformułowaniem Herberta.

W pewnym jednak momencie estetyka zwraca się przeciwko Michnikowi. Michnik, który gada coś o przebaczeniu, o chrześcijaństwie i o Ewangelii, który pokazuje się publicznie z generałem Jaruzelskim, nie bije pięściami generała Kiszczaka - rani „poczucie smaku". Czy trzeba czegoś więcej? Czy to nie daje do myślenia? Czy to nie dowód, że Michnik umownie cierpiał - został aresztowany „na niby", został skazany „na niby", „na niby" odsiadywał wyrok, a tak „naprawdę" to „miał za zadanie" pisać książki, których celem było uwodzenie naiwnych i „rozbijanie szeregów"? Czy trzeba innych dowodów? Nawet zresztą, gdyby ktoś odczuwał taką potrzebę, zaspokoić jej nie będzie można. Nie ma bowiem żadnych innych wartości, które mógłby sądzić trybunał smaku. Wszystkie służą smakowi. Smak jest sumieniem absolutnym. Michnik jest absolutnie winny.

Oczywiście, wyniesienie „dobrego smaku" do rzędu najwyższego trybunału politycznego nie jest specyficznie polskim wynalazkiem. Zjawisko ma starą historię. W Niemczech wiąże się z „romantyzmem politycznym".

[1] *Prawda i metoda*, Kraków 1993, s. 66.

Ważny okazuje się końcowy akord tej szczególnej historii. Estetyka - jak przewrotnie dowodzi Odo Marquard - pozwala na to, by człowiek-artysta stał się na tym świecie „bóstwem najwyższego imperatywu". Jako „bóstwo imperatywu" może oskarżać, ale sam nie może być oskarżony; może rzucać podejrzeniami, ale sam jest poza ich zasięgiem; może posyłać do piekła, ale sam jest poza piekłem. Sumienie estetyczne stało się transcendensem. Ono wszystko potrafi. Nie potrafi tylko jednego: przebaczać. Czy artysta może wybaczyć temu, co widzi jako kicz? Wyrok jest więc ostatecznie taki: Michnik tworzy kicz polityczny. Koniec. Amen.

Pozostaje jednak jeszcze trzecia strona sporu o przebaczenie: sami komuniści. Co oni myślą o polityce przebaczania? Oczywiście są „za". Z tym że nie są ani zbrodniarzami, ani głupcami, lecz nosicielami „tragicznej winy losu". Tak, są winni. Ale są winni winą greckiej tragedii. Tak, zabijali ojców. Tak, żenili się z matkami. Tak, nie pozwalali na pogrzeby bohaterów. Zdarzało się nawet, że powiesili jakąś siostrę. Ale taki był ich los. Los był taki, a oni mieli odwagę brać go na siebie. Za innych. Szli w błoto, by inni mogli okazać się czyści. I co? Ano to, że trzeba im przebaczyć. Byli ofiarami losu. Co? Że przy okazji budowali sobie wille? Jakie znaczenie ma willa dla Edypa, który „musi" zabić swego ojca? Ale co to znaczy „przebaczyć"? W mentalności komunistycznej znaczy: raz jeszcze zaprosić do rządzenia. Tego chyba Michnik nie przewidział: dla komunistów - nawet wtedy, gdy już nie są komunistami - przebaczenie jest zaproszeniem do powtórki. Dajcie im władzę, by mogli poprowadzić naród do świetlanej przyszłości - kapitalizmu „z ludzką twarzą". A gdyby ktoś dziś stanął im na drodze, to oni też potrafią wejść w błoto, by inni mogli zachować „twarz". Ich zdolność do „moralnych poświęceń" nie zna granic.

Jakiż stąd wniosek w sprawie Michnika? Ano ten, że Michnik tym bardziej jest winien.

Konflikt z dziedzictwem Oświecenia

Co sobie myślał Pan Bóg, stwarzając Michnika? Oto właściwe pytanie! Jak dotąd, wydaje się, że chciał uczynić Michnika „ofiarą dziejów". Nasycił jego duszę sprzecznościami, grzechem obciążył samo jego istnienie. Co z takim zrobić? Ukrzyżować! Taką myśl od dawna wyrażają polscy antysemici. Zapomniałem bowiem powiedzieć, że Michnik to także sprawa polskiego antysemityzmu. Czy Michnik jest Żydem? A czy to takie ważne, jak jest naprawdę? Antysemityzm to taki kierunek, który sam decyduje o tym, kto jest, a kto nie jest Żydem. Więc zdecydujmy: Michnik jest Żydem. Ale jakże... Robić z niego męczennika? Dopiero wtedy jego idee staną się „wiecznie żywe"! Więc co? Uznać, że jest nieporozumieniem procesu ewolucji? Albo może, że go w ogóle nie ma? Ale on jest! Zaś tomiści uczą, że wszystko, co jest, dobre jest, o ile jest. A Michnik za bardzo jest. Czyżby z tego należało wnosić, że jest za dobry? Jak wybrnąć z labiryntu?

Widzę to tak: żywiołem Michnika jest władza. Nie, żeby sam Michnik dążył do władzy - co to, to nie. Ale Michnik chce poprawić świat przez poprawienie władzy. Zła władza to władza totalitarna. Dobra władza, to władza liberalna. Poza tym Michnik jest historykiem. Jako historyk „przepuszcza" wydarzenia przez całą osobowość - rozum, uczucie, sumienie. Wnikając we współczesne spory o władzę - te, które toczą się w Polsce, w Czechach, w Rosji, w byłej Jugosławii, a także w pierwszej lepszej Pipidówce - Michnik raz po raz musi zderzyć się nie tylko z politykami, ale również z filozofią, z teologią, z religią. W takich razach historyk nie może być tylko historykiem. Musi stać się kimś więcej i wkraczać na cudze podwórka. Michnik wciąż wkracza na cudze podwórka. Do historii wnosi filozofię, do filozofii wnosi teologię, do teologii socjologię, do polityki moralność. Ktoś mógłby powiedzieć: „ślęczy przy niewłaściwym trupie". Ale zawsze pyta o władzę. Czy myślenie Michnika może wykroczyć poza horyzont władzy? Oto pytanie!

Weźmy pod uwagę chrześcijaństwo. Michnik odkrywa w chrześcijaństwie uznanie i obronę praw człowieka. Odkrywa przebaczenie. Od pewnego czasu w jego refleksjach coraz większego znaczenia nabiera motyw krzyża. Chrześcijaństwo to religia ukrzyżowania. Nie ma tu zmartwychwstania. „Kto mieczem wojuje, od miecza ginie, ale kto odrzuci miecz, ten zginie na krzyżu" - powiedziała Simone Weil. Chrześcijanin to ktoś, kto najpierw broni praw człowieka, potem zostaje uwięziony i skazany, potem przebacza, a potem poddaje się niesprawiedliwemu wyrokowi śmierci. Czyżby Michnik czuł, że przegra swą walkę z władzą? Czyżby podejrzewał, że przegra posądzony o sprzyjanie totalitaryzmowi? I tak napiszą: walczył z królem, bo chciał być królem.

Przejdźmy do moralności. Nietzsche szydził z moralności, bo - wiadomo: „Najłatwiej jest wodzić ludzi za nos moralnością". Michnik chce umoralniać politykę. Aby umoralnić politykę, trzeba odrzucić przemoc. Michnik całą swą naturą odrzuca przemoc. Przede wszystkim przemoc nieprawdy. Ale czy to możliwe? Czy sama demokracja nie jest w jakimś stopniu „przemocą nieprawdy"? Ludzie nie są równi, a ona traktuje ich tak, jakby byli równi. W każdej wyborczej propagandzie obiecuje i jednocześnie wie, że obietnicy nie dotrzyma; straszy i wie, że jej strachy są puste. Demokracja toleruje kompromisy, także kompromisy z diabłem. Czy moralność kompromisu jest jeszcze moralnością, czy już tylko polityką? Od kiedy to ludzie zaczęli wierzyć, iż poprawa świata powinna polegać na poprawie władzy? Chyba od Oświecenia. Jeśli tak, to znaczy, że Michnik jest dzieckiem Oświecenia. Zarazem jednak nie jest już dzieckiem. Jest tym, kto zobaczył, że pewne projekty Oświecenia skończyły się Oświęcimiem i Kołymą. Co w tej sytuacji począć? Michnik cofa się, by wszystko przemyśleć jeszcze raz. Całe Oświecenie jeszcze raz.

Chciałbym czasem powiedzieć Michnikowi tak: Adam, daj spokój władzy! Aby zrozumieć tajemnicę władzy, trzeba wyjść poza horyzont władzy i popatrzeć na władzę tak, jakby była tylko „zjawiskiem władzy". Spójrz, to tylko cień! Prawda jest poza cieniem.

Ale jak przejść od cienia do prawdy? Od cienia władzy do jej prawdy? Nie mam prawa niczego podsuwać. Michnik znajdzie sam. Wierzę Hölderlinowi, który powiedział: „rozumny Bóg nienawidzi niewczesnego rozkwitu".

***

Pewnego razy znaleźliśmy się wraz z Adamem wśród moich bliskich przyjaciół górali. Było dowcipnie, wesoło. Po odejściu Adama rzuciłem pytanie: „Nie wiecie, po co Pan Bóg stworzył Michnika?". Zapadła cisza. Po chwili jeden z obecnych powiedział z uśmiechem, który zdradzał odkrycie: „Coby mądry zmądrzoł, a głupi jesce barzyj zgłupioł".

Nota wydawnicza

Podstawą obecnego wydania książki Adama Michnika *Kościół - lewica - dialog* jest jej drugie wydanie z 1983 roku opublikowane w podziemiu przez Niezależną Oficynę Wydawniczą NOWA w ramach Biblioteki Kwartalnika Politycznego „Krytyka". Było to powtórzone pierwsze wydanie książki (Instytut Literacki, Paryż 1977, Biblioteka „Kultury", tom 277), rozszerzone o trzy teksty: „Z geografii politycznej PRL" (przedtem niepublikowany), „Lekcja godności" (opublikowany po raz pierwszy w numerze 4/1979 wydawanego przez środowisko KSS „KOR" „Biuletynu Informacyjnego") i „Zamiast posłowia" (ukazał się po raz pierwszy pod tytułem „Kościół i lewica po latach" w paryskiej „Kulturze" nr 12/1981).

W wydaniu „Świata Książki", Warszawa 1998 r., dodano teksty: „Kłopot i błazen" (opublikowany poprzednio w „Aneksie" nr 51-52/1988 oraz, z ingerencjami cenzury, w „Znaku" nr 2-3/1989), „Rozmowa z integrystą" (opublikowany w „Gazecie Wyborczej" z 7-8 listopada 1992), „Dlaczego potrzebujemy Kościoła?" („Gazeta" z 31 maja-1 czerwca 1997), „Zło dobrem zwyciężaj" („Gazeta" z 14-15 czerwca 1997) oraz „W pułapce czystego sumienia" (dotychczas niepublikowany). Dodano też posłowie ks. Józefa Tischnera „Po co Pan Bóg stworzył Michnika?". Obecne wydanie opiera się na tamtej edycji.

INDEKS OSÓB